从前现代主义到后现代主义的美国法律思想

American Legal Thought from Premodernism to Postmodernism

《美国法律文库》编委会

编委会主任 江 平

编委会成员（按姓氏笔画排列）

方流芳　邓正来　江　平　朱苏力
吴志攀　何家弘　张志铭　杨志渊
李传敢　贺卫方　梁治平

执 行 编 委

张　越　余　娟

从前现代主义到后现代主义的美国法律思想

American Legal Thought from Premodernism to Postmodernism

《美国法律文库》编委会

编委会主任　江　平
编委会成员　(按姓氏笔画排列)
　　　　　　　方流芳　邓正来　江　平　朱苏力
　　　　　　　吴志攀　何家弘　张志铭　杨志渊
　　　　　　　李传敢　贺卫方　梁治平

执 行 编 委
　　　　　　　张　越　余　娟

美国法律文库

THE AMERICAN LAW LIBRARY

从前现代主义到后现代主义的美国法律思想
一次思想航行

American Legal Thought from
Premodernism to Postmodernism
An Intellectual Voyage

斯蒂芬·M·菲尔德曼 著
Stephen M. Feldman

李国庆 译

中国政法大学出版社

从前现代主义到后现代主义的美国法律思想

American Legal Thought from
Premodernism to Postmodernism
Copyright © 2000 by Oxford University Press, Inc

本书系根据牛津大学出版社 2000 年英文版翻译出版

This translation of American Legal Thought From Premodernism to Postmodernism, originally published in English in 2000, is published by arrangement with Oxford University Press, Inc.

本书的翻译出版由美国驻华大使馆新闻文化处资助
中文版版权属于中国政法大学出版社，2005 年
版权登记号：图字：01-2004-3359

献给我的家人：

劳拉，茉莉和萨缪尔

出 版 说 明

"美国法律文库"系根据中华人民共和国主席江泽民在1997年10月访美期间与美国总统克林顿达成的"中美元首法治计划"（Presidential Rule of Law Initiative），由美国新闻署策划主办、中国政法大学出版社翻译出版的一大型法律图书翻译项目。"文库"所选书目均以能够体现美国法律教育的基本模式以及法学理论研究的最高水平为标准，计划书目约上百种，既包括经典法学教科书，也包括经典法学专著。他山之石，可以攻玉，相信"文库"的出版不仅有助于促进中美文化交流，亦将为建立和完善中国的法治体系提供重要的理论借鉴。

美国法律文库编委会

2001年3月

致　谢

　　就像我在过去的几年里了解到的一样，决定为写作一本书而应当向那些人致谢是一件非常艰巨的工作。当然，我要特别感谢那些对本书的草稿作出过评论的那些人：史蒂文·D. 史密斯（Steven D. Smith）、杰·穆兹（Jay Mootz）、理查德·戴尔格多（Richard Delgado）、小詹姆斯·R. 哈克尼（James R. Hackney, Jr.）、莫里斯·伯恩斯坦（Morris Bernstein）以及林达·莱雪（Linda Lacey）。几年前同泰德·怀特（Ted White）的一次电话长谈引发了我把自己的一篇论文（大大地）扩展为本书，而伯纳德·施瓦茨（Bernard Schwartz）邀请我参加一次有关沃伦法院的研讨会使我写作了那篇最初的论文。塔尔萨大学法学院（University of Tulsa College of Law）为本书手稿召开的座谈会的所有参加者们——特别是座谈会的组织者拉科士曼·古卢斯瓦米（Lakshman Guruswamy）——慷慨地给予了他们的时间和洞见。还有，很多人评论了我的几篇文章和论文，这些文章和论文是我写作本书的部分基础。下面这些人以他们的洞见多次帮助过我：杰克·巴赫金（Jack Balkin）、理查德·戴尔格多、斯坦利·费什（Stanley Fish）、杰·穆兹、丹尼斯·派特森（Dennis Patterson）、马克·塔什奈特（Mark Tushnet）、拉里·卡达·拜科尔（Larry Catá Backer）、马蒂·拜尔斯基（Marty Belsky）、比尔·霍凌斯沃斯（Bill Hollingsworth）以及林达·莱雪。最后，我还从几位同事那里得到了本书书名的建议：克里斯·布莱尔（Chris Blair）、玛丽安妮·布莱尔（Marianne Blair）、比尔·霍凌斯沃斯和林达·莱雪。在资金支持方面，全国人文学科捐赠基金（National Endowment for the Humanities）提供的资助极大地帮助了我及时地完成本书的写作。塔尔萨大学法学院教员夏季研究资助项目也在本项目过程中提供了经济帮助。塔尔萨大学法学院的所有图书馆员，包括李科·杜雪（Rich Ducey）和纳尼特·杰尔姆（Nanette Hjelm），都提供了帮助，但是我想特别感谢凯萝尔·阿诺德（Carol Arnold）以多种方式帮助了我的研究。

在不同程度上构成本书各个部分之基础的文章和论文曾发表于下列地方：《弗吉尼亚法律评论》、《哲学和社会批评》、《范德比尔特法律评论》、《密歇根法律评论》、《明尼苏达法律评论》、《西北大学法律评论》、《威斯康星法律评论》、《爱荷华法律评论》以及《沃伦法院：一次追思（*The Warren Court: A Retrospective*）》（伯纳德·施瓦茨编，牛津大学出版社，1996年）。

在所有的学问里，法学是最崇高、最全面的；并且，在其一般含义上，法学包括所有的一切，不论是人事抑或神事。

——哥伦比亚大学 D. T. 布莱克（Blake）教授，1810 年
[转引自佩雷·米勒，《美国思想的生命》(Perry Miller, *The Life of the Mind in America*)]

目录

1	第一章	导 论
14	第二章	描绘思想的轮廓:前现代主义、现代主义、后现代主义
85	第三章	前现代美国法律思想
147	第四章	现代美国法律思想
252	第五章	后现代美国法律思想
346	第六章	结论:偷觑未来?
363	索 引	

第一章

导 论

论思想史

从前现代主义到现代主义、一直到后现代主义,这个过程可能要用几个世纪、甚至几千年的时间。引人注目的是,美国法律思想仅仅用了二百多年的时间就完成了这个过程。我的目标是讲述这一多变的过程。

为了成功地讲述这个过程,我把本书分成两编。第一编,也是较短的一编(只有一章,即第2章),讨论前现代主义、现代主义以及后现代主义的一般概念。我广泛利用了,但却并非仅仅利用了哲学,用它来把这些概念描述为一系列重大的思想进程或阶段,然后我再把这些阶段划分为亚阶段。在我的概念里,这些阶段和亚阶段并非历史的或结构的必然,并非命中注定就要发生的。相反,我把前现代主义、现代主义和后现代主义及其相应的亚阶段当作探索性的工具,这有些类似于韦伯的"理想型"。[1] 它们是解释的构建物,被用来强调特定的反复出现的、引人注目的(尽管是偶然的)历史现象;这样,这些阶段和亚阶段就可以帮助我们叙述和分析不同思想学科或领域内的发展变化。

本书的第二编也是主要的一编,把这个前现代主义、现代主义和后现代主义的解释框架应用于美国法律思想,或者说应用于法理学。我的叙述以 1776 年左右以来的美国法律思想的运动为线索。这些运动并不必然就是进步——不必然就是向上的运动或者朝着更好的法理学概念进行的运动——而可能暗示着一系列人们可以理解的变迁或者发展阶段。概括说,我把美国的法律思想描写为在未知的海洋上进行的一次前后一贯的、尽管是没有事先计划的智识航行。

而且,这次美国法律思想的叙事航行具有超越了法理学领域的意蕴。尽管有些人(或者很多人)可能质疑法律学者是否是美国的思想领袖,但很少有人会否认法律一直是在我们这个国家处于中心地位的社会制度。托克维尔(Alexis de Tocqueville)早在 1835 年就宣布了这个真理:"在美国发生的政治问题大都迟早会作为司法问题得到解决。" 150 多年后的 1994 年,玛丽·安·格兰登(Mary Ann Glendon)重复道:"美国的独特性在很大程度上……源于法律在我们来自何方、我们是什么人、我们要到何处去的标准描述中所占的地位。"部分上出于这个原因,法理学从前现代主义到现代主义、到后现代主义的运动的故事描述的不仅仅是美国社会的一个微小的、独立的方面。相反,美国法理学的故事涵盖了美国

---

[1] 请看 Max Weber, Economy and Society 20–22 (Gunther Roth and Claus Wittich eds., 1978); Max Weber, The Methodology of the Social Sciences 90, 100 (Edward A. Shils and Henry A. Finch eds., 1949); Stephen M. Feldman, *An Interpretation of Max Weber's Theory of Law:Metaphysics,Economics,and the Iron Cage of Constitutional* Law, 16 L. & Soc. Inquiry 205, 212 n. 31 (1991).

人——或者至少美国知识分子——是如何描绘自己的。例如，现代主义的一个极为重要的组成部分就是人们希望有目的地控制社会关系。特别是现代主义的知识分子，他们自信地宣称自己拥有策划社会变化和社会秩序的能力。而且，这种控制欲常常被通过法律进行实施，就像新政时期的议会所例证的：它反复试图通过立法重新架构美国经济，这可以被理解为典型的现代主义重组社会秩序的努力。在某种意义上，现代主义具有"一种在法律之中和通过法律表达自己的冲动"。[2] 接着，在后现代主义中，这种把法律以及司法和其他法律规定的权威性当作工具进行使用的变得充满了问题。因此，这样说并不算过头——各个时期有关法律的这些方面以及其他方面的法理学理论可能揭示了比我们第一眼所看到的更多的东西：有关在美国盛行的对社会现实的感觉和描述，这些法理学理论可能解释了很多东西。

在本书中，我把"法律思想"和"法理学"当作可以互换使用的词语。现在的一些学者可能更愿意把法理学定义得更为狭窄，把它定义为仅仅是一种集中研究法律概念的分析哲学。与这一立场相反，我的法理学概念更为宽泛——它是法律思想的等价物——涵盖了多种有关法律的视角，包括但不限于哲学的、社会学的、历史学的和文化的视角。因此，我研究广泛意义上的法理学者是怎样从多种多样的视角解释、描述和理论化了法律的本质和实践，及其同司法判决过程以及一般意义上的政府之间的关系。事实上，在美国法律思想的第一个阶段，即前现代主义阶段，大多数法理学者本身也把法律、政治和社会思想看作密不可分的。像詹姆斯·威尔逊

---

[2] Alexis de Tocqueville, I Democracy in America 280 (Henry Reeve text, revised by Francis Bowen, Phillips Bradley ed., Vintage Books 1990) (1835 年和 1840 年在法国以两卷本首次出版); Mary Ann Glendon, A Nation under Lawyers 259 (1994); David Theo Goldberg, *The Prison-House of Modern Law*, 29 Law & Soc'y Rev. 541, 544 (1995) ("an imperative").

(James Wilson)和内森尼尔·齐伯曼(Nathaniel Chipman)这些人是18世纪晚期思想和政治领袖,他们通常是把法律作为政治和社会理论的组成部分进行写作的。例如,在成为历史上仅有的在《独立宣言》和《宪法》上都签过字的6个人之一后,威尔逊成为联邦最高法院大法官。在18世纪90年代早期,他在费城学院(College of Philadelphia)发表了最早的有关美国宪法的讲座——这些讲座在有关人性、道德、历史、政府和法律等方面的观察和理论十分广泛。当然,在19世纪晚期,专业法律学术团体的发展导致了更为专业的法理学作品的出现——它们更为专注于法律本身,在表面上独立于政治和社会思想。但是,作为现代主义的特征之一,这样一种局限的法理学观念并不能充分涵盖早期美国法律思想的范围,或者,像后来的发展证明的,也不能涵盖后现代法律作品中丰富的视角。[3]

尽管我讨论的主题很宽,但是我在一个关键方面限制了本研究:我集中研究美国法律思想的精英人物。我讨论法理学的领导人物,比如19世纪的詹姆斯·肯特(James Kent)和约瑟夫·斯托里(Joseph Story),以及20世纪的卡尔·卢埃林(Karl Llewellyn)和亨利·哈特(Henry Hart)。我很少讨论普通律师的日常法律执业。而且,当然,作为哈佛教授和最高法院大法官的斯托里的完整的法理学思考会十分不同于普通律师的法律概念。同时,值得注意的是,很多19世纪的法理学精英,包括肯特、斯托里和小奥利弗·温德尔·霍姆斯(Oliver Wendell Holmes, Jr.),都同时是学

---

[3] 有关詹姆斯·威尔逊,请看,James Wilson, The Works of James Wilson 59 - 710 (1967; 首版于1804); Mark David Hall, The Political and Legal Philosophy of James Wilson, 1742 - 1798, at 1, 20 - 22 (1997)。丹尼斯·派特森(Dennis Patterson)是当代学者中对法理学的定义更为狭窄的例子。他写道:"法理学的任务是明确地描述律师们用以证明法律命题的真理性的论证形式"。Dennis Patterson, *The Poverty of Interpretive Universalism; Toward the Reconstruction of Legal Theory*, 72 Tex. L. Rev. 1, 56 (1993).

者和法官，因此他们的法律观在某种程度上会受到他们判决案件的实践经验的影响。至少有一些 20 世纪的精英也是如此；本杰明·卡多佐（Benjamin Cardozo）是一个重要的例子。

尽管我集中讨论美国法律思想的精英人物，我并不是把他们的思想作为纯粹的抽象来讨论的。相反，我的思想史观要求，这些思想要在它们滋生的社会、文化和政治语境中进行解释。在第 2 章中，我意图把前现代主义、现代主义和后现代主义当作抽象的探索方法；尽管如此，在这章中我仍然把这些思想至少放在一些广阔的背景中进行描述。如果被描绘成产生自与历史环境无关的精神世界，那么大多数思想发展都会被严重扭曲。例如，现代主义的一般主题，如果不考虑到新教改革对西方文明的影响，就不能被充分理解。因此，在集中讨论美国法律思想的章节里，我试图解释（或叙述）不同的阶段和亚阶段是如何、以及为什么在特定的历史时期在法理学中出现的。社会、政治和文化因素一直并且严重地影响着思想的发展和运动。但在我的视角看来，一般的思想倾向于向特定方向发展也同时是因为这些思想本身的内容和力量。如此说来，这样的一般思想就有了一种相对自主的存在。它们并非完全产生于或完全依赖于社会利益或结构；思想并不仅仅是马克思主义意义上的上层建筑。思想和社会利益在一种复杂的辩证关系中互动。[4]

例如，一个一般性的思想甲可能倾向于发展为另外一个思想乙；但是，除非、并且直到那些促进或触发这种变化的特定社会、政治和文化环境出现，这一发展可能不会出现。一般来讲，一次主要思想变化——比如说从甲到乙——的要素常常是在一个相当长的时期里积聚起来的，就像地平线上的乌云一样，但是转变仍旧是潜

---

[4] 请看，Robert W. Gordon, *New Developments in Legal Theory*, in The Politics of Law 281, 286 (David Kairys ed., 1982)（描述了法律制度为什么必须在某种程度上独立于"具体经济利益或社会阶层"或者相对自主地运行）。

在的，仅仅是一种可能，直到一次大的社会动荡发生，比如南北战争或世界大战。于是，这一社会动荡促成了思想转变，就像大雨突然倾盆而下。当然，作为一种描述，思想的转变既不完全是突然的、也不完全是渐进的——既不是革命性的也不是进化性的。与最终的表象相比，思想的转变不应当被理解为预料之外的或者无法预测的暴雨，因为它已经酝酿了数年，有时甚至已经酝酿了几十年了。但即便如此，它也并非真的是渐进的、平稳的和缓慢的，因为变化并不是以一种可以清楚辨别的形式出现的，直到必要的社会事件最终触发了终极的转变。[5]

当美国的法律精英人物被以这种方式放在他们各自的历史语境中进行理解时，他们当中很多就会显得明智、博学（不仅是指在法律中博学）、有时甚至是才华横溢。尽管如此，在很多时候，法史学家和法理学家把早期的思想学派贬低为平淡无奇、甚至就是愚蠢。[6] 比如，现在回头看20世纪50年代的法律程序学派的学者，我们可能会奇怪：他们怎么会倾注毕生心血来说明如此陈腐的格言，比如"类似的案件要类似对待"。但是，当我们把它们放在其特殊的历史语境当中，包括冷战这个语境，那么他们试图捍卫法治、捍卫法律客观性的努力就变得可以理解、甚至别无选择了。因此，在本书当中，我努力通过法律思想的不同学派产生时的语境来在智识上解释它们；当然，我并不试图正当化或复活这些法理学的早期学派。

在这里值得注意的是，任何集中讨论法律精英人物、强调各个阶段和亚阶段之间的转变的美国法理学思想史都可能会忽略细节，并且可能会忽视某些不同意见，因为它们会削弱叙事的说服力。历

---

〔5〕 请看，Thomas S. Kuhn, The Structure of Scientific Revolutions (2d ed., 1970)（解释了科学中的范式转变）。

〔6〕 请看，例如，Grant Gilmore, The Ages of American Law 42 (1977)（将C. C. 兰德尔称作"基本上是个傻瓜"）。

史，包括思想史，并不是细心安排的；但是，一种专注于法律精英和大的阶段的叙事恰恰可能引人误解地暗示这种有序性。就像一个后现代主义者可能声称的，通常应当避免写作宏大叙事、元叙事或者元历史，一部分原因是这些做法倾向于让历史变得平面化。所谓的阶段常常被描述得好像一个阶段就是由一个单个的声音或立场代表的。反对的观点和被压制的声音受到了忽视或被边缘化了，因为需要把一个时期干净地描述为一个特定思想或进路的例证。这样，例如在法理学里，20世纪20年代可能被描绘成早期美国法律现实主义的时代，而不会提到很多未来会成为现实主义者的人当时有着不同的观点，而且在那个年代里很多法律学者根本就不是现实主义者。而且，我们可能很容易就略过了那些年里的局外人——非洲裔美国人、妇女、犹太人等等——它们通常甚至不能在公共场合表述自己的法理学观点。[7]

坦白说，这些潜在的困难使我有些犹豫。我在这之前把自己的学术生涯的很大一部分都用于揭示和讨论少数族裔和其他语境中的局外团体的被边缘化了的声音。[8] 我在这里并不认为这些声音在美国法理学历史上就不重要了。不幸的是，很多法律精英都在不同程度上参与了种族主义、性别主义、反犹主义和经济阶级主义。在这方面，尽管他们在法律和理论上都很敏锐，但是这些学者太过平常了；在美国历史的大部分事件里，看起来好像只有与众不同的人才能摆脱这些偏见。因此，有关美国的法理学确实有些极其重要的

---

〔7〕 Rita Felski, The Gender of Modernity 171 – 172 (1995); Jean – Francois Lyotard, The Postmodern Condition: A Report on Knowledge xxiv (G. Bennington and B. Massumi trans., 1984); Saul Cornell, *Moving beyond the Canon of Traditional Constitutional History: Anti – Federalists, the Bill of Rights, and the Promise of Post – Modern Historiography*, 12 L. & Hist. Rev. 1, 6 – 7 (1994).

〔8〕 请看，例如，Stephen M. Feldman, Please Don't Wish Me a Merry Christmas: A Critical History of the Separation of Church and State (1997); Stephen M. Feldman, *Whose Common Good? Racism in the Political Community*, 80 Geo. L. J. 1835 (1992).

故事需要从各种局外团体的角度进行讲述,但是这些故事并不是我想在这里讨论的,至少不是我的主要目标。[9] 相反,在开始的时候,这些对于法理学史来讲的潜在困难可以起到一种警告作用,可以帮助我厘清自己的叙述目标。

具体讲,我主要努力描述法理学中特定的思想发展,把它们放在美国社会的背景中,并且通过某些跨越学科或领域的思想共性或倾向进行理解。在我的视角看来,尽管在很多学科里可以看到某些一般性的主题和转变,但是思想史并不能被简化为一些有关普适主题和进步的宏大叙事。不同的思想领域并不是以完全相同的方式、完全一致的步调发展的。因此,我首先提出一个一般性的探索方法和解释框架,用以理解思想史上的潜在转并;然后我讨论如何把这一框架应用于美国法律思想的特别语境。在做这些事情的时候,我集中注意那些影响了法理学中的变化的社会、文化和政治因素。其他的思想领域和学科非常可能是以迥异的方式或者是以不同的速度发展的。尽管如此,在美国思想的广阔领域内,我们应当期望看到在不同领域之间会有相当多的类似和重叠之处,而这恰恰是因为各式各样的学科和领域常常是在类似的社会、文化和政治语境中发展起来的。出于这一原因,我对美国法律思想的叙述偶尔会讨论其他思想领域内的发展,以帮助阐明法理学的转变。

有一点极其重要:我相信,我的总的解释框架和对美国法理学的具体叙述为解释和理解思想的发展提供了一个特别有成果的、令人信服的方式。但是,我对前现代主义、现代主义和后现代主义以及各个阶段中的亚阶段的界定,不应被当作一般的思想史或者具体的美国法理学中的绝对区别或僵化界限。毫无疑问,人们可以用不

---

[9] 请看,Jerold S. Auerbach, Unequal Justice: Lawyers and Social Change in Modern America (1976) (强调了 20 世纪早期精英律师的种族偏见以及这些偏见对于法律职业和美国社会的后果); Morton J. Horwitz, The Transformation of American Law, 1780 - 1860 (1977) (强调经济利益构建了 19 世纪早期美国的法律故事)。

同的方式定义前现代主义、现代主义和后现代主义，并且可以由此论辩说各个阶段出现于美国法律史上的其他时间点。毫无疑问，人们可以着重讨论不同的声音——反对派法理学者、或普通律师、或各州法院的法官、或最高法院的大法官——并可以因此提出一个不同的、但仍旧具有说服力的美国法律思想史。而且，毫无疑问，即使是集中讨论法律精英人物的思想史也可以转而强调个别法理学家的心理细节和特异动机，而不是强调总体思想转变的广阔社会、文化和政治语境。例如，我强调南北战争之后的广阔趋势影响了哥伦布·朗德尔（Columbus Langdell）的哈佛法学院的决定性的院长职位（这是现代主义时期的初期），但另外一种进路可能会更为注意朗德尔的生活经历，包括个人的和职业的经历，认为这些经历塑造了他的思想方向。他本人在南北战争期间做了什么？他在战前做了什么？他的法律执业是何种类型？他有没有成家？他的朋友都是哪些人？他在给朋友的信中都写了些什么？在给他的专业同事的信中又写了些什么？人们可以在更为倾向于心理学或更为个人化的思想史中细致地探索这些问题。[10]

　　但事实上，我的目标是讨论二百多年里美国法律思想的运动，因此，我必然会强调一般性的潮流和大的因素。更为集中注意个人的或心理学的影响因素的思想史，如果想要把握得住的话，就必须集中于较狭窄的时间段、较少数量的个人，因此并不适合我的目的。这并不是说我就忽视了心理学的因素，而仅仅是说我并不强调它们。但更为重要的是，我也并不忽略那些同主要的法律思想学派意见向左的法理学家。当这样做看起来对于叙事是必要的时候——当这些观点是我所讲述的主要故事的组成部分的时候，我就会讨论

---

〔10〕 关于不同种类的智识史，请看 Stephen M. Feldman, *Intellectual History in Detail*, 26 Reviews in Amn. Hist. 737（1998）。关于一种在心理学上更为精细的智识史的一个出色的例证，请看 N. E. H. Hull, Roscoe Pound and Karl Llewellyn: Searching for an American Jurisprudence（1997）。

这些观点。事实上，这种批判性或反对性的观点常常有助于阐明主流观点，并会导向法理学发展的下一个阶段或者亚阶段（有时一个反对观点会变成下一个处于领导地位的思想学派）。而且，在20世纪的后半期，当局外团体的成员——特别是妇女和少数族裔——最终在法律学术圈中取得了一席之地后，他们的声音和观点就移到了叙事的中心。也就是说，在第5章里，我强调了一些局外团体的成员的批判性视角，因为这些视角实际上代表了后现代法理学的一些主流主题。

类似地，只有当司法判决能够配合我的主要故事的时候，我才会讨论它们。因为这个主要故事是关于美国法理学的精英人物，而且因为这些个人常常讨论判例、特别是最高法院的判例，所以我有时也必须讨论一下这些案例。但在大多数时候，我只是讨论那些极大地影响了一个时代的法律学术的案例，比如洛克纳诉纽约案（*Lochner v. New York*）、布朗诉教育委员会案（*Brown v. Board of Education*）和罗伊诉韦德案（*Roe v. Wade*）。[11]

有两个定义的问题必须说明一下：

第一，一些作者区别对待前现代与前现代主义、现代与现代主义、以及后现代与后现代主义。例如，这些作者通常认为现代主义是一个文化现象，而现代是一种特定的社会、政治和经济安排。这种文化与社会学现象之间的类似区别也被应用于其他时期（前现代主义和后现代主义）。但是，在我的视角看来，这种泾渭分明的区分是有问题的，因为文化实践和社会实践一定是相互联系的。就像前面说过的，即使思想的发展被理解为主要是文化的产物，但它们仍旧在部分上依赖于社会的和政治的利益。因此，我在广义上使用前现代主义、现代主义、后现代主义这些词，既指文化现象又指

---

〔11〕 *Roe v. Wade*, 410 US 113 (1973); *Brown v. Board of Education*, 347 US 483 (1954); *Lochner v. New York*, 198 US 45 (1905).

社会学现象。在大多数情况下,我是指一系列发生于特定的社会和历史语境中的思想。[12]

第二,就像这些词本身所暗示的,前现代主义、现代主义、后现代主义应该被相互联系起来进行思考,其中现代主义在时间上和分析上都是处于中心位置的概念,至少在我们所处的思想史上的这一点上看来是如此。也就是说,前现代主义被理解为在现代主义之前,而后现代主义被理解为在现代主义之后。现代主义的中心性可能在部分上是源于思想史本身的一个方面:即,是现代主义者第一次把思想发展史划分成一系列阶段或者大的时期。但是,尽管现代主义具有这种中心性,本书有关于后现代主义的部分却要稍长于有关现代主义或前现代主义的部分,至少就每一个阶段所占的时间长短来说是如此的。例如,有关现代主义法律思想和后现代主义法律思想的章节长度基本相等,但现代主义跨越了一个多世纪或者更多,而后现代主义到现在为止只有大概20年。尽管有些不成比例,但是留给后现代主义的篇幅仍旧是必要的。一方面,因为我们现在仍旧处在后现代主义时期之中,我没有那种历史的距离,无法集中讨论后现代法理思想中那些可能最终最为持久的线索。因此,在第5章中,我将讨论八个后现代的主题,但是,50年之后的法史学家在事后看来可能会得出结论说只有四个主题具有持久的重要性,值得进行详尽讨论。这种历史距离的问题因为后现代主义本身的特点

---

〔12〕 请比较, Robert Hollinger, Postmodernism and the Social Sciences xiii, 21, 40 – 42 (1994) (提出现代性常常被认为更多具有社会学色彩,而现代主义更具文化色彩); Stephen Toulmin, Cosmopolis: The Hidden Agenda of Modernity 6 (1990) (在现代性与现代主义之间作出了区别), 以及 Marshall Berman, All That Is Solid Melts into Air 131 – 32 (1988 ed.) (反对将文化性的现代主义同政治的、经济的和社会的现代化分裂开来); Steven Connor, Postmodernist Culture 44 – 51 (1989) (集中关注后现代性和后现代主义); David A. Hollinger, *The Knower and the Artificer*, *with Postscript* 1993, in Modernist Impulses in the Human Sciences, 1870 – 1930, at 26 (Dorothy Ross ed., 1994) (集中关注现代主义这个词的模糊性)。

而变得更为严重。特别是，后现代思想是如此地具有显著的跨学科性质，以至于对后现代主义进行简单明了的描述会有问题；因为存在着太多复杂的、相互关联的主题交叉往来于后现代的学术和思想图景中正在瓦解的藩篱。而且，恰恰是因为这种跨学科的复杂性，本书赋予后现代主义这种稍微不成比例的篇幅看起来就是必要的了，因为这可以帮助反驳一些思想圈子里出现的对后现代主义思想随随便便的轻蔑和侮辱——在我看来，这些轻蔑和侮辱大多数时候是因为对主要的后现代主义主题的严重误解。诚然，这些误解有时是因为一些（但并非所有）后现代主义作品充斥着术语的黑话，但是，不论造成这种混淆的原因是什么——不管是复杂还是困惑——在本书的主题来讲，清楚地阐明后现代主义的主题看起来就至关重要了。

无论如何，因为前现代主义、现代主义、后现代主义这些概念之间所具有的相关性的特征，所以我们不应当幻想能够孤立地抓住任何一个阶段的全部意涵。相反，只有理解了各个阶段和亚阶段之间的相顾关系——它们之间的区别和相似之处——我们才能够完全理解。这样，在根本上，集中关注美国法律思想的所有阶段——前现代主义、现代主义和后现代主义——使这本书区别于其他有关美国法理学的历史研究。很多其他此类书籍都忽略了南北战争前的时期，其叙述开始于南北战争之后朗德尔法律科学、霍姆斯法理学的出现——也就是说，开始于现代主义时期的开端。相反，我把美国建国到南北战争之间的时间都当作美国法理学历史的一个组成部分。我希望，这种对于前现代时期的关注会使现代主义时期、甚至后现代主义时期更为生动、更为容易理解。[13]

---

〔13〕请看，Andreas Huyssen, *Mapping the Postmodern*, 33 New German Critique 5, 10 (1984)（讨论后现代主义是怎样同现代主义联系起来的）. Grant Gilmore 的 *The Ages of American Law* 是一本法理学历史，其中包括了对于南北战争前时期的讨论——尽管较为简略。Gilmore, 上注 6, 页 19 - 40。

在本书中，我用前现代主义、现代主义和后现代主义的概念组织叙述结构，使叙述围绕着两个的大的相关主题：法理学的基础，以及进步的思想。美国法理学的历史在很大程度上是在寻找（或者质疑）美国法律制度以及司法决策过程的基础。例如，前现代主义的法理学家基本上认为自然法的原则是美国法律体系的支柱，而现代主义者反对自然法，从而开始寻找某种替代的基础。而且，不同时期所具有的关于法理学之基础的不同观念紧密联系于不断变化的有关进步的思想——这些思想要求有一系列对于进步的不同定义、有关进步是否可能的不同假定、以及有关法律如何对进步作出的贡献的不同希冀。因此，至少对第二阶段的前现代主义法理学家来说，自然法的原则既为社会和法律进步提供了一个目标、又同时对它进行了限制，而对于现代主义者来说，进步的可能性是无穷的，其惟一的限制就是人类不够聪明。我在第 2 章详细叙述有关基础和进步的一般想法，以及前现代主义、现代主义和后现代主义的一般概念。但是，对于那些仅仅对法律思想感兴趣，而对更广阔的前现代主义、现代主义和后现代主义概念不感兴趣的读者来说，第 3 章到第 6 章可以独立理解。同样，第 2 章也可以独立作为对于这些更广阔概念的一般性介绍。尽管如此，本书是一个统一的整体，其中所有的章节都是一个统一叙述的组成部分。

第二章

描绘思想的轮廓：
前现代主义、现代主义、后现代主义

前现代主义

前现代主义可以分为前后两个亚阶段，我分别将之称为转世论和末世论。[1] 第一个阶段的特征是，人们一直信仰自然或神（或

---

[1] 一些颇有助益地讨论了前现代主义或现代主义或对二者都进行了讨论的文献包括：Zygmunt Bauman, Modernity and the Holocaust (1989)（以下简称 Bauman, Modernity）; Isaiah Berlin, The Crooked Timber of Humanity (1990); Richard J. Bernstein, Beyond Objectivism and Relativism: Science, Hermeneutics, and Praxis (1983); Hans Blumenberg, The Legitimacy of the Modern Age (Robert M. Wallace trans., 1983) (1966 年首次以德语出版); Louis Dupre, Passage to Modernity (1993); Stephen M. Feldman, Please Don't Wish Me a Merry Christmas: A Critical History of the Separation of Church and State (1997); Rita Felski, The Gender of Modernity (1995); D. W. Hamlyn, A History of Western Philosophy (1987); Karl Löwith, Meaning in History (1949); Ted V. McAllister, Revolt against Modernity (1996); Stephen A. McKnight, *Voegelin's New Science of History*, 见于 Edc Voegelin 的 Significance for the Modern Mind 46 (Ellis Sandoz ed., 1991); Joshua Mitchell, Not by Reason Alone (1993); J. G. A. Pocock, The Machiavellian Moment (1971); Richard H. Popkin, The History of Skepticism from Erasmus to Spinoza (1979); Richard Rorty, Philosophy and the Mirror of Nature (1979); Quentin Skinner, 1 The Foundations of Modern political Thought: The Renaissance (1978)（以下简称 Skinner 1）; Quentin Skinner, 2

第二章 描绘思想的轮廓：前现代主义、现代主义、后现代主义

The 者众神）是知识和价值的稳定和基础性的来源。人们假定存在普适的东西，它们显现在生活的所有状态里，包括物理状态和规范状态。例如，柏拉图认为存在着大写的理念（或者大写的形式）——比如绝对的美、善和平等——它们与可感知的东西是不同的。这些大写的理念是普适的、不变的和稳定的，而可感知的东西是具体的、稍纵即逝的和不停变化的。在某种意义上，具体的或感观的东西参与普适的理念的表达，或者仅仅是普适理念的不完美

Foundations of Modern Political Thought: The Age of Reformation (1978)（以下简称 Skinner 2）; Richard Tarnas, The Passion of the Western Mind (1991); Leslie Paul Thiele, Thinking Politics: Perspectives in Ancient, Modern, and Postmodern Political Theory (1997); Stephen Toulmin, Cosmopolis: The Hidden Agenda of Modernity (1990); Eric Voegelin, The New Science of Politics (1987 ed.); Michael Walzer, The Revolution of the Saints: A Study in the Origins of Radical Politics (1961)。

一些集中关注后现代主义的有用文献包括：Zygmunt Bauman, Intimations of Postmodernity (1992)（以下称 Bauman, Intimations）; Albert Borgmann, Crossing the Postmodern Divide (1992); Steven Connor, Postmodernist Culture (1989); David Harvey, The Condition of Postmodernity (1989); Robert Hollinger, Postmodernism and the Social Sciences (1994); Fredric Jameson, Postmodernism, or, The Cultural Logic of Late Capitalism (1991); Barbara Kruger, Remote Control: Power, Cultures, and the World of Appearances (1993); Hilary Lawson, Reflexivity: The Postmodern Predicament (1981); Vincent B. Leitch, Postmodernism: Local Effects, Global Flows (1996); Jean-Francois Lyotard, The Postmodern Condition: A Report on Knowledge (Geoff Bennington and Brian Massumi trans., 1984); Allan Megill, Prophets of Extremity (1981); Christopher Norris, What's Wrong with Postmodernism (1990); Thomas L. Pangle, The Ennobling of Democracy: The Challenge of the Postmodern Age (1992); Feminism/Postmodernism (Linda J. Nicholson ed., 1990); Roy Boyne and Ali Rattansi, The Theory and Politics of Postmodernism: By Way of an Introduction, in Postmodernism and Society 1 (Roy Boyne and Ali Rattansi eds., 1990); Stephen Crook, The End of Radical Social Theory? Notes on Radicalism, Modernism and Postmodernism, in Postmodernism and Society 46 (Roy Boyne and Ali Rattansi eds., 1990); Andreas Huyssen, Mapping the Postmodern, 33 New German Critique 5 (1984)。

表现。[2] 更一般地讲，古典希腊的 kosmos 概念涵盖了"存在的有序总体"，包括普适的和永久的道德和美学价值，以及物理世界。希腊的 kosmos 包括"有机体的 physis，个人行为和社会结构的 ethos，规范性习惯和法律的 nomos，以及 logos，即规范性宇宙发展的一切方面的理性基础。"[3]

因为存在这种形而上的统一——即规范与物理的结合——所以人类获得知识和价值（或更为精确地说，美德）的能力一直是我们与生俱来的，一直都是存在于世界上的。个人和社会看起来更像是属于自然和神的，而不是与之相分离而存在的。Kosmos "本质上就是可理解的"，因此是人们可以获得的（或可以知道的），因为"思想和现实二者都参加了同一可懂性（intelligibility）"。古典思想里所理解的理性可以辨别充满美德的或好的生活。因此，人们看起来可以直接到达和知晓产生自或产生于世界（自然或神）之中的永久的和普适的原则。根据柏拉图的回忆原理，每个人都生来就有潜力，可以获得有关大写的理念或普适原则的真正知识。柏拉图声称，"知识和正确的理性"已经在我们每一个人的身上了，但是我们在某种意义上已经忘记了它们。因此，为了实现我们获得知识的潜力，我们必须回忆那些普适的原则，或者换句话说，我们必须重新找到"我们从前就知道的东西"。[4]

普适和恒久的原则的假定存在导致了对于时间的独特概念；时

---

〔2〕 柏拉图在 Republic 和 Phaedo 中发展了"理念"理论。Plato, The Republic, in The Republic and Other Works 7, 169, 173 (Benjamin Jowett trans., 1973)(Anchor Books); Plato, Phaedo, in The Republic and Other Works 487, 505–12, 534–35 (Benjamin Jowett trans., 1973)(Anchor Books)(以下称Phaedo); 请看, Joseph Owens, A History of Ancient Western Philosophy (1919); David Ross, Plato's Theory of Ideas (1911)。

〔3〕 Dupre, 上注1, 页17; 请看, Tarnas, 上注1, 页17（"一个惟一的基础性的秩序既建构了自然也建构了社会"）; Toulmin, 上注1, 页67–68（认为自然的理性秩序显示和强化了人类社会的理性秩序）。

〔4〕 Dupre, 上注1, 页23（"本质上"，"思想和现实二者"）; Phaedo, 上注2, 页505, 508; 请看, Plato, Meno (Benjamin Jowett trans., Liberal Arts Press 1949)。

第二章　描绘思想的轮廓：前现代主义、现代主义、后现代主义　17

间或历史必须同有关永久和普适的思想相互和谐。在前现代主义的第一个阶段，时间被理解为循环的。在物理世界中，古希腊人观察到有机体的"持续生长、成熟和衰落"，以及行星的旋转。基于这些观察，他们发展了自己对于不变的原则同世间的变化之间的关系的理解，并把这种理解扩展到人类事务和社会历史。文明会以一种"循环运动"兴起和衰落，但是恒久和普适的原则却岿然不动。"按照希腊人的生命观和世界观，"卡尔·洛维茨（Karl Löwith）写道，"每一个事物都是反复发生的，就像日出和日落、春天和秋天、产生和堕落永远反复发生一样。因此，修昔底德（Thucydides）认为自己的伯罗奔尼撒战争史说明将来同说明过去一样多：'如果想要看到业已发生事件的真实图景、也同时想要看到那些将在人类历史上发生的类似事件的真实图景的人们觉得我所写的东西是有用的，那我就满足了。我的历史是一项永无止境的事业，不是过目即忘的应景之作。'"[5]

在这个统一的前现代世界里，普适的理念渗透着政治思想。对于亚里士多德来说，人类生活的普适的本质和目标决定了政治社会的最佳形式。那么，最为重要的就是，我们必须认识到"人在本质上是一种政治动物"，而人类生活的 *telos* 或自然的目标就是 *eudaimonia* ，即幸福。人们通过按照美德的要求生活而获得幸福，

---

[5] Robert M. Wallace, translator's Introduction, to Blumenberg, 上注1，页 xv（"持续"）；Löwith, 上注1，页4, 19（"循环""每一个事物"）；Thucydides, *The Peloponnesian War* 1.22 (Benjamin Jowett trans.), in 1 The Greek Historians 567, 576 (Francis R. B. Godolphin ed., 1942)；请看，David Bolotin, *Thucydides*, in History of Political Philosophy 7, 7 (Leo Strauss and Joseph Cropsey eds., 3d ed., 1987)；请看 David Ross, Aristotle 91 (5th ed., 1949)（把亚里士多德的循环的运动概念同循环的时间联系了起来）。循环论的历史观可能在早期斯多葛学派学者（Stoics）的著作中最为明显。对于斯多葛学派的学者（特别是早期斯多葛学派学者）来说，"存在着一系列无穷的世界建设和世界破坏。而且，每一个新世界能够在所有细节上类似于它前面的世界"。Frederick Copleston, 1 A History of Philosophy 389 (1946)；请看，Greek and Roman Philosophy after Aristotle 92-93 (Jason L. Saunders ed., 1966)（其中有斯多葛学派学者的例子）。

而人类要想按照美德的要求生活就必须在一个 polis 或政治体之中谨慎、明智地行动。个人的福祉和政治体的福祉是纠缠在一起、无法分开的。在"最佳的政体中",亚里士多德宣称,"公民能够、并且自觉地按照具有美德的生活的要求来选择被统治和统治"。不论其形式为何——一人统治、少数人统治或多数人统治——政府都应当追求公共福祉的满足,而不仅仅是私人利益的满足。总而言之,对于个人来说,以美德参与政治体被认为是最高的福祉。[6]

在公元 4 世纪期间,罗马帝国把基督教定为国教。随着基督教时代这样来临到西方文明,前现代主义也进入了其第二个阶段,即末世论阶段。普适恒久的原则仍然被认为是存在的,尽管在这时显然是上帝创造的它们。但是,基督教强调精神与肉体之间的区别,这导致了对于 kosmos 的更受限制的理解。Kosmos(或者说宇宙)开始被更多地与肉体而非精神联系起来,因此显得更具物理性而非规范性,尽管它"仍旧带有上帝存在的痕迹"。人类理性的概念也变得更为有限了。只要有理性,一个人就不仅能抓住普适恒久的真理,而且人们也可以通过宗教信仰做到这一点。[7]

前现代主义的第一个与第二个阶段之间的关键区别在于它们对时间或历史的不同描述。在 5 世纪早期,圣·奥古斯丁(St. Augustine)写作了《上帝之城》(*The City of God*),这是一部极具影响力的神学、哲学和政治专著。奥古斯丁认为原罪导致了"两种人类社会,我们可以按照经文的语言将之称为两个城市。一个城

---

[6] Aristotle, *Nichomachean Ethics* 4. 1 – 3 (I. Bywater trans.), in The Complete Works of Aristotle 1729 – 1867 (Jonathan Barnes ed., 1984); Aristotle, *The Politics*, 1. 2; 3. 7, 9, 13 (Carnes Lord trans., 1984). 对亚里士多德政治思想的一个综述,请看, Carnes Lord, *Aristotle*, in History of Political Philosophy 118 – S4 (Leo Strauss and Joseph Cropsey eds., 3d ed., 1987)。

[7] Dupre, 前注 1, 页 30; 请看, Stephen M. Feldman, Please Don't Wish Me a Merry Christmas: A Critical History of the Separation of Church and State 10 – 27 (1997) (讨论了基督教对于精神与肉体的区分); Tamas, 前注 1, 页 112 (有关理性)。

市是由那些希望追逐肉体生活的人组成的，另外一个是由那些希望遵循精神而生活的人组成的。人间的城市是由对自己的爱组成的，而天国的城市——上帝之城或基督徒的社区——是由对上帝的爱组成的。尽管这众所周知十分模糊，但奥古斯丁的两个城市的概念看起来是围绕着两个相互联系的区别。按照第一个区别，天国的城市和人间的城市是指"两个社区"：被拯救者和被诅咒者。这两个社区是"末世论的现实"——它们只有在自己的终点才会实现自己的预言。一个社区"注定会同上帝一起进行永久的统治，而另一个社区会同魔鬼一起遭受永久的惩罚"。尽管它们是尚未实现的末世论实体，但是它们仍旧是现在就存在的；奥古斯丁说这两个城市已经开始"自己的历程"。在这里，奥古斯丁开始转入第二个区别。他区别了计量时间或历史的两种方法：神的方法（末世论的时间）和 saeculum（世俗的或人间的历史）。作为末世论的现实，这两个城市必须被放在经文所显示的神的历史中进行理解。但是，在世俗的时间里，这两个城市现在是以未实现的（或不纯粹的）形式一起存在的："事实上，这两个城市在这个世界里纠缠在一起、混合在一起，直到最后的审判把它们分离开来"。看起来，奥古斯丁试图把基督教的未来同当时正在崩溃的罗马帝国的命运分离开来。因此，他认为基督教的上帝之城正在走向其在神的时间中的圆满，尽管帝国和王国可能在世俗的（或肉体的）历史中兴起和衰败。[8]

因此,最为重要的是,在一个仍旧是基于上帝所安排的普适、恒久的原则的世界里,奥古斯丁引入了一种进步的思想。在神的历史中,进步是神圣的末世论终点这个概念或被拯救者和被诅咒者两个社区的目标中所固有的内容。在世俗的历史中,文明会继续兴起和衰亡,这与第一阶段的前现代主义观念是一致的;但是,现在,在第二阶段的概念里,在某种意义上进步是可以衡量的了,而衡量的尺度就是朝着末世论的上帝之城的完成或实现所进行的运动。这种进步不是来自于人类的智慧或意志,而是来自于神的干预。而且,这种进步并不是没有终点的,并不是一系列连续的质变,而是终极的(神的)原则的实现。[9]

早期基督教把精神和肉体分开,这威胁到了前现代世界的形而上的统一。但是,在很多世纪里,这一潜在的威胁在很大程度上是没有实现的,这部分上是因为当时的思想仍旧集中关注精神的和神学的事务。事实上,在某种意义上,当13世纪早期亚里士多德的著作开始被基督教哲学家和神学家广泛接触时,前现代世界的形而

---

[8] 除非另有注明,《上帝之城》的引文来自第 2 卷。Augustine, *City of God* 14. 1, 28; 15. 1 (Marcus Dods trans. and ed., 1948); R. A. Markus, *Marius Victorinus and Augustine*, in The Cambridge History of Later Greek and Early Medieval Philosophy 327, 412 (A. H. Armstrong ed., 1967) ("末世论的现实"); Augustine, *City of God*, 1. 35 ("事实上")。关于对奥古斯丁和他的哲学和政治思想的讨论,请看,Etienne Gilson, The Christian Philosophy of Saint Augustine (L. E. M. Lynch trans., 1960); Etienne Gilson, History of Christian Philosophy in the Middle Ages 70 – 81 (1955) (以下称 Gilson, Middle Ages); Ernest L. Fortin, *St. Augustine*, in History of Political Philosophy 176 (Leo Strauss and Joseph Cropsey eds., 3d ed., 1987); R. A. Markus, *The Sacred and the Secular:From Augustine to Gregory the Great*, in Sacred and Secular 84 (1994)。

[9] 有关末世论历史观的总体发展,请看,Blumenberg,前注1,页 27 – 51; Löwith,前注1,页 1 – 19, 60 – 61; Voegelin,前注1,页 110 – 133; McKnight,前注1, 页 59, 66。G. Edward White 认为这种前现代的进步观反映了一种"前历史主义的感觉"。G. Edward White, The Marshall Court and Cultural Change 1815 – 1835, 页 360 (1991)。

第二章 描绘思想的轮廓:前现代主义、现代主义、后现代主义

上的统一甚至加强了。圣·托马斯·阿奎那(St. Thomas Aquinas)明确地试图统一古希腊和基督教的世界观,并且通过这样做,他复活了人类理性并恢复了对于世俗政治事务的理论兴趣。按照托马斯的观点,人可以用理性得到有关上帝的某些真理,尽管其他有关上帝的真理只有通过信仰才能得到。而且,同亚里士多德强调 polis 相一致,托马斯给基督教世界引入了政治的概念,他暗示,个人不仅仅是来自天国的政府统治对象,而且还是参与政府的公民。[10]

在文艺复兴晚期,尼克尔·马基雅维利(Niccolo Machiavelli)的思想里出现了迫近的哲学分裂的早期迹象,马基雅维利的人文主义政治思想强调了国家的福利。马基雅维利严格地限制了自己的基督教假设:中世纪基督教思想认为神的意志决定了世俗国家的命运,但马基雅维利却强调了纯粹的运气和人的本性在政治事件中所起的作用。因此,马基雅维利预示了现代政治理论的发展,而这一发展又进一步受到16和17世纪欧洲民族国家的出现的刺激。尽管如此,马基雅维利保留了前现代主义的历史观:各个文明注定要兴起和消亡。马基雅维利写道:"智者说,而他们这样说并非是没有理由的:任何想要预见未来的人都必须看一看过去:因为人类的事件总是类似于先前的那些事件"。因此,具有美德的统治者和公民

---

〔10〕 请看,Etienne Gilson, The Christian Philosophy of St. Thomas Aquinas 16 – 17 (L. K. Shook trans., 1956)(讨论了托马斯的理性概念);Hamlyn,前注1,页104(认为托马斯是"伟大的综合者");Pocock,前注1,页43(论辩说,亚里士多德思想的复兴使政治历史与末世论重新结合了起来);Walter Ullmann, A History of Political Thought: The Middle Ages 171, 175 – 176 (1965)(讨论了托马斯有关政治事务的思想);请比较,Gilson, Middle ages,前注8,页382(奥古斯丁学派学者反对托马斯把亚里士多德的主题融入基督教神学)。托马斯的一些最为重要的著作如下:*On Kingship* (Gerald B. Phelan trans., 1981. ed.);*Summa Contra Gentiles*: *Providence* (book 2) (Vernon J. Bourke trans., 1956);*Summa Theologica* (Benziger, 1946,第一个完整的美国版本);请看,Frederick Copleston, 2 A History of Philosophy 302 – 434 (1950);Brian Davies, The Thought of Thomas Aquinas (1992)。

最多只能暂时地保持住共和国。[11]

事实上，对于马基雅维利来说，共和国的存续和自由是最高的价值，而公民和统治者应当作所有必要的事情，以达到这些目标——这些共有的利益（the common good）——而不管是否与宗教或道德价值相一致。但是，纯粹的运气和人类（罪恶的）本性会使所有的政府最终崩溃。因此，一方面的政治秩序，另一方面的运气和人类本性，这两者之间的张力——以及作为结果的为在世俗时间里维持脆弱的政治社区的斗争——是马基雅维利的一个永恒主题。他把 virtù（美德）理解为人们追求共有利益时对于运气和人类本性的（至少是暂时的）超越：公民和统治者一样，都必须努力忽视自己"本身的激情"，而必须为社区的利益（即存续）而行为。具体讲，马基雅维利的美德要求有一个成功的统治者，他必须做一切必要的事情，以保证政治社区的存续："君主……必须模仿狐狸和狮子，因为狮子不能保护自己不落入陷阱，而狐狸不能保护自己不受到狼群的攻击"。总而言之，马基雅维利最重要的关切点是怎样维持共和国，克服世俗时间里反复出现的可怕的挑战。[12]

现代主义

几乎与马基雅维利出版其主要著作同时，马丁·路德（Martin

---

〔11〕 Niccolo Machiavelli, *Discourses on the First Ten Books of Titus Livius*（1516），页 3.43，in The Prince and the Discourses 99（Christian E. Detmold trans., Modern Library ed. 1950）（以下称 Machiavelli, *Discourses*）（"智者说"）；请看 1.2；Pocock，前注 1，页 400。运气代表着世界的无目标的变化，而这大都在人类控制的范围之外。Niccolo Machiavelli, *The Prince*（1513），页 7.25，in The Prince and the Discourses 2（Luigi Ricci trans., Modern Library 1950）（以下称 Machiavelli, *Prince*）。有关封建主义的崩溃和民族国家的兴起，请看，Toulmin，前注 1，页 89－97。

〔12〕 Machiavelli, *Discourses*，前注 11，1.2，26；3.41，47；Machiavelli, *Prince*，前注 11，第 18 章；Skinner 1，前注 1，页 183。

Luther)在 1517 年贴出了《九十五条论纲》(Ninety - Five Theses),开始了新教改革,该《论纲》声讨了罗马天主教会出售免罪符的物质主义(materialistic)做法。一旦开始了他的抗议,路德继续毫不留情地批评教会广泛参与世俗事务的做法,同时也批评了与此相关的托马斯式的对政治事项的关心,包括托马斯(Thomas)对人类理性的亚里士多德式的强调。在路德的观点看来,他是不是在试图对基督教进行革命,而是在试图净化基督教,办法是重新提出精神和肉体(或世俗)的分离。一个人并不需要世俗的天主教会来解释基督教信仰的含义;一个真正的基督徒可以独立感受到《经文》(Scriptures)的重要性和含义。[13] 对于形而上学,路德和其他新教改革者代表了马基雅维利的另一面:马基雅维利和改革者都削弱了前现代世界的形而上学的统一性,但是,马基雅维利专注于世俗(特别是政治)事务而不管精神事务,而改革者强调精神而非世俗事务。特别地,路德最引人注目的追随者约翰·加尔文(John Calvin)抓住了精神和世俗的二元对立,表述了一种神学立场,这一神学立场决定性地确定了现代主义思想的边界。

加尔文以一种讲话的方式坚持教会与国家的——或者说精神与世俗的——严格分离,把它作为他的新教改革神学理论的一个原则。加尔文没有直接让世俗国家与精神领域对立,相反,他认为世俗与精神如此绝对地分离,以至于它们不能对立。"(世俗的)政

---

[13] Martin Luther, *The Freedom of a Christian* (1520), in 31 Luther's Works 327, 345, 354, 356, 376 (Harold J. Grimm ed., 1957)(以下称 Luther, *Freedom*);请看, Martin Luther, *The Ninety - five Theses* (1517), in Martin Luther's Basic Theological Writings 21 (Timothy F. Lull ed., 1989)(批评了教会出售免罪符的做法);请看, Mitchell, 前注 1, 页 20 - 24(讨论了路德对亚里士多德和托马斯的攻击);Skinner 2, 前注 1, 页 8; Duncan B. Forrester, *Martin Luther and John Calvin*, in History of Political Philosophy 318, 321 (Leo Strauss and Joseph Cropsey eds., 3d ed., 1987)(讨论了路德对宗教中的理性的攻击)。路德并没有暗示说每一个人都可以对《经文》进行特质化的解释,相反,他认为每一个人都可以自由地接受其字面含义。

府不同于那个精神的、内在的基督王国",加尔文声称,"因此我们必须懂得,它们并不矛盾"。换句话说,对于加尔文来说,世俗和精神的政府不是相互敌对的,其原因恰恰是它们是完全分立的:当两个领域没有重合、没有联系点、没有交互时,它们就不能是对立的。加尔文对基督教内心自由的坚定支持例证了这种精神与世俗极端分立的神学意义。从加尔文的视角看来,每一个个人必须是自由的,这样他或她的内心才可以内在地体验基督和基督教信仰。世俗的政府,甚至改革后的教会都不应当试图强制信仰,因为,很简单,真正的精神信仰是不能被强迫的。(任何种类、任何来源的)强制都只属于世俗或肉体的世界,而内心和信仰是完全不同的,是属于精神世界的。这样,尽管有些矛盾,加尔文和其他改革者引入了一种原自由主义。当然,宗教改革的神学表现出了一种新发现的对于作为独立个体的个人的尊重——因为在一定意义上,现在个人似乎是独立地站在上帝面前——但同时,宗教改革者强调,因为原罪,这个世界上的个人是彻底地堕落和充满罪孽的。[14]

总的说来,宗教改革为一种新的现代主义的世界观的建设贡献了四个关键因素。第一,也是最为简单的,路德、加尔文和其他新教领导者愿意挑战罗马天主教会,这确立了一个重要的社会先例。社会权威和安排不再仅仅因为它们在传统上是被接受的就认为是不可亵渎的。如果中世纪最有权力的社会机构,即教会,可以被挑战

---

[14] John Calvin, *Institutes of the Christian Religion*, 4. 20. 2 (Ford Lewis Battles trans., John T. McNeill ed., 1960; 首次出版于 1536 年)(以下称 Calvin, *Institutes*)。"《学院》(*Institutes*) ……1536 年出版时远非一部广泛的专论,它到加尔文 1559 年最后一版才发展成这个样子;但它已经是宗教改革当中出现的最有条理的和最系统化的对于教义和基督教生活的解释"。Williston Walker, A History of the Christian Church 350 (3d ed., 1970)。有关教会与国家的分离,请看,Calvin, *Institutes*, 4. 10. 5, 4. 11. 16;请看,Forrester, 前注 13,页 328 – 329。有关加尔文主义的个人主义,请看 Hill,前注 23,页 278; Tamas,前注 1,页 239。有关加尔文的政治思想以及他的神学的政治意涵的两部出色的著作如下:Ralph C. Hancock, Calvin and the Foundations of Modern Politics (1989); Skinner 2,前注 1。

第二章 描绘思想的轮廓：前现代主义、现代主义、后现代主义

并至少在部分上被击败，那么就没有什么社会机构是坚不可摧的了。对传统进行质疑、怀疑、挑战、对抗，这变得可以想像，甚至是一种常态。[15] 第二，通过挑战机构的权威，通过强调内心自由，通过坚持个人可以直接理解《经文》，宗教改革者对现代主义的自由主义的最终出现作出了贡献。尽管宗教改革者们的原自由主义还有些矛盾，现代主义的哲学家们最终提出一个越来越有尊严的个人——他们会假定，这种个人可以独立地、自主地选择价值和目标。[16] 第三，加尔文的神学二元论——他对精神和世俗的绝对分裂——促进了一种形而上学二元论的发展，这种二元论把个人自身同客观世界对立了起来。这种形而上学的二元论会支持其后数个世纪的现代主义思想。最后，从长期来看，加尔文的神学二元论允许世俗领域得到不断增加的重要性，尽管加尔文并未意图如此。加尔文自己试图把精神从世俗中解放出来，但是在做到这一点的同时，他同时也把世俗从精神中解放了出来。一言以蔽之，加尔文的宗教改革神学可能具有一种特别反常的效果，即强有力地促进了即将出现的西方社会的世俗化（或脱魅）。[17]

但是，再说一次，加尔文并没有这样的意图。相反，尽管他在

---

[15] 例如，在 17 世纪启蒙运动的晚期进行写作的法国启蒙思想家论辩说，传统的社会安排和宗教产生了人类的苦难。Hollinger，前注 1，页 2，7；Toulmin，前注 1，页 141，176。

[16] 请看，Theodore Dwight Bozeman, Protestants in an Age of Science 124 (1977)（论辩说，宗教改革开启了"私人判断"的可能性）；Dupre，前注 1，页 120 - 144（讨论了现代主义有关自我的概念）。

[17] Marcel Gauchet, The Disenchantment of the World: A Political History of Religion 4 (Oscar Burge trans., 1997; 1985 年以法语出版)（论辩说，"基督教其实是一个可以让人们脱离宗教的宗教"）。马克斯·韦伯（Max Weber）强调了西方世界不断增长的脱魅与其不断增长的理性化之间的关系。Max Weber, Science as a Vocation, in From Max Weber: Essays in Sociology 129, 139 (H. H. Gerth and C. Wright Mills eds., 1946)；请看，Stephen M. Feldman, An Interpretation of Max Weber's Theory of Law: Metaphysics, Economics, and the Iron Cage of Constitutional Law, 16 L. & Soc. Inquiry 205, 208 (1991)。

理论上有一种教会和国家的分立的观念，加尔文看起来决意要建立一个由宗教和世俗权威培育的基督教社会。他甚至曾经在日内瓦利用自己的政治力量确保给一个神学的对手定罪并处以火刑。尽管如此，加尔文如此坚持精神与世俗的绝对分立，以至于世俗被当作纯粹的物质，没有任何价值、内容或目的。这种对世俗领域的毁坏——这种对其意义和目的的完全剥夺——使加尔文可以有些自相矛盾地提出，精神应当在某种意义上对世俗进行殖民。对加尔文来说，因为世俗是纯粹物质的、没有任何意义，所以世俗世界中任何人类行为的惟一终极原因就是上帝命令了这一行为。[18] 换句话说，加尔文首先把基督教的精神性同世俗世界的空洞的物质性进行了对比，但其目的只是要主张基督教拥有那否则一文不值的世俗领域的权力。因此，加尔文自己很确信，精神应当统治世俗，尽管这是有些间接地因为这两个领域的分离。

但并不是所有人都分享加尔文的强有力的宗教确信。在效果上，他的改革神学有助于推进向现代主义转变，因为它鼓励一些个人专注于今世的活动。对于这些个人来讲，精神与世俗领域的完全分离提供了一个机会：世俗领域显然丧失了神的意义和目的，因此人类看起来就可以自由地施加他们自己的目的了。人类可以控制世俗，包括自然世界或物理世界，因为神不再做这些事情了。而且，即使对于最为虔诚的加尔文教派追随者来说，精神与世俗的分离奇怪地鼓励人们关注今世的行为。因为这种分离，加尔文主张人类在世俗世界的行为不可能导致精神获得拯救。人类绝对无法做任何可以改变自己的永久命运的事情；加尔文推理说，他们不但是有原罪的，而且他们已经注定会获得拯救或诅咒。因为精神获得拯救不再是一个可以达到的目标（至少不是一个可以通过世俗的行为或工

---

[18] 请看，Hancock，前注14，页98-99，108-109，133；Walker，前注14，页355-356；5 Encyclopaedia Judaica 67 (1971)。

作达到的目标),所以个人没有选择,只能竭尽全力专注于他们各自在世俗世界的事业——因为这必然是为了神的更大光荣。[19]

这种让人类精力和目的性专注于世俗世界的意愿是16、17世纪不断出现的科学突破的很多原因之一。即使在宗教改革之前,像机械罗盘和印刷术这些实际的科学和技术装置的发明或者引入已经开始极大地改变西方社会。但是自16世纪中期开始,在新的科学发现和理论中出现了一条巨大的界限,特别是在物理和天文学当中。仅仅举几个例子:哥白尼挑战了亚里士多德-托勒密的宇宙地心论,他认为行星,包括地球,都是围绕着固定的太阳旋转的。伽利略改进了望远镜,把它对准了天空,并获得了支持哥白尼的进路的证据。然后,以日心论为基础,伽利略发现了有关落体运动的重要理论。到17世纪末,牛顿已经发现了万有引力,通过表述物理学的一般定律精细化了伽利略的运动理论,并且[同莱布尼兹(Leibniz)]一起发明了微积分。在这些突破当中,弗朗西斯·培根已经提倡了对实验研究进行制度化,并且论证了科学知识应当被用来征服自然。[20]

16、17世纪的科学成就表现出了人类历史上史无前例的质的进步。在一定意义上,基督教末世论的有关进步的思想提供了一个

---

[19] 请看,Dupre,前注1,页72(有关弗朗西斯·培根主张控制自然);Feldman,前注1,页66-67(讨论了所谓的新教工作伦理的发展);请比较,Thiele,前注1,页198(论辩说,韦伯把新教与资本主义联系起来很具煽动性,但是,批评者们强调,第一,资本主义有些早于宗教改革就发展了,以及,第二,资本主义在非新教国家、比如意大利也发展了起来);Walzer,前注1,页304-307(论辩说,尽管韦伯有关清教徒强有力地促进了经济上的资本主义的发展的论点是可被质疑的,但是清教徒确实是现实的能动主义者和禁欲者);Edmund S. Morgan, *The Puritan Ethic and the American Revolution*, 24 William & Mary Q. 3, 4-6 (1967)(支持一种清教徒伦理的思想)。

[20] 请看,Tamas,前注1,页225-226(讨论了宗教改革之前科学的进步)。有关16世纪和17世纪科学革命的简短讨论,请看,Dupre,前注1,页72-77;Tarnas,前注1,页248-275;The Columbia History of the World 681-692(John A. Garraty and Peter Gay eds., 1972);请看,例如,Francis Bacon, *Novum Organum* (1620), in The English Philosophers from Bacon to Mill 24-123 (Edwin A. Burtt ed., 1939)。

用来理解这些科学进步的现成的概念框架。早至12世纪晚期，芙罗拉的约阿希姆（Joachim of Flora）就已经提出，基督教有关圣礼进步的末世论可以被扩展应用于世俗历史中的精神进步。特别地，基于圣父、圣子、圣灵，约阿希姆提出了人类精神进步的三个阶段。后来，文艺复兴时期的学者改变了这种世俗历史的三段论，他们提出了从古代到中世纪（或者黑暗时代）到现代（或者文艺复兴）的运动。尽管这些文艺复兴学者本身最终被归于黑暗时代，现代主义者全心全意地采纳了这种历史分段，并且，通过这样做，提出了无穷尽的人类进步的能力。在前现代主义的第二个阶段，假设的世界形而上统一限制了思想的进步。前现代的进步是指朝向永恒和普适原则的完美实现的运动；在这种观点里，文明会继续反复地上升和衰败。但是在刚刚萌芽的现代主义世界的形而上二元论的语境里，进步变得可能是没有限制的了，变成了人类聪明才智的问题。这种现代主义的进步思想、世俗事务的质的和无限的进步的思想，与16和17世纪的科学进步是相互协调的——前者在部分上起源于后者并在部分上解释了后者。[21]

总而言之，西方社会有些矛盾地既进行了世俗化又进行了神圣化。在一定程度上，加尔文对宗教和世俗在神学上的完全分离让世俗得以解放，可以在重要性上不断成长，这在开始被科学革命所证明，后来被17和18世纪的政治和社会革命所证明。但是，尽管有加尔文的神学，世俗还是在部分上以宗教（特别是末世论）的辞藻构想的。换句话说，现代主义者试图使自己新的视角和新的现实

---

〔21〕 McAllister，前注1，页22–23；McKnight，前注1，页9–15。尽管Karl Löwith和Eric Voegelin强调了基督教末世论在塑造现代主义进步思想中的重要性，但Hans Blumenberg论辩说，现代的进步思想最初是真诚的，是基于真正的人类进步，但是随后它被基督教末世论的适用扭曲了。换言之，一些现代主义者犯了一个错误，他们把一种具有合法性的人类进步的概念扩展开来用于满足一种宗教需求。请比较，Löwith，前注1，页1–19, 60–61, 201–202和Voegelin，前注1，页110–112, 118–133以及Blumenberg，前注1，页49。

观适合前现代的末世论世界观。这样，现代主义的进步观在部分上平行于第二阶段的前现代主义的进步观，但是同时又至少在三个方面与之不同。第一，现代主义的进步观专注于世俗，而前现代主义专注于神圣、永恒和普适。第二，现代主义者看到了无穷进步的可能性，而前现代主义者只看到了终极原则可能实现。第三，现代主义的进步源自于、产生于人类的聪明才智，而前现代主义的进步产生于神的干预。在某种意义上，在基督教的拯救故事中，现代主义者用人代替了神。现代主义的自我主张一种表面的控制物理世界和社会组织的力量。现代主义者愿意怀疑和挑战传统的信念，因此社会秩序不再看起来是事先确定的或内在的。就像塞格蒙特·鲍曼（Zygmunt Bauman）所说的，现代主义的社会就像一个花园：人类理性地设计和培育了花园，培养了一些植物而消除了另外一些植物（杂草）。现代主义可能有些自以为是地夸口说拥有"通过按照理性重新组织人类事务来改善人类条件的史无前例的能力"。这样，一种"历史论的意识"逐渐出现了：历史表明世界可以不断改善，因为人类意志的力量和创造力。[22]

现代主义的这些重要组成部分的早期迹象可以在托马斯·霍布斯（Thomas Hobbes）的政治哲学中找到。霍布斯在 1651 年发表了他最为著名的作品《利维坦》，当时正处于英国内战的政权空白

---

[22] Bauman, Modernity, 前注 1, 页 65, 70, 73, 91 – 92, 113 – 114; White, 前注 9, 页 6（"历史论的意识"）；请看，Dorothy Ross, The Origins of American Social Science 3（1991）（定义了一种历史主义的态度）。按照 Stephen A. McKnight 的观点，"世俗化缘起于相对上帝和神圣事物而言的独立和自主。神圣化改变了世俗领域，以至于它无法被与神圣的领域区别开来了。人变成了上帝，而社会变成了一种人间的天堂"。Stephen A. McKnight, Sacralizing the Secular: The Renaissance Origins of Modernity 25（1989）。

期，政治和宗教都处于混乱之中。[23] 在《利维坦》的前半部分，霍布斯试图把政治理论作为一种科学展现出来，把它变成一些公理性的原则和可证明的推理，就像欧几里德（Euclid）所展现的几何学一样。霍布斯把人类放入了一种自然状态之中，所有人在身体上和精神上都是基本平等的。在这种状态里，"一种对于权力（Power）的永恒无尽的、只止步于死亡的渴望"使每一个人都不断地同所有其他人竞争并对其他人感到恐惧。与新教改革者类似，霍布斯把个人想像成低级的、贪婪的动物。因此，自然状态类似于永久战争的状态，"这种战争，是每一个人的战争，是针对每一个人的战争"。无人能超脱于斗争之上：不存在个人安全，不存在社会进步，不存在文化发展。"人的生命是孤独的，贫穷的，野蛮的，短暂的"。[24]

按照霍布斯的观点，人类愿意保护自己不受自然状态所固有的危险的伤害，因此他们的"理性具体了"一个取得安全的途径。每一个人必须同所有其他人达成一个契约，把所有的权利和权力都归于一个绝对的主权之中。这样，霍布斯想像了下面这样的社会契约："这就好像每一个人都对每一个人说，我在此将放弃统治自己的权利，并将其授予这个人或授予这个议会，我这样做的条件是，你也要一样把你的权利给他并授权他的所有行为。在这完成之后，如此统一于一个人的人民大众被称为国家，用拉丁语说就是

---

[23] Thomas Hobbes, Leviathan (C. B. Macpherson ed., 1968; 首版于 1651 年). 有关对于霍布斯著作的有用的讨论，请看，Eldon Eisenach, Two Worlds of Liberalism: Religion and Politics in Hobbes, Locke, and Mill 13 – 71 (1981); Christopher Hill, Puritanism and Revolution 275 – 298 (1958); Mitchell, 前注 1，页 46 – 72; Perez Zagorin, A History of Political Thought in the English Revolution 164 – 188 (1954); Laurence Berns, *Thomas Hobbes*, in History of Political Philosophy 396 (Leo Strauss and Joseph Cropsey eds., 3d ed., 1987); C. B. Macpherson, introduction to Thomas Hobbes, Leviathan (C. B. Macpherson ed., 1968)。

[24] Hobbes，前注 23，页 161, 183, 185 – 186; 请看 Christopher Hill, The Century of Revolution, 1603 – 1714, 页 181 – 182 (1961); Berns，前注 23，页 407。

Civitas。这就是伟大的利维坦的降生"。主权或利维坦通过行使一项绝对的警察权来维持和平和秩序:每一个人都懂得,任何破坏和平的行为或犯罪行为都会招致迅速的、合法的惩罚。但是,主权本身是高于法律的,因为主权的臣民只是同彼此订立了契约;他们并没有直接同主权本身订立契约。[25]

因此,在《利维坦》的前半部分,霍布斯体现出了现代主义的两个重要组成部分。他集中注意的是世俗而不是精神,并且他强调了人类进行控制、重新组织并最终改善社会关系的能力,而不论传统的社会安排是怎样的。在霍布斯式的世界里,同前现代主义的假定相反,主权的权力来自于人类的思想和行为,而不是直接来自于上帝。[26]尽管人们可能是起源于一个肮脏的自然状态,但是他们可以用自己的智慧创造一个政治主权,通过维持和平和安全来极大地改善人类的前景。事实上,同马基雅维利不同,霍布斯认为个人组成的社区不但可以建立,而且可以维持公民秩序。

但是,霍布斯并没有这样一片和气地结束他的著作,因为,从他的视角看来,论证还不完整。霍布斯在《利维坦》前半部分证明了理性和权力可以建立国家,但是他在后半部分中承认,对任何世俗权力的恐惧在对永久诅咒的恐惧面前都显得苍白了。因此,在后半部分当中,霍布斯转向解读《经文》来强化和补充他(在前半部分中)的理性论证。这样,在后半部分中,把末世论的形式应用于世俗事务的现代主义倾向显现得最为明显,尽管同后来的现代主义者比起来,霍布斯所使用的末世论的形式保留了相当多的明

---

[25] Hobbes,前注 23,页 188,227;请看,223 - 227,230;Berns,前注 23,页 408;也请看,Hobbes,前注 23,页 272,375(如果主权者不能保护臣民,则共和国可能解体);请看,Hobbes,前注 23,页 192,199(个人不能放弃通过暴力抵抗攻击的权利)。

[26] 请看,Hill,前注 23,页 277 - 278;Pocock,前注 1,页 378;请比较,Walzer,前注 1,页 1 - 6(论辩说,加尔文主义者创造了圣人、公民或人民,可以重造政治秩序的思想)。

显的宗教狂信的痕迹。[27]

值得注意的是,《利维坦》的后半部分浸透了加尔文主义的宗教改革神学。霍布斯认为,"上帝的王国是一个公民的国家,而上帝本身就是主权"。但是,这个王国现在还没有在地球上存在,相反,霍布斯描述了末世论的前进路径。同宗教改革传统相一致,霍布斯开始就强调了亚当的堕落,即据信产生了两个相互联系的问题的原罪:丧失了永恒的生命以及人类的高傲。接着这个故事,霍布斯写道,"上帝仍旧很高兴"通过亚布拉罕(Abraham)和摩西(Moses)同"以色列的子民"(即犹太人)订立了契约。在这时,霍布斯不幸地呼应了传统的反犹情绪,他声称犹太人不够虔诚,他们进行了偶像崇拜,直到耶稣以弥赛亚(Messiah)的身份出现:"基督出现的目的是续写上帝王国契约,并说服选民接受它"。这样,至少对基督徒来说,基督的出现解决了来自于原罪的一个问题,即永恒生命的丧失:通过信仰基督的真理,永恒的精神拯救变成可能的了。[28]

但是,霍布斯遵循了千年王国(millennialist)的视角:即使基督来临,上帝的王国作为一个主权实体并没有在这个世俗的地球上出现。相反,在这个地球上的生命是为基督在未来的再次来临,即上帝在将来的某一天在地球上荣耀之治作准备。也就是说,霍布斯把国家理解为达到最终的上帝王国的末世论道路上的一个中间点。用 J. G. A. 波科克(Pocock)的话来说:"霍布斯把利维坦的王国描述为上帝在摩西的神治国中的直接统治与起死回生的基督

---

[27] 霍布斯写道:"如果除了主权者之外的任何人有权给出比生命还多的奖赏并施加比死亡还大的惩罚,那么共和国就无法存在下去"。Hobbes, 前注 23, 页 478;请看, 478-479;也请看, Eise-nach, 前注 23, 页 49, 57; Mitchell, 前注 1, 页 47。

[28] Hobbes, 前注 23, 页 484, 515;请看, 442-445, 501, 525-526, 629; Mitchell, 前注 1, 页 56-58。尽管加尔文主义影响了 *Leviathan*,但霍布斯本人并非一个激进的清教徒。Hill, 前注 23, 页 284; Pocock, 前注 1, 页 397。

第二章 描绘思想的轮廓：前现代主义、现代主义、后现代主义

行使的上帝直接统治二者之间的一个现存的间隔"。从这一视角看来，通过强迫和平和秩序，政治的利维坦解决了产生自原罪的第二个、也就是剩下的那个问题，即人类骄傲的问题。[29]

在效果上，霍布斯完全接受了加尔文在精神与世俗之间的完全分离，但是霍布斯没有加尔文的包罗万象的宗教确信。因此，霍布斯的政治哲学证明了加尔文主义神学的可能邪恶的世俗化意向。在根本上，对加尔文来说，世俗事务的最终目标或目的是上帝的荣耀。但对于霍布斯来，说上帝的荣耀可能提供了基督教社会的末世论终点，但是上帝和精神信仰都不能为这个堕落的世界中的政治社会提供任何指引或目的。就像佩雷兹·贾格林（Perez Zagorin）观察的，对于霍布斯来说，人类"现在被孤立地扔在了一个被上帝遗弃的宇宙中"。[30]

那么，在这样一个如此缺乏精神内容和方向的世俗世界中，人类该怎样前进呢？至少《利维坦》的前半部分可以被理解成霍布斯的一种努力，他把自己时代中处于萌芽状态的现代科学技术用到了这个神学难题上。后半部分专注于《经文》，用以强化他有关主权的理性结论。事实上，最后，霍布斯明确地融合了《利维坦》的前后两个部分，得出了一个最终结论：只能由一个绝对的主权来统治世俗和精神事务。也就是说，尽管霍布斯维持了加尔文主义的信仰自由的外表，但他还是认为世俗主权和精神主权应当结合。永久的救赎同肉体的和易腐化的世俗世界是如此地没有关联，以至于精神和世俗分开来统治这一想法看起来毫无意义可言。人们生活于

---

[29] Pocock，前注1，页398；请看，Mitchell，前注1，页53-58。从霍布斯的视角看来，基督教在英格兰的发展是从罗马天主教到主教制、到长老制、到信教者的圣会。Hobbes，前注23，页482，710-711。

[30] Zagorin，前注23，页169。"加尔文对这个（肉体的）世界的理解显示了他与理性主义的物质主义的深刻联系，而理性主义的物质主义通常是被与霍布斯和洛克这样的作者联系在一起的"。Hancock，前注14，页20；请看，Feldman，前注1，页98-116。

世俗（不是精神）世界之中，因此只应当有一个统治者或主权。因此，霍布斯攻击了罗马天主教会，因为其神职人员据信对精神（而非世俗）事务行使了权力。[31]

霍布斯并非惟一一个认真对待加尔文主义世俗与精神分立思想的哲学家。事实上，西方哲学的大部分都可以被理解为思想上的努力，试图探索和解决这种基督教神学对世俗事项的意涵。当路德和加尔文攻击罗马天主教会的权威时，他们攻击了确定宗教真理的传统基督教基础。在东正教中，教会声称占有特权，可以断言基督教信仰，包括基督教《圣经》的确定性含义。但是，路德和加尔文对教会权威的摒弃并没有让新教徒失掉宗教基础。就像已经提到过的一样，宗教改革者转而提出，虔诚的新教徒可以直接、个人化地理解《经文》的真正含义。《圣经》本身提供了宗教真理的基础，因为，就像加尔文论证的，"上帝通过他的话语使信仰再也不含糊了"。[32]

但是，因为加尔文主义者把世俗和精神分离开来了，因此那些更为专注于世俗而非精神事务的知识分子不能对新教神学依赖于《经文》的状况感到完全满意。当然，在宗教事项方面，《经文》可能提供了一个充分的基础（至少对于一些基督徒来讲），但是，如果世俗同精神是完全不同的，那么《经文》就不能为世俗的真理或知识提供基础。随着近来大量出现的科学进步，这一问题变得特别严重：什么样的世俗基础可以支持和正当化人类有关科学真理的知识的快速进步？在从前，在前现代主义世界的形而上的统一中，哲学家不需要指出或解释知识的基础；这样的基础是内在的，

---

[31] Hobbes，前注 23，页 498 – 499；请看，575，627 – 715；Pocock，前注 1，页 397 – 398。

[32] Calvin, *Institutes*，前注 14，页 1. 6. 2。按照路德的观点，一旦新教信徒被从罗马天主教的传统的著作中解放出来，他们就可以个人化地体验到"上帝最神圣的词语，基督的福音"的首要的重要性。Luther, *Freedom*，前注 13，页 345，354，356。

是可以领悟的现实的一个十分容易接触到的部分。在某种意义上，前现代主义的基础是被给定的，因此是不存在问题的。但是，随着前现代主义的形而上的统一的瓦解，随着加尔文主义把世俗和精神分立开来，认识论基础的给定性就受到了动摇。尽管如此，而且最为重要的是，现代主义者保持了一种对客观性、对坚实的土地、对知识的坚固基础，特别是对科学知识的坚固基础的渴望。所以，特别是对现代主义哲学家来说，指出认识论的基础就变成了一个（或者可能是惟一一个）中心问题。[33]

这一挑战的巨大性和重要性是不言自明的。在摒弃了世俗知识的宗教的和其他的传统基础之后，现代主义哲学家开始寻找一些替代性的基础或者阿基米德的支撑点。在很大程度上，这种追寻和随之出现的误入歧途会推动现代主义从一个思想阶段发展到另一个思想阶段。

在第一个阶段——我称之为理性主义——哲学现代主义者论证说，纯粹的抽象理性可以给知识以坚实的基础；理性可以发现和暴露真理。典型的理性主义者莱恩·笛卡尔（René Descartes）试图通过把严格的批评同精确的演绎逻辑结合起来把哲学变成"一种对于知识的第一原则的认识论上的探询"。按照笛卡尔的方法，思想的主体或自身通过自省来质疑或怀疑所有的信念，并且通过这一理性过程，清楚明白的思想就会作为基础性的知识出现。这样，当去除了历史的和传统的偏见之后，理性本身看起来就产生了确定性——也就是真理。然后，从这些公理性的真理出发，抽象的理性可

---

[33] 请看，Popkin，前注1，页110（论辩说，现代主义哲学是作为对于确定性的追寻而出现的，以为知识辩护）；请看，Dupre，前注1，页27（论辩说，在前现代的世界中，因为前现代的形而上的统一性，kosmos 其实不应该被理解为基础性的）。我对现代主义对认识论基础的寻求的分析受到了 Blumenberg 的"重新占据"（reoccupation）的概念的影响：这一概念就是，后一个时代的概念试图填充一个较早时代的概念的功能。Blumenberg，前注1，页49。

以演绎出进一步的确定性的真理。笛卡尔明确地把这种哲学方法类比于欧几里得几何学的逻辑方法:"几何学家惯常用于进行自己最为困难的证明的那些一长串极为简单易行的推理使得我认为,所有属于人类知识的东西都具有类似的次序;而只要我们避免把那些并非真理的东西当成真理并一直保证从一个事物演绎出另外一个事物的正确顺序,那么,最终就没有什么东西远得够不着或隐蔽得无法发现"。[34]

这样,笛卡尔在宗教改革一个多世纪以后发展了一种哲学,这种哲学在三个重要的相互关联方面同新教神学具有共鸣。第一,通过阐述自己的怀疑论方法,笛卡尔接受了新教改革者的面对面怀疑态度(改革者们用这种态度来对待罗马天主教会),并且将其制度化为一种世俗领域内的智识方法。第二,作为他怀疑论的方法一部分,笛卡尔大幅度地向内转,转向了一个理性的自我,并且,通过这样做,他完全地将自我同外在客观世界分离开来。这种哲学的二元论十分类似于加尔文的神学二元论,后者把精神同世俗分离开来。第三,笛卡尔找到了、并且依赖于个人化的自我,这补充了新教改革者成长中的神学个人主义,尽管笛卡尔的自我在很大程度上

---

[34] Dupre,前注1,页87("一种对于知识的"); Rene Descartes, *A Discourse on Method* (1637), in Philosophical Writings 21 (E. Anscombe and P. Geach ed. and trans., 1964,转引自, Thomas C. Grey, *Langdell's Orthodoxy*, 45 U. Pitt. L. Rev. 1, 18 注 62 (1983)("几何学家");请看, Rene Descartes, *Meditations* (1641) (John Veitch trans.), in The Rationalists 97, 112 – 127 (Anchor Books 1974) (以下称 Descartes, *Meditations*)(笛卡尔的认知); Toulmin,前注1,页81(概述了笛卡尔的方法)。

被剪除了早期新教改革者如此有力地强调的堕落和原罪。[35]

笛卡尔哲学和新教神学之间的这三个相互重叠的组成部分刺激了现代主义的进一步发展。一种总体上的怀疑态度——愿意怀疑先前接受的信念和制度——嵌入了现代主义思想的科学和哲学方法。并且，形而上学的二元论——主体和客体之间的明显分离——变成了现代主义视野的一个突出标志，将现代主义同前现代主义截然分离开来，后者是一种形而上学的统一论。最后，一个现代主义的自我开始出现，他主张几乎类似于上帝的选择价值和目标的权力，并因此控制和重塑自然和社会世界。事实上，现代主义的各种因素开始具体化为一种一以贯之的世界观：个人自我进行推理和获得基础性知识（foundational knowledge）的能力帮助人类控制了世俗世界，从而产生了无穷无尽的进步。随着现代主义向前推进，只是越来越被看成是人类在世俗世界中获得解放的途径。当他展开现代主义的哲学蓝图时，笛卡尔本人特别乌托邦，他试图在一个事实上被剥夺了精神目的的世俗世界中找到一个坚实的认识论基础。与那些之前曾经采纳过总体上的怀疑态度的、更为小心的文艺复兴时期的人文主义者相反，笛卡尔认为自己怀疑论方法的抽象理性能够得出不容置疑的真理、普适的原则以及一个逻辑顺序清楚、包罗万象的世俗知识的体系。后来的现代主义者会过于自信，他们相信社会可以通过人类的聪明才智而进步，但是很少有人会作出这种能够达到哲学

---

[35] Richard H. Popkin 明确地把早期现代主义哲学的怀疑主义同宗教改革时期的宗教怀疑主义联系了起来。Popkin，前注1，页189-190。Popkin（42-87）和 Stephen Toulmin（前注1，页5-44）也强调了笛卡尔的怀疑主义方法具有文艺复兴人文主义的哲学根源。有关个人主义的出现，请看，Tamas，前注1，页280（论辩说，笛卡尔提供了"对于现代的自我的典型的宣示"）。值得注意的是，笛卡尔本人并非一个加尔文主义者；他是罗马天主教徒。实际上，他声称自己"无条件地"接受天主教会的观点，Popkin，前注1，页233，并且他有一位红衣主教作为赞助人。Dupre，前注1，页117。尽管如此，新教神学对于世俗的（或自然的）世界与精神世界之间的区分的强调在反宗教改革时期中扩展到了天主教；178。而且，笛卡尔一生中的很多时间都生活在新教国家当中，有时他显然是在试图逃避天主教会的审查。Toulmin，前注1，页78。

完美的宏大主张（但是，当然，有些人会这么做）。[36]

事实上，笛卡尔的哲学乌托邦几乎立刻就开始土崩瓦解了。十分重要的而且颇具讽刺意味的是，笛卡尔的形而上学的二元论同他与之相关的怀疑论的方法结合起来一道削弱了他自己的主张，也就是要让知识基于抽象的理性。非常简单，笛卡尔的怀疑主义或怀疑的方法很难驾驭。尽管笛卡尔主要把它用于世俗领域，斯宾诺莎（Spinoza）明确地把怀疑主义的态度延伸到了宗教领域，从而为现代主义世界在长期上的世俗化（或者说脱魅）作出了重要贡献。其他哲学家把怀疑的方法应用到了笛卡尔自己认为的对世俗知识的证明上面，从而质疑了他的理性主义蓝图。既然对于科学的至关重要的目的而言，自我必须确定地知道外部世界的客体，于是一些哲学家问道：如果自我仅仅转向内在、转向理性，那么他又怎么能够通越主体与客体之间所存在的（现代主义的）形而上学的鸿沟呢？换句话说，自我怎么能够使用抽象的理性来理解有关一个截然分开的物质世界的先验真理呢？[37]

在这时，对怀疑的方法进行哲学的制度化的长期意涵就开始显现了。传统的信念必须被怀疑和挑战——被诬蔑为仅仅是偏见——并且常常必须被摒弃，然后真理才能闪光。但是，一旦一个现代主

---

[36] 特别地，Eric Voegelin 论辩说，现代主义相信人类知识可以具有解放的作用（或者一种拯救），这是诺斯替主义（gnosticism）的世俗化。Voegelin，前注 1，页 124 –133；请看，McAllister，前注 1，页 21－23，132；McKnight，前注 1，页 57－61。对于现代主义哲学的兴起的更为细致的描述需要更多地注意文艺复兴时期的人文主义者，比如蒙田（Michel de Montaigne）。Popkin，前注 1，页 42－87；Toulmin，前注 1，页 5－44。

[37] Benedict de Spinoza, *The Ethics* (1677) (R. H. M. Elwes trans.), in The Rationalists 179, 208－215 (Anchor Books 1974); 请看，Popkin，前注 1，页 xviii, 229－248。笛卡尔声称通过理性论证证明了上帝的存在，但是他后来用上帝的存在来证明人类在世俗领域内知识超越了 *cogito ergo sum*（我思故我在）。Descartes, *Meditations*, 前注 34, 页 128－143, 153－159（证明上帝的存在）。Popkin 归纳了对于笛卡尔的给知识以客观基础的主张的很多批评性的反应。Popkin，前注 1，页 193－213。

义哲学家真心地援用某些认识论的基础,比如抽象理性,那么另外一个哲学家就会以怀疑主义的态度怀疑它是否足以坚实地支撑知识。现代主义者坚持不懈地寻找基础,但是他们同时也顽强地怀疑所有这种被人们提出的基础。因此,典型的现代主义态度就是(现在也是)焦虑。而且,这种现代主义的焦虑起源于渴望认识论的根基并且同时挑剔地怀疑所有这些基础,这在很大程度上推动哲学现代主义走向其后续的阶段。[38]

在现代主义的第二个阶段——我称之为经验主义——寻求真理来源的关注点从理性的自我转向了外部世界。经验主义者声称,外部世界中的物理客体塑造着人类的经验。因此,对那些客体的感观经验和理解使自我可以直接获得基础性的知识。约翰·洛克(John Locke)这位现代主义哲学的开创性经验主义者声称,"我们所有的知识都……来源于经验"。更为具体地,他论辩说,我们所有的思想都产生自感觉或反思,也就是说,对于外部世界中的物理客体的感觉或者对我们自己思想之运作的反思。那么,更为重要的是,按照洛克的观点,我们对客体的"主要性质"的观点类似于或者反映着实际的客体。因此,我们有关客体的思想中至少有一些构成了知识——即确定无疑地知道的真理。[39]

在这一阶段,理性继续扮演着重要的角色,即使它不再是最初前提(first premises)和基础性知识的来源。理性可以提供有关世界的有价值的洞见,可以帮助完成某些任务——一旦经验性的研究首先提供了基础性的前提,亦即知识,那么这就可以为后来的推理

---

[38] 请看,Bernstein,前注1,页16-20(解释了一种"笛卡尔的焦虑"是现代主义哲学的中心问题,它来自于客观主义与相对主义之间的张力);Jameson,前注1,页11(注意到了现代主义的时代已经被称为了焦虑的时代);McAllister,前注1,页134(强调了对于确定性的追寻)。

[39] John Locke, *An Essay Concerning Human Understanding* (1690), in The English Philosophers from Bacon to Mill 238, 248-249, 267 (Edwin A. Burtt ed., 1939)。洛克把基本特性定义为外部物体的"体积、形状、数量、位置和运动或静止";269。

过程提供充分的基础。在很大程度上,理性变成了工具性的:它是一个倒空了内容的容器,只有经验性的观察可以用有关世界的必要的实质内容填充这一空间。大卫·休谟(David Hume),一个较晚的、极端怀疑主义的经验主义者,甚至声称"理性是、并且只应当是激情的奴隶,除了服务于和服从于激情之外从来再也没有什么功能"。这把理性的范围缩减为一种由个人操纵的工具,强调了现代主义的个人主义中的自主的自我的持续的出现。事实上,洛克可能是第一个明确地集中关注一种个人身份概念的理论家。而且,在洛克的政治理论当中,他教导说所有人都是"平等的和独立的",这例证了对个人的不断增长的尊重。同霍布斯的处于自然状态中的人类是卑鄙和贪婪的动物的观念不同,洛克把这些个人想像成理性的、尊重他人的。而且,当然,只有个人自由地同意通过社会契约组成政治社会,政治社会才具有合法性。换句话说,个人拥有构建社会一种社会秩序的自由,以满足自己个人的目的和促进社区的善益。[40]

现代主义哲学的这种不断增长的个人主义是同经济上的资本主义的发展交织在一起的。洛克本人努力调和17世纪英国正在出现的资本主义与他假设的个人平等之间的关系。为了这一目的,洛克试图正当化对财产的占有以及不可避免地从财产所有权发展出来的经济上的不平等。洛克的论证的关键部分是对个人的尊重——尊重

---

[40] Thiele,前注1,页201(引用的是 David Hume, A Treatise of Human Nature (1738 – 1740); John Locke, The Second Treatise of Government 5 – 9, 48 – 49, 54 – 55, 65, 70 – 71, 75, 79 – 80, 123 – 124 (Liberal Arts Press 1952)。有关洛克的个人主义,请看, Hamlyn,前注1,页174; Borgmann,前注1,页37 – 47。有关对于洛克的政治理论的一个概述,请看, John Dunn, The Political Thought of John Locke (1969); Robert A. Goldwin, *John Locke*, in History of Political philosophy 476 (Leo Strauss and Joseph Cropsey eds., 3d ed., 1987)。

个人的劳动、选择和自由。[41] 事实上，正是与休谟同时代的苏格兰人并且同时是他的信徒的亚当·斯密（Adam Smith）最为清楚地阐释了个人主义与资本主义社会之间的哲学联系。按照斯密的观点，每一个个人都自然而然地在经济市场中最大化自己的自我利益。但是，这种对于自我利益的追求不但对个人有利，而且也通过"看不见的手"促进了社会的善益。简而言之，如果个人追求他们"自己的利益"，那么社会最终会进步。这样，按照斯密的观点，个人利益、自由和选择是资本主义经济的标记，并且资本主义会通向社会作为整体的最大进步。[42]

就像第一个阶段的哲学现代主义中的理性主义一样，第二个阶段的经验主义也最终屈服于现代主义者自身的怀疑主义的审视。早期的经验主义者曾经自信地声称，经验提供了对于外部世界的基础性知识，但是休谟本人削弱了这种自信。休谟承认，如数学中的那种分析推理可以提供确定性，但是这种推理形式并不能提供有关外部世界的信息。因此，如果有关外部世界的知识要成为可能，那么那个世界的客体就必须以某种方式塑造人类的经验或者感官感觉，就像早期的经验主义者所声称的那样。但是，一个人的感官感觉显然不能被等同于世界中的客体本身；例如，对于一把椅子的感觉并不等同于这把椅子本身。这样，休谟推理说，感官感觉最多只能准确地复制或反映外部世界的客体，但是，即便如此，我们也永远无

---

[41] Locke，前注40，页17–18，21；请看，Mitchell，前注1，页82–85。Douglas Hay 把洛克称作17世纪财产神圣化的做法的辩护者。Douglas Hay, *Property, Authority and the Criminal Law*, in Albion's Fatal Tree 18–19 (Douglas Hay et al. eds., 1975)。

[42] Adam Smith, The Wealth of Nations (1776), in Classics of Modern Political Theory 531, 532, 537–538, 545–547 (Steven M. Cahn ed., 1997); 也请看，Adam Smith, The Wealth of Nations (1776), in The Essential Adam Smith 149, 241 (Robert L. Heilbroner ed., 1986)（包括了论社会进步的文章）；请看，Stephen Holmes, *The Secret History of Self-Interest*, in Beyond Self-Interest 267, 277–280 (Jane Mansbridge ed., 1990)（论辩说，斯密和休谟认为私利并非惟一的驱动人类的激情）。

法真正确定事实情况就是如此。一个人只能推论而不是先验地知道，我们的感觉准确地反映了客观世界。因此，休谟作出结论说，我们无法确定地了解外部世界的物理物体。[43]

休谟的怀疑主义把现代主义哲学带入了一个危机。形而上学的二元论——自我与客观世界的截然分离——是现代主义世界的一个无法动摇的里程碑，但是这种二元论产生了一个令人疑惑的认识论上的鸿沟。如果有关外部世界的知识要成为可能，那么自我就必须以某种方式跨越这一鸿沟以到达外部世界。但是，因为理性主义和经验主义的自命不凡已经被揭露，所以这一任务开始让人觉得无法完成：现代主义者可能永远无法达到他们给自己设立找到基础性知识的目标。而且，如果理性和经验都不能为知识提供基础，那么现代主义者可能就是冲进了一条死胡同。但是他们无法回头，因为，在他们看来，前现代主义的世界受到了无法修补的损害。因为现代主义的形而上学二元论与前现代主义的形而上学统一论之间有着根本的差别，所以现代主义者没有可能回到前现代主义的认识论的和规范的基础。复兴较早时代的看起来不具合法性的传统，这在智识上和社会上都说不通。这样，现代主义的危机就几乎变成了现代主义的绝望：现代主义者一刻也不停歇地要求基础性的知识，即使他们已经表明现代主义的（以及前现代主义的）工具和技术都不足以完成这一任务。

在某种意义上，现代主义的第三个阶段——我称之为超验主义——试图完成从帽子里变出兔子的戏法："左边的袖子（理性主义）里什么都没有。右边的袖子（经验主义）里什么也没有。但是，芝麻开门——然后挥舞一下我的魔法棒——我仍然能够从帽子

---

[43] David Hume, *An Enquiry Concerning Human Understanding* (1748), in The English Philosophers from Bacon to Mill 585, 598 – 607, 678 – 683 (Edwin A. Burtt ed., 1939); 请看，Popkin, 前注1, 页247 – 248（论辩说，休谟是第一位宗教和认识论怀疑主义者）。

里变出兔子（知识）!"正当现代主义看起来已经穷尽了找到知识的可能路线的时候，第三阶段的现代主义者绝望地但却创造性地试图转回思考的主体和理性，以使基础性知识的可能性起死回生。第二阶段的现代主义哲学家曾经论辩说，如果知识要成为可能，那么外部世界的客体就必须塑造人类的经验。但是第三阶段的超验主义推理把这种图式反转了过来：最重要的超验主义哲学家伊曼纽尔·康德（Immanuel Kant）论辩说，人类给客体或经验的现象强加了形式和结构。换句话说，某些结构或分类内在于并且因而塑造着所有的人类经验和思想。按照康德的观点，知识之所以是可能的，恰恰是因为这些分类是人类经验的必要前提条件。这样，康德的认识论目标就是要找出那些作为经验之先验条件的精确分类：这些分类规定了人类必须怎样处理他们有关外部世界的经验。简而言之，超验的理性提供了综合的先验知识——这些知识先验于经验，但仍然能够提供有关客观世界的信息。而且，在这个第三阶段，现代主义的个人主义可能达到了其顶点。例如，康德的全部伦理理论都是围绕着对个人尊严和自主性的尊重展开的。因此，按照一种表述，康德要求行为符合道德的绝对命令就是要求把每一个理性的个人"总是作为目的而非手段"来对待。[44]

超验主义尽管毫无疑问十分聪明，但却没有消除现代主义的危机。很多哲学家当然受到了现代主义进行怀疑的强力的驱使，质疑了超验主义的解决方案的真实性，从而把现代主义推到了第四个也就是最后一个阶段，我称之为后期危机。这些哲学家——可以称之为批评家——暗示说，第三阶段的现代主义者面对面地看到了绝

---

[44] Immanuel Kant, *Critique of Pure Reason* (1781), in Kant Selections 1, 3–5, 14–27, 43–66 (Theodore M. Greene ed., 1929). 有关康德的伦理学，请看，Hamlyn, 前注1, 页237; 请看, Immanuel Kant, *Theory of Ethics*, in Kant Selections 268, 309 (Theodore M. Greene ed., 1929); 取自康德的 *The Fundamental Principles of the Metaphysic of Morals* (1785) 以及 *The Critique of Practical Reason* (1788)。

望,他们被绝望的面容吓得立即走开了。第三阶段的现代主义者把眼睛转向一旁,然后声称对于自己的认识论问题必须要存在一个解决方案。他们急切地试图找到一根救命稻草作为最后答案,于是他们匆忙地想,"我们必须拥有知识,但是必须具备什么前提才能拥有知识呢?"然后,变了!现代主义者变成了超验主义者并且作出结论说,"我们一定是已经满足了拥有知识的那些前提条件,因为,别忘了,我们十分清楚地拥有知识(因为,当然,我们必须拥有知识)"。用弗里德里希·尼采(Friedrich Nietzsche)的话说:"康德想要用一种让普通人目瞪口呆的方式证明普通人是正确的"。这样,对于批评家来说,超验主义看起来是一个空洞的外壳,它产生于绝望。在某种意义上,超验主义的现代主义者只是描述了如果我们拥有基础性知识的话,那么什么条件会存在。但是,对这些条件的描述并没有使它们成为现实;超验主义对基础性知识的论证仅仅意味着,现代主义者能够想像如果这成为现实的话那么这种知识可能是什么。超验主义的推理过于简单地,甚至无法避免地滑向了唯心论(idealism)。尼采轻蔑地说到"老康德的僵化的、彬彬有礼的伪善",并声称现代主义哲学家全都是"憎恨这一称谓的辩护士,并且甚至在很大程度上都是狡猾的代言人,他们将自己的偏见命名为'真理'"。[45]

但是,很重要的是,超验主义解决方案的大多数批评家都仍然是现代主义者。他们无法想像任何其他可以替代现代主义的途径,

---

[45] Friedrich Nietzsche, *The Gay Science* § 193 (1882), in The Portable Nietzsche 93, 96 (Walter Kaufmann ed., 1982); Friedrich Nietzsche, Beyond Good and Evil 12–13 (Walter Kaufmann trans., 1966, originally published in 1886)(以下称 Nietzsche, Beyond);请看, Walter Kaufmann, Nietzsche: Philosopher, psychologist, Antichrist 103, 205 (4th ed., 1974)(解释了尼采对康德的批评,因为后者假定综合的先验判断一定是存在的); Lawson,前注 1,页 40(解释了尼采对康德的超验论辩的批评)。康德本人并不认为自己是以早期的现代主义者(比如笛卡尔)认为的方式为知识寻找基础;相反,康德试图指出人类理解的局限。Henry Aiken, The Age of Ideology 34–36 (1956); Hamlyn,前注 1,页 218。

第二章 描绘思想的轮廓：前现代主义、现代主义、后现代主义

而且，事实上，他们无法避免现代主义对基础性知识的渴望或者对个人自我的褒扬。这样，因为没有其他选择，批评家常常继续使用现在已经成为传统的现代主义工具：理性主义、经验主义和超验主义。批评家们甚至用这些现代主义工具来证明现代主义内在的局限，来证明达到现代主义目标是完全不可能的。因此，批评家们把现代主义抛进了绝望的深渊，因为，尽管对真理和知识的渴望仍然存在，但是满足这一渴望的希望却消失了。一些现代主义者的反应是，越来越集中关注个人的自我，而不是关注认识论的确定性。这些现代主义者变成了浪漫主义者——美学上的现代主义者——他们赞美艺术、文学和其他创造性工作对意志的突出。[46] 但是，其他现代主义者仍然对认识论和科学的成功抱有希望，他们以下面两种方式中的某一种对批评家们作出回应。第一，他们中的一些人等于是在不容分说地宣布，"如果你不能提供更好的东西，那么就闭嘴吧！"这些忠诚的反动者通常把绝望的批评者宣布为虚无主义者。第二，其他更为开放但仍就乐观的现代主义者倾听了那些批评性的论辩，感到非常不安，他们因而作出的反应是，试图通过加上一些新的要点、一些进一步的诡辩来拯救现代主义的事业。

这样，第四阶段的现代主义曾经的（也是现在的）标志是纷乱的、前后不一贯的态度和蓝图：深刻的绝望、焦虑、愤怒、指责

---

[46] 浪漫主义"是理性主义的镜像"。Toulmin，前注1，页148；请看，Berlin，前注1，页187–206；Tarnas，前注1，页366–394；David A. Hollinger, *The Knower and the Artificer, with Postscript* 1993, in Modernist Impulses in the Human Sciences, 1870–1930，页26（Dorothy Ross ed., 1994）。尼采通常被认为是一位浪漫主义者，这一事实强调了他在现代主义中的模糊的立场。Hamlyn，前注1，页264–265；Hollinger，前注1，页8。尼采有关真理的视角主义（perpsectivism）暗示着对于现代主义的摒弃，请看，Nietzsche, Beyond，前注45，页9–11，46，但是他对知识和价值的缺失的担忧以及他对于个人权力意志的强调表明他坚持现代主义；请看，136，139，203。对于尼采的这种现代主义理解是由 Walter Kaufmann 提出的。Kaufmann，前注45，页122。有关对于"用一个学科的方法来批评这个学科本身"，请看，David Luban, *Legal Modernism*, 84 Mich. L. Rev. 1656, 1660 (1986)。

性的批评,以及越来越精细的现代主义"解决方案",这些方案从理性主义、经验主义、超验主义当中挑选各种要素,同时加上多重的复杂因素。例如,一些第四阶段的现代主义者承认传统或者文化已经被证明出人意料地顽固、难以克服,怀疑先前接受的制度和信念并不一定可以让人们摆脱它们的控制。基础性的知识看起来甚至要比以前想像的更难达到了。这样,一些知识分子拒绝了哲学家们对提供认识论基础的垄断性的主张,他们转而开始探索其他探寻的领域。随着学科界限开始模糊,各种各样的创造性策略——包括结构主义、现象学、弗洛伊德心理学——被提了出来,被认为能够穿透到深层的现实。而且,传统或文化的持久不衰影响了现代主义的个人自我的观念:一些第四阶段的现代主义者承认传统和文化的局限限制了自我的选项或者选择。毕竟,自我看起来并不像最初认为的那样独立和自主。但最终,这些现代主义者保持了一种有关自我的形象,它以某种方式保持着控制,仍然可以进行选择,仍旧是力量的来源。在这一阶段,现代主义已经不再夸口拥有完全独立和自主的自我了,但是一个"相对自主的自我"仍然保留了下来。[47]

后现代主义

对犹太人的种族灭绝可能是加速从现代主义转向后现代主义的最为重要的社会事件。在现代世界观当中,个人自我进行推理和获得基础性知识的能力被认为有助于人类控制自然世界和社会,因此产生了永无止境的进步。人类的聪明才智好像是不知疲倦的,而自

---

[47] Pierre Schlag, *Fish v. Zapp:The Case of the Relatively Autonomous Self*, 76 Geo. L. J. 37 (1987). 按照 Schlag 的观点,相对自主的自我是"一个建构出来的自我,它承认自己是被社会和文化建构的,但却仍然维持了自己的自主性,以决定自己可以或不可以有多么大的自主性"。Pierre Schlag, *Normativity and the Politics of Form*, 139 U. Pa. L. Rev. 801, 895 注 248 (1991)。

第二章 描绘思想的轮廓：前现代主义、现代主义、后现代主义

信也空前高涨：社会问题总是可以解决的，而世界会变得越来越好。种族灭绝击碎了这种自负的想法。在了解了纳粹的暴行之后，很少有知识分子能够自信地宣称理性和知识可以毫无疑问地让世界变得更好。种族灭绝最为清楚地表明，官僚制的组织所体现的现代主义的理性观念可能会以某种方式遮住道德，从而产生种族屠杀。用塞格蒙特·鲍曼的话说，"正是现代文明的理性世界使种族灭绝成为可能"。[48]

在冷战以及一直存在的原子毁灭的可能性的重压之下，现代主义之自我收缩继续进行。当仅仅按一下按钮就能威胁到我们所知道的人类文明时，智识的沉着就难以维系了。经年累月的传统所具有的深度，人类意义和人类存在的根深蒂固，这一切都可以在几分钟的时间里就被破坏。[49] 作为现代主义理性的典范的科学本身也被证明是一个危险的同盟者。即使原子战争并不突然毁灭这个世界，表面的科技进步所产生的环境污染也可能缓慢地、偷偷地达到同样的效果。简而言之，现代主义对人类控制力和无穷无尽的进步的确信所得以维系的社会支撑都崩溃了。

其他社会和文化因素进一步促进了现代主义的垮台以及伴随而来的后现代主义在20世纪晚期的兴起。在美国，20世纪50年代和60年代的民权运动以及后来的妇女运动使被压迫的个人和群体能够非常有说服力地阐述公开的观点，而这些观点从前都是被压制

---

[48] Bauman, Modernity, 前注1, 页13；请看, Max Horkheimer and Theodor W. Adorno, Dialectic of Enlightenment (John Cumming trans., 1972; 1st ed. 1944)（论辩说，启蒙运动思想导致了灾难）；McAllister, 前注1, 页34-35（强调了美国人对于种族大屠杀的震惊）；Vivian Grosswald Curran, *Deconstruction, Structuralism, Antisemitism and the Law*, 36 B. C. L. Rev. I, 2-3, 24-28 (1994)（论辩说，解构主义在历史上产生于种族大屠杀之后摒弃了现代主义对人类进步的信念）；Avishai Margalit and Gabriel Motzkin, *The Uniqueness of the Holocaust*, 25 Phil. & Pub. Aff. 65, 80 (1996)（种族大屠杀对于战后的世界来说变成了一个"创造的时刻"）。

[49] 请看, Dorothy Ross, *Modernism Reconsidered*, in Modernist Impulses in the Human Sciences, 1870-1930, 页1, 10 (Dorothy Ross ed., 1994)。

或者忽视的。随着第三世界国家开始发展，一个类似的现象也在国际层面上发生了。这样，一种正在出现的文化多元主义碰到了从前未被质疑的社会和知识的做法：现代主义对普遍真理的主张以及有关社会进步的宏大历史叙事都被谴责为文化帝国主义的表现。[50]

不但如此，科学和技术的发现继续改造着社会世界，尽管人们开始担心这些变化对人类生活质量的影响。最为重要的是，通信技术的发展极大地改变了我们的生活：先是电视机，然后是计算机的引入和发展都产生了史无前例的信息爆炸。图像、声音和数据在几微秒的时间内就能闪过整个地球。现在看起来意义和知识的深度并不大于你用遥控器浏览无数个频道时在你的电视屏幕上掠过的一张微笑的面孔。大卫·哈维（David Harvey）观察道，"后现代主义最为令人惊异的事实（就是）它完全接受了转瞬即逝、支离破碎、断断续续以及杂乱无章"。我们生活的方式就是在表面上浮光掠影，以超速度（hyperspeed）来运动，跳跃超链接（hyperlink），过着超生活（hyperlife）。而且，这种超文化（hyperculture）呼应着"那种对于新事物的古老的崇拜，它维系和促进着我们这个晚期资本主义消费者社会中消费商品的快速、无情的步伐"。后现代主义可能丧失了现代主义对于控制力和进步的信心，但是社会和文化变化的速度仍然加速到了一个令人眩晕的步伐。"叙事已经从纸面上跃到了屏幕上，音乐不止要求被听到，而且还要求被看到，计算机搞乱了我们同信息、监视和金钱之间的关系，而电视只是改变了一切。现在事物让人觉得它们运动得真的很快，留给我们的注意广度（attention span）就像小猫被类似老鼠的运动所吸引的时间的

---

〔50〕 Connor, 前注1，页88-89, 230-233。

长度一样"。[51]

同这些社会和文化变化相一致，后现代主义哲学家在 20 世纪的后半期出现，他们驳斥了现代主义有关基础性知识、个人自主和控制，以及无穷尽的社会进步的核心确信。这些后现代主义者拒绝继续现代主义对认识论基础的核心追求，相反，可以这么说，他们开始在表面上调查我们的生活。也就是说，如果我们的生活就是在表面上滑过，而没有什么深入的基础性根基，那么我们可能就应该研究各种力量是怎样在那个表面上运作的。值得注意的是，这些哲学家中的很多人起初既不认为自己是后现代也没有被别人称为后现代。但是，我所感兴趣的是后现代主义的主题的发展，而不仅仅是后现代这个词的用法。后现代主义的主题在被给了这样的标签以前就在哲学中出现了。例如，法国理论家，比如雅克·德里达（Jacques Derrida）和米切尔·福柯（Michel Foucault）最初被称为后结构主义者，但是我根据他们的哲学和社会主题认为他们是后现代主义者（当然，今天的很多其他评论者也同意德里达和福柯曾经是、现在也是后现代主义的）。

后现代主义的故事中的一个重要哲学家是马丁·海德格尔（Martin Heidegger）。早期的海德格尔写作时是在种族灭绝和其他引入了后现代主义时代的社会事件发生之前，但他仍然挑战了现代主义的信条，打开了后一种现代主义哲学的可能性。他试图挑战笛卡尔所引入的基本的现代主义形而上学：它是一种形而上学的二元论，把自主的主题或自我同客观世界截然分离开来。与这种形而上

---

[51] Harvey，前注 1，页 44（"the most startling"）；Richard Shusterman, *Postmodern Aestheticism: A New Moral Philosophy?* 5 Theory, Culture, & Socý 337, 351（1988）（"那种对于新事物的古老的崇拜"）；Kruger，前注 1，页 7（"叙事已经"）；请看，David Held, Introduction to Critical Theory: Horkheimer to Habermas（1980）（关于法兰克福学派，它集中关注资本主义的需求与文化生产之间的关系）；Kruger，前注 1，页 70（论辩说，在电视上，"在荧屏表面，事物被按照其表面价值接受"）。

的二元论相反,海德格尔认为人类必须被理解为完全存在于这个世界之中,而不是被理解为暂时地在一个物质世界中游荡的超然的和自主的精神的心智。海德格尔试图把自己有关人类存在的另类观点解释为"在那里(Being – there)",或者 *Dasein* 。* *Dasein* 或者说人类存在的本质的或基本的结构就是"存在于世界之中",海德格尔将其描述为一种"一元的现象"。也就是说,*Dasein* 像任何其他事物一样作为一个实体存在于世界之中,就像一块岩石或者一把锤子,但同时 *Dasein* 通过给世界中的事物以意义而建构了世界。因为 *Dasein* 的这种同时发生的单二元的本质——它是一种试图理解存在(Being)的存在(Being)——海德格尔推理说,人类存在的特征就是实际的理解。*Dasein* 不能绕到实际的理解的背后或者先于实际的理解而存在:人们立即把存在于世界之中(Being – in – the – world)体验为对日常或实际活动的解释,包括像使用锤子或一支粉笔这样平凡的行为。[52]

后来的哲学家会进一步发展海德格尔所提出的朝向人类存在于世界之中的解释的或阐释的转型。这些哲学家,特别是汉斯 – 乔治·伽达默尔(Hans – Georg Gadamer)和德里达,在"二战"后的社会语境中进行写作,他们会在探索人类理解的条件时把哲学引

---

* 指"此在"。——译者

[52] Martin Heidegger, Being and Time 32, 65, 78 – 83, 169 – 172(John Macquarrie and Edward Robinson trans. , 1962;1927 年首次以德语出版);请看,Lawson,前注 1,页 58 – 89;George Steiner, Martin Heidegger 82 – 84(1978);Stephen M. Feldman, *The New Metaphysics:The Interpretive Turn in jurisprudence* , 76 Iowa L. Rev. 661, 675 – 681(1991);Dagfinn Follesdal, *Husserl and Heidegger on the Role of Actions in the Constitution of the World* , in Essays in Honour of Jaakko Hintikka 365(E. Saarinen, R. Hilpinen, I. Niniluoto, and M. Hintikka eds. , 1979);Francis J. Mootz, *The Paranoid Style in Contemporary Legal Scholarship* , 31 Hous. L. Rev. 873, 884 n. 39(1994)。有关前期和晚期海德格尔可能存在的区别的讨论,请看,Lawson,前注 1,页 79 – 85;Steiner,同上,页 3。

向一个明显后现代的方向。[53] 伽达默尔于1960年发表了自己的代表作《真理与方法》(Truth and Method)。他阐述了一种哲学阐释学,这种哲学阐释学最为简单的理解就是反对现代主义有关理解和解释的观点。与总体的现代主义哲学的核心信条相一致,现代主义者曾经论辩说,一个文本的含义一定要基于某些坚实的支撑或者基础——比如文本本身或作者的意图——这一客体被认为与进行感觉的自我或主体相互分离和独立,但又可以被自我和主体以某种方式理解。按照这种观点,为了正确地理解一个文本,自我就要实行一种机械的技术或方法,以跨越鸿沟到达文本的客观含义,或者在意识当中反映文本的客观内容。举一个律师们熟悉的例子,一些宪法上的现代主义者认为《宪法》的读者必须以某种方式在自己的意识中重构记录在宪法文本中的制宪者的意图。否则,现代主义者认为,文本的意义(在这个例子中就是《宪法》的意义)就会没有基础和反复无常:自我或解释者除了个人偏好以外不受到其他约束,因而被认为可以任意地给文本强加含义。[54]

与这种现代主义的解释观相反,伽达默尔的哲学阐释学认为,一个文本从来都不是现代主义意义上的课题:在解释之外或者解释之前并不存在未解释的或基础性的意义来源。相反,不论我们做什么,我们总是在并且已经是在进行解释了。用伽达默尔的话说,阐释学是本体论的。我们"在世界中的存在"本身就是解释性的,因此我们永远无法逃离或避免解释和理解。甚至更进一步,每一次解释的遭遇本身就是本体论的。例如,伽达默尔论辩说,当一个人

---

[53] Gregory Leyh, introduction to Legal Hermeneutics: History, Theory, and Practice xi, xii (Gregory Leyh ed., 1992)(论辩说,伽达默尔探索了人类理解的条件);请看,Diane Michelfelder and Richard Palmer, introduction to Dialogue and Deconstruction 1, 7 – 9 (Diane Michelfelder and Richard Palmer eds., 1989)(认为德里达是20世纪顶级的阐释学者,而伽达默尔是顶级的解构学者)。

[54] 请看,例如,Raoul Berger, Government by Judiciary 45, 363 – 372 (1977)。

看一幅画的时候,这个人并不像主体接近客体那样接近那幅画;相反,这幅画是一个"本体论的事件","存在有意义地、可见地出现"在其中。这样,阐释的行为就是一个本体论的事件,在这个事件当中意义"出现了"。伽达默尔的形而上学的立场因此违反了现代主义的解释方法论的观念。因为按照伽达默尔的观点一个文本并不是以独立的和未经解释的状态存在的,因此其意义无法通过某种机械的技术或方法推演出来:"我们的感觉从来都不是对被放到感官面前的东西的简单反映"。[55]

但是,这种对现代主义方法论和客观性的摒弃并不意味着理解或解释是纯粹主观的或反复无常的。伽达默尔声称,一个读者或者其他的解释这从来都不是一个自由地或任意地给文本强加意义的独立和自主的主体。相反,解释者总是处在一个社区的"传统"之中,这个传统给个人灌输着偏见和利益,而这些偏见和利益又限制和指导着对任何文本的理解(或者对文本类似物的理解,文本类似物是指任何可以被像文本一样理解或解读的事件、行为或者其他实体)。一个人在社区或其传统中的生活必然限制着这个人的视野——也就是他可能在一个文本中看到或理解的东西。就像伽达默

---

[55] Hans - Georg Gadamer, Truth and Method 89, 137, 140, 144, 159, 164 - 165, 462, 477 - 491 (Joel Weinsheimer and Donald Marshall trans.; 2d rev. ed., 1989; 于 1960 年首次以德语出版)(以下称 Gadamer, Truth and Method)。伽达默尔的一些重要文本包括:"*Destruktion" and Deconstruction*, in Dialogue and Deconstruction 102 (Diane Michelfelder and Richard Palmer eds., 1989)(以下称 Gadamer, *Deconstruction*); *On the Scope and Function of Hermeneutical Reflection* (1967), in Philosophical Hermeneutics 18 (D. Linge trans., 1976); *The Problem of Historical Consciousness*, in Interpretive Social Science - A Reader 146 (Paul Rabinow and william M. Sullivan eds., 1979)(以下称 Gadamer, The Problem); *The Universality of the Hermeneutical Problem*, in Josef Bleicher, Colltemporary Hermeneutics 128 (1980)(以下称 Gadamer, *The Universality*)。对伽达默尔的著作的有帮助的分析包括:Georgia Warnke, Gadamer:Hermeneutics, Tradition, and Reason (1987); Joel Weinsheimer, Gadamer's Hermeneutics:A Reading of Truth and Method (1985);也请看,John D. Caputo, *Gadamer's Closet Essentialism:A Derridian Critique*, in Dialogue and Deconstruction 258 (Diane Michelfelder and Richard Palmer eds., 1989)。

尔所说的,一个人的社区传统能够帮助塑造解释者的"地平线":"包括了从一个特定的制高点可以看到的所有东西的视野"。[56]

而且,我们是历史性的动物,是生活在传统之中的:"我们总是处在传统之中的……(传统)总是我们的一个部分"。传统并不仅仅是过去的事情;相反,传统是我们不停地参与的东西。社区的传统既不是固定的、精确限定的实体,也不是通过某种精确的方法或机械的过程传递给个人的。J. M. 巴赫金挑衅性地暗示说,传统类似于"文化的软件",因为传统"变成了我们的一部分并且塑造着我们感知……社会世界的方式"。尽管如此,传统与计算机软件程序在两个重要方面具有不同:传统无法被像计算机软件程序一样简约为一定量的数据,并且传统无法被完美地安装或者复制到我们每一个人身上。相反,传统本身只是通过一个解释的过程才控制了我们;传统对我们讲话,并且必须被吸收或学习——常常是无言地或下意识地。"传统并不简单地是一个永久的前提条件",伽达默尔强调说;"相反,我们自身也生产传统,因为我们理解、参与传统的演化,因而我们本身进一步确定了传统"。简而言之,传统是我们所参与的和生活在其中的不断变化的、社区性的、社会的安

---

[56] Gadamer, Truth and Method, 前注 55, 页 282 – 284, 302, 306。有关类文本概念的讨论, 请看, Clifford Geertz, *Deep Play*:*Notes on the Balinese Cock – fight*, in The Interpretation of Cultures 412, 448 – 49 (1973); Paul Ricoeur, *The Model of the Text*: *Meaningful Action Considered as a Text*, in Interpretive Social Science – A Reader 73, 81 (Paul Rabinow and William M. Sullivan eds., 1979)。伽达默尔明确地讨论了"偏见"的概念, *The Universality*, 前注 55, 页 133, 而尤根·哈贝马斯在他早期理论中发展了人类"利益"的概念, 他论辩说, 知识之所以成为可能是因为三种"知识建构的利益"——进行预测和控制的利益, 理解含义的利益, 以及得到解放的利益。请看, Jiirgen Habermas, Knowledge and Human Interests (Jeremy Shapiro trans., 1971; 1968 年首次以德语出版)。

排和记忆。[57]

十分关键的是,尽管社区的传统和随之而来的偏见限制了我们交流和理解的可能性,但是它们也同时使我们能够交流和理解。阐释的行为——包括理解、解释和应用——之所以成为可能,这只是因为我们参与了社区传统。我们的传统、偏见和兴趣实际上让我们看到了意义、理解和真理:"这一表述当然并不意味着我们被一堵由偏见组成的墙围住了,只从狭窄的入口放进那些能够拿出一张载明'我不会说什么新东西'的通行证的东西。相反,我们所欢迎的客人恰恰需要许诺能够带来一些能够满足我们好奇心的新东西。但是,我们怎么才能知道我们请进来的客人能够对我们说一些新东西呢?我们对听到新事物的预期和意愿难道不也必然是被已经占据了我们的那些旧事物决定的吗?"[58]

因此,只要我们试图理解或解释一个文本,我们必然要从对那个文本的"前理解"(fore-understanding)出发——这种前理解是从我们的偏见和兴趣中产生出来的。需要讲清楚的是,这种前理解并没有因为预先确定一个固定的含义而颠覆解释的过程;相反,一个人的前理解引发了解释者与文本之间的辩证"游戏",文本的含义就是在这一过程中辩证地出现的。解释要求人们质疑文本、探究其含义、提出新的问题、倾听大案并且继续这一辩证的过程,就像在对话的过程中一样。一个人的前理解"随着(解释者)深入(文本的)含义而出现的东西而不断受到修正"。因此,尽管一个人在开始进行解释时一个文本预期了或预先理解了某个具体的含

---

[57] Gadamer, *Truth and Method*, 前注 55, 页 282, 293, 461–463; J. M. Balkin, *Understanding Legal Understanding: The Legal Subject and the Problem of Legal Coherence*, 103 Yale L. J. 105, 142, 167 (1993); 也请看, J. M. Balkin, *Ideology as Cultural Software*, 16 Cardozo L. Rev. 1221, 1221–1223 (1995)(承认了文化软件这个比喻的缺点)。

[58] Gadamer, *The Universality*, 前注 55, 页 133。

义,但是阐释的辩证过程会引导我们最终得到一个不同的含义。但尽管如此,解释者在这一阐释过程中一直都假定,文本是可理解的和完整的,它可以传递某些"含义的统一体"。[59](但是,在某些情况当中,解释者可能会最终得出不同的结论。)

阐释的循环这一隐喻例证了解释的辩证本质。在其最为简单的形式里,阐释的循环强调了文本同期组成部分之间的相互关系:解释者只有通过理解其组成部分才能理解整个文本,但是解释者也只有通过预期对整体的理解才能理解组成部分。但是,伽达默尔发展了阐释的循环,他把解释者、文本与传统之间的复杂相互作用也纳入了其范围之内。按照伽达默尔对这一循环的理解,解释有着两个方面:一方面,传统限制了解释者处理文本时的视野,但另一方面,除非人们通过解释过程本身不停地创造和再创造传统,传统就并不存在。后一个方面强调的是,随着文本的不断更新的含义的出现,传统才被创造出来:随着我们通过解释文本而参与传统,我们也改造和重构了这一传统。最为重要的是,解释的这两个方面并不是分离的,也并不独立地起作用,相反,它们是同时进行的、相互关联的。随着含义在阐释的循环中"出现",这两个方面相互产生了共鸣。[60]

这样,伽达默尔强调,阐释的行为是"一个统一的过程"。现代主义者的观点则相反——理解、解释和应用是相互分离的事件。从这种现代主义的观点看来,我们直接理解一个文本的含义;只有当我们自觉地反思其含义时(例如,当我们试图解决一个文本上

---

[59] Gadamer, Truth and Method, 前注 55, 页 101 – 169, 267, 293 – 294, 332, 362 – 379。

[60] 同上, 页 164 – 165, 281, 291, 462; Gadamer, The Problem, 同上, 页 103, 146; Paul Rabinow and William M. Sullivan, The Interpretive Turn: Emergence of An Approach, in Interpretive Social Science – A Reader 1, 6 – 7 (Paul Rabinow and William M. Sullivan eds., 1979)。

的模糊之处时),我们才是在解释一个文本;而当我们试图将其转移到一个新的情况当中去的时候,我们就应用了我们对文本含义的理解或解释。但是,伽达默尔认为,理解、解释和应用并不是截然分开的事件;相反,它们构成了一个统一阐释行为的组成部分。只有在我们因我们那些来自于社区传统的偏见而对其意义敞开心智的程度上,我们才理解(或预先理解)了一个文本;我们只有在同时接受和重构——或解释——社区传统时才同时发展了偏见;而且,只有在我们将文本和传统适用到我们现有视野中的实际问题上的程度上,我们理解和解释了文本和传统。我们不能抽取这一阐释过程的任何一个组成部分,比如对文本的一种理解,并把它当成一个不受挑战的、稳定的或非偶然的起点——当成某种现代主义的基础。而且,伽达默尔认为统一的阐释行为包括了应用,这在一定程度上呼应着海德格尔对实际的理解的关注。对伽达默尔来说,应用的因素强调了,阐释的行为总是一种实用的行为:当我们接近一个文本时,我们通常是为了理解其含义这一实际的目的。出于这一理由,我们预期文本是完整的,并且假定它可以传递一个"整体的含义"。否则,阐释的行为就会变成仅仅是假设的而非处于一个特定或具体语境中的目的性的行为。最为简单地说,届时并不时在某种天国或者想像中的世界中发生的。[61]

---

[61] Gadamer, Truth and Method, 前注 55, 页 293 - 294, 307 - 308, 340 - 341;请看, Stanley Fish, *Normal Circumstances,Literal Language,Direct Speech Acts,the Ordinary,the Everyday,the Obvious,What Goes without Saying,and Other Special Cases*, in Interpretive Social Science - A Reader 243, 256 (Paul Rabinow and William M. Sullivan eds., 1979)(论辩说,我们总是在一个具体语境中遭遇一个文本,因此,文本总是具有确定含义的,尽管这个含义可以随语境一起变化)。对于阐释行为的统一性的强调把伽达默尔阐释学同维特根斯坦的追随者区别开来了,维特根斯坦的追随者认为含义必须要同解释区别开来。按照这些理论家的观点,含义是非反映性的,而解释总是包含着反映。请看,例如, Dennis Patterson, *The Poverty of Interpretive Universalism:Toward the Reconstruction of Legal Theory*, 72 Tex. L. Rev, I (1993); Richard Shusterman, *Beneath Interpretation:Against Hermeneutic Holism*, 73 The Monist 181, 183, 195 - 199 (1990); James Tully, *Wittgenstein and Political Philosophy*, 17 Pol. Theory 172, 193 - 196 (1989)。有关对于这个观点的批判,请看, Stephen M. Feldman, *The Politics of Postmodern Jurisprudence*, 95 Mich. L. Rev. 166, 177 - 182 (1996)(讨论了把阐释行为理解为一个统一的过程的重要性)(以下称 Feldman, *The Politics*)。

第二章 描绘思想的轮廓：前现代主义、现代主义、后现代主义

雅克·德里达的解构与伽达默尔的哲学阐释学有很多相通之处。[62] 就像阐释学一样，解构可以被描述为一种找到人类达到理解的条件的努力。伽达默尔和德里达都探索我们怎样理解文本，尽管它们都拒绝了现代主义的基础论的形而上学。用德里达的话说，含义从来都不是基于一个稳定的"所指"（signified），相反，"总是已经"存在了能指（signifier）之间的游戏（play）。德里达写道："从存在了含义的那一刻起，除了符号（sign）之外就什么都没有了。我们只通过符号思考。这就等于摧毁了符号的概念……我们可以把游戏当作那些作为对游戏的限制的先验的所指的缺失，也

---

[62] 德里达的一些重要著作包括：Deconstruction in a Nutshell（John D. Caputo ed. 1997）（以下称 Derrida, Nutshell）；Of Grammatology（Gayatri Chakravorty Spivak trans., 1976）（以下称 Derrida, Grammatology）；Positions（Alan Bass trans., 1981）（以下称 Derrida, Positions）；*Cogito and the History of Madness*, in Writing and Difference 31（Alan Bass trans., 1978）；*Deconstruction and the Other*, in Dialogues with Contemporary Continental Thinkers 107（Richard Kearney ed., 1984）（以下称 Derrida, *Other*）；Jacques Derrida, *Diffirance*, in Margins of Philosophy 3（Alan Bass trans., 1982）（以下称 Derrida, *Diffirance*）；*The Ends of Man*, in Margins of Philosophy 109（Alan Bass trans., 1982）；*Plato's Pharmacy*, in A Derrida Reader 112（Peggy Kamuf ed., 1991）（以下称 Derrida, *Plato*）；*Structure, Sign and Play in the Discourse of the Human Sciences*, in Writing and Difference 278（Alan Bass trans. 1978）（以下称 Derrida, *Structure*）；*Force of Law: The "Mystical Foundation of Authority,"* II Cardozo L. Rev. 919（1990）（以下称 Derrida, *Law*）。对于解构主义的有用的讨论，请看，Jonathan Culler, On Deconstruction（1982）；Lawson, 前注 1，页 90 – 124；Christopher Norris, Derrida（1987）；David Couzens Hoy, *Jacques Derrida*, in The Return of Grand Theory In the Human Sciences 41（Quentin Skinner ed., 1985）；Ronald K. L. Collins, *Outlaw Jurisprudence*? 76 Tex. L, Rev, 215（1997）。有关对于德里达与伽达默尔之间的关系的讨论，请看，Ernst Behler, Confrontations: Derrida, Heidegger, Nietzsche 137 – 57（Steven Taubeneck trans., 1991）；James S. Hans, *Hermeneutics, Play, Deconstruction*, 24 Philosophy Today 299（1980）；G. B. Madison, *Beyond Seriousness and Frivolity: A Gadamerian Response to Deconstruction*, in The Hermeneutics of Postmodernity 106（1988）。

就是说对……存在（presence）的形而上学的摧毁"。[63]

因此，结构呼应着哲学阐释学的本体论信息——我们一直是并且已经是在进行解释了。就像德里达所说的，符号"开始存在"（come into being）并不需要基础。符号或者能指的持续游戏或者开始存在与德里达的延异（*différance*）这一中心概念相关。

> 所指的概念永远不是独立存在的，其存在永远不足以只指向其自身。根据本质和规律，每一个概念都被写在一个链条或一个体系之中，在其中它通过差异之间的系统性游戏而指向其他概念。因此，这样一种游戏，即延异，就不再简单是一个概念，而是进行概念化的可能性，是一般性的概念化过程和系统的可能性。出于同样原因，延异并不是一个概念，因而也不简单是一个词语，也就是说，它不是人们通常认为的概念和声音材料之间的平静的、现存的和自我指向的（self-referential）统一。[64]

就像伽达默尔强调我们的偏见起源于社区传统一样，德里达论辩说，我们总是"从一种遗产的文本中"借用概念。我们永远不能逃离我们的遗产，或者，用伽达默尔的话说，我们永远不能跨出我们的地平线。按照德里达的观点，我们局限于"那些属于我们

---

[63] Derrida, Grammatology, 前注 62, 页 50, 73; 请看, Derrida, Positions, 前注 62, 页 20。德里达和伽达默尔以不同的方式使用了"游戏/摆弄"（play）这个词。请看, Fred Dallmayr, *Hermeneutics and Deconstruction: Gadamer and Derrida in Dialogue*, in Dialogue and Deconstruction 75, 82 (Diane Michelfelder and Richard Palmer eds., 1989); Neal Oxenhandler, *The Man with Shoes of Wind: The Derrida–Gadamer Encounter*, in Dialogue and Deconstruction 265, 266 (Diane Michelfelder and Richard Palmer eds., 1989)。

[64] Derrida, Grammatology, 前注 62, 页 48; Derrida, *Diffrance*, 前注 62, 页 11; 请看, Derrida, Positions, 前注 62, 页 26-27; Derrida, *Other*, 前注 62, 页 110 [把延异称为一个非概念（nonconcept）]。

时代的话语的给定物",因此即使"解构也总是以某种方式变成自己的工作的牺牲品"。也就是说,解构总是必然使用和重新写下其试图解构的那些形而上学和语言学解构。而且,对于德里达来说,就像对于伽达默尔一样,我们遗产中的给定物(即我们的社区传统)既不是固定的和被精确界定的实体,也不是通过某种精确方法或机械过程传承给个人的。[65]

如果哲学阐释学和结构具有这么多相通之处,那么它们之间又有什么区别呢?在一定意义上,伽达默尔会停下来赞美含义和真理,而德里达不会这么做(用更俗一点儿的话来说,如果伽达默尔和德里达都在看一杯水,那么伽达默尔很可能会说它有半杯是满的,而德里达很可能会说它有半杯是空的)。伽达默尔和德里达都强调,任何文本或事件都有很多潜在的含义、很多可能的真理;没有任何单一的意义是在所有语境中都已成不变的。两个人都会同意"真理不断发生"。用德里达的话说,文本是可重复的,也就是说,文本可以被在不同的语境中进行重复(或者解读),因此其含义可以发生变化。[66] 但是,尽管伽达默尔因而认为文本的含义是不可穷尽的,德里达却认为文本的含义是无法确定的。

对伽达默尔来说,一个确定的含义在每一个具体的语境中都会出现,但是因为语境可能发生变化,所以文本的潜在含义永远都不能穷尽。就像我们讨论过的,伽达默尔强调,统一的阐释行为包括了一个实用的组成部分(即应用),因此我们预期文本的完整性,并且假定它能够传递一种"含义的统一性"。因为伽达默尔这样就

---

[65] Derrida, Grammatology, 前注 62, 页 24, 70; Derrida, *Structure*, 前注 62, 页 280-281, 285; 请看, Bauman, Intimations, 前注 1, 页 23。

[66] Weinsheimer, 前注 55, 页 9 (真理不断发生); 请看, 页 200 (一个文本的真理超出了每一个理解); 请比较, Bauman, Intimations, 前注 1, 页 31 (后现代文化"的特征是含义的过度丰富")。有关可重复性, 请看, Derrida, Nutshell, 前注 62, 页 27-28; J. M. Balkin, *Deconstructive Practice and Legal Theory*, 96 Yale L. J. 743, 749, 779 (1987)。

集中注意了阐释行为的实践性,所以他倾向于把理解主要是看成一种实证的和给人以力量的经历。[67]

因此,伽达默尔贬低了阐释行为中出现的那种解构的组成部分,尽管他暗示了它。他解释说,我们的偏见即使理解和解释成为可能,同时也限制了理解和解释。偏见不但是我们看到了理解的可能性,而且偏见也必然限制和指引了我们的理解和交流。因此,一个人在社区及其文化传统中的生活总是限制着或者扭曲着这个人的视野范围——也就是一个人可能感受或理解的事物的范围。而且,伽达默尔强调了,因为我们是生活在传统中的历史性的动物,就像我们生活在社区中一样,所以传统是一种我们持续地参与其中的东西。这样,当我们进行阐释的行为时,我们不停地建构和重构我们的传统、我们的文化和我们的社区。最为重要的是,这种持续的重构总是既是建构性的又是破坏性的。它之所以是建构性的是在这样的意义上:我们不停地建造新的传统和社区,不停地通过解释和理解增加我们现存的传统和社区,这样,这种解释和理解就包括了新的概念、利益、偏见以及十分重要的参与者。但是重构也是破坏性的——扭曲性的和排他性的——因为我们弱化或者消除了之前存在的传统和社区,并且排除了概念、利益、偏见和参与者。简而言之,按照伽达默尔所阐述的阐释行为,解释和理解在两个方面暗含着扭曲性的和破坏性的因素:我们的偏见所反映的权力限制着理解的可能性,并且传统的重构(也是一种对权力的反映)必然破坏和排除了某些偏见、利益和参与者。因此,权力所具有的威压、操控、排除以及其他扭曲性的效果一直都是阐释行为的组成部分。阐

---

[67] 请看,Gadamer, Truth and Method, 前注55,页293-294;Hoy, 前注62,页54;Madison, 前注62,页113-115。

第二章 描绘思想的轮廓：前现代主义、现代主义、后现代主义

释学的解构性的组成部分隐藏在这些破坏性的和扭曲性的效果当中。[68]

这样，伽达默尔对哲学阐释学的解说包含着解构的潜力，但是他却没能发展它。因此，这就是伽达默尔和德里达之间的区别的关键点。在伽达默尔集中关注的阐释的情形所具有的建设性的和赋权性的（enabling）力量的地方，德里达集中关注了其破坏性的和使人无能为力的组成部分。但是，这两个部分总是并且已经出现了，就好像存在着一种保存权力的阐释学和社会学法则一样：如果阐释的行为产生了含义并且赋予某些个人和社会团体以能力，那么它就同时压制和破坏了潜在的含义，并且剥夺了其他个人和团体的能力。因此，例如，伽达默尔描述了传统如何使我们能够看到一个文本的含义，但是德里达警告我们说，传统的权威是"以深刻的暴力为代价的"。传统让我们可以理解，因为它在部分上为阐释行为提供了一个权威的语境。这样，当传统潜伏在背景之中、被有意识的记忆忘记时，它的运作才最为有效。但是，德里达想要让我们记起传统，想要把背景变成前景，想要强调传统是如何经常通过野蛮和奸诈树立起自己的权威。在某种意义上，解构是"来自内部的运动，来自于内部的那个极端的他我"——也就是来自于传统和

---

[68] 请看，Sanford Levinson, Constitutional Faith 17 (1988)（只要一个社区依赖于一个权威文本，不同的解释方式就可能分裂这个社区）；Richard Delgado, *Storytelling For Oppositionists and Others: A Plea for Narrative*, 87 Mich. L. Rev. 2411, 2414 – 2415 (1989)（讲故事既建设了也破坏了社区）；James Risser, *The Two Faces of Socrates: Gadamer/Derrida*, in Dialogue and Deconstruction 176, 179 – 183 (Diane Michelfelder and Richard Palmer eds., 1989)（认为伽达默尔的哲学阐释学具有解构的潜力）。

理解的樊笼之内。[69]

因为德里达所关心的是阐释的情形所具有的使人无能为力的和破坏性的特质,他很少关心在文本的多个潜在含义或真理之间作出决断。很简单,使人无能为力同进行决断无关;相反,它是关于没有进行决断的力量。这样,德里达并不对阐释行为的实际组成部分感兴趣,因为他并不试图为文本寻找或重构一个统一的含义。相反,德里达想要找到和强调他性(Other)的痕迹,这个他性总是隐藏在我们的理解的边际之中。德里达想要发现我们理解一个文本时所必然存在的暴力——在可用的并因而是统一的含义的实际追寻当中,这种暴力不可避免地被遮挡住了。对德里达来说,暴力表现自己的形式包括阐释对他性———个隐蔽的局外人——的定义、排除、否认和压制,而这种暴力就是人类之理解的一个不可削减的条件(或限制)。在理解的阐释过程当中,我们总是并且已经定义了某些他性;我们必然要否认产生于某些其他视角的潜在含义,并且我们总是并且已经把那些潜在含义排除在了我们的社区传统之外。如果没有这种他性,没有被否认的潜在含义的痕迹,那么根本"就不会有含义出现"。事实上,他性不仅是在外部,他性就是外部:他性所在的位置就定义了外部。这样,理解就是一种政治行为,因为,通过宣布文本的含义,理解规范性地并且实质性地定义了内部和外部。并不存在事先存在的边界。因此,德里达的解构也是政治性的:它发现了被隐蔽的、被压制的、被侵犯的、被否认

---

[69] Caputo,前注55,页263("以深刻的暴力为代价的");Collins,前注62,页215("来自内部的运动")。通过提出在某种意义上存在着对于权力的保护,我并不是想要暗示权力的全部价值或数量在所有的社会和阐释事件中都一直是相同的。相反,我想说,每一个阐释的事件都既是建设性的也是破坏性的,尽管任何具体的事件可能更多地具有某一方面的特性。请比较,Stephen M. Feldman, *The Persistence of Power and the Struggle for Dialogic Standards in Postmodern Constitutional jurisprudence:Michelman, Habermas,and Civic Repuhlicanism*, 81 Geo. L. J. 2243, 2282–2288 (1993)(讨论了为什么所有的传统和社区并不是同等地具有扭曲性或排他性)。

第二章 描绘思想的轮廓：前现代主义、现代主义、后现代主义

的——也就是他性。解构对来自他性的呼唤作出了回应。[70] 伽达默尔可能想要对文本的他性张开胸怀，但是德里达想要揭开被我们对文本的理解所压迫的他性。

因为哲学阐释学和解构之间存在着这些类似性和区别，我们可以想像在伽达默尔和德里达之间进行了下面的谈话：

伽达默尔："我们对传统的参与使我们能够理解文本"。

德里达："是的，但是什么给传统以合法性呢？传统部分上是通过暴力和欺骗才产生的"。

伽达默尔："你对合法性的欲求仅仅重现了现代主义的形而上学。你想要什么？一个稳定的基础？"

德里达："你说对了。但是你恰恰说明了我想强调的观点。除了传统以外再也没有能够将含义合法化的基础了，但是，传统本身却没有合法化的基础。传统既不是全部具有合法性的，也不是全都没有合法性的。因此，理解必然是基于愚昧和伪善，因为我们忽视和否认了传统中的暴力和欺骗"。

伽达默尔："但是，这恰恰是问题所在。我们确实进行沟通。我们确实进行理解。这些都是实际的行为，它们必然要在没有合法化的基础的情况下继续发生"。

德里达："是的，但是，暴力、压迫和否认……"

等等。对于伽达默尔来说，这一争论时无法终结的：一个新的视角不断地随着我们的地平线的移动而出现，尽管如此，我们继续以我们实用的方式前行——沟通着、理解着、解释着。对于德里达来说，哲学阐释学与解构之间的这种张力是无法解决的：我们陷在

---

[70] Derrida, Grammatology, 前注 62, 页 62（"就不会有含义出现"）；请看, Derrida, Other, 前注 62, 页 118；Derrida, Grammatology, 前注 62, 页 47；Norris, 前注 1, 页 200（讨论了解构与人类理解的条件）；Richard J. Bernstein, *Incommensurahility and Otherness Revisited*, in The New Constellation 57, 67-75（1991）[比较了列为纳斯（Levinas）与德里达在他性问题上的观点]。

我们语言形式的必然性和不充分性之间的一种永无终结的辩证。但是，德里达和伽达默尔可能都会同意，我们不需要在阐释学和解构之间作出选择。事实上，这种选择甚至没有意义：哲学阐释学和解构代表了后现代解释主义中的不同的层面或轴线。它们二者都帮助我们理解阐释的行为，我们怎样才理解了一个文本，从而帮助我们理解我们在世界中的存在。哲学阐释学和解构相互补充：阐释学阐明了含义在正面的出现，但是解构强调了沟通和理解的局限。[71]

　　毫无疑问，我所再现的哲学阐释学和解构可能受到争议。比如，很多忠心的解构主义者会说，对解构进行的任何归纳都必然是扭曲的；结构本身无法被简约为一个固定的概念或商品。事实上，甚至我把伽达默尔和德里达归类为后现代主义者这一点也是可以争论的。一些批评者给伽达默尔贴上了保守的现代主义者的标签，因为他过于情愿地接受了传统的权威性以及文本的传统含义。其他批评者认为德里达是一个后结构主义者，而不是一个后现代主义者。一些评论者甚至走得更远，他们声称后现代主义这个概念本身也是引人误解的。按照一些人的观点，现代的时代仍旧毫无衰退的迹象。从这一视角看来，后现代主义或者还没有开始，或者，它至多只是作为一种同晚期资本主义有关的文化现象而存在的。当然，一些教条的现代主义者毫不犹豫地抛弃了后现代主义，认为它不过是"最新时尚、推销手段和空洞景象"。更为反动的现代主义者还猛烈地攻击解构主义，特别是把它斥责为庸俗的胡说或威胁了西方文

---

[71]　德里达认为他像其他人一样都在从事解释的实践活动，因为他承认，他总是在"分析、判断、评价这一或那一话语"。Jacques Derrida, *Like the Sound of the Sea Deep within a Shell:Paul de Man's War*, 14 Critical Inquiry 590, 631（Peggy Kamuf trans., 1988）。伽达默尔认为，他的阐释学和解构主义都是在努力继续海德格尔克服形而上学的努力，尽管他们是以不同的方法这么做的。Gadamer, *Deconstruction*, 前注 55，页 109；请看，Fred Dallmayr, *Self and Other:Gadamer and the Hermeneutics of Difference*, 5 Yale J. L. & Human. 507, 515 – 516（1993）（对于伽达默尔来说，解构主义包含着与阐释学具有密切关系的洞见）。

第二章 描绘思想的轮廓：前现代主义、现代主义、后现代主义 65

明的本质，或者把它斥责为两者都是。很明显，很多评论者都对后现代主义的本质，甚至其存在无法达成一致意见。芭芭拉·克鲁格（Barbara Kruger）写道，"对一些人来说，（后现代主义是）一个借口，他们可以藉此堆积起很多疯狂的装饰；对另外一些人来说，标准和价值正在弱化的又一个例证；对另外一些人来说，它是对类别的确定性的一次具有侵略性的抵抗；对另外一些人来说，它是一个方便的方法，可以用来描述一个特定的房子、衣服、汽车、艺术家、甜点或宠物；而对另外一些人来说，它仅仅是已经完结了"。[72]

好吧，在我来讲，后现代主义肯定还没有完结。对后现代主义的最佳理解是把它当成一个现有的智识的、文化的和社会的时代，它事实上仍旧处在青年阶段。伽达默尔和德里达的哲学代表了后现代主义的重要方面，但是它当然不止于此。部分上是因为这个原因，部分上是因为后现代主义这么经常受到错误的解释和错误的理解，所以在这里描述一下这个时代的八个主要的、相互重合的主题会比较有用——我已经把这些主题中的很多作为哲学阐释学、解构或二者共有的组成部分介绍过了。而且，为了清楚，我试图指出后现代的主题，而不是定义后现代主义，这样我的讨论才能符合后现代主义的气质。对后现代主义提出一个定义，这会显得是把它简化

---

[72] Huyssen，前注1，页8（"最新"）；Kruger，前注1，页3（"对一些人来说"）；请看，Marshall Berman，All That Is Solid Melts into Air 347 – 348 (1988 ed.)（论辩说，现代性并没有终结）；Jameson，前注1，页35 – 36（把后现代主义看作是一个与晚期资本主义相联系的文化阶段）；Harvey，前注1，页49（把后现代主义同解构主义联系起来）；Mike Featherstone，*In Pursuit of the Postmodern:An Introduction*，5 Theory，Culture，& Soc'y195 (1988)（注意到，发展一种有关后现代的理论会遭到批评）；Huyssen，前注1，页36 – 46（讨论了后解构主义和后现代主义是不同的但又相互联系的观点）。有关对于后现代主义的各种各样的攻击，请看，Jürgen Habermas，The Philosophical Discourse of Modernity (Fred – erick Lawrence trans., 1987)（为现代性辩护，认为它没有因为后现代主义而陷入危机）；Stanley Rosen，The Ancients and the Moderns (1989)。关于一个相当公正的对于后现代主义的批判，请看，Pangle，前注1。

成了某些基本的或贺信或本质,而这会过于基础主义了、过于本质主义了、过于现代主义了。

因此,第一个主题:后现代主义是反基础主义的和反本质主义的,因此违反了现代主义的认识论。就像伽达默尔和德里达两个人都例证的,后现代主义是反基础主义的,因为,在他们的视角看来,含义和知识总是没有基础的。而且,后现代主义是反本质主义的,因为没有基础的含义总是不稳定的和不断变换的:含义不能被缩减为一个静止的核心或本质。用德里达的话说,含义永远都不是基于一个稳定的所指,相反,总是存在着能指之间的游戏。这样,后现代主义者很容易就认识到,任何文本和事件都有很多潜在的含义、很多可能的真理,可能在不同的语境中出现。为了强调这一点,后现代主义者常常邀请读者进行格式塔(gestalt)翻转或范式变化。正当读者看来已经安于文本的一个本质含义时,后现代主义者坚持认为读者应当进行翻转,而读者这样就突然看到了一个完全不同的含义。在效果上,后现代主义者是在说,"它现在可能看起来像是一只鸭子,但你再看看,它是一只兔子!"[73]

含义的这种偶然性同德里达的他性概念紧密相连。不论一个文本的含义看起来有多么固定或确定,某种他性总是潜伏在边际之中。这一他性总是允诺打破文本的固定性或僵化性的可能性,暗示一种供选择的含义或真理的可能性。出于这一原因,"不同的声音"的学术,比如女权主义和批判种族理论,在后现代主义中扮演了突出角色。主流的现代主义学者通常努力试图使知识基于一种被声称的本质的或核心的真理,而不同声音的学者却强调那些从前被压制的、来自于某些社会和文化他性———一个历史上受到压迫的、种族的、宗教的、或性别的少数派或外围集团———的视角

---

[73] 请看,Ludwig Wittgenstein, Philosophical Investigations 193 – 194(G. E. M. Anscombe trans., 3d ed., 1958)。

(或地平线)的声音或真理。这样,后现代主义在部分上可以被理解为一种因为不同声音的学者所发现的多重真理而出现的话语。通过在以前只有一个真理出现的地方发现多重真理,不同声音学者帮助产生和正当化了后现代主义的反基础主义和反本质主义的特征。通过揭示那些看起来稳定的现代主义含义实际上是不稳定的、不断变换的,不同声音学者反复例证了德里达的能指之间的游戏。类似地,恰恰是因为后现代主义是反基础主义的和反本质主义的,它揭示了一个少数派或外围集团如何能够在一定意义上经历着多重并且常常是相互冲突的真理。外围集团的成员通常理解占支配地位的多数派的真理,但也同时理解(甚至更为深入地和更为生动地)少数派或外围集团的真理。例如,一位非洲裔美国学者可能会比一位白人学者更容易认识到,制度化的宗教一方面可以合法化对十分等级化的社会关系的服从,但同时,制度化的宗教也可以激发革命性的抵抗。通过认为现代主义者所声称的本质的或核心的真理仅仅是社会或文化所接受的一个占支配地位的多数派的真理,后现代主义理论为这种经历提供了解释。从这一视角看来,后现代理论强化了不同声音的学术,鼓励外围集团的成员发现那些之前被压制的真理和含义。[74]

那么,更为广阔地——这就是第二个主题——后现代主义者倾

---

[74] 请看,Harvey,前注1,页45-48(把后现代主义同以不同的声音写作联系起来);Jameson,前注1,页318;Anne Norton, *Response to Henry S. Kariel*, 18 Pol. Theory 273, 273 (1990)(论辩说,女权主义应当被理解为后现代主义的一个组成部分)。有关强调文本的潜在的多重含义的外围集团或不同声音作者的例子,请看,Derrick Bell, And We Are Not Saved 22 (1987)(论辩说,种族平等的保证被变成了永久化种族现状的工具);Anthony E. Cook, *Beyond Critical Legal Studies*; *The Reconstructive Theology of Dr. Martin Luther King, Jr.*, 103 Harv. L. Rev. 985, 1015-1021 (1990)(论辩说,宗教对于非洲裔美国人来说既合法化也非法化了权威);Mari Matsuda, *Looking to the Bottom*: *Critical Legal Studies and Reparations*, 22 Harv. C. R. - C. L. L. Rev. 323, 333-335 (1987)。一般地,请看,Stephen M. Feldman, *Whose Common Good? Racism in the Political Community*, 80 Geo. L. J. 1835, 1857-1858 (1992)。

向于挑战各种表面的确定性、积习、体系和边界。不论一个概念或制度可能看起来有多么清晰、确定和合法,它总是可以被瓦解的。具体讲,解构主义者会不可避免地发现隐蔽的或被压制的他性。因为这一原因,后现代主义者地址宏大叙事或元叙事或元理论:这些历史叙事或理论声称自己具有一种包罗一切的控制权,并且常常描述那些雄伟壮丽的社会进步。通过试图把某些领域或科目缩减为一个整齐划一的故事情节,这些现代主义理论通常遮蔽了某些他性;也就是说,它们倾向于最小化或者忽视那些可能妨碍叙事流和对无穷的进步的暗示的持反对意见的或被压迫的声音。这样,为了更为完整地描述社会现实的多元性——那些异类的和被压服的声音——后现代主义者通常试图讲述多个"小"叙事,这些叙事并不主张普遍的或包罗一切的控制力,它们揭示变化但并不必然揭示进步。事实上,很少有后现代主义者主张证明或科学地揭示社会事件;相反,他们主张仅仅以一种具有说服力的或具有效果的方式叙述或者解释事件。[75]

因为后现代倾向于否定被假设的确定性和边界,所以后现代学者破坏了那些分开早已确立的学术学科之间的高墙。如果一位学者试图仅仅从一个视角——比如说社会学的视角——来分析一个社会问题,那么它就违反了那种探索多种视角和真理的后现代的强烈要求。因此,我们看到了这些学科在分析上的混合:历史、社会学、哲学、人类学、文学批评、法理学和很多其他学科领域。特别地,文化已经扩展到了这样的程度:我们的世界在一定意义上已经浸透了文化。在后现代主义中,文化渗透了社会和个人生活的所有方面,包括商业、政府和心理学。因此,后现代研究常常使一个重要

---

[75] Lyotard, 前注 1, 页 60;请看, 页 xxiv, 23 – 27, 60 – 66; Bauman, Intimations, 前注 1, 页 21 – 23 (指出后现代知识分子变成了解释者);Harvey, 前注 1, 页 44 – 48 (用元叙事讨论了后现代主义的问题)。

的文化的组成部分成为必然,而不管作者的最初视角和学术学科。弗里德里克·詹姆森(Fredric Jameson)声称,"我们处在后现代主义文化的内部,以至于对它的肤浅批判是不可能的,就像对它进行的同样肤浅的赞美是自满的和堕落的一样"。[76]

第三个主题是,后现代主义沉醉于自相矛盾。例如,我声称自己现在是在讨论后现代主义的主题,而在这一讨论的过程当中,我已经注意到后现代主义是反本质主义的。但是,主题这个概念本身尽管可能并不如同现代主义的定义那样简化主义,但却仍旧暗示了存在着本质或者某种类似于本质的东西。甚至更进一步,我关于后现代主义是反本质主义的论证看起来为后现代主义本身推断出了一个本质或核心:如果某件东西要是后现代的,那么它就必须是反本质主义的。按照这一解释,后现代主义并不是后现代的。事实上,我们可能自相矛盾地说,后现代主义包括了现代主义,而现代主义包括了后现代主义。例如,后现代主义的概念看起来假定了一种宏大叙事的可能性——对历史进行阶段化:从前现代主义到现代主义然后到后现代主义。但是这样一种阶段化在本质上是现代主义的:就像已经讨论过的,后现代主义者一贯挑战这种宏大叙事或元叙事的存在。因此,后现代主义是现代主义之后的一个阶段,仅仅这样一个想法就是十分现代主义的,同后现代主义的主张本身形成了张力。尽管如此,从后现代的立场看来,这一结论是不令人惊奇的,因为现代主义是引向后现代主义的传统。因此,在现代主义之中,我们发现了后现代主义的种子,而在后现代主义之中我们发现了现代主义的痕迹。[77]

---

[76] Jameson,前注1,页62;请看,Leitch,前注1,页120;Douglas Kellner, *Post-modernism as Social Theory:Some Challenges and Problems*, 5 Theory, Culture, & Soc'y 239, 241 (1988)(讨论了后现代对于各学科的颠覆)。

[77] 请看,Connor,前注1,页9-10, 18-19, 194(讨论了后现代主义的矛盾);Jameson,前注1,页64-65, 68(讨论了自我意识和语言的矛盾)。

第四，后现代主义者广泛地关心权力的表现，特别是语言的或话语的权力。用米切尔·福柯的话来说："权力无处不在"。[78] 例如，语言[更为广阔地说，符号象征（symbolism）]可以被理解为一种实现权力的方式或技术。以某种方式，语言代表了一种权力的技术，因为词语直接地和间接地施加权力。某些词语，比如那些构成一个承诺或者一个威胁的词语，就等于是履行性行为，而其他词语会在解释者（也就是听到或者阅读这些词语的人）身上引发某些感情、行为或二者都有。例如，某些词语可以引发特定的强制性的和暴力的社会行为或做法：拒绝人身保护令请求的法律话语可以

---

[78] Michel Foucault, The History of Sexuality 93 (Robert Hurley trans., 1978) (以下称 Foucault, History of Sexuality); 请看, Nancy Fraser, Unruly Practices: Power, Discourse, and Gender in Contemporary Social Theory 26 (1989)。福柯其他的有用的文本包括: Discipline and Punish (Alan Sheridan trans., 1977) (以下称 Foucault, Discipline and Punish); *Truth and Power*, in The Foucault Reader 51 (Paul Rabinow ed., 1984); *Two Lectures*, in Power/Knowledge 78 (1980) (以下称 Foucault, *Two Lectures*);*How Is Power Exercised?*, in Hubert L. Dreyfus and Paul Rabinow, Michel Foucault: Beyond Structuralism and Hermeneutics 216 (2d ed., 1983); *Wily Study Power:The Question of the Subject*, in Hubert L. Dreyfus and Paul Rabinow, Michel Foucault: Beyond Structuralism and Hermeneutics 208 (2d ed., 1983) (以下称 Foucault, *Why Study Power*)。有关对于福柯著作的现存的综合，请看，Hubert L. Dreyfus and Paul Rabinow, Michel Foucault: Beyond Structuralism and Hermeneutics (2d ed., 1983), 有关批评福柯的出色的论文集，请看，Foucault: A Critical Reader (David Couzens Hoy ed., 1986)。有助于理解后现代的权力概念的一些其他有用的来源包括: Pierre Bourdieu, In Other Words: Essays towards a Reflexive Sociology (Matthew Adamson trans., 1990); Pierre Bourdieu, Language and Symbolic Power (Gino Raymond and Matthew Adamson trans., 1991); Duncan Kennedy, Sexy Dressing Etc. (1993); Jana Sawicki, Disciplining Foucault: Feminism, Power, and the Body (1991); Thomas E. Wartenberg, The Forms of Power (1990); Pierre Bourdieu and Loïc Wacquant, *The Purpose of Reflexive Sociology*, in An Invitation to Reflexive Sociology 61 (1992); Rethinking Power (Thomas E. Wartenberg ed., 1992); Sally Engle Merry, *Culture,Power,and the Discourse of Law*, 37 N. Y. L. Sch. L. Rev. 209 (1992)。

第二章 描绘思想的轮廓:前现代主义、现代主义、后现代主义 71

导致死刑犯被处决。[79]

但是,在第二种方式里,语言作为实现权力的甚至更为普遍的方式而出现。就像福柯声明的:"话语传递和产生权力"。我们"谈论和解释事件的独特方式"构成了我们在世界上存在的形态。嵌于我们的话语实践之中的概念区别和合法性的标准型塑着我们对社会事件和现实的理解和感觉。[80] 特别地,伽达默尔的哲学阐释学强调了语言的这种力量。按照伽达默尔的观点,语言是传统和理解的"中介":传统在语言之中并且通过语言存在和被传承,而因此理解只有因为传统才成为可能,因而理解本身在性质上必然是语言的。语言并不仅仅是人类的一个工具或一项财产;相反,人们通过语言来经历世界,或换句话说,人们"生活在语言之中"。简而言之,"语言是我们在世界中存在的基本的运作方式,也是构成世界的包容一切的形式"。因此,从伽达默尔的视角看来,语言(就像传统)是一种权力技术,因为它使理解和含义成为可能,同时也限制了理解和含义。[81]

但是,就像已经提到过的,后现代主义者陶醉于自相矛盾。因此,一点也不让人奇怪,很多后现代主义者坚持认为,尽管语言是

---

[79] 在奥地利的语言中,话语(或言论行为)是表述行为的词语,因为它们具有语内表现行为的(illocutionary)和言语表达效果的(perlocutionary)的力量。语内表现行为的力量来自于说话过程中所做的行为——比如一个许诺或一个威胁。当一个话语对于他人具有效果时——比如尴尬或者恐惧——言语表达效果的力量就产生了。请看,J. L. Austin, *Performanve - Constative*, in The Philosophy of Language 13 (John Searle ed., 1971); John Searle, introduction to The Philosophy of Language 1 (John Searle ed., 1971)。

[80] Foucault, History of Sexuality, 前注 78, 页 101 ("话语"); Merry, 前注 78, 页 217 ("谈论和解释事件的独特方式"); 请看, Bourdieu, Language, 前注 78 (论辩说,语言是一种交流方式和一种权力媒介); Foucault, *Two Lectures*, 前注 78, 页 93 (论辩说,权力关系没有话语就无法建立); Linda J. Nicholson, introduction to Feminism/Postmodernism 1, 11 (Linda J. Nicholson ed., 1990)。

[81] Gadamer, Truth and Method, 前注 55, 页 384, 401, 403, 441, 443, 447, 457, 474; 请看, Gadamer, *The Universality*, 前注 55, 页 128, 139; 也请看, Peter L. Berger and Thomas Luckmann, The Social Construction of Reality 34 - 46 (1967)。

一种权力技术，语言也同时也在漂移得远离权力。例如，当最高法院拒绝了死刑犯的人身保护令申请时，这所引发的后果同法院的意见中的精细的法律推理无关。处死这一事实并不取决于法律原则或话语是否要求了一个特定的结论。相反，最高法院的大法官们之所以对人身保护令状的申请人行使权力，这并不必然是因为法律上的敏锐或司法的专长，而相反恰恰是因为他们是最高法院大法官。每一位大法官所赖以运作的都是刑事司法体系这一社会制度中具有极大权力的位置或角色。那么，从这一视角看来，我们发现权力常常具有结构性。也就是说，权力"存在于关系之中——权力主要位于人类相互关联的那种持续的、习惯性的方式"。个人行使权力的原因常常并不是因为他们的个人特质、能力或知识，而是因为他们占有某些相对固定的（尽管是偶然的）社会角色，而这些社会角色在复杂的社会实践和制度之中持续存在。当然，社会角色并不是在纯粹的或者理想化的意义上存在的；它们既不是自我定义的，也不是仅仅通过语言定义的（尽管话语有助于社会角色的建构）。相反，社会角色部分上是由各种制度性的位置之间的关系、由社会的组织方式定义的。[82]

第五个主题是，后现代主义者常常强调对自我的社会建构。同现代主义的自我独立和自主的观念相反，后现代主义者声称一个人的自我或身份的概念是产生自文化实践和社会结构的。自我或者人

---

[82] Wartenberg，前注 78，页 165；请看，Peter L. Berger, Invitation to Sociology: A Humanistic Perspective 86 – 98（1963）（强调了社会制度是如何塑造人类行为的，就好像个人是在扮演各种各样的角色）；请比较，Stephen M. Feldman, *Diagnosing Power: Postmodernism in Legal Scholarship and Judicial Practice* (*With an Emphasis on the Teague Rule against New Rules in Habeas Corpus Cases*), 88 Nw. U. L. Rev. 1046, 1071 – 1072（1994）（集中关注了人身保护令申请状语境中的结构性权力）；Douglas Hay, *Property, Authority and the Criminal Law*, in Albion's Fatal Tree 17, 44 – 45（Douglas Hay et. al. eds., 1975）（在 18 世纪的英国，法律规则并没有决定哪些刑事被告会被处死；更广泛地，法律规则并没有控制对权力的行使）。

类意识并不是控制和社会进步的某种最终的基础性的来源。德里达声称，自我或主体并不时"它说自己所是的东西。主体并不时某种元语言的实体或身份，某种对于自我存在的纯粹认识（*cogito*）；它总是被写在语言之中的"。类似地，伽达默尔强调了传统——文化的一个语言的侧面——怎样产生了个人偏见（因此是个人身份）。从一个更为结构化的观点看来，社会角色并不仅仅给个人，比如最高法院大法官以作出某些行为的权力；相反，社会角色也帮助产生感觉、态度和行为。一个人的身份和存在本身部分上就是由他或她在社会的组织结构中所占有的位置或角色建构或构成的——是由这个人的位置或角色相对于其他位置和角色而拥有的那套社会关系所建构或构成的。因此，一些女权主义者强调，父母和婴儿之间的养育关系可以产生某种有利于社会的个性特征。[83] 但同时，这一视角强调了，残酷、憎恨和残暴也是（至少在部分上是）通过社会的结构性组织而社会地产生的。如果被放在适当的社会角色之中，那么一个平时普通、有道德的人可以十分容易地对他人作出令人难以置信的暴行。例如，在一个心理学试验当中，研究对象被分成两组，一组是囚犯一组是警卫，警卫对囚犯拥有完全控制。出乎所有人的预料的是，这些警卫残忍地虐待囚犯，从而热情地执行了自己的权威的角色。[84]

---

〔83〕 Derrida, Other, 前注 62, 页 125；请看, Foucault, Discipline and Punish, 前注 78；Foucault, *Why Study Power*, 前注 78；Sawicki, 前注 78, 页 63；也请看, Carol Gilligan, In a Different Voice (1982)（有关关心他人伦理的心理学）; Nel Noddings, Caring (1984)（有关关心他人的伦理的哲学）。Pierre Bourdieu 论辩说，个人偏好会适应社会地位的逻辑。Bourdieu, In Other, 前注 8, 页 130；Bourdieu and Wacquant, 前注 78, 页 74, 81。

〔84〕 Craig Haney, Curtis Banks, and Philip Zimbardo, *Interpersonal Dynamics in a Simulated Prison*, 1 International J. Criminology & Penology 69 (1973)；请看, Stanley Milgram, Obedience to Authority: An Experimental View (1974)（心理学实验表明社会角色会产生残暴的行为）; 也请看, Bauman, Modernity, 前注 1, 页 152 – 167（讨论了 Milgram 和 Zimbardo 的实验的意涵）。

第六，后现代主义是自我反映或自我指向的。尽管在社会角色和实践（practices）是持续的和嵌入性的程度上权力也是结构性的，但是那些角色和实践——不论是现代的还是后现代的——在本质上总是偶然的。它们可能变化并且确实发生变化。就像伽达默尔注意到传统必须被不断地重新创造，因而倾向于随着时间的流逝而发生转换，社会实践也必须被不断地重新创造并因而倾向于发生转换。当然，很多社会实践重新建构自我的途径在部分上是通过一种惯性，通过它们的静止重量（dead weight），但它们仍旧必须被不断地重新建构（否则它们就会停止存在）。而在这一重新构建的过程中，发生转变的可能性总是在律动。因此，比如，尽管现任的首席大法官威廉·伦奎斯特（William Rehnquist）和第一任首席大法官约翰·杰伊（John Jay）之间在行使权力方面具有相当多的类似性，伦奎斯特和杰伊的制度和社会角色显然是可以区分的。在很多区别之中最为明显的是，同伦奎斯特相比，杰伊所管辖的是一个较小的最高法院，并且他有机会去判决少得多的案件。[85]

这样，所有持久的社会实践——不论是现代的还是后现代的——都倾向于重新构建（并且转变）自我，但是很多后现代实践的一个突出方面就是它们反映的（reflexive）[或者反射的（reflective）] 自我生产。也就是说，后现代主义者意识到它们的（我们的）社会实践在历史上和文化上都是偶然的，并且那些实践不断地通过他们（我们）自己的词语、思想和行动重构自身。例如，德里达强调了我们的语言学习惯会反映地再造自身，而不需要某些外部的基础。后现代主义者因而常常转向他们自己的社会实践，并

---

[85] Margaret A. Coulson and Carol Riddell, Approaching Sociology: A Critical Introduction 17 – 18, 39, 41, 46 – 47 (1970)（强调了社会角色或"地位"会发生变化）；请比较, Karl Marx, *The Eighteenth Brumaire of Louis Bonaparte*, in The Marx – Engels Reader 594, 595 (Robert C. Tucker ed., 1978)（"所有死去的各代人的传统就像噩梦一样留在活人的脑子里"）。

且使对那些实践的文化和理论意识（awareness）成为这些实践本身的一部分。于是，在一定意义上，后现代主义把社会实践转变成包括了自我反映的意识（self-reflexive awareness）。斯蒂文·康纳（Steven Connor）认为："当试图理解我们处在现在这个时刻的当前的自我时，并不存在相当超然的观察点，不论是在'科学'、'宗教'，甚或是在'历史'当中。我们处在我们试图分析的时刻之中，并且我们属于这个时刻；我们处在我们用来进行分析的结构之中，并且我们属于这个结构。人们甚至几乎可以说，这种末端的（terminal）自我意识……就是我们当代的或'后现代的'时刻的特征"。[86]

第七，后现代主义者是讽刺性的。如果说后现代主义对认识论的基础和现代主义的个人主义所造成的威胁会使很多现代主义者产生焦虑和绝望，那么，这些威胁会使后现代主义者产生讽刺。后现代主义者和现代主义者表现出十分不同的态度。后现代主义者知道一个光辉的思想（或者甚至两个或三个）并不能忽然建立起一个阿基米德支点或者根本地改变世界，但是他们仍然继续在这个世界中实际地发挥作用，加达默尔的实用主义的阐释学概念就是例证。因此，后现代主义者至少在两个方面表现出讽刺。一方面，尽管有他们的反基础主义和反本质主义，他们还是经常使用现代主义的修辞手法和论辩方式，就好像它们是有基础的并且包含了一个本质。但是，后现代主义者自我反映地使用这些现代主义概念，总是理解它们的反基础的和反本质的主题。用吉恩·保德里拉德（Jean Baudrillard）的话说，后现代主义者"摆弄……那些自己不再相信的东西"。这样，为了避免成为或者显得仅仅是个现代主义者，后现代主义者常常试图努力暗示这样使用现代主义技术所暗含的讽

---

[86] Connor，前注1，页5；请看，页5（自我反映是后现代主义的关键）；Crook，前注1，页66–68（反映是后基础主义的激进主义的一个必然特征）。

刺——这就像挑挑眉毛、挤挤眼或者咧嘴一笑。例如，一个后现代主义者可能出人意料地混合各种修辞风格，突然从正式和严肃的学者风格转向对话的语气。另一方面，后现代主义者使用现代主义的工具进行现代主义类型的论证，但却知道自己无法完全控制这些工具和论证。因为文本的可重复性（iterability）——它可以在不同的语境中被重复——后现代主义者讽刺地期望自己的论证，不论在本质上是现代主义的还是后现代主义的，都会走向无法预见的方向并且会产生无法预期的含义。[87]

第八，在一定意义上，后现代主义在政治上是模棱两可的：后现代主义，特别是解构主义，具有潜在的激进政治意涵；尽管如此，它还是可以被转而服务于保守的目标。后现代主义的很多反对者坚持认为它的方法导致了一种"'整体化批评'的滑坡"，从而削弱了批评性道德的可能性，把我们留在保守的停顿所产生的剧痛之中。按照这一观点，如果后现代主义者是正确的，如果含义来自于能指之间的解构游戏，那么一个文本就可以具有任何含义——任何一个含义都不比其他含义更好或更糟。这些反对者还说，如果没有可以站其上的基础，那么我们怎样才能评价他人（或者我们自己）呢？而且，如果没有可以进行评价或批评的方法，那么不仅仅维持现状呢？尽管如此，很多后现代主义者包括德里达，都相信后现代主义具有激进的政治意涵。一些后现代主义者试图干预那些业已确立的社会和文化习惯，但却不是通过公开支持不同的习惯，而是通过搅动甚至可能是转移已经被接受的解构和符号——他们这样做的时候必然是渐进的，有时是令人无法察觉的，甚至是偷

---

[87] Jean Baudrillard, *Game with Vestiges*, 5 On the Beach 19, 24 (1984); 请看, Thiele, 前注1, 页225-226（讨论了后现代的讽刺形式）; Huyssen, 前注1, 页25（后现代主义者使用了来自现代和后现代文化的形象和主题）; 请看, 例如, Pierre Schlag, *The Problem of the Subject*, 69 Tex. L. Rev. 1627, 1649 (1991)（使用不同的风格来暗示讽刺）。

偷摸摸的。例如,德里达对于他性的解构性的关注可能激发一种渴望———一种可能变得无法满足的渴望——去揭露暴力和欺骗,去掀开排除和压迫。对德里达来说,"解构就是正义"。[88] 这样,毫不奇怪,德里达偶尔会用具体的甚至辩论性的词语来表达自己对他性的政治关怀:

> 在地球和人类历史上,暴力、不平等、排除、饥饿以及,事实上,经济压迫,从来没有影响过这么多的人。不要在对历史终结的欣快中赞美自由民主和资本主义市场这一理想的来临,不要赞美"意识形态的终结"和宏大的解放话语的终结;相反,让我们永远不要忽视这些宏观的证据,它们让我们看到了无数极大的苦难:没有什么进步可以允许我们忘记,在绝对数量上,在地球上从来没有这么多的男人、女人和儿童被奴役、饿死或灭绝。[89]

总之,这些后现代主义主题既没有穷尽后现代主义的含义,彼此也不是相互独立的。毋庸置疑的是,很多后现代主义者会反驳我所选择的主题,甚至会反对我进行主题化的全部努力。例如,很多人会挑战社会结构这个概念本身,将其斥责为一个具体化了的概念,这个概念违反了社会现实的多元化和流动性。尽管如此,在我看来,进行主题化的进路有用地阐明了后现代主义,只要人们认识到各个主题在后现代主义的杂乱做法之中相互重叠和混合。例如,

---

[88] Richard J. Bernstein, *Foucault:Critique as a Philosophic Ethos*, in The New Constellation 142, 151 (1991) ("'整体化批评'的滑坡");Derrida, *Law*, 前注62, 页945;请看, Derrida, *Other*, 前注62, 页119-120(否认了解构主义是非政治化的)。
[89] Leitch, 前注1, 页3〔引用的是 Jacques Derrida, Specters of Marx 141 (1993)〕;请比较, Stephen K. White, Political Theory and Postmodernism 16 (1991)(论辩说,解构主义是政治的,因为它常常在从前只有理性的地方找出权力)。

后现代主义者会自我反映地描述或判断后现代主义文化是怎样通过构建一个后现代的自我或主题而表现了权力。这种研究揭露了后现代的悖论：后现代理论家们拒绝了把自我当作一个独立自主的个人的现代主义观念，但同样是这些理论家，他们可能仍旧会把后现代主义的主体描述为有些类似处于超速度（hyperspeed）中的现代主义自我。文化和社会建构的后现代的主体是这样一个人：为了达到个人成就，他不断做出空洞无意义的判断，不具备坚实的（现代主义的）理由或基础。我应该穿哪个牌子的牛仔裤？我应该喝哪种汽水？我下面应该跳到哪个电视频道？我应当在商城中的哪家商店买？我应该选择哪种微波晚餐？哪一种早餐荞麦？哪一杯南美咖啡（java）？等等。十分古怪的是，在后现代时代，通过无情地在各种各样大规模生产、大规模广告，表面上好像在迎合不同的人的商品中间作出选择，人们试图达到个人的独特性。最简单扼要地说，后现代主体是一个超消费者（hyperconsumer），对他来讲，"花钱是一种义务——可能是最为重要的义务"。而且，作为自我反映的后现代主义的典型体现，后现代的经济市场本身也与后现代嬉皮文化融合到了一起：我们看到的商业广告自我反映地知道自己是广告，并且眨眨眼、点点头告诉我们这一点——就像一个卡通片主角微笑着承认自己也是一个玩具动作片人物。这样，后现代资本主义文化不断地努力生产出新的（或者具有细微差别的）个人关心，而这些关心会打开潜在的市场机会：我可能毕竟应当关心我的选择所作出的个人声明，因为我不仅选择了"运动鞋"而不是旅游鞋，而且我甚至还选择了跑鞋、篮球鞋、步行鞋、网球鞋、有氧

第二章 描绘思想的轮廓：前现代主义、现代主义、后现代主义

健身鞋，而在我无法作出决定的时候，我就选择跑步机。[90]

作为本章的结尾，我希望说的是，后现代主义不但尚处于青年时代，而且还处于第一阶段，可能产生第二阶段并且让位于它。第二阶段的后现代主义肯定会非常类似于我前面一直在描述的第一阶段，但是，第二阶段的后现代主义会具有什么与众不同的特色呢？在给出答案之前，我必须提出很显然的警告：这一讨论极具猜想性，因此应当被理解为尝试性的和提示性的。在说明了这一点之后，并且假设第二极端真的会出现（尽管它可能根本就不被称为后现代主义，因为"后现代"文化实践变化的是如此之快），下面就是一些可能性。[91]

第一阶段与第二阶段后现代主义之间的一个关键区别就是它们分别同现代主义之间的相互关系。第一阶段的后现代主义生活在现代主义的阴影之中。事实上，就像提到过的，后现代主义的一些批评者相信我们仍然处在现代主义时代。偶尔地，甚至更为同情后现代主义的理论家也避免独立地讨论后现代主义，而是小心地谈到现代/后现代时代的混合，因为二者之间的边界并不确定。[92] 因此，在现代主义的这种阴影之中，很多后现代的作品事实上倾向于讨论现代主义的问题和关切，尽管有些间接。例如，很多世纪以来，现代主义者集中关注起源于主体/客体形而上学论的认识论问题：什么样的来源或者方法能够为知识提供一个客观的基础？在很大程度

---

[90] Bauman, Intimations, 前注1, 页50；请看，页54（讨论了结构的问题）；页201-203（讨论了后现代的代理人或主体）；Robert N. Bellah, Richard Madsen, William M. Sullivan, Ann Swidler, and Steven M. Tipton, Habits of the Heart 6 (1985)（强调了个人主义与文化之间的关系）；Lawrence M. Friedman, The Republic of Choice: Law, Authority, and Culture (1990)。

[91] Andreas Huyssen集中关注了"后现代主义"这个词的用法，论辩说，20世纪70年代和80年代出现了后现代主义的第二个阶段。Huyssen, 前注1, 页24-47。

[92] 请看，例如，Richard J. Bernstein, An Allegory of Modernity /Postmodernity; Habermas and Derrida, in The New Constellation 199 (1991)。

上，后现代主义者仍旧关心这些问题，尽管他们关心的方式却极其不同。当然，后现代主义者拒绝现代主义的主体/客体形而上学以及随之而来的对于客观的认识论基础的搜寻；尽管如此，他们大量地详细解释自己为什么这样做。也就是说，后现代主义者花费相当的精力来证明自己为什么和在哪些方面是反基础主义的和反本质主义的——自己为什么和在哪些方面是后现代主义者而非现代主义者。换句话说，这些理论家拒绝现代主义的形而上学和基础主义，但是在很多情形当中，他们并不是继续前行。相反，他们解释自己的后现代立场时很大程度上是通过说出自己对现代主义的批评性的反应。

现代主义与第一阶段的后现代主义之间的这种紧密联系的一个原因很显然：第一阶段的后现代主义者常常从前就是失望了的现代主义者。他们过去被社会化并且被教育去相信——而且他们确实相信——自己是独立和自主的自我，通过积累客观的知识，他们对自己的社会关系行使了广泛的控制权，甚至可以对重要的社会进步作出贡献。但现在，对于这些理论家来说，这已经结束了。他们不再相信。上帝死了——再一次死了——而这一次，他们看到了上帝死去。想像一个20世纪60年代的激进的越战抗议者，他突然在20世纪80年代发现，罗纳德·里根（Ronald Reagan）是总统，而且是一位极其受欢迎的总统。那么，这些理论家现在能够做些什么呢？他们不再真正相信美国社会可以被根本地改变得更好。但是，他们仍然知道现代主义的问题、现代主义采取的行动、现代主义的论证，而且，可能最为重要的是，他们保留着对于自己的现代主义过去的记忆。因此，他们挑挑眉毛再微笑一下，开始使用唾手可得的工具——尽管现在他们是在矛盾地使用这些工具。按照保德里拉德的说法，后现代主义"是一场使用已经被破坏的东西的遗迹来玩的一场游戏"。[93]

在我的观点看来，只有当现代主义不再是一种活动的或者鲜活的记忆，第二阶段的后现代主义才会到来。当现代主义是作为历史被学习而不是作为记忆被了解时，后现代主义者就会摆脱现代主义过去的长长阴影。后现代主义对带有现代主义味道的问题的关心——反基础主义与基础主义，反本质主义与本质主义，等等——到第二阶段会结束，并且后现代主义者到那个时候可能就可以继续前行了。但是，前行到哪里呢？当然，很多相同的后现代主义的主体还会保留；但是，什么会不同呢？

一些坚持到第二阶段的第一阶段的后现代主题可能会变得不再那么生气勃勃。例如，反基础主义和反本质主义看起来对于后现代主义来讲是必不可少的，因此会保留下来，但是，因为没有了对于现代主义认识论的压迫性的记忆，这些后现代的信念可能看起来不那么急迫，因而可能不会从理论家们那里得到那么多的注意。更为极端的是，后现代的矛盾中的一个方面可能会完全消失。第一阶段的后现代主义者自我反映地使用现代主义方法，但他们知道这些方法无法提供具有不容置疑的基础的结果。这些第一阶段的后现代主义者把自己与现代主义者区分开来，别忘了，这些现代主义者也常常使用类似的方法：隐喻性地挑一下眉毛或者用其他方法暗示后现代的矛盾。第二阶段的后现代主义者很可能不再公开地急于把自己同现代主义者区分开来。因此，这种形式的后现代矛盾很可能会消失或者至少被废弃不用，即便第二阶段的后现代主义者可能会继续自我反映地使用现代主义的工具但却同时完全清楚其局限。值得注意的是，第二种形式的后现代主义矛盾，很可能会继续存在。也就是说，第二阶段的后现代主义者会继续矛盾地期望自己的论证（不论其本质上是现代主义的还是后现代主义的）会走向未被预见

---

[93] Baudrillard，前注 17，页 25。

的方向并且会产生未被预见的含义。

　　现代主义者经常指责第一阶段的后现代主义者削弱了人类解放的潜力。按照最常见的现代主义观点，解放只能来自于对人类意志的某种主张，而这种主张会使我们逃离控制（domination）和异化。也就是说，解放要围绕着独立的和自主的（或者至少相对自主的）自我。因为第一阶段的后现代主义者毫无疑问会拒绝现代主义的这种自我观，但是现代主义批评者挑战后现代主义者去解释并去实际上拯救人类解放的观点。从现代主义的视角看来，第一阶段的后现代社会现实图景令人无法接受地把人类简化为被社会和文化环境所控制的机器人。这样，不用说，第一阶段的后现代主义者花了相当大的精力来回应这些指责。但是，第二阶段的后现代主义者会被免除了（被解放了？）这些现代主义的指责。事实上，人类解放——或者，可能更好的说法是人类自由——可能不会被认为是要求任何对自我的逃离，而是想反而要求理解社会对主体的构建。自由可能可以被理解为与冲浪的想法是一致的——特别是后现代的冲浪——网上冲浪、电视频道冲浪，等等。冲浪的想法暗示者，我被惊人的力量控制了，但同时我却能以某种方法驾驭它。我没有被压倒、打碎或者以其他方式被打败——尽管我可能会——但是我却以自己的技巧在表面上滑动。于是，当我在因特网上冲浪的时候，我高效率地从一个网站移动到另一个网站，在超链接之间滑翔，在数分钟之内就发现了本来可能需要数小时甚至数天才能找到的信息。如果做得正确，网上冲浪就是一个富有成果而不是一个令人沮丧的经历，即便我面对着更多的信息、更多的力量，超过了我所能够处理的范围。

　　但是，第二阶段的后现代主义并不一定能带来人类自由的乌托邦。病态的反面乌托邦（dystopia）也是可能出现的。就像前面提到过的，即使在这一后现代的自由的前景之内，被暴力压倒的可能性依然现实存在。在后现代主义当中，我们部分的驱动力是对永远新鲜、永远新颖、永远与众不同的东西的追寻。我们需要并且得到了更多的信息、更多的数据、更多的知识——更多、更多、再更多。对深度、对基础的追求同现代主义一起死掉了，因此我们现在在表面上浏览——或者冲浪——而所有这一切都以令人眩晕的速度、以超速度（hyperspeed）发生。确实，在理解了我们进行控制和被控制这两个方面的同时性（或者说同步性）的时候，我们可能会感受到一种令人兴奋的自由，但是我们也可能同时遭受至少三种不同的病理反应。

第一，我们可能无意地注视自己脚下的疾驰的表面，并且经历后现代的眩晕，一种不再能够控制的恶心的感觉。我们失去了平衡，可能会跌倒或者摇摇晃晃地坐在地上，而这时我们却会随着前行的力量不断地冲向我们而被击毁。最终，我们可能会沉到表面之下，就像某些后现代的街头流浪者，无家可归，注视着路人的空洞目光。

第二，即便我们在冲浪时能够保持目视前方，我们还是可能最终经历一种后现代的麻木。无尽的快速变化、无尽的信息和数据会产生一种麻木。有这么多一闪而逝的东西，以至于在一段时间之后，它们都看起来十分不重要了。在20世纪80年代早期在东欧的封闭社会旅行之后，飞利浦·罗斯（Philip Roth）观察道，很矛盾的是，"他们写的每一个单词都有无穷的暗示，而在美国，人们会觉得自己根本没有产生任何影响"。[94] 信息过于丰富显然可能让知识失去其重要性。在第二阶段的后现代主义的麻木状态之中，我们不会跌倒；相反，我们会跟跟跄跄地保持平衡，继续完成各个动作，可能已经不是冲浪了，但仍旧保持在表面上。

第三，所有可能的病态反应中可能最令人害怕的，是由小说家

---

[94] Pangle, 前注1, 页212, 引用的是 Philip Roth, *N. Y. Times*, 1990年2月8日, 页B1。

唐·德里罗（Don DeLillo）暗示的："在被简约为一片模糊和供应过剩的社会当中，恐怖是惟一有意义的行为。每一样东西都有这么多，事物、消息和含义都比我们在一万辈子里所能够使用的还要多。惰性—歇斯底里。历史是可能的吗？有人是认真的吗？我们认真地对待哪些人？只有亡命的信徒，他为了信念而杀人和卖命。所有其他的事情都被吸收了。艺术家被吸收了，街道上的疯子被吸收、处理和融合了。给他一美元，让他上电视广告。只有恐怖分子处身世外。"[95]

这就是后现代的恐怖主义。后现代恐怖分子不是屈从于无穷的信息和数据可能产生的麻木，相反，他们试图阻止后现代文化的无情的超速度，哪怕只能停留一会儿。通过一种无意义的暴力行为，恐怖分子努力宣布一个意义——任何能够克服前进中的超文化而得到注意和理解的东西。在一定意义上，这样的恐怖分子代表了后现代对现代主义的浪漫主义的一种不正常的回归（请回忆，现代主义的浪漫主义者赞美美学事业中对意志的主张）。但是，还应当认识到另外一个相关的可能性；这个可能性就是，可以用寓言的方式来理解后现代的恐怖分子：恐怖主义可能不是暴力的，而是阐释的。换句话说，一些后现代恐怖分子不是用暴力进行攻击，而是可能仅仅试图专横地主张（文本的或者文本类似物的）一个含义。这种类型的后现代阐释恐怖分子懂得，所有的含义都是没有基础的，知识以令人眩晕的超速度从我们身旁冲过；尽管如此，她努力并且有时可能会做到，至少是暂时地，让这种脚步慢下来，以产生一个文本、一个含义，而它们看起来有些重要，看起来能停留一小会儿。这种形式的恐怖主义当然不如暴力的恐怖主义行为病态，但是它在其他方面来讲是正面的还是负面的？这样一个人是勇敢还是懦弱，是聪明还是迟钝？我没法抽象地说；它只能取决于语境。

---

[95] Don DeLillo, Mao II 157 (1991)。

第三章

前现代美国法律思想

前现代法理学：总论

相信存在着自然法原则，这是前现代美国法律思想的一个根本特征。[1]在美国建立之时，《独立宣言》里就援引了"自然法"

---

[1] 下列来源提供了对于这个时期的美国法理学、法律职业、法律教育和相关事项的有用的历史性的描述。Edgar Bodenheimer, Jurisprudence (rev. ed., 1974); Lawrence Friedman, A History of American Law (2d ed., 1985); Grant Gilmore, The Ages of American Law (1977); Kqmit L. Hall, The Magic Mirror (1989); James Herget, American Jurisprudence, 1870–1970: A History (1990); Morton J. Horwitz, The Transformation of American Law, 1780–1860 (1977)（以下称 Horwitz I）; James Willard Hurst, Law and the Conditions of Freedom in the Nineteenth-Century United States (1956); J. M. Kelly, A Short History of Western Legal Theory (1992); William P. LaPiana, Logic and Experience: The Origin of Modern American Legal Education (1994); Robert G. McCloskey, The American Supreme Court (1960); Perry Miller, The Life of the Mind in America (1965); Dorothy Ross, The Origins of American Social Science (1991); Bernard Schwartz, A History of the Supreme Court (1993); Robert Stevens, Law School: Legal Education in America from the 1850s to the 1980s (1983); G. Edward White, The Marshall Court and Cultural Change 1815–1835 (1991); Stephen M. Feldman, *From Premodern to Modern American Jurisprudence: The Onset of Positivism*, 50 Vand. L. Rev. 1387 (1997); Robert W. Gordon, *Legal Thought and Legal Practice in the Age of American Enterprise,1870–1920*, in Professions and Professional Ideologies in America 70 (1983)（以下称 Gordon, *Enterprise* ）; Robert W. Gordon, *The Case For (and against) Harvard*, 93 Mich. L. Rev. 1231 (1995)（以下称

和"自然的上帝";然后,呼应着约翰·洛克,它继续提出了现在已经耳熟能详的段落:"我们认为这些真理不言自明:所有人生来平等,他们被造物主授予了某些无法剥夺的权利,这些权利之中包括生命、自由以及对幸福的追求。"通过这种自然法的推理,托马斯·杰弗逊(Thomas Jefferson)和《宣言》的其他签字人试图首先建立一种反抗不公正的统治者的普遍权利。只有在这之后,美国人才描绘了自己对英国的具体不满,以解释自己为什么会在那个时间反叛。[2]

《独立宣言》中提到了自然法和自然权利,这些并不仅仅是修辞手段。相反,自然法看起来提供了社会价值和法律体系、特别是包括普通法的基础。在阐释美国人的法律观的最早的努力之一当中,詹姆斯·威尔逊在1790年解释道:"自然,或者更为正确地说

Gordon, *Harvard*); Thomas C. Grey, *Langdell's Orthodoxy*, 45 U. Pitt. L. Rev. I (1983)(以下称 Grey, *Langdell*); M. H. Hoeflich, *Law and Geometry:Legal Science from Leibniz to Langdell*, 30 Am. J. Legal Hist. 95 (1986); Duncan Kennedy, *Toward a Historical Understanding of Legal Consciousness:The Case of Classical Legal Thought in America,1850 - 1940*, 3 Research in Law & Sociology 3 (1980); William E. Nelson, *The Impact of the Antislavery Movement upon Styles of Judicial Reasoning in Nineteenth Century America*, 87 Harv. L. Rev. 513 (1974); H. Jefferson Powell, *Joseph Story's Commentaries on the Constitution:A Belated Review*, 94 Yale L. J. 1285 (1985); Ferenc M. Szasz, *Antebellum Appeals to the "Higher Law,"1830 - 1860*, 110 Essex Institute Hist. Collections 33 (1974); Robert Stevens, *Two Cheers for 1870:The American Law School*, 5 Persp. Am. Hist. 405 (1971). 作为对于当时美国情况的描述,需要特别提到的是,Alexis de Tocqueville, Democracy in America (Henry Reeve text, revised by Francis Bowen, edited by Phillips Bradley ed., Vintage Books 1990, 1835年和1840年首次以法语两卷本出版)。对于英国法律史的一个特别有用的描述,包括对于美国法理学的意涵,请看, P. S. Atiyah, The Rise and Fall of Freedom of Contract (1979)。

[2] The Declaration of Independence, in 2 Great Issues in American History 70 (Richard Hofstadter ed., 1958);请看, Benjamin F. Wright, American Interpretations of Natural Law 10, 96 - 99 (1931);也请看, Charles G. Haines, The Revival of Natural Law Concepts (1958;初版于1930年)。

是自然的造物主，为我们做了很多；但是，按照他仁慈的安排和意志，我们也应该为自己做很多事情。事实上，我们所做的，必须基于他所做的事情；而我们的法律的缺陷一定要由他的完美来补充。人类的法律必须基于其权威，而最终，必须要基于那种神圣的法律的权威。"〔3〕

---

〔3〕 James Wilson, The Works of James Wilson 124 (1967；初版于 1804 年)；请看，Miller, 前注1，页 164 – 165；请比较，Howard Horwitz, By the Law of Nature: Form and Value in Nineteenth – Century America vii (1991)（强调了在 19 世纪很大一部分时间里，自然成为了价值的基础）；Philip A. Hamburger, *Natural Rights*,*Natural Law*,*and American Constitutions*, 102 Yale L. J. 907 (1993)（讨论了制宪者时代的自然权利和自然法概念）。Wilson1790 年发表但直至他去世后的 1804 年才出版的 *Lectures on Law*。Miller, 前注1，页 141。有关威尔逊的政治和法律哲学的最近的一个出色的讨论，请看，Mark David Hall, The Political and Legal Philosophy of James Wilson, 1742 – 1798 (1997)。我在本节讨论的 18 世纪晚期和 19 世纪早期美国法理学（包括法律和政治思想）的其他重要著作包括：Nathaniel Chipman, Sketches of the Principles of Government (1793)（以下称 Chipman, Sketches）；Nathaniel Chipman, Principles of Government; A Treatise on Free Institutions (1833)（以下称 Chipman, Principles）；John Dickinson, The Letters of Fabius (1797)（首次在 1788 年在一份特拉华州的报纸中发表时是为了为被提出的《宪法》草案辩护）；James Gould, A Treatise on the Principles of Pleading in Civil Actions (2d ed., 1836)；Francis Hilliard, The Elements of Law (1835; reprint, 1972)；David Hoffman, A Course of Legal Study (1817)（以下称 Hoffman, 1817）；David Hoffman, A Course of Legal Study (2d ed., 1846)（以下称 Hoffman, 1846）；Charles Jared Ingersoll, A View of the Rights and Wrongs, Power and Policy, of the United States of America (1808)；James Kent, Commentaries on American Law (5th ed., 1844；第一版出版于 1826 – 1830 年)；Joseph Story, Commentaries on the Constitution of the United States (1987；重印了 Story 自己的 1833 年的一卷本的对于最初的 1833 年版的三卷本的缩编)（以下称 Story, Constitution）；Joseph Story, Commentaries on Equity Jurisprudence as Administered in England and America (first ed., 2 vols., 1836)（以下称 Story, Equity）；Joseph Story, Miscellaneous Writings (1972; reprint of 1852 ed., William W. Story ed.)（以下称 Story, Miscellaneous）；Zephaniah Swift, A System of the Laws of the State of Connecticut (1795)（第二卷出版于

美国人对自然法的信心在很大程度上是继承自威廉·布莱克斯通（William Blackstone），他于 1765 年到 1769 年首次出版了《英格兰法律评论》（Commentaries on the Laws of England）。[4]威尔逊和其他美国法理学家大量地依赖这部《评论》：美国第一位法律教授乔治·威思（George Wythe）在威廉和玛丽（William and Mary）大学的讲座基于布莱克斯通的著作；位于康涅狄格州里奇费尔德（Litchfield）的美国第一所法学院的课程是围绕着《评论》设计的；而约瑟夫·斯托里在哈佛作教授期间一直使用布莱克斯通的著作作为文本。很多普通律师或者自学或者在律师事务所中学习法律，而他们所做的也很少超过阅读《评论》。就像内森尼尔·齐伯曼在1793 年坦率地说的："（布莱克斯通的）《评论》是这些州的

1796 年；所有的引用都是指第一卷或 1795 年的一卷）；St. George Tucker, Blackstone's Commentaries: With Notes of Reference to the Constitution and Laws, of the Federal Government of the United States; and of the Commonwealth of Virginia (1803)（共 4 册 5 卷；按照册数编号引用）；Jesse Root, *The Origin of Government and Laws in Connecticut* (1798), in The Legal Mind in America 31 (Perry Miller ed., 1962); The Federalist (Clinton Rossiter ed., 1961); 也请看, Perry Miller, The Legal Mind in America (1962)（以下称，Miller, Legal Mind); The Federal and State Constitutions, Colonial Charters, and other Organic Laws of the United States (Ben Perley Poore ed., 2d ed., 1924; reprint, 1972; 2 vols.)（以下称 1 Poore and 2 Poore）。

一些有用的间接来源如下：Steven M. Cahn, Classics of Modem Political Theory (Steven M. Cahn ed., 1997); Roger Cotterrell, The Politics of Jurisprudence (1989)。

[4] William Blackstone, Commentaries on the Laws of England (1st ed., 4 vols., 1765 – 1769) 请看, Miller, 前注 1, 页 164 – 165（讨论了布莱克斯通的自然法取向在美国的影响）；Dennis R. Nolan, *Sir William Blackstone and the New American Republic: A Study of Intellectual Impact*, 51 N. Y. U. L. Rev. 731 (1976)（关于布莱克斯通在美国的影响）。

法律学生所能够接触到的惟一法律专著。"[5] 此外，布莱克斯通的著作在美国不但出版过很多版本，而且出版于19世纪上半叶的那些最早集中关注美国法律的专著也追随了布莱克斯通的模式。[6]

布莱克斯通写作《评论》最初是为了促进大学中的法律教育。通过这样做，他把法律描述为一种科学、一种"理性科学"，它必然包含了对自然法的广泛讨论。布莱克斯通声称，"这种自然法与人类同时诞生并且是由上帝本身所规定的，自然而然要在义务性上高于任何其他法律。它在整个地球上、在所有国家、在所有时期都具有拘束力；任何人类制定的法律如果违背了自然法就没有任何效力；而那些具有效力的自然法的所有效力、所有权威都直接或间接地来自这个最初的自然法"。也就是说，对于布莱克斯通来讲，自然法的原则是普适的并且优先于实在法。在那些自然法"没有规定"、人们"随便做什么都行"——"比如出口羊毛到外国"——的领域里，人类可以制定实在法来要求或者禁止任何行为。但是在那些自然法并非"没有规定"的领域里，"人类法只是宣示着并且要服从于'自然法原则'"。[7]

按照布莱克斯通的观点，自然法或者是由上帝显露的，或者是可以通过人类理性发现的。例如，布莱克斯通声称财产权源自于神启：《圣经》声称上帝给了人类对于地球和地上万物的统治权。那

---

[5] Nathaniel Chipman, *Sketches of the Principles of Government* (1793), in The Legal Mind in America 19, 29 (Perry Miller ed., 1962)（着重号为后加）；请看，Miller，前注1，页134；Nolan，前注4，页761-767；请看，例如，Wilson，前注3，页100，614-616。

[6] 请看，例如，Story, Miscellaneous，前注3，页74-75（赞扬布莱克斯通）。有关美国版的布莱克斯通作品，请看，William Blackstone, Commentaries on the Laws of England (1832, William E. Dean, Printer and Publisher, New York)；请看，Anthony J. Sebok, *Misunderstanding Positivism*, 93 Mich. L. Rev. 2054, 2086-87 (1995)（讨论了布莱克斯通对19世纪美国专著传统的影响）。

[7] 1 Blackstone，前注4，页41-43；2 Blackstone，前注4，页2（"理性科学"）；请看，Nolan，前注4，页735，760-761。

么,按照自然法和理性,对土地和物体的使用、拥有和占有就产生了财产的概念。布莱克斯通得出结论说,"财产,包括土地和动产,最初就是这样由第一个捕获者最初获得的,这种捕获实际就是声明他意图将该物占为己用,因此,按照普遍法的原则,它就一直都是他的,直到他采取某一其他行为,而该行为表明了放弃该物的意图时为止。"[8]

美国法理学家很容易就接受了布莱克斯通的自然法取向,其原因至少有三方面:

第一,美国人在这个欣欣向荣的国家里的各州采用英国普通法,而自然法为美国人的这种做法提供了一个方便而有用的正当化理由。特别是在独立战争之后的前几十年里,如果普通法被理解为仅仅是英国特有的一种制度,那么美国对自然法的依赖就会显得不够审慎,甚至可能会显得是一种叛国的做法。但是,如果普通法来自于自然法的普遍原则,而它又是由上帝神启或者通过人类理性发现的,那么普通法在美国(或者在任何其他国家)就具有了合法性。[9]

第二,普通法是基于自然原则,这一想法适合于美国18世纪晚期和19世纪早期的社会环境。在很多就这些事情进行思考的人看来,所有社会都是自然地分层的或有秩序的。而在美国,尽管在这个时期里出现了巨大的经济变化、民主和法律平等也更为普及,

---

[8] 2 Blackstone, 前注 4, 页 9; 请看, 页 2-9。布莱克斯通有时把上帝宣示的法律和通过理性发现的法律都成是自然法。在其他时候, 他暗示说, 上帝宣示的法律实际上是一种更高形式的自然法。请看, 1 Blackstone, 前注 4, 页 40-44。

[9] 请看, 例如, Root, 前注 3, 页 34 (论辩说, 康涅狄格州的普通法并不是英格兰的普通法); 请看, Horwitz I, 前注 1, 页 4-7; Miller, 前注 1, 页 129; Perry Miller, introduction to The Legal Mind in America 15, 17 (Perry Miller ed., 1962); Stephen N. Subrin, How Equity Conquered Common Law: The Federal Rules of Civil Procedure in Historical Perspective, 135 U. Penn. L. Rev. 909, 928 (1987)。有关当时对于新的国家是否应该采纳英国普通法的讨论, 请看, Chipman, 前注 5。

但是明显的社会阶层仍然十分引人注目。因此,很多美国人很容易就接受了这样的概念:普通法所施加的社会义务是按照自然或习惯产生于一个人在社会中的地位。杰西·鲁特(Jesse Root)在 1798 年声称,普通法"教导个人的尊严、品格、权利和义务,他此时的等级和地位以及他同未来的关系,(并从而)定义了丈夫与妻子、父母与孩子、兄弟与姐妹之间、统治者与人民、以及人民或公民相互之间的义务和责任"。[10]

第三,很多美国人是如此地忠诚于新教、基督教,以至于他们特别容易接受有关以宗教为基础的自然法的宣讲。在 18 世纪 40 年代,一次后来被称为第一次宗教大复兴(First Great Awakening)的福音派新教的复兴席卷了北美各殖民地,导致了成千上万的人皈依基督教。"来自社会各个阶层、年龄各异、职业不同的人们经历了重生。在新英格兰,几乎每一个教区都被触及到了。在一年之内,一个城镇 10% 或 20% 的人在感受到了上帝慈悲之后加入教会,这并不罕见"。[11] 部分上因为教会复兴派(revivalists)传教士当中很多人都是巡回传教士,从一个城镇漫游到另一个城镇并吸引了越来越多的拥护者,所以新教的教派开始从主流教派当中分裂出来。这样,随着时间的流逝,教派变得越来越多元化,并且一些已经存在但却较小的持异议的教派获得了追随者并传播到新的地区。例如,浸信会(Baptist)从 18 世纪的宗教复兴中受到了很大的益处。但是,虽然这些复兴倾向于使美国的新教分裂成多个教派,但是,

---

[10] Root,前注 3,页 35 – 36;请看,Douglas T. Miller, The Birth of Modem America 1820 – 1850,页 117 – 125(1970)(以下称 D. Miller);White,前注 1,页 18 – 20;Gordon, *Enterprise*,前注 1,页 83 – 89;请看,Gordon S. Wood, The Radicalism of the American Revolution(1991)(以下称 Wood, Radicalism)(强调了民主的扩张)。

[11] The Great Awakening: Documents on the Revival of Religion, 1740 – 1745,页 xii(Richard L. Bushman ed., 1969);请看,Miller,前注 1,页 164 – 165, 206。一般地,请看,Edmund S. Morgan, *The Puritan Ethic and the American Revolution*, 24 William & Mary Q. 3(1967)。

大复兴在本质上是"一种伟大的统一性的力量，让美国'五分之四'的基督徒'对基督教生活和基督教信仰有了共同的理解'"。大复兴推动了跨越各个殖民地的边界形成一种民族意识。这种民族意识决定性地从殖民地晚期持续到了革命时期和建国早期，它包含着一种统一的、强劲的信仰，要在"一种基督教文明"中维持多教派的新教主义。在这种渗透着基督教的文化当中，美国人毫不费力地接受了自然法的思想，特别是有着神学根基的自然法。[12]

这样，出于多种原因，美国人很容易地接受了布莱克斯通把自然法作为法律制度的根基的信念，他们在总体上把这一信念一直维持到了南北战争时期。例如，在前现代法律思想的第一个阶段——该阶段从1776年延续到19世纪早期——内森尼尔·齐伯曼在他1793年出版的《政府原理概述》（*Sketches of the Principles of Government*）中说，"政府的宪制原则（是）基于自然法、基于人类的道德和社会本性的。"按照西番雅·斯威夫特（Zephaniah Swift）两年后的作品中的观点，自然法起源于"至高的神"并且"适用于有生命的和无生命的物质，适用于有理性的和无理性的生物"。类似的观点在前现代法理学的第二个阶段继续存在，这第二个阶段大约从19世纪20年代持续到南北战争。詹姆斯·肯特在他

---

〔12〕 Robert T. Handy, A Christian America 19 (2d ed., 1984)（"基督教文明"）；Winthrop S. Hudson and John Corrigan, Religion in America 82 (5th ed., 1992)（"一种伟大的统一性的力量"；转引的是 L. J. Trinterud, The Forming of an American Tradition 197 [1949]）；请看，Sydney E. Ahlstrom, A Religious History of the American People 170 – 76, 292 – 294 (1972); Hudson and Corrigan, 同上，页18 – 19, 45 – 46, 75, 83, 111; 也请看，Theodore Dwight Bozeman, Protestants in an Age of Science 45 – 48 (1977)（讨论了19世纪美国对于宗教怀疑主义的谴责）；Stephen M. Feldman, Please Don't Wish Me a Merry Christmas: A Critical History of the Separation of Church and State 119 – 174 (1997)（讨论了各个殖民地教会机构和国家的发展）；Stephan Thernstrom, 1 A History of the American People 114 – 120 (2d ed., 1989)（讨论了宗教大复兴）。有关美国宗教的其他有用的书籍包括：Jon Butler, Awash in a Sea of Faith: Christianizing the American People (1990); Nathan O. Hatch, The Democratization of American Christianity (1989); Martin E. Marty, Protestantism in the United States: Righteous Empire (2d ed., 1986)。

最初出版于 19 世纪 20 年代的《美国法评述》（Commentaries on American Law）中自然的和普遍的正义、自然的和不可剥夺的权利、自然的法理学以及神启。甚至在一部比较实际的著作中，比如弗朗西斯·希利亚德（Francis Hilliard）的《法律要素》（Elements of Law），作者都会部分地依赖自然法。希利亚德声称要把自己的书设计成"一个为大众所用的价格低廉的手册"，它"避开了所有的批评、臆测或者历史；它把自己限制在对现行有效的原则进行平白扼要的陈述，并偶尔进行例证"。尽管如此，希利亚德仔细地强调了，普通法是基于自然法的原则，基于"某些广泛的和固定的原则，它们体现了这个制度的本质"。他随后指出了最为人们所了解的广泛的自然权利："按照自然法，每个人都有某些绝对的个人权利，这些权利被最受推崇的作者归类为安全、自由和财产"。[13]

除了信仰自然法之外，前现代美国法理学思想的第二个明显特征是，忠于法律科学的思想。就像布莱克斯通把法律描述为科学一样，18 世纪晚期和 19 世纪早期的美国法律学者也是如此。威尔逊、齐伯曼、斯威夫特、乔治·塔克（George Tucker）、大卫·霍夫曼（David Hoffman）、肯特、希利亚德和斯托里都始终如一地提到法理学的科学或者法律科学。[14] 前现代的美国法律科学的概念的具体要素有两个来源：弗朗西斯·培根（Francis Bacon）和普通法诉讼程序所特有的诉讼形式（forms of action）。

---

〔13〕 Chipman, Sketches, 前注 3, 页 115; 1 Swift, 前注 3, 页 7; Hilliard, 前注 3, 页 iv - v, 8 - 9; 请看, 1 Kent, 前注 3, 页 1（讨论了自然法法理学和神启）; 1 Kent, 前注 3, 页 470（讨论了自然正义）; 1 Kent, 前注 3, 页 1, 11 - 13（讨论了自然权利）; 1 Kent, 前注 3, 页 477（提到了普遍正义）有关对于广泛的有关财产、安全和自由的自然权力的讨论, 请看, Chipman, Principles, 前注 3, 页 55 - 56; Hilliard, 前注 3, 页 9; 1 Kent, 前注 3, 页 1。

〔14〕 请看, 例如, Hilliard, 前注 3, 页 iv; Hoffman, 1846, 前注 3, 页 13; Story, Miscellaneous, 前注 3, 页 69 - 71, 73, 79; Swift, 前注 3, 页 3 - 4, 39。

尽管培根最为重要的著作都完成于17世纪早期，但是，他取代洛克成为美国最有声望的英国哲学家是在18、19世纪之交的时候。从威尔逊到斯托里，前现代美国法律学者都反复引证和引用"培根勋爵"，并且，用斯托里的话说，赞美"他博大精深的天分，以及他思想的智慧和全面"。[15] 18世纪晚期和19世纪早期美国人对培根的科学（不仅是法律科学）的理解强调了一系列相互关联的行为的步骤或形式：观察、归纳、分类。首先，培根的态度是基于对人类感官认识的信念，相信人们通过仔细观察可以得出真理。然后，通过对有关现象的多次观察，人们可以概括和归纳自然的终极原则。最后，这些原则可以被进行分类：被排列成一个理性的体系。值得注意的是，培根的科学在19世纪的美国被基督教化了：人们理解的基督教和科学并非相互对立的，而是互补的、相互支持的。就像西奥多·博兹曼（Theodore Bozeman）所说的，"事实上，'真理'指的是南北战争前的一种重要的宗教体验的方式。知道事物的真理，就是品味'威严和光荣'，因为自然的巨大全景几乎在所有的地方都被理解为神的创造力之展开。"[16]

在法律科学中，詹姆斯·威尔逊解释了培根主义对法理学的适用性。

> 培根勋爵说，在所有的科学中，贴近细节的东西是最可靠的。实际上，通过从观察和经验中取得一些例子，并逐步简化为一般性的规则，一门科学才被最佳地组织成了

---

[15] Story, Miscellaneous, 前注3, 页103; 请看, 例如, Hoffman, 1817, 前注3, 页 iv; Hoffman, 1846 ed., 前注3, 页10, 11, 36; 1 Kent, 前注3, 页 v, 47, 475, 478, 505, 510; Wilson, 前注3, 页356; 请看, Bozeman, 前注11, 页13–30。

[16] Bozeman, 前注11, 页60; 请看, 页3–10, 44–45, 56, 61–63; LaPiana, 前注1, 页19。Bozeman 承认, 这个时期存在着相互竞争的科学观。请看, Bozeman, 前注12, 页75, 86–96。

一个体系；但是，之后仍旧会有未来的观察或经验可能暗示的正确的改进。在获取知识时，人类思想的自然过程是从具体事实前进到一般原则。……按照这种观点，普通法，就像自然哲学一样，在被正确地研究时，就是一门基于试验的科学。……因此，在这两者当中，当进行精确的调查时我们就会发现，最为稳定和坚定不移的原则指引和控制着最为多样化和杂乱无章的表象。[17]

早期美国的专著至少在三个方面表现出了其培根注意的根源：

第一，尽管这些专著强调自然法并且是根据宽泛的原则——例如，保护财产、自由和人身安全——松散地组织在一起的，但是，作者们倾向于显得忠诚地接受案例判决和归纳推理所特有的由下而上的风格。他们十分注意细节，他们的专著充斥着低层次的规则和引证并讨论很多案例的大量脚注。例如，西奥菲勒斯·帕森斯（Theophilus Parsons）的《合同法》（*Law of Contracts*）引证了六千多个案例。[18] 专著和节和小节常常反映着反复出现案件的特别狭窄的事实状况。在肯特的《评述》（*Commentaries*）中，关于合同法的论述中包括有关"通过交付转移所有权"一节，其中包括的小节有：支付和提出支付、定金和部分支付、交付附随的条件、向代理人交付、象征性交付、交付之地点等。在肯特著作有关不动产的部分当中，有关无形不动产的论述包括有关地役权和水权的一节，这一节又被分为下列小节：路权、河岸土地权、公路、公

---

[17] Wilson，前注3，页356。
[18] Theophilus Parsons, preface to The Law of Contracts（1857）；请看，Theophilus Par‐sons, preface to The Law of Contracts xiv‐xvi, 1st ed.（6th ed., 1873）；请看，例如，Kent，前注3。在Story的 *Commentaries on Equity Jurisprudence* 当中，基于所附的《引用案例索引》（*Index to Cases Cited*）进行的粗略估计表明，斯托里在第一卷（共637页）中引用了3100多个案例，在第二卷（共748页）中引用了4300多个案例。请看，1 Story, Equity，前注3，页 xi‐xliii；2 Story, Equity，前注3，页 vii‐li。

用墙、公用栅栏、以及因剥夺公民权而获得和丧失的地役权。上面的最后一个小节又被分为水、光、以及空气三个种类。[19]

第二，专著作者十分注意对美国法进行分类和系统化，这其中也可以看出培根主义的影响。对于美国法理学家来说，法律是一门科学，因为，最为重要的是，它是一个理性的原则体系。霍夫曼蔑视这种观点：即法律"仅仅是实际规则和制度的集合"。与之相反，"如果法律是一门科学并且真的配得上如此崇高的称谓，那么它必须是基于原则，并且要在理性的帝国中获得尊贵的地位"。因此，法律人"一定已经深入原则之中、发现了其协调性、并且用方法和好奇心排列了这门科学当中的无数主体"。[20]

第三，尽管他们喜欢专注于判例和低层次的规则，但是美国法理学家们相信，法律原则，包括自然法原则，是独立于它们在已决案件中的表现而存在的。培根主义从来没有支持过任何形式的唯名论，唯名论暗示着除了个别的案件判决之外什么都不存在。理解前现代法律科学中案例与原则之间的形而上关系的最佳方法可能是，比较一下美国的（培根主义的）法理学与柏拉图哲学——特别是柏拉图的理念［Ideas］［或者形式（Forms）］的理论，尽管这样做有着混淆哲学比喻的危险。"理念理论的本质"，按照大卫·罗斯（David Ross）的观点，"有意识地承认这样的事实：存在着一类实体，这类实体的最佳称谓很可能是'普适'（universals），它

---

[19] Kent，前注3，页491-509（有关合同法）；3 Kent，前注3，页401-448（有关财产法）。

[20] Hoffman, 1846, 前注3，页15，转引了William Jones, Essay on Bailment [s]（"仅仅是"，"如果法律"）；David Hoffman, *A Lecture, Introductory to a Course of Lectures* (1813), in The Legal Mind in America 83, 85 (Perry Miller ed., 1961)（"一定已经"）；请看，Miller，前注1，页117-11。

们完全不同于可感知的事物"。[21] 对于柏拉图来说,理念或形式是真实的或客观的实体,它们独立于可感知的事物并与之相互区别而存在。每一个可感知的事物或者一个物体的具体例子都带有或者分享着一个理念,但是任何具体的例子都不能完美地代表任何理念。理念是普适的、不变的、稳定的,而可感知的事物是稍纵即逝的、不断变迁的。例如,柏拉图区别了很多美丽的物体与美这个理念。这些无数的物体体现了这个理念或者说是这个理念的复制品,但是它们却又与这个理念——"绝对的美"——不同。[22]

柏拉图的理念与特例之间的关系阐明了前现代法律科学中的法律原则与个案判决之间的关系。就像在柏拉图的理论中,理念或普适被认为是与大量的可感知事物相独立而存在的,在法理学理论中,法律原则被认为是与无数的案件相互独立而存在的。作为实在法的案例体现了自然法原则,但是这些案例本身并不等于那些原则。希利亚德在他的《法律要素》中完美地表述了原则与案例之间的这种关系:"在法律中,就像在其他科学中一样,存在着某些宽广的、固定的原则,它们体现了这个体系的本质,并且在长年的变迁当中保持不变。法律的增长并非来自于原则的任何变化,而是来自于人类的交易所产生的事实和情况的无限的多样化,而这又在每个案件中留下了怀疑的空间。"因此,为数不多的法律原则是普适的、不变的、稳定的,而大量的案件不完美地例证了这些原则。

---

[21] David Ross, Plato's Theory of Ideas 225 (1951);也请看,Joseph Owens, A History of Ancient Western Philosophy (1959)。柏拉图在 *The Republic* 和 *Phaedo* 中发展了自己的理念理论。请看,Plato, *The Republic*, in The Republic and Other Works 7 (Benjamin Jowett trans., 1973; Anchor Books)(以下称 *Republic*);Plato, *Phaedo*, in The Republic and Other Works 487 (Benjamin Jowett trans., 1973; Anchor Books)(以下称 *Phaedo*)。

[22] *Phaedo*,前注 21,页 534;请看,*Republic*,前注 21,页 169、173;*Phaedo*,前注 21,页 505-512、534-535;也请看,Owens,前注 21,页 197-229;Ross,前注 21,页 225-245。一般地,请看,David Ross, Aristotle 158 (5th ed., 1949)(讨论了以其他方式解释柏拉图的理念理论的可能性)。

用约瑟夫·斯托里的话来说,"法院的判决……至多只是何为法律的证据;它们并不是法律本身。"[23]

美国法理学家明确地定义了自然法原则与案例判决之间的柏拉图主义的关系的程度不应当被夸大。尽管柏拉图主义的比喻有用地阐明了前现代法律思想,但是美国法理学家并没有直接把自己当作是柏拉图主义者。他们当中很多人都精确地定义自然法和实在法,就更不用说确定自然法与实在法,包括案件判决之间的关系了。"中世纪的思想家们",有人注意到,"在神的法律、自然法和人的法律之间进行了精致的区分,但是美国人很少这么做"。但是,即使美国人认为"自然法具有一种令人困惑的广泛性",在很广泛的范围内,自然法原则与包括司法判决在内的实在法之间的柏拉图主义的关系无疑仍然很清楚。大多数美国法理学家假定实在法一般来讲是同自然法相一致的。"通常说来,我国的法律仅仅是自然法的另外一个名字罢了",希利亚德说道,"城市的规则是建立在衡平、理性和权利的基础之上的。如果情况是这样的话,那么,前者与后者一样,都不是那么难以理解的;良心的知觉、理解的结论、以及神启的教会都向其投下了混合的光芒。"[24]

在这些叙述之外,毫不令人奇怪,约瑟夫·斯托里领导的南北战争之前明确确定自然法与司法决策之间的关系的最为全面的努力。1837 年,由斯托里和其他四个人组成的一个马萨诸塞州特别

---

[23] Hilliard, 前注 3, 页 v (着重号省略); *Swift v. Tyson*, 41 US (16 Pet.) 1, 18 (1842) (斯托里大法官的意见), 被 *Erie R. Co. v. Tompkins*, 304 US 64 (1938) 推翻。

[24] Szasz, 前注 1, 页 35 注 6 ("中世纪的思想家们"); Miller, 前注 1, 页 165 - 166 ("自然法具有一种令人困惑的"); Hilliard, 前注 3, 页 vi; 请看, Dickinson, 前注 3, 页 15 - 16 注 *。(论辩说, 在 1791 年, "每一项民权都有在个人身上事先存在的某种自然权利作为基础"); 请比较, Hamburger, 前注 3, 页 908 (论辩说, 早期美国人"相对精确地定义了"自然法和自然权利)。关于假定自然法与宪法条文之间存在一种一致性的最高法院判例, 请看, *Terrett v. Taylor*, 13 US (9 Cranch) 43, 50, 52 (1815) (Story, J., majority opinion); *Fletcher v. Peck*, 10 US (6 Cranch) 87, 139 (1810) (Marshall, C. J., majority opinion)。

委员会就对普通法进行法典化的可能性向州长作了报告。委员们讨论了判决一个指定法并不管辖的案件的正确方法：

> 第一个问题是，是否存在任何清楚的和毫无含糊的普通法原则直接地、立即地管辖它，并确定当事方的权利。如果不存在这样的原则，那么下一个问题是，是否存在任何普通法原则通过类比或者类似的推理应该管辖它。如果这些渊源都不能为争议提供解决方法，下一步就要求助于（就像在一个公认的新案件中）构成了大量普通法之基础的自然正义的原则；如果这些原则可以被确定完全确定地适用于所有的情形，那么它们就会被采纳来决定当事方的权利。如果所有这些渊源都没有办法解决，那么这个案件就被认为在普通法下没有救济，而所剩下的惟一解决办法就是通过某个新的立法、通过制定法来适用于未来的类似案件。[25]

按照这一段落，自然法原则在做出普通法判决过程中起到了两个作用。第一，自然正义（或者自然法的原则）"构成了"大量普通法"之基础"。也就是说，自然法为普通法提供了一个基础，但它是一种只是不经常地被明确引用的基础。第二，在罕见的案件当中，自然法原则提供了判决案件的具体渊源。这种情形只有在普通法并没有提供判决渊源的条件下才会出现。斯托里和其他委员提供了几个例子。如果在一个人的要求之下别人为他做了工作，那么"自然正义的要求"表明这个人应该支付已经完成的工作的价值。从这一点上，委员们论辩说，会产生一套复杂的普通法规则和诉讼

---

〔25〕 Story, Miscellaneous, 前注 3, 页 702 – 703；请看, Chipman, Sketches, 前注 3, 页 15, 116 – 118（论辩说, 宪法权利应当反映自然法和自然权利）。

程序。而按照第二个原则，如果一个人借了钱，那么"普通法，基于自然正义的原则，要求他有义务偿还它"。[26]

除了培根主义的科学观，前现代的法律科学概念的另外一个重要的来源是普通法诉讼程序所特有的诉讼形式。今天，很多法律评论者明确地区分了法律程序与法律的实体，但是前现代的法理学家很少这样做。[27] 相反，令状（writs）和诉讼形式与普通法的实体规则是纠缠在一起的。在作为后来的美国专著的典范的布莱克斯通的《评论》当中，程序与实体之间的联系很明显。在讨论普通法的人身权利时，布莱克斯通写道："首先，我将定义普通法法院可以承认的几种伤害，以及适用于每一种特定伤害的各自的救济；然后，我将描述在各个法院寻求和获得这些救济的方法。"换句话说，对于布莱克斯通，对于权利、救济和诉讼形式的讨论必然是纠缠在一起的：它们无法被单独地和独立地进行清晰的理解。例如，在讨论明示合同时，布莱克斯通解释道：

> 明示合同包括三种不同的种类，即债、契约、以及承诺。法律上接受的债是指，根据确定和明示的协议而必须支付的一定数额的金钱。比如，一个确定数额的契约；一张钞票或纸币；一个特别的协议；或者租赁中的租金；其中的数额是确定和具体的，并且不依赖于任何后来的评估才能确定之。不支付这些就是一种伤害，对于其的适当救济就是债，强制履行合同并收回到期的具体数额。……债之令状这一形式有时是应付且占有之债（debet and detinet），有时只是占有之债（detinet）：也就是说，令

---

[26] Story, Miscellaneous, 前注3, 页702–704。

[27] 请看，John J. Cound et al., Civil Procedure (2d ed., 1974) 317, 329–333（讨论了普通法的令状和诉讼形式）; Fleming James, Jr., and Geoffrey C. Hazard, Jr., Civil Procedure 8–12 (2d ed., 1977)。

状会说,或者被告欠有并且不正当地保留了该债或争议之物,或者只是他不正当地保留了它。[28]

布莱克斯通没有清楚地解释哪一个是在前面的:一方面,对于一种伤害或者一种权利的概念化,还是,另一方面,普通法上的令状和诉讼形式。但是,哪一个是在前面的并不重要:关键点是实体法与诉讼形式之间的紧密联系。就像布莱克斯通所说的,"只要普通法给定了一种权利或者禁止了一种伤害,那么它也会给定一种诉讼上的救济。"[29]

美国的法理学家紧紧地遵循了布莱克斯通对于普通法的这种理解。具体说,诉讼形式为普通法的分类提供了很多概念;法律程序给了实体法以外形。例如,在大卫·霍夫曼的《法律学习课程》(Course of Legal Study)中,第3卷或章提供了有关人身权和救济的建议阅读的书单。其中包括培根的《缩写本》(Abridgment)中的几节,包括了有关账目之诉(action of account)、债务之诉、契约之诉、非法占有之诉、因非法占有而请求赔偿之诉、返还财产之诉,等等。类似的,在弗朗西斯·希利亚德的《法律要素》中,有关私人过错(private wrongs)的部分包括了有关对占有中的动产的伤害的一章,其中包括有关返还财产之诉、侵害他人不动产之诉(trespass)、侵害动产之诉(trespass on the case)、以及因非法占有而请求赔偿之诉。可能最为清楚的是,詹姆斯·古尔德(James Gould)和泰平·里夫(Tapping Reeve)明确地把利奇菲尔德法学院(Litchfield Law School)的课程组织为48个科目,这48个科目代表了古尔德和里夫对于整个法理学的分类和理解。这些科目之中包括:违反契约之诉、债务之诉、非法占有之诉、有关账目之诉以

---

[28] 3 Blackstone,前注4,页115,153-157。
[29] 同上,页123。

及损害赔偿之诉（assumpsit）等，这反映了诉讼形式对于普通法归类的重要性。[30]

因此，普通法诉讼程序没有被理解为任意的或不理性的，这很重要。相反，诉讼程序本身看起来巧妙地适合了把法律科学当作一种理性体系的前现代的概念，就像古尔德在他的《诉讼程序原则专论》（Treatise on the Principles of Pleading）之中解释的一样。古尔德认为诉讼程序是"最有启发性的，因此是法律中最为重要的一部分"。诉讼程序是基于同实体法整合在一起的原则。用古尔德的话说，诉讼程序的重要性"不只是来自于其自身精确和逻辑学的原则的内在价值，也在很大程度上来自于这样一个事实：在理论上和在实践中，诉讼程序的原则与法律中的其他每一个部分都必然地、紧密地相互关联"。古尔德毫不含糊地把诉讼程序描述为一门"科学"。因此，他用19世纪早期的法律科学主义者们所熟悉的词语解释了自己的著作的目标："本《专论》的目标（是）使诉讼程序的原则比很多人所认为的更为易于理解、更易于达到，办法是证明它们是理性的；换句话说，就是不把他们描述为实际规则的汇编，而是描绘为一贯的、理性的原则所组成的体系，它们被以最

---

[30] Hoffman, 1846, 前注3, 页289; Hilliard, 前注3, 页240-244. Hoffman 强调了理解诉讼程序对于理解总体的法律的重要性。Hoffman, 1846, 前注3, 页348-356; 请看, G. Edward White, Tort Law in America: An Intellectual History 9 (1980) (令状体系起到了"代替教义性的类别"的作用)。有关利奇菲尔德法学院，请看, Advertisement for the Litchfield Law School, Janurary 1, 1828, in Dennis R. Nolan, Readings in the History of the American Legal Profession 204 (1980); Samuel H. Fisher, The Litchfield Law School 1775-1833, 页1-11, in Dennis R. Nolan, Readings in the History of the American Legal Profession 205 (1980)。

大的精确性调整来适应司法的需要。"[31]

总而言之,前现代的法理学家把普通法理解为一门科学、一个基于自然法的原则的理性的体系。从这一视角看来,法律原则是普适的,但却独立于案件本身。全部法理学可以被理性地分类为一个体系,不但包括自然法原则,而且包括大量反映着普通法诉讼形式的低层次法律规则。尽管美国法律思想的这些特征从独立战争到南北战争时期基本没有改变,但是法理学还是在这个时期经历了一次重要的转变,从第一阶段的前现代主义运动到第二阶段。

第一阶段的前现代法理学:自然法与共和制政府

美国法律前现代主义的第一个阶段从独立战争持续到19世纪早期。就像在第二阶段一样,第一阶段的法理学家忠诚于自然法和法律科学。但是,将其从后来的第二阶段区别开来的第一阶段的特点都围绕着政府的政治和社会概念,其中特别包括时间或历史的观念。当然,这个新的国家的政府体制是内生的,建立在独立战争之前的北美殖民地社会的基础之上。这个殖民地社会通常是基于传统

---

[31] Gould,前注3,页 vi – viii;请看,页 14 – 15;请看,LaPiana,前注1,页 42 – 44(讨论了诉讼程序对于南北战争前的法律科学的重要性)。两部最初出版于英国的有关诉讼程序的专著在美国执业律师当中特别流行:Joseph Chitty and Thomas Chitty, A Treatise on the Patties to Actions and on Pleading (8th American ed., 3 vol., 1840)(这个美国版本是基于第6版的伦敦版本); Henry John Stephen, A Treatise on the Principles of Pleading in Civil Actions (8th American ed., 1856)(很可能来自于1834年的伦敦版)。就像英国专著的美国版在当时很常见的一样,美国版包含了英国版的精确的文本,为美国读者加上了进一步的脚注,并且,在 Stephen 的 Treatise 当中还加上了特别的附件。Stephen 有各种令状的范本,以及对于每个令状在什么时候用合适的解释。Henry John Stephen, A Treatise on the Principles of Pleading in Civil Actions 8 – 21 (London, 1824). 他也用了很大篇幅讨论如何使用诉讼程序来产生一个单独的实体问题,以在一个案件中得到判决;页 144 – 347。

的和等级制的社会关系,这在前现代社会来说是典型的,尽管这些殖民地通常来讲不如欧洲那样阶层化。约拿丹·爱德华兹(Jonathan Edwards)是18世纪早期和中期的一个有影响力的美国新教传教士,他声称,每个人都"按照各自的能力天分拥有自己注定的职务、位置和地位,而每一个人都保持着自己的位置、继续着自己适当的事务"。尽管独立战争引发了变革,但是这种前现代的社区的重要痕迹在美国共和国的早期没有发生变化。[32]

美国革命者的政府观念部分上是受到发源于英国市民恭贺思想的所谓"反对派"(Opposition)或"国家"(Country)意识形态的激励。公民共和主义至少可以追溯到亚里士多德的政治理论,它强调,个人只有通过在一个政治社区中生活并参与其中才能满足自己的本性。这样,公民共和论者通常强调,有美德的公民和领导者必须慎思和追求公共的或共同的善,这样,就像马基雅维利强调的,他们才能尽量长久地保持自己的政治社区或共和国。"反对派"意识形态加上了一个特别的担忧:腐败的政府官员可能削弱这些共和制原则和政治自由。按照这一线索,美国革命者相信,英

---

〔32〕 Wood, Radicalism, 前注10, 页19, 转引了Jonathan Edwards, 转引自Fiering, Jonathan Edward's Moral Thought and Its British Context 131。有关革命、制宪和早期建国年代的有用的来源包括: Joyce Appleby, Capitalism and a New Social Order: The Republican Vision of the 1790s (1984); Bernard Bailyn, The Ideological Origins of the American Revolution (1967); Samuel H. Beer, To Make a Nation: The Rediscovery of American Federalism (1993); Stanley Elkins and Eric McKitrick, The Age of Federalism (1993); Henry F. May, The Enlightenment in America (1976); Forrest McDonald, Novus Ordo Seclorum (1985); Edmund S. Morgan, Inventing the People: The Rise of Popular Sovereignty in England and America (1988); Jennifer Nedelsky, Private Property and the Limits of American Constitutionalism (1990); Thomas L. Pangle, The Spirit of Modern Republicanism (1988); J. G. A. Pocock, The Machiavellian Moment (1975); Jack N. Rakove, Original Meanings: Politics and Ideas in the Making of the Constitution (1996); John Phillip Reid, Constitutional History of the American Revolution (abridged ed., 1995); Ellis Sandoz, A Government of Laws: Political Theory, Religion, and the American Founding (1990); James Roger Sharp, American Politics in the Early Republic (1993); Herbert J. Storing, What the Anti-Federalists Were For (1981); Morton White, The Philosophy of the American Revolution (1978) (以下称White, Revolution); Morton White, Philosophy, The Federalist, and the Constitution (1987) 以下称White, Constitution); Gordon S. Wood, The Creation of the American Repub-lic, 1776-1787 (1969) (以下称Wood, Creation); Wood, Radicalism, 前注10; Martin S. Flaherty, History"Lite"in Modern American Constitutionalism, 95 Colum. L. Rev. 523 (1995); Stow Persons, The Cyclical Theory of History in Eighteenth Century America, 6 Am. Q. 147 (1954); Dorothy Ross, The Liberal Tradition Revisited and the Republican Tradition Addressed, in New Directions in American Intellectual History 116 (John Higham and Paul K. Conkin eds., 1979)。

国的领导者、包括国王和议会，是腐败的、不具有市民美德、所作所为违背了公共善益并且因而严重损害了共和制的原则和自由。因此，在《独立宣言》（Declaration of Independence）主张了一种反叛腐败政府的自然的、普遍的权利（这种自然权利也部分上缘起于洛克的更为现代和自由的政治理论）之后，该《宣言》随后描写了一长串共和制的和宪制的不满，这些不满看起来正当化了美国对英国的反叛。[33]

与自然法和自然权利混在一起的类似的公民共和主义主题在最初的各州宪法当中仍旧很突出。在《独立宣言》发表之前不久获得通过的《弗吉尼亚权利法案》（Virginia Bill of Rights）成为很多后来的州宪法的典范。它强调政府应当是为了公共善益："建立政府就是或者应该就是为了人们、国家或社区的公共利益、保护和安全"。因此，"所有拥有足够证据证明自己与社区拥有永久的共同利益和联系的人都为公共善益而拥有投票权，并且不得被……他们所没有……同意的任何法律所限制"。为保护共和制政府和追求公共善益，必须促进市民美德："除非坚定地坚持正义、谦逊、节制、节约和美德，并且常常重申基本的原则，否则任何民族都无法保持自由政府或者自由本身"。而且，就像它的名字所暗示的，《弗吉尼亚权利法案》明确地保护某些特定的自然权利："所有人在本性上即平等自由和独立，并拥有某些天生的权利……，即享受生命和自由，拥有获得和占有财产的手段，以及追求和获得幸福和安全"。因此，尽管最初的各州宪法在本质上并非只是共和制的

---

[33] The Declaration of Independence (1776), in 2 Great Issues in American History 70, 72–74 (Richard Hofstadter ed., 1958); 请看，Reid，前注 32（强调了美国革命者的宪法论辩的实质内容）。有关反对派或国家意识形态在美国的重要性的讨论，请看，Bailyn，前注 32，页 v–xii, 19; Pocock，前注 32，页 406–408, 462–548; Wood, Radicalism，前注 10，页 174–175, 205–210; Flaherty，前注 32，页 540–542; Ross，前注 32，页 117。

——相反,它们依赖于多种渊源,包括洛克的自由主义——但是,它们仍然广泛地吸取了公民共和制的主题。[34]

尽管公民共和主义很重要,但是厄米国对共和国的概念远谈不上精确。尽管美国人十分依赖传统的共和制主题,但是他们也对公民共和主义进行了重新表述,使其适合自己独特的情况。很多早期的公民共和论者都支持一种一个人、少数人和多数人的政府——也就是一种结合了君主制、贵族制和民主制的要素的混合政府。但是,从独立战争开始,美国人就拒绝了君主制和贵族制。相反,他们一直都认为自己的共和国是基于代议制政府以及人民主权思想。《弗吉尼亚权利法案》以典型的方式申明,"所有权力均属于人民,因而来自于人民;行政长官(magistrates)是他们的受信托人和仆人,并且在所有时候均应服从他们"。当然,"人民"这个概念在当时是(现在也是)可塑的,很多人最初都被无理地排除在这一非常重要的政治类别之外。但是,就像戈登·伍德(Gordon Wood)论辩说的,独立战争所引发的平等和民主运动导致了"人民"的范围不断扩张。而且,尽管美国社会实际存在着不平等,但是很多美国人还是把人民主权的意识形态接受为美国生活的一个基础。[35]

---

[34] Virginia Bill of Rights (1776), in 2 Poore, 前注 3, 页 1908 - 1909; 请看, Constitution of Pennsylvania (1776); in 2 Poore, 前注 3, 页 1540 - 1542; 请看, Pocock, 前注 32, 页 462〔论辩说,美国革命和《宪法》应当被理解为"最后一次公民复兴(Civic Renaissance)行动"〕; Rakove, 前注 32, 页 290 - 291 (指出各州宪法通常保护生命、自由、财产和良心自由); 请比较, Bailyn, 前注 32, 页 23 - 36 (讨论了独立革命的那一代人所依赖的各种各样的渊源); Pangle, 前注 32, 页 43 - 47, 124 - 127 (强调了《宪法》的制定既是洛克式的又是公民共和国式的)。

[35] Virginia Bill of Rights (1776), in 2 Poore, 前注 3, 页 1908; 请看, Constitution of New York (1777), in 2 Poore, 前注 3, 页 1328, 1332; Morgan, 前注 32; Thomas L. Pangle, The Ennobling of Democracy: The Challenge of the Postmodern Age 99 - 101 (1992) (讨论了对于共和国的不同概念); Wood, Radicalism, 前注 10, 页 5 - 8, 11, 19, 63, 169 - 187, 232 - 233, 266, 271; 请看, 例如, Aristotle, The Politics 3.7 (Carnes Lord trans., 1984) (讨论了混合制的政府)。

即便如此，当制宪者们在 1787 年写作新的国家宪法时，对于政府的态度已经发生了转变。在 18 世纪 80 年代，各州的共和制立宪政府以及根据《邦联条例》（Articles of Confederation）组建的全国政府都产生了一定的问题。特别是，因为没有一个业已存在的王室或贵族可资依赖，所以美国人必须在普通人之中寻找自己的政府领袖。公民共和制的原则暗示着，最具美德的公民会自然而然地上升为政府官员，并且会因为他们伟大的市民忠诚而为公共善益行动。事实上，在传统上，公民共和论者以一种特别前现代的方式对于人民持有一种十分精英化的观点：基本说来，"存在着两种人——有天分的少数人和普通的多数人"。在很大程度上，美国领导者保持了这种精英主义的观点，即使他们拒绝了君主制和贵族制。有影响力的个人，比如乔治·华盛顿（George Washington）和约翰·亚当斯（John Adams），有时会称人民大众为"被放牧的平民"和"普通的牧群"，并且很容易地认为只有独立的土地所有者才属于有权以任何方式参与政府的"人民"。（尽管在很大程度上因为拥有土地非常普遍——例如，这要比欧洲普遍得多——平等主义的因素被注入了这种美国式的精英主义，但是，应当注意的是，只有大约 4% 的人投票选出了那些批准了《宪法》的代表。）[36]

因此，美国人试图从普通人当中寻找自己的政府官员，他们希望可以通过选举的方式选出一个由具有美德的精英组成的核心。但是，从制宪者的视角看来，18 世纪 80 年代令人

---

[36] Appleby，前注 32，页 8-9（"存在着两种人"）；Wood, Radicalism，前注 10，页 27（包括了对华盛顿和亚当斯的引用，以及对其他人的类似引用）；请看，White, Revolution，前注 32，页 258（论辩说，独立战争时期的领导者并不相信所有人都可以平等地看到不言自明的真理）；Leslie Paul Thiele, Thinking Politics: Perspectives in Ancient, Modern, and Postmodern Political Theory 87 (1997)（关于批准宪法的投票者的人数）。James Harrington 是一位重要的公民共和国理论家，他认为上流社会人士应当统治普通人。James Harrington, The Commonwealth of Oceana (16~6), in The Commonwealth of Oceana and A System of Politics 1, 33, 100-101 (J. G. A. Pocock ed., 1992)。

不快地表明，自私自利的公民常常选出一些并不对公共善益抱有忠诚的具有足够美德的官员。很简单，如果存在着一个具有美德的精英阶层，那么他们并没有被选举到政府职位上。1786年6月27日，约翰·杰伊给乔治·华盛顿写信说："私人对于财产的疯狂需求压制了公共的考虑，并且个人的而非国家的利益变成了人们注意的中心目标。代议机构永远都是其根源的忠实的复制品，并且通常都表现出美德与罪恶、能力与缺点之间的变化多端的集合。"[37] 人民主权，即民主本身，在各州政府的共和国中已经产生了腐败和不安定。

制宪者们试图解释和纠正这些问题。当在《联邦党人文集》(*Federalist Papers*) 中为新近提出的《宪法》进行辩护的时候，詹姆斯·麦迪逊（James Madison）、亚历山大·汉密尔顿（Alexander Hamilton）和约翰·杰伊呼应了马基雅维利，他们认为人性至少在部分上是邪恶和堕落的。基于这种人性观，帕勃鲁斯（Publius）（麦迪逊、汉密尔顿和借以所用的假名）承认，公民倾向于组成派系，而这常常威胁着共和制政府的目标和安全。但是，不论其问题有多大，制宪者们仍旧坚持了自己的公民共和制的理想：政府官员应该以美德对公共善益进行慎议和追求，即便他们常常做不到。制宪者们保持了自己的精英主义的希望：政府官员会因为那些"使他们有权利"被其他公民选举出来的"品质……而显得突出"。这一实力主义的精英阶层——这些"思索的人们"——可以

---

[37] Letter from John Jay to George Washington（June 27, 1786），in 2 Great Issues in American History 80, 81（Richard Hofstadter ed., 1958）；请看，Pocock, 前注32，页516–517；Wood, Radicalism, 前注10，页229–230，245–254。

代表"广大公民"成为公共善益的"守护人"。[38] 事实上，可能是制宪者及其联邦党同事的精英主义才最为尖锐地把他们同《宪法》的反联邦党的反对者们对立起来。作为制宪者之一的南卡罗莱纳州的皮尔斯·巴特勒（Pierce Butler）代表了他们起源于古典时代的共和精英主义，以及他们伴随而来的对于普通人的蔑视：他在"制宪会议"（Constitutional Convention）上声称："我们必须遵循索伦（Solon）的例子，他给雅典人的并不是他所能够设计的最佳的政府，而是他们会接受的最佳的政府。"[39]

这样，制宪者们遵循着马基雅维利的共和传统，他们试图缔造一个立宪政府，朝着美德和共同善益的公民共和制理想而努力，但同时又防止普通人和派系团体的自私自利的政治阴谋。制宪者希望，在《宪法》之下，具有美德的精英会最为经常地被选举到政府职位上。但是，如果出现了不是那么有美德的个人被选举出来这种较为可能出现的情况，那么立宪政府的结构仍然可以挫败他们自私自利的党派之争。换句话说，《宪法》的目的变成了：构造一个

---

[38] The Federalist no. 17, 页 120 (Alexander Hamilton) (Clinton Rossiter ed., 1961); The Federalist no. 57, 页 351 (James Madison) (Clinton Rossiter ed., 1961); The Federalist no. 71, 页 432 (Alexander Hamilton) (Clinton Rossiter ed., 1961); 请看，The Federalist no. 6, 页 54 (Alexander Hamilton) (Clinton Rossiter ed., 1961) (派系之所以会出现是因为"人们有野心、爱报复而且贪婪"); 也请看，Dickinson, 前注 3, 页 57 (在为《宪法》草案辩护时，担心"愚蠢或邪恶"会削弱"公共善益"). 关于慎思的重要性，请看，Beer, 270 – 275 (论辩说，麦迪逊相信"通过讨论的政府"); Storing, 前注 32, 页 3 (论辩说，制宪者们相信自己是在为公共善益而进行慎议); 也请看，The Federalist no. 37, at 231 (James Madison) (Clinton Rossiter ed., 1961) (表明同样的观点)。

[39] Records of the Federal Convention of 1787, 页 125 (Max Farrand ed., 1966, reprint of 1937 rev. ed.), 转引自 Sandoz, 前注 32, 页 22。对于制宪者们关于人类心理的观念的讨论，请看，White, Constitution, 前注 32, 页 88 – 99。对于联邦党人和反联邦党人有关精英之治的不同观点的讨论，请看，Storing, 前注 32, 页 17, 43 – 45; Wood, Creation, 前注 32, 页 483 – 499; 请看，例如，*Speech Delivered by Melancton Smith at the Convention of New York on the Adoption of the Federal Constitution* (June 21, 1788), in The Anti – Federalist 340 – 341 (Herbert J. Storing ed., 1985) (一位反联邦党人哀叹说《宪法》草案会导致选出一个"自然的贵族阶层"作为政府官员)。

稳定的政府，使其能够为公共善益而行动，尽管存在着（人们假设的）不光彩的人性及其造成的脆弱的共和国。詹姆斯·麦迪逊在《联邦党人文集，第 57 号》中体现了制宪者的希望与怀疑之间的紧张结合："每一部政治宪法的目标都是、也应该是，首先，为统治者找到那些拥有最大的可以辨别社会的共同善益的智慧，并且拥有最大的追求这些善益的美德的人们；其次，要采取最为有效的预防措施在他们持续持有公共的信任时来保持他们的美德。"[40]

制宪者对于新共和国的马基雅维利主义的担忧使他们调和了一些被融入新的宪制政府的公民共和主义的主题。当然，《宪法》声称代表"我们人民"说话，因此它仍然援用了人民主权和代议政府。但是，尽管在十多年以前革命者们曾经强调了一种以参与政府为重点的市民自由主义的自由，但是制宪者更为警惕潜在的过度民主和政府腐败。因此，新《宪法》把权力从民主共和制的各州政府转移给了新的国家政府，但是然后《宪法》就试图限制国家政府行使其潜在权力的能力。《宪法》的很多结构性的规定——分权、制衡、两院制、联邦主义——倾向于妨碍全国政府对于权力的行使。在这个意义上，制宪者已经转向了一种更为罗克式的视野：他们努力通过限制政府权力来保护业已存在的个人权利不受政府侵犯。（但是，值得注意的是，在英国内战和政权空白期、也就是罗克发表自己的《政府两记》（*Two Treatises of Government*）之前三

---

[40] The Federalist no. 57, 页 350（James Madison）(Clinton Rossiter ed., 1961)；请看, The Federalist no. 10（James Madison）(Clinton Rossiter ed., 1961)；The Federalist no. 51, 页 322（James Madison）(Clinton Rossiter ed., 1961)（"必须要用野心来对抗野心"）; Pocock, 前注 32, 页 462-552；White, Constitution, 前注 32, 页 132-148。关于帕勃鲁斯对于公共善益或共同善益的强调，请看, The Federalist no. 1, 页 33-35（Alexander Hamilton）(Clinton Rossiter ed., 1961)；The Federalist no. 10（James Madison）(Clinton Rossiter ed., 1961)。一个派系的特征就是任何反对公共善益的团体，不论它是多数派还是少数派。The Federalist no. 10, 页 78（James Madison）(Clinton Rossiter ed., 1961)。

十多年，詹姆斯·哈林顿（James Harrington）应从公民共和的传统之内论辩说，主权权力应当受到宪法限制。）尽管美国革命者在参与政府管理的语境中强调了个人自由，但是制宪者倾向于把个人自由理解为不受政府干涉的自由。[41]

总而言之，美国人已经开始转向一种更为洛克主义的和现代的政府观念，但是在很大程度上他们仍然是第一阶段的前现代主义者。从制宪者的视角看来，政府官员至少应该朝着公民共和制的理想而努力：即对于公共善益的充满美德的或不带私利的追求。但愿普通的民众能够表现出足够的判断力，选出那些少数的拥有为了达到这些共和制理想而必须具备的市民美德的精英们。与他们的共和制政治主题伴随而来的是，制宪者对于时间或历史的观念生动地暴露了他们前现代的视野。在大多数时候，革命者和制宪者保持了一种第一阶段的前现代主义的循环论的历史观。从这一视角看来，就像生物有机体一样，民族也具有自然的生命周期：它们不可避免地从充满活力的青年时代进入平静的、兴旺的中年时代，然后进入堕落的、失败的老年时代。从约翰·亚当斯到托马斯·杰弗逊的建国的一代人直到自己生命的后期还反复说到"帝国的兴亡"。[42] 例如，在1775年，本杰明·富兰克林（Benjamin Franklin）把"未腐败的新国家"同"腐败的老国家"区别开来，而在几乎四分之一世纪之后，在1798年，哈佛学院（Harvard College）的霍利斯神学教授（Hollis Professor of Divinity）大卫·塔潘（David Tappan）

---

[41]《美国宪法》序言；请看，The Federalist no. 39，页241（James Madison）(Clinton Rossiter ed., 1961)；Harrington，前注36，页64 – 243；Wood, Creation，前注32，页24（关于美国人在独立战争时期的民主概念）；请比较，Louis Hartz, The Liberal Tradition in America 59 – 62 (1955)（特别强调了制宪者试图限制政府权力的洛克主义的冲动）。

[42] Persons，前注32，页154；引用了John Adams, Discourses on Davila, in VI Works 232 – 234, 239；请看，页155 – 157（讨论了杰弗逊）；也请看，D. Miller，前注10，页35 – 36；Morgan，前注11，页6 – 7, 17 – 19。

宣称:

> 经验证明,政治体,就像动物组织一样,有着自己的童年、青年、成熟、衰老和解体的周期。在其存在的早期阶段,其成员通常勤劳而节俭、行为朴实、在交往当中公正而和蔼、积极而努力、合作而勇敢。……对于这些美德的实践逐渐地把他们培育成为一个具有成年人的活力的国家。他们变得成熟,在财富与人口、艺术与军事、在几乎所有能体现国家昌盛的方面都繁荣兴盛。但是,当他们伟大到了一定程度之后,他们的品味和习惯开始受到影响。他们的昌盛使他们的头脑膨胀和堕落。它使他们变得骄傲而贪婪、奢华而浪费、并且常常变得实际而嘲弄信仰。这些,再加上其他类似的恶习,加速了他们的衰落和毁灭。(历史证明)美德是共和自由的灵魂;奢华倾向于毁灭健全的道德和虔诚;而失去了这些就会使人们不能预测和珍惜,不能保护甚或承受平等的自由的福佑。[43]

因此,十分清楚,制宪者在总体上对于看起来很脆弱的共和国的健康状态的马基雅维利主义的关注显露了他们的前现代的态度。尽管如此,值得注意的是,建国的那代人的领袖刚刚经历过独立战争和制宪,因此他们可能认为自己是有目标地重新组织社会以促进人类进步的原始现代主义者。尽管如此,这些早期的美国人更容易从前现代的角度理解自己。确实,他们寻求变革,但是,在他们的头脑里,他们并没有意图以现代主义的方式激进地重新组织社会。

---

[43] Persons, 前注 32, 页 152–153; 引用了 David Tappan, A Discourse, Delivered to the Religious Society in Brattle-Street, Boston 18–19 (April 5, 1798); Morgan, 前注 11, 页 17; 引用了 Benjamin Franklin at the Second Continental Congress, July 6, 1775, in I Letters of Members of the Continental Congress 156 (E. C. Burnett ed., 1921–1936).

相反,他们试图改变政府的形式的目的是保存前现代的共和国的原则和自由。在某个意义上,他们自相矛盾地试图以变制变。也就是说,按照前现代的循环论的历史观,变化通常是与随着年代前进而发生的衰退联系在一起的。当他们认为有必要防止或补救这种衰退时,美国人就试图有目的地改变自己的政府安排。这样,美国的革命者相信,英国人已经发生了变化,已经变得腐败,并且在削弱美国人的权利和自由。美国人因此展开了独立战争,部分上是为了重新建立自己的共和制权利和自由。1776 年的《宾夕法尼亚宪法》(Pennsylvania Constitution) 例证了美国人的这种态度:"所有的政府被建立和支持的目的都应该是社区本身的安全(和)保护,并且使组成该社区的个人享受自己的自然权利、以及造物主赋予人类的其他福佑;而且,只要政府的这些伟大目标没有实现,人民就有权一致统一改变它并采取自己认为必要的措施。"[44]

类似的,制宪者相信,各州政府——这碰巧包括宾夕法尼亚州——中的民主诡计出人意料地、但仍然很有问题地削弱了共和制的原则。这样,从他们自己的观点看来,制宪者改变国家政府结构的目的是为了补救人们所感觉到的问题并保护共和制的权利和自由。一言以蔽之,美国革命者和制宪者不是把自己当成现代主义的改革者,而是认为自己是在保护自己的最为神圣和普遍的原则。用西番雅·斯威夫特的话说,他们试图"保护社区的和平和良好秩序"。实际上,我们不应当忽视,制宪者之所以超越法律(在《邦联条例》之下)参加了制宪会议并提出了新的《宪法》,这恰恰是因为他们担心共和国的健康。尽管文明看起来有兴有衰——而年轻的美利坚共和国看起来过早地产生了严重的疾病——但是政治领袖可以采取行动来延迟不可避免的社会衰落。因此,制宪者的目标是构建这样一个政府机制:首先,它会让共和国恢复其正常的活力,然

---

[44] Constitution of Pennsylvania (1776), in 2 Poore,前注 3,页 1540。

后，它会尽量长久地保持这个重新焕发活力的共和国。但是，约翰·狄金森（John Dickinson）警告说，培育"自由的种子（会）要求有持续的关注、不间断的勤勉，并且常常与困难作斗争"。（但是，一些制宪者相信，在英美人士——他们是如此地愿意从土著美洲人那里夺取土地——看来永不枯竭的土地供应会让共和国永远地繁荣下去。）[45]

在通过《宪法》后国家存在的前几十年里，处于领导地位的法理学家一贯地表现出了他们对于美国共和制原则的前现代的忠诚。作为一个典型的例子，在1803年，圣·乔治·塔克（St. George Tucker）强调国家的和各州的政府是共和制的，来自于"人民"以及他们"自然的、天生的、以及不可剥夺的权利"。[46] 法理学家们同意，公民和政府官员应该在慎议和追求公共的或共同的善益时培养市民美德。[47] 因为害怕腐败和衰退会无情地威胁共和国，所以内森尼尔·齐伯曼、西番雅·斯威夫特、塔克以及其他人维持了制宪者们的马基雅维利式的忧虑：美国人应该遵循这些业已确立的共和制原则。塔克又一次代表了美国当时的观点：

> 这样，当民主被宣称是惟一具有合法性的政府，并且只有这种形式的政府才与民族的自由和个人的幸福相互包容时，我们可能会觉察到它四面受敌，这些敌人时刻准备着腐蚀其根基、摇动其框架、并且完全破坏其结构。在这

---

[45] Swift，前注3，页4-5；Dickinson，前注3，页68；请看，Chipman, Sketches，前注3，页285（政府官员应当制定法律来创造与自然法一致的人类行为）；Ross，前注1，页23。

[46] 1 Tucker，前注3，页vii；请看，页9（附录）。威尔逊写道："一个重大的真理怎么向公众头脑中灌输也不为过——美国政府以及组成联邦的每一个州的政府的重量要由人民的肩膀来支撑。"Wilson，前注3，页73。

[47] Chipman, Sketches，前注3，页56-57, 117, 291-292；Swift，前注3，页35；1 Tucker，前注3，页xvii, 28（附录）。

样的政府里，对于宪法原则的神圣的崇拜，对于法律的完全服从，人民对于其代理人的行为的毫不放松的警觉，以及人民对于自己选举到每一个立法、行政或司法职位上的官员的道德和原则的最为严格的注意，这些对于建立和维持阻止敌人入侵的充分屏障来说看起来是绝对必不可少的。[48]

因此，就像制宪者一样，处于领导地位的法理学家的前现代的情绪最显著地见诸于他们所表达的共和精英主义（republican elitism）以及与他们的共和制原则相互关联的对于时间或历史的观点。他们的推理是，得到追求公共善益的具有美德的政府官员的最佳途径就是从一组精英个人中进行挑选。具体地，斯威夫特把一方面的纯粹的民主制政体同另一方面的美国式的"代议制共和国"相互区分开来。他利用古代共和国的历史论辩说，基于代议制的共和国要比一个过于接近全民民主的共和国更可能持久。在选举自己的代表——他们共同善益的精英监护人——时人民可以被信任，但是，如果他们本身拥有了过大的直接的政府权力，那么他们就会破坏共和国。斯威夫特以类似的方式强调，为了所有人的善益，参议院应该是一个特别为具有美德的精英保留的论坛：

在每一个时代和民族中，人类产生于能力和美德上的优劣之别的天然的不平等奠定了天然的贵族政体的基础。在一个只有一个议院的立法机关里，伴随着天分、能力和学识的个人影响力可能会使其拥有者组成结合体，并且执行对于人民的自由而言很危险的计划。把他们升到一个参

---

[48] I Tucker，前注3，页30（附录）。Swift论辩说，他自己对康涅狄格州法律进行的系统化能够帮助保护共和制政府。Swift，前注3，页4-5。

议院之中（而参议院总是会由这种人组成的），他们就会失去利用华丽的雄辩煽动大众集会，失去通过阴谋诡计说服他们采纳轻率的、毁灭性的措施的机会。这种擢升会提高他们的个人威严，并且缩减他们对于大众的影响力。参议院中的一个议席，对于那些生来就拥有为人类谋善益的天才和意向的人的工作来说，是一个适当的奖赏。这样的一个目标可以让对于野心的激烈追求避开那些不值得赞扬、不那么光荣的阴谋。[49]

当然，这种对于共和主义的精英主义的观念暗含着以前现代的方式把历史理解为循环的。因为文明有兴衰，所以法理学和政治思想家需要特别关心保护永远处于威胁之中的共和国。若不遵循共和制的原则就预示着毁灭。齐伯曼宣称："如果国家、王国和帝国承认那些违背了确立的自然法的原则，就像一堆被激流不断冲刷的沙子，那么它们不可避免地会被冲入解体的深渊。"但是，齐伯曼和其他人也同时表现出了对于进步观的一种处于萌芽状态的信念，这种进步观很快就会成为前现代美国法理学第二阶段的特征。因为认识到人类进步的可能性，所以法理学家越来越多地表达了这样的希望：美国的共和国会以某种方式逃脱旧时代的看起来正常的衰落。齐伯曼论辩说，孟德斯鸠（Montesquieu）和其他政治理论家"都同意一种十分盛行的观点，即政府像个人一样按照自然法则自产生时起就含有解体的种子；人类注定无法组成任何能够抵抗退化的制

---

[49] Swift，前注3，页20，29。Swift写道："人民拥有所有可以被安全地放在他们手中的权力。雅典和罗马的共和国已经证明了把最高权力放在大型人民议会中的危险性。选举立法机关和最高行政者的权利可以安全地由他们集体行使，而这会是阻止暴政的永久性的屏障。"(28) 也请看，Chipman, Sketches, 前注3，页114，251-253（利用了古代共和国的历史）；Dickinson, 前注3，页55-56（一位制宪者利用古代历史来为《宪法》草案辩护）；1 Tucker, 前注3，页xvii-xviii（表达了一种担忧，即"拥有智慧和美德的人不会总是"被选举出来）。

度。这一观点看起来是被长时间的经验所支持的。但是,如果细究的话,我们恐怕会找到支持不同观点的理由"。[50]

这样,在18世纪90年代和19世纪早期,法律思想家更为自信地希望美国共和国可以"永久存在"。但是,即便有了这种信心,在第一阶段,压倒一切的关切总是保护国家以及国家所具有的潜在的脆弱性。尽管《宪法》表面上特别合理,但是,如果美国人在个人方面偏离了共和制的原则,那么国家会不可避免地衰落——至少第一阶段的法理学家是这样认为的。甚至詹姆斯·威尔逊——他要比自己的同时代人更为喜欢大众化的民主——也强调"很少有人能够追踪或者估计一个自由政府中当人民的权利不被行使时产生的重大危险以及当人民的权利被错误地行使时的更为重大的危险"。这样,与真正的第二阶段前现代法理学不同,第一阶段的法律思想家并没有把改善或进步的观点同法律促进幸福或经济繁荣的功利主义的或工具论的用途联系起来。相反,就像佩雷·米勒在描写齐伯曼时写道的,第一阶段的法理学家通常把法律看成是"一种途径,一个文明通过这种途径抵抗其自身的复杂性,以在人为的事物之中保存原始的'自然'的永恒美德"。[51]

反面的力量

尽管在南北战争前美国法律思想家们仍然基本忠诚于前现代的法律观,但是很多现代主义的力量仍然压迫着这些法理学家。美国

---

[50] Chipman, Sketches, 前注3, 页282-283; 请看, 33 (有关进步或改善); Swift, 前注3, 页21 (有关政府的进步性的改善)。James Wilson 把对于社会与有机体的前现代的比喻性的比较同有关进步的思想结合了起来。Wilson, 前注3, 页84。

[51] Chipman, Sketches, 前注3, 页292 ("永久"); Wilson, 前注3, 页73; Miller, Legal Mind, 前注3, 页21; 请比较, Hall, 前注3, 页107-109 (讨论了威尔逊的人民主义)。一般地, 请看, Hall, 前注3, 页40 (论辩说, 尽管威尔逊谈到了人类幸福, 但他并非一个功利主义者; 相反, 幸福是"遵循上帝的仁慈的律法的自然结果")。

思想家通常有很大一部分灵感来自于欧洲人，而后者如果不是在社会上至少在智识上已经确立了现代主义。就像在第 2 章讨论过的，欧洲哲学家在 17 世纪就已经进入了现代主义阶段。因此，例如，尽管美国法理学家在 19 世纪的很多时间里都坚持把普通法构建在自然法原则的基础之上，杰里米·边沁（Jeremy Bentham）已经决定性地转向了实证主义，他早在 1776 年就谴责了自然法，并且在 18 世纪 19 年代指责自然权利是"夸夸其谈的废话"。边沁在英国和法国都出版著作，他是一个典型的现代主义者，因为他宣称，政府可以、也应当按照"效用原则"进行工具性的立法。也就是说，政府应当通过制定法律来重塑社会，以促进个人以及整个社区的幸福。[52]

在欧洲的这种导向现代主义的智识压力之外，美国独立战争本身也释放了一种巨大的进行现代化的力量：即人民主权这一民主的、平等的思想。如果进行宽泛的理解，人民主权意味着，一种专断和集权性的权力产生于并且一直植根于人民之中——这种权力可以在多种多样的社会领域当中表现出来，包括经济领域、宗教领域以及政治领域。因此，人民主权呼应着一种 19 世纪早期美国朝向一种类似于现代主义的个人主义的广泛的驱动力；亚历克西斯·德·托克维尔在描述 19 世纪 30 年代的美国时首次创造了个人主义

---

[52] Jeremy Bentham, *An Introduction to the Principles of Morals and Legislation* (1789), in The English Philosophers from Bacon to Mill 791, 792 (Edwin A. Burtt ed., 1939)."如果说现代世界有一样东西要归功于边沁的话，那么这样东西就是社会秩序只通过立法行为就可以操控"。Atiyah，前注 1，页 326。当然，就像法国革命中的《人权与公民权宣言》(*Declaration of the Rights of Man and of the Citizen*)，很多欧洲人仍然相信自然权利。The Declaration of the Rights of Man and of the Citizen (1789), in Classics of Modern Political Theory 663 (Steven M. Cahn ed., 1997) 请看，Haines，前注 2，页 65 - 68（描述了自然法思考方式在 18 世纪早期欧洲的总体上的衰落）；Herget，前注 1，页 8（强调了在 18 世纪晚期进行写作的康德和卢梭是最后的伟大的欧洲自然权利理论家）。Dorothy Ross 指出，"19 世纪早期的欧洲人开始以一种历史主义的（或现代主义的）方式理解时间"，而美国人直到 19 世纪更晚的时候才这样做。Ross，前注 32，页 121。

(*individualism*)这个词,这并非偶然。如果像人民主权的思想所暗示的那样,权力产生于全体人民,那么,权力看起来就是最终起源于每一个人——起源于个人的尊严和欲求。按照前现代的公民共和国思想,私人的和自私自利的社会互动通常被认为是危险的;因此,就需要政治社区或政府来为了公共善益构造社会关系和互动。但是,按照19世纪刚刚出现的、部分上来自于亚当·斯密和边沁的平等主义的、个人主义的社会精神(ethos),对于自我利益的私人追求呈现出了一种更为正面的含义。事实上,政府常常越来越显得是对个人行使自由权利的阻碍。美德不再与对共同善益的追求清晰地联系在一起,相反,美德是围绕着个人独立和与人为善之间的一种结合的。这种个人主义社会精神在宗教、经济和政治领域里的表现都变得很清楚。[53]

在宗教方面,第二次宗教大复兴(the Second Great Awakening)就像较早的第一次宗教大复兴一样,是一次流行全国的基督教复兴,它在全美国的范围内扩展和深化了新教。内森·哈奇(Nathan Hatch)论辩说,"在独立战争之后的半个世纪里在美国爆发的那一波群众性的宗教运动对于美国社会基督教化的作用是空前绝后的。"在1800年和1835年之间,教会成员的数量几乎翻了一番,而且,如果我们再算上那些只是去教堂但不是正式成员的美国人,那么就有整整75%的人口参加了教会。但是,除了这一重要的数量上的影响之外,第二次宗教大复兴也决定性地改变了美国新

---

[53] 1 Tocqueville,前注1,页98 – 105(解释了个人主义以及它的"民主起源");请看,Morgan,前注32,页288 – 306(关于平等与主权);Wood, Radicalism,前注10,页5 – 8, 11, 19, 63, 169 – 187, 215 – 218, 232 – 233, 266, 271; Edmund S. Morgan, *The Second American Revolution*, New York Review of Books, June 25, 1992,页23 – 25,评论的是,Wood, Radicalism,前注10;请比较,Appleby,前注32,页14 – 15, 23, 95 – 96(讨论了有关个人、社会和美德的不断变化的思想);Pocock,前注32,页464 – 465, 522 – 523(讨论了亚当·斯密对于自私自利的意识形态的重要性,这种意识形态与公民共和国思想相冲突)。

教的很多形式和内容。在 19 世纪之前,很多美国新教徒都还是信奉加尔文主义(Calvinist)的宿命论交易:上帝被认为已经事先选定了少数特别的人进行救赎。在第二次宗教大复兴当中,无数的新教徒都摒弃了宿命的概念;相反,普通的个人被认为具有选择救赎的能力。这种神学上的转变所具有的个人主义和大众主义的意识形态是不会被弄错的:每一个人都被授予了进行选择的权利。常常在信徒的野营集会进行的新教复兴活动是指向普通人的。在任何一次集会上,都可能有几十个人宣称自己突然经历了转意归主、自己刚刚发现了对于耶稣的信仰。例如,《改革后的新教圣公会宗教信条》(*Reformed Episcopal Articles of Religion*)宣称,"罪人并不是通过费力的忏悔和伤心过程来到耶稣面前的;相反,他仅仅通过相信主,立即同时到达了耶稣和忏悔。"这样看来,获得拯救显得这么容易! 美国新教中的这种宗教变形既支持了美国人对于人民主权这一民主思想的不断增长的忠诚,同时又被后者所强化。实际上,通过将非洲裔美国人和妇女包括在内,第二次宗教大复兴中的宗教复兴活动轻而易举地超越了当时的美国政府中存在的平等主义的人民主义。[54]

同时,在经济上,美国开始从一个很大程度上的农业经济转变为一个商业经济并最终变为一个工业经济。制宪者们追随着约翰·洛克,他们都强调保护个人积累财产和财富的权利,这为上面提到的转变搭起了一个舞台。与这种强调相一致,制宪者们试图防止制定极端的债务人救济法律,防止爆发经济原因诱发的人民起义,比

---

[54] Hatch,前注 12,页 3;Articles of Religion of the Reformed Episcopal Church in America (1875), in 3 The Creeds of Christendom 814, 818 (Philip Schaff ed., 3d ed., 1877);请看,Feldman,前注 12,页 178 - 183;Hudson and Corrigan,前注 12,页 129 -130;Stow Persons, *Evolution and Theology in America*, in Evolutionary Thought in America 422, 422 - 424 (Stow Persons ed., 1956)。有关第二次宗教大复兴中的非洲裔美国人,请看,Butler,前注 12,页 129 - 163;Hatch,前注 12,页 102 - 113。

如谢伊斯起义（Shays' Rebellion）。不但如此，而且其重要性也很深远，制宪者们希望新的州际贸易条款可以帮助刺激商业活动和推进国家经济。顺便提一句，这种对商业的促进在某种程度上是与传统的共和制思想存在张力的，后者倾向于鼓励农业工作，因为它害怕商业活动会滋生自私自利而不是市民美德（但是，再说一次，詹姆斯·哈林顿在更早时就已经从公民共和传统之内论辩说应当防止穷人所谓的把手伸得太长。）[55]

出于多种多样的原因，制宪者们的经济希望得到了实现，这很可能远远超出了他们最为疯狂的预期。在 19 世纪的前 60 年里，美国的人口增长了六倍多。这个国家的地理上的土地面积也得到了同样急速的扩张：1847 年的路易斯安那购地（Louisiana Purchase）把国家的大小翻了一番，而当美国在 1847 年赢得了墨西哥战争（the Mexican War）时，这个国家实现了它所谓的"命定说"（Manifest Destiny），即从大西洋一路扩张到太平洋。随着运河、铁路、汽轮等等的建设，这种多方向的国家扩张激发了技术发展，特别是在运输和交通方面。这些变化促成了美国经济态度和活动之中发生的一次引人注目的变迁。事实上，到 19 世纪的前几十年，大多数美国人都全神贯注地致力于商业和对于个人财富的快速积累。早在 1808 年，查尔斯·乍雷德·英格索尔（Charles Jared Ingersoll）就

---

[55] 请看，U. S. Const. art. Ⅱ, § 8, cl. 3; Nedelsky, 前注32, 页 1-3（制宪者们主要关注的是保护私人财产不遭受多数人的暴政）。谢伊斯起义是根据丹尼尔·谢伊斯（Daniel Shays）的名字命名的，他曾是一位民兵，是起义的领导者之一。在 1785 年和 1786 年，一场商业萧条袭击了马萨诸塞州，导致很多地块被用来强制偿债。城镇会议提出要求立法机关采取行动保护脆弱的土地所有者，但是立法机关没有给出救济。最后，在 1786 年秋季，谢伊斯在中部和西部马萨诸塞州领导了一次起义，打断了法院的会议并威胁到了斯普林菲尔德市（Springfield）的军火库。这场起义最终受到了镇压，但是该州立法机构通过了抗议者所要求的很多改革和保护措施。请看，Shays' Rebellion (1786), in 1 Documents of American History 126 (Henry Steele Commader ed., 3d ed., 1947); Thernstrom, 前注 12, 页 196-198; Wood, Creation, 前注 32, 页 410-413。

声称:"商业和自由是相互关联的。只要有自由并且没有自然的阻碍,就会出现商业;美国的实验已经证明,没有自由,商业就不能凭借其天然弹性进行运动,也不能找到它适当的顶点。"[56]

这种自私自利的商业活动的迸发,是与美国、主要是美国东北部的工业革命同时发生的。特别是 1812 年战争激发了工业化。因为美国自身的限制性贸易政策和英国的封锁,1812 年战争迫使美国人开始生产从前依赖进口的货物。凭借这一推动力,美国经济在 19 世纪上半叶发生的转变是令人吃惊的:在 1800 年,83% 的劳动力是在农业当中,但是,到 1860 年,只有 53% 还在从事类似的工作。而且,即使农民也在某种意义上商业化了,因为越来越多的农民从维持生存转向了种植现金作物。托克维尔宣称:"在美国,令我吃惊的其实并不是某些宏伟的大工程,而是无法计数的小工程。美国几乎所有的农民都把农业同一些贸易结合起来;他们中大多数都把农业本身变成了一种贸易。"[57]

总而言之,美国变成了一个极其商业化和工业化的国家,它适应了亚当·斯密从前倡导的经济个人主义。美国人通常与斯密的观点一致:努力满足自己的个人私利不但对于个人有利;它也对社会有利。甚至更进一步,对于很多美国人来说,追求个人的经济私利被理解为是"平等的和民主的"。"如果社会中的每个人都参与赚钱和交换",戈登·伍德写道,"那么在这种程度上他们全都是类似的,他们都在寻求他们自己的私人利益和幸福。"而且,至少对于白人男性来说,存在着这样一种抽象的或者正式的权利:同其他白人男性在平等的基础上追求财富的权利。事实上,在 1800 年和

---

[56] Ingersoll, 前注 3, 页 6; 请看, 2 Tocqueville, 前注 1, 页 156(几乎所有的美国人都"从事生产性的工业")。

[57] 2 Tocqueville, 前注 1, 页 157; 请看, D. Miller, 前注 10, 页 28 - 30, 126 - 127, 292, 297; 1 Thernstrom, 前注 12, 页 224 - 230, 236 - 238, 344 - 349; Wood, Radicalism, 前注 10, 页 308 - 347。

1860年之间，随着人均国民生产总值翻了一番多，普通家庭的生活标准得到了有意义的提高。例如，在东北部正在进行工业化的各州里，"普通消费者可以得到的货物和服务的范围得到了显著提高"，而且经济得到了充分的扩张，以至于穷人在1860年所拥有的购买力要大于19世纪初的购买力。在这个世纪的中叶，普通的白人男性可以在经济市场中选择购买商品——衣服、书籍、食物、报纸——而这些在50年之前是没有这样地多种多样而且高质量的。[58]

在政治领域里，民主政府和政治平等的范围在19世纪早期发生了扩张。几乎在刚刚通过《宪法》之后，18世纪90年代发生的事件就预示了美国的政府概念将要发生转变。在实际的政治问题的压力之下，乔治·华盛顿背后的联邦党人的一致意见分崩离析了：出现了由詹姆斯·麦迪逊和托马斯·杰弗逊领导的杰弗逊派共和党人（Jeffersonian Republicans），他们对抗由亚历山大·汉密尔顿和约翰·亚当斯领导的联邦党人。联邦党人更为喜欢一个强大些的、专注于稳定的财政和积极的商业实践的中央政府，而杰弗逊派共和党人更支持州政府的权力和农业工作。双方还有更多的分歧，因为他们强调了美国共和主义的不同方面：联邦党人强调一种前现代的公民共和制精英主义，而杰弗逊派共和党人支持一种更为民主的人民主权。[59]

联邦党人和杰弗逊派共和党人感觉到在彼此的立场之间存在着一条如此巨大的鸿沟，以至于当时的一些观察家认为，1800年选

---

[58] Wood, Radicalism, 前注10, 页337, 340; Thernstrom, 前注12, 页251 - 253; 请看, Adam Smith, The Wealth of Nations (1776), in Classics of Modern Political Theory 531, 532, 537 - 538, 545 - 547 (Steven M. Cahn ed., 1997); 也请看, Adam Smith, The Wealth of Nations (1776), in The Essential Adam Smith 149, 241 (Robert L. Heilbroner ed., 1985 (包括有关社会进步的文章)。

[59] Elkins and McKitrick, 前注32, 页77 (关于对于联邦党与共和党之间冲突的多种解释); 请看, Appleby, 前注32, 页58 - 59, 74。

举中共和党获得的压倒性胜利达到了革命的程度。事实上，在1800年之后，国家开始进入了一个很长的共和党统治的时期：杰弗逊、麦迪逊以及詹姆斯·门罗（James Monroe）都是弗吉尼亚州人，也都是共和党人，他们直到1825年一直占有总统职位。[60] 这段杰弗逊派共和党人统治的时期促进了有关美国政府的两个重要变化，并且与后者是同时发生的。

第一，因为具有这种内部的稳定，美国人的国家自信在19世纪的前25年当中十分高涨：很多人当时都相信自己的国家可以无限期地存在下去。随着国家在总体上繁荣起来，对于共和国的脆弱性的马基雅维利式的担忧——这同第一阶段前现代主义认为文明不可避免地兴盛和衰亡的假定有关——逐渐消失了（或至少休眠了）。

第二，同杰弗逊派的立场相一致，这个国家有关政府的观念和实践变得更为大众化、更少精英主义了。在很大程度上，制宪者们自身都是知识分子精英："智者、科学家、博学者，他们中很多人都谙熟经典，他们利用自己在历史、政治和法律中的广泛阅读来解决自己时代的迫切问题"。但是，1800年选举中的联邦党人是一边宣传"等级制的价值观或尊崇的政治习惯"、一边寻求国家的民选职位的最后一拨美国人。[61] 相反，普遍的反精英主义——或者，用理查德·霍夫施塔特（Richard Hofstadter）的话说，反智识主义——渐渐地站住了脚：

> 随着人民的民主获得了力量和信心，它也加强了人们普遍观念：天生的、直觉的、民间的智慧要优于文人和富

---

[60] Elkins and McKitrick, 前注32, 页691; Sharp, 前注32, 页12-13, 278。

[61] Richard Hofstadter, Anti-Intellectualism in American Life 145 (1962) （"智者、科学家"）；Appleby, 前注32, 页3 （"等级制的价值观"）；请看, Elkins and McKitrick, 前注32, 页750-751。

人的习得的、过度复杂的、并且自私自利的知识。就像（第二次宗教大复兴中的）福音派新教徒拒绝了学术性的宗教和正式组织起来的神职人员而更为喜欢心灵的智慧和直接接触上帝一样，平等主义的政治的支持者们也建议：放弃受过训练的领导者，采纳普通人天生的实践感觉，它能直接到达真理。在对于民主信条的最为极端的表述中，这种对于普通人的智慧的偏爱成长为一种好斗的反智识主义。

于是，在建国的那一代人之后，知识分子精英再也没能以同样的程度成为这个国家的政治领导者的主流。托克维尔观察到，"相对于那些贵族制中的掌权者来说"，美国的民选官员很可能"在能力和道德方面都是较差的"，这部分上是因为民主会导致人民"水平趋同"。当然，共和主义的思想坚持了下来，但是它被彻底地改变了，变得更经常强调人民主权，或者（随着北方和南方之间的区域性争议变得更为激烈）对于一些人来说最终变得更为强调统一，而不是强调精英领导。[62]

因此，随着精英主义衰退，民主大众主义获得了相应的繁荣。在制定《宪法》时，大多数州只允许拥有财产的白人男性投票，但是，到了 1825 年，除了三个州之外，每一个州都把选举权扩展到了所有白人男性。同样重要的是，在 19 世纪上半叶，大众主义的群众政治发生了急剧增长。在建国早期，政治政党被指责为败坏了共和制政府：政党看起来是鼓励了党派之争和宗派主义，而没有

---

[62] Hofstadter, 前注 61, 页 154-155; 1 Tocqueville, 前注 1, 页 5, 240; 请看, White, 前注 1, 页 57, 61 （论辩说, 共和主义被重新阐述以强调统一）; Wood, Radicalism, 前注 10, 页 302-305 （从杰克逊时代开始, 任何普通人都可以担任公职）; 请看, 例如, Story, Constitution, 前注 3, 页 717-719 （强调了统一的思想）。托克维尔观察到, 在美国, "人民主权的原则"处于中心地位。1 Tocqueville, 前注 1, 页 55。

促进对于公共善益的追求。因此,在18世纪90年代,麦迪逊和杰弗逊努力心神不宁地反抗这样一种感觉:他们代表的是一个宗派性的政党。但是,在19世纪20年代,马丁·范·布伦(Martin Van Buren)成功地支持了这样的观念:有组织的政党对于国家来说是好的,尽管其基础是自私自利的。于是,大概开始于19世纪20年代晚期的杰克逊派民主党人,政党组织并发展了吸引"普通人"的方法——目的是获得他们的选票。事实上,有投票权的人的投票率发生了急剧的增长:在1824年和1840年之间,人口增长了57%,但是在那些年里,在总统选举中投了票的有投票权的人增长了700%![63]

总而言之,在19世纪上半叶,很多现代主义的力量都作用于法律思想家。对于美国法理学发展可能最为引人注目的是,美国人对于人民主权的范围宽广的忠诚潜在地超越了法理学对于自然法的忠诚。自然法看起来最为适合于一种前现代的君主制社会,这种社会是基于君权神授的概念,基于一种静止的社会等级。但是,在美国,朝向个人主义和人民主权的相互关联的宗教、经济和政治发展促进了社会关系的重新构造。随着新的社会关系在19世纪演变和出现,前现代的社会角色和结构的痕迹消退了。同17、18世纪的美国和19世纪大部分时间的欧洲相比,19世纪美国的社会角色不再是显得僵化的等级制或者是由一个人生活中的最初身份所预先决定的。[64]而且,至少在政治理论的层面,人民主权——即人民拥

---

[63] 请看,Elkins and McKitrick,前注32,页263-266;D. Miller,前注10,页156-157;Sharp,前注32,页285;1 Thernstrom,前注12,页324-327;White,前注1,页55;Wood, Radicalism,前注10,页294;Howard linn, A People's History of the United States 95 (1980)。三个州没有在1825年之前把选举权扩展到所有白人男性,它们是罗德艾兰州(Rhode Island)、弗吉尼亚州(Virginia)和路易斯安娜州(Louisiana)。

[64] 请看,Appleby,前注32,页27;Lawrence M. Friedman, The Republic of Choice: Law, Authority, and Culture 51-60 (1990);Wood, Radicalism,前注10,页5-8, 11, 19, 63, 169-187, 232-233, 266, 271。

有最终的政治权力并且人民制定法律这一思想——会显得与实证主义法理学相互呼应,而后者是现代主义的组成部分。也就是说,人民制定法律的思想可能潜在地与接受先验存在的自然法原则的做法相互冲突。就像前面提到过的,美国人通常通过假定实在法与自然法是一致的来避免这种潜在的冲突。但是,冲突偶尔会浮出水面,特别是在奴隶制这个熔炉之中。例如,法官支持奴隶制合法的理由有时是去宣称法律与道德是分离的:他们推理说,即使奴隶制是违背道德和自然法的,国家的实在法仍然必须是最高的。[65]

事实上,在19世纪中期的几十年里,作用于美国法理学家的强大的现代主义的压力预示着法律体系的重大变革。部分上是由杰里米·边沁的现代主义思想启发,19世纪20年代开始了一场对普通法进行法典化的政治运动,该运动在1846年的纽约州制宪会议上得到了其最为完整的听证。法典化的支持者们受到多种多样的因素的驱动,其中特别包括了这样一种担忧:普通法法官在判决案件时行使了过大的裁量权。法典化的支持者们坚持认为,同人民主权的思想相一致,应该由立法者而非法官制定法律。最终,纽约州抵制了对其法律体系进行全面法典化的压力,但是,在1848年,在戴维·达德利·菲尔德(David Dudley Field)的领导下,该州确实用一部法典代替了普通法的令状和诉讼形式,该法典要求申明产生诉由(cause of action)的事实。但是,最能说明从前现代到现代法理学的运动的是,即便是法典化的支持者的这种部分上的胜利也

---

[65] 请看,Robert M. Cover, Justice Accused: Antislavery and the Judicial Process (1975); White,前注1,页674-740;请看,例如,*The Antelope*, 2. 3 US (10 Wheat.) 66 (1825); *State v. Post*, 20 N. J. L. 368 (1845)。

只有在南北战争之后才被很多州效仿。[66]

基本上说,尽管现代主义力量作用于美国法律思想家,但是相反的力量给了法理学家足够的影响,使他们在南北战争时期之前都没有最终转向现代主义。例如,不断扩展的平等主义的个人主义民族精神与美国生活的社会现实之间的割裂就很重要。当然,就像已经讨论过的,美国在19世纪早期在某些方面变得更为大众主义和平等主义。尽管如此,随着前现代的社会分层的痕迹的衰退,新的政治和经济等级开始建立,特别是在19世纪30年代之后。两个在某种程度上是美国社会所特有的因素推动了这种正在展开的社会分层:第一,在南方根深蒂固的种植园奴隶制,以及,第二,不断增长的移民流入。因为法律对于非洲裔美国人所施加的限制以及根深蒂固的对于移民(特别是非英语和非基督教移民)的偏见,美国社会从来没有像平等主义的个人主义精神意识形态所允诺的那样开放和具有流动性。因此,例如,尽管选举权的范围扩张了,但是它仍然被限制于白人男性——不包括非洲裔美国人、不包括印第安人、不包括妇女。即便在白人男性当中,投票权也并不必然就等于有效的政治权力,特别是因为经济不平等在不断增长。一种抽象的追求财富的平等机会的权利并没有导致即便是一点点的平等主义的经济后果。就像莫顿·霍维茨(Morton Horwitz)所评论的,促进商业活动的法律变化并没有随机地或中立地刺激经济发展,相反,这些变化以一种特定的和系统性的方式分配了财富和资源。"正崭露头角的企业家和商业团体在美国社会中(赢得了)不成比例的

---

[66] 请看,Cound,前注27,页362-65;Horwitz 1,前注1,页17-20,257-258;James,前注27,页18-19;Miller,前注1,页239-265;Subrin,前注9,页932-939;An Act to Simplify and Abridge the Practice, Pleadings, and Proceedings of the Courts of this State, 1848 N. Y. Laws 379, §§ 118, 120。到1897年,已经有27个州采纳了《菲尔德法典》(Field Code),还有其他州的诉讼程序体系非常类似该《法典》。Subrin,前注9,页939。

财富和权力份额"。于是,几乎可以预测的是,经济发展的负担的最大的份额落到了那些已经被剥夺了选举权、成了奴隶或以其他方式被剥夺了权力的社会成员身上——也就是落到了移民、妇女、非洲裔美国人以及其他种族和宗教的少数派身上。因此,尽管随着19世纪向前发展,穷人获得了更多的财富,但是,穷人与富人之间的鸿沟却迅速扩大,美国社会最为富有的10%的人口聚集了社会财富中的不断增长的份额。总而言之,这些不断发展的社会层级——它们来自于奴隶制、反移民的偏见以及经济发展——非常可能阻碍了美国朝向现代主义的总体运动。[67]

不但某些因素看起来延误了现代主义的前进,而且还有其他因素看起来滋长了持久的前现代主义的观点,特别是法理学家当中的一种自然法倾向。实际上,很多看起来在美国生活中注入了(或者反映了)现代主义观点的发展都同时包含了一些有些矛盾的强化了前现代法理学态度的因素。即便18世纪90年代的政治争议对于在政府中引入某些现代主义观念是如此重要,但是这些争议也滋养了前现代的马基雅维利主义的关切,尽管这只是暂时的。就像讨论过的,联邦党人和杰弗逊派共和党人感到了彼此立场之间存在着巨大的鸿沟,但是,在这场多维度的争论当中,双方在具体问题上的实际距离常常被夸大了。例如,杰弗逊派当然更为喜欢人民主权,但是他们仍然在很大程度上相信精英统治——只要那些被认为腐败和贵族化的联邦党人不再当政。但是,从联邦党人的视角和杰弗逊派自己的视角看来,这个国家看起来是"被危险地两极化了",甚至接近了内战的边缘。换句话说,联邦党人和杰弗逊派并

---

[67] Horwitz 1,前注 1,页 xvi("正崭露头角的企业家");请看,页 101;James M. McPherson, Battle Cry of Freedom: The Civil War Era 7, 24-25 (1988)(强调了正在出现的阶级冲突); D. Miller,前注 10,页 117, 114-125; 1 Thernstrom,前注 11,页 152-153; White,前注 1,页 16, 38(讨论了为什么说美国社会在某些方面是平等的而在另一些方面则是不平等的)。

没有意识到他们在多大程度上仍然对于政府的基本原则具有一致意见——没有意识到他们在多大程度上仍然是相同的。他们对于一个大鸿沟的共同感觉（或者说是错觉）倾向于支持一种对于政府腐败和脆弱的恐惧，并且并非偶然地导致了极端恶毒的行为，比如1798年的《外国人与反叛法案》（Alien and Sedition Acts）。这样，尽管18世纪90年代的事件在美国政府中引入了某些现代化的倾向，相同的事件也强化了对于国家的健康的马基雅维利主义的共和国的关切。而且，即便当这种马基雅维利主义的关切在19世纪的前几十年消失，当充斥着政党的政治党派之争变得越来越可以接受，前现代的精英主义的残余在美国政府体系、特别是在司法界中仍然持续着。法官看起来披上了充满美德的"裁判者"的外衣，"立于相互竞争的利益市场之上，作出无偏倚、无私利的判决"。在某种意义上，实行由司法机关解释的法律变成了控制政客的党派阴谋诡计的一种方法。[68]

就像政治领域内的发展一样，宗教的发展在美国生活中注入了（并且反映着）现代主义的因素，同时又以其他方式维持了前现代主义的法理学观念。当然，第二次宗教大复兴改变和扩展了美国新教主义，并且促进（和代表）了19世纪不断增长的个人主义和大众主义精神。但同时，第二次宗教大复兴进一步基督教化了美国社会和文化：实际上，至少在整个19世纪，大多数美国人都认为自己的国家是一个基督教国家。"在美国"，托克维尔看到，"基督教本身是一个确立的、不可抵制的事实。"这样，新教就提供了美国

---

〔68〕 Sharp，前注31，页11-13（"被危险地"）；Wood, Radicalism，前注10，页315（"裁判者"）；请看，May，前注31，页188；Nedelsky，前注31，页188-189（集中关注了马歇尔最高法院所创建的抵抗民主的被人们感知的过度之处的司法权力）；Sharp，前注31，页1，7-10，91，181-183；1 Tocqueville，前注1，页102，171-175；H. Jefferson Powell, *The Original Understanding of Original Intent*, 98 Harv. L. Rev. 885, 914-915 (1985)（讨论了《外国人与反叛法案》）。

人借以一般地理解社会事件和发展的眼镜。在这种观点看来，美国社会的变化并没有预示着美国进入了一个实证主义的和现代主义的世界，而是助长了一种长期的信念：美国是特殊的千年王国。自马萨诸塞湾清教徒（Massachusetts Bay Puritans）以来，很多美国人认为自己是在建立一个人世间的"上帝之城"（City of God），一个"耶稣在人世间的光荣王国"。对于一些人来说，成功的独立战争和宪法的制定支持了这种宗教信念：美国处在"一个千年王国的路线上，受到神之眷顾的保护"。随着第二次宗教大复兴的出现，这些观点进一步浸染了美国社会肌体。[69]

新教的规范和文化因而渗透了美国的法律思想：第二次宗教大复兴看起来强化了美国人遵循具有宗教基础的自然法的决心。法理学家和法学家通常认为基督教和普通法是紧密联系的：基督教是普通法的一个组成部分，而普通法是部分上基于基督教道德的。马里兰大学（University of Maryland）法律教授大卫·霍夫曼于1817年出版了《法律学习课程》，并在1836年出版了第二版。该《课程》的主要目的是指导学生学习现有的基本和次要（secondary）法律著作；第二版被扩充用以同时作为律师、法官和政治家的参考用书。每一章或每一编都包含一长串的推荐阅读书目，还有霍夫曼对于这些书目中的很多书籍的指导性的说明。霍夫曼不但在他的法律定义中强调了自然法和神启的重要性，而且他的《课程》开篇也集中关注《圣经》。"《圣经》道德的纯粹和高尚在任何时候都没有被质疑过；它是每一个基督教民族的普通法的基础。基督教是这块

---

[69] 1 Tocqueville，前注1，页6；Ahlstrom，前注12，页149（"耶稣在人世间的光荣王国"；引自，Urian Oakes, New England Pleaded With 49 [1673]）；Dorothy Ross, *Modernist Social Science in the Land of the New/Old*, in Modernist Impulses in the Human Sciences, 1870 – 1930，页171, 174（Dorothy Ross ed., 1994）（"一个千年王国的"）；请看，John Winthrop, *A Modell of Christian Charity* (1630), in 1 The Puritans 195, 199（Perry Miller and Thomas H. Johnson eds., 1963）。

土地上的法律的一个部分,而且因此,当然应该得到法律人的很大注意"。因此,毫不令人奇怪,各州法院一直都强制执行星期日的基督教安息日,并支持禁止亵渎基督教。在纽约 1811 年判决的人民诉拉各斯案(People v. Ruggles)中,该州的最高法院支持了对于拉各斯亵渎上帝的普通法犯罪认定的合宪性。拉各斯说"耶稣是个私生子,他母亲一定是个妓女"。詹姆斯·肯特在该案中写了判决意见,他认为"我们是一个基督教民族,这个国家的道德深深地植根于基督教"。[70]

托马斯·佩因(Thomas Paine)的命运例证了宗教对于美国法律和政治思想的重要性。在美国独立战争时期,作为自然权利的支持者,以及,更为关键的,作为英国独立的支持者,佩因极受欢迎。在 1776 年 1 月佩因发表了《常识》(Common Sense)之后,该书在一年中大约售出了 15 万册。因此,"为使美国的公众思想对完全独立做好准备,佩因比任何其他人做得都更多"。但是,到了 19 世纪早期,佩因在美国受欢迎的程度一落千丈,这在很大程度上是因为,他 1794 年出版的《理性时代》(Age of Reason)为法国大革命辩护的部分方法是谴责所有有组织的宗教机构,包括基督教教会。"我不相信……我所知道的任何教会……所宣扬的信条",佩因毫不含糊地声称,"我自己的头脑就是我自己的教诲。所有的国家性的教会机构……在我看来都不外乎是人类的发明,用来恐吓和奴役人类并垄断权力和利润。"通过这些话,佩因无可挽

---

[70] Hoffman, 1846, 前注 3, 页 5; People v. Ruggles, 8 Johns. R. 190 (N. Y. 1811), in 5 The Founders´Constitution 101, 101 (Philip B. Kurland and Ralph Lerner eds., 1987)。霍夫曼的第二个版本实际上直到 1846 年才出版。Hoffman, 1846, 前注 3, 页 i - iii。有关以普通法名义借用基督教的进一步案例,请看,Morton Borden, Jews, Turks, and Infidels 100, 111 - 15 (1984); Feldman, 前注 11, 页 187 - 189; Miller, 前注 1, 页 191 - 195; 请比较, Miller, 前注 1, 页 195 - 196 (一些法学家否认基督教是普通法的一部分); Stuart Banner, When Christianity Was Part of the Common Law, 16 L. & Hist. Rev. 17 (1998) (质疑了 19 世纪认为基督教是普通法的一部分的主张的意义)。

回地损害了自己在美国的声誉。不论美国人对于法国人的政治态度如何——而在18世纪90年代,一当法国人开始同英国人发生战争,杰弗逊派共和党人通常都支持法国人,而联邦党人通常都支持英国人——很少有美国人可以忍受对于有组织的基督教的谴责。对于美国人来说,政治和法律思想必须同他们的宗教信念保持一致。因此,在内森尼尔·齐伯曼1793年版的《政府原理概述》中,他大量引用了佩因有关自然权利的论述,但是,在齐伯曼1833年的增订版中,他仍然讨论了自然权利但却清除了所有提及佩因的地方。这样,在根本上,在一个如此浸染着基督教信念的文化当中,一个被认为根植于以宗教为基础的自然法的法律体系不但并非特例,而且被人们情愿地维持着,而且,甚至更进一步,它看起来几乎是被公众普遍接受的一个前提条件。[71]

以这种解释来看,并不奇怪,自然法与人民主权之间的潜在张力并没有让很多美国法理学家感到烦恼。就像已经讨论过的,尽管自然法和人民主权可能发生冲突,但是大多数法律思想者倾向于忽略这种可能性。很多法理学者甚至更进一步论辩说,人民主权本身就源自自然法。"在权利方面,所有的人都生来平等",圣·乔治·塔克声称,"任何一个人或一群人都没有统治其他人的自然权利或内在权利。"因此,按照塔克和其他法理学家的观点,《宪法》创造了一个基于人民主权的中央政府,而人民主权同自然法是一致的。从这一视角看来,自然法和人民主权不但没有冲突;它们还相

---

[71] Elkins and McKitrick,前注31,页313("为使美国的公众思想");Thomas Paine, Age of Reason 6(1941;首次出版于1794年);请看,Thomas Paine, *Common Sense* (1776), in Common Sense and Other Political Writings 3(Nelson F. Adkins ed., 1953);也请看,Elkins and McKitrick,前注32,页308-311, 329;Sharp,前注32,页69-76;Sean Wilentz, *The Air around Tom Paine*, New Republic, April 24, 1995,页34,35。请比较,Chipman, Sketches,前注3,页106-107,以及Chipman, Principles,前注3,页62-65。

互支持和强化。[72]

第二阶段的前现代法理学：自然法与进步

将法理学推向现代主义的各种力量受到了强有力的抵抗，以至于法律思想直到南北战争时期之前都处于前现代的阶段。但是，同样是这些现代主义的压力却足以在19世纪早期，大约在1820年之前促成了从第一阶段向第二阶段的前现代法理学的运动。就像已经讨论过的，第二阶段的法理学者，就像自己第一阶段的先驱一样，忠诚于自然法、忠诚于法律科学的思想。但是，与第一阶段不同，第二阶段完全地接受了一种前现代主义的进步观（类似于末世论的进步观），它最为经常地表现为一种工具主义的和实用主义的法律观。

当然，一些第一阶段的法理学者表现了一种对于进步观的初步信念，但是这种进步观只有在第二阶段才完全展开。从美国人的角度看，他们在国家生活的前几十年的经验表明，变化并没有导致第一阶段的前现代主义者通常害怕的那种社会衰落，相反，他们的经验表明，改变意味着进步、特别是经济繁荣。大多数美国人都把这个国家的土地面积和人口的不断扩张看作是进步的切实证据，而科学促成的运输和交通方面的技术进步更强化了这种印象。因此，进步的思想扎住了根：具体讲，通过科学和技术，美国可以前进。法理学者们完全意识到了美国的这种重大变迁。在1821年纽约州的制宪会议上，肯特声称："现在，我们站在命运的边缘，站在悬崖的边上。……我们将不再是农民的平白简单的共和国，就像新英格

---

[72] 1 Tucker, 前注3, 页8。齐伯曼写道："我们已有的经验足以支撑一种信心，不但是对于联邦政府的信心，而且也是对于它的原则以及具有公民和社会性质的法律的信心，还有对礼貌和知识的当前状态的信心"。Chipman, Sketches, 前注3, 页280。

兰的殖民者或者哈德逊河上的荷兰殖民地。我们正在快速变成一个伟大的民族，有着伟大的商业、制造业、人口、财富、奢侈品，有着它们所产生的缺点和不幸"。[73]

但是，重要的是，法理学者们以前现代的或末世论的观点来理解进步。他们认为进步是朝向实现永恒的和普遍的原则——这些原则来源于自然和新教基督教——的运动。因此，在这个阶段，法理学者并不接受现代主义的进步观，它假定人类拥有无限进步的能力。相反，永久的和普遍的原则在某种意义上为进步提供了一个目标和一个限制。这样，比如说，在19世纪的第二个10年和第三个10年当中，美国人必须直面一个无法避免的事实：建立国家的那一代人已经从美国的图景中消失了。到1825年詹姆斯·门罗离开总统职位时，新一代的美国人已经上升到权力中心；事实上，就像是一个宏大的符号象征一样，托马斯·杰弗逊和约翰·亚当斯都在1826年7月4日、即这个国家的50周年那一天去世了。尽管很多建国者都把《宪法》看作是一次防止那种不可避免的社会衰落的试验，但是新一代的政治领导人开始更为自信地把《宪法》看成是在前现代的进步范围以内——《宪法》开始被看作是"一个基本原则的储藏室"。新的领导者赞扬了制宪者，认为他们成功地在《宪法》中记录了某些普遍的和永久的原则，而新的一代现在会努力在实践中将其完美化。约瑟夫·斯托里声称，自己在写作《宪法评述》(Commentaries on the Constitution)时，"带着一种真诚的愿望，想要按照真实、古老和高尚的原则来赞扬和推荐《宪

---

[73] D. Miller, 前注10, 页21 (引用的是Kent)；请看, Arthur Alphonse Ekirch, Jr., The Idea of Progress in America, 1815–1860 (1969, 是1944年版的重印) (强调了版图扩张和技术进步对于19世纪早期美国的进步思想的重要性); McPherson, 前注67, 页3–6; White, 前注1, 页374, 671; Edward S. Corwin, *The Impact of the Idea of Evolution on the American Political and Constitutional Tradition*, in Evolutionary Thought in America 182, 184 (Stow Persons ed., 1956); Persons, 前注32, 页158–163。

法》"。他在《宪法评述》中的"主要目标"是,"对《宪法》进行一次完整的分析和阐述,(因为它是)组成着美利坚合众国的人民的私人权利、公共自由和富有兴旺所能够依赖的惟一的坚实基础"。[74]

这样,在其政治和法律思想当中,第二阶段的美国法理学者们开始完全地接受一种前现代的进步观,其中包括了对于自然法之恒久和普遍原则的持续的忠诚。因此,肯特声称,新近判决的案例很可能含有"对于法律的最为正确的阐述,以及对于抽象和永恒原则的最为明智的运用"。也就是说,随着普通法的进步,它越来越接近对于其基础性原则的完美实现。法律"一定永远处于一种进步状态之中",斯托里写道,即便"旧有的基础仍然很牢固"。那么,斯托里继续说,理想的状态是普通法"在通向完美的道路上前行,但却永远不到达顶点"。[75]

对于进步的追寻使美国人的态度通常变得十分工具化和实用主义。特别地,随着国家转向商业和积累财富,美国人的科学观发生了变化,变得更为实际、更为功利主义了。科学家们变得专注于追求有用的和能够产生利润的发明,比如轮船和电报。美国人专注于"纯实际的目标",按照托克维尔的观点。"美国很少有人全力从事人类知识当中基本为理论性的和抽象性的部分"。斯托里在一篇1829 年发表于波士顿力学研究所(Boston Mechanics' Institute)的演讲中强调了这种总体上的科学转变:"如果有人问我,就整体来说什么是我们的时代最引人注目的特征,什么在最大程度上体现了

---

[74] White, 前注 1, 页 374 ("一个基本原则的储藏室"); Powell, 前注 1, 页 1310; 引用的是 Letter from Joseph Story to James Kent (October 27, 1832), in 2 Joseph Story, Life and Letters of Joseph Story 109 (William Story ed., Boston 1851) ("带着一种真诚的"); Story, Constitution, 前注 3, 页 1-2。这种"新的进步和改善的词汇与其说是取代了还不如说是覆盖了更老的有关美德和腐败的语汇"。Jean V. Matthews, Toward a New Society: American Thought and Culture, 1800-1830, 页 137 (1991)。

[75] 1 Kent, 前注 3, 页 479; Story, Miscellaneous, 前注 3, 页 508, 526。

我们时代的精神,那么我就会毫不犹豫地回答,它就是更为亲近实际的科学而非仅仅玄思性的科学。不论我们在哪一个部门的知识中进行搜寻,我们都会发现,过去50年里几乎统一的倾向是,搞理论的越来越少,注意力越来越被局限于实际的结果"。[76]

随着科学的总体概念发生变化,对于法律科学的具体观念也发生了变化,因为它也变得越来越集中关注实用主义的关切以及对于商业的工具性的促进。法理学者们相信,法律能够、而且也应该被用来对美国社会的进步作出贡献。这样,从大约1820年以后,美国法律思想的特征不但包括它对于自然法的持续的信念,而且同时还包括一种正在萌芽的对于实际的和工具性的判决方式的忠诚。受人尊敬的曼斯菲尔德勋爵(Lord Mansfield)进一步激励这种朝向实用主义法理学的转变;通过实际上创造了英国的商法,他在上一个世纪就证明了对于司法判决的工具性的进路所具有的实际优点。在美国,肯特主张,是否遵循一条来自一个较早案例的规则,这一问题"常常变为仅仅是一个便利性的问题,取决于对规则确定性的重要性的考虑和对规则发生变化所影响的财产的范围的考虑"。类似地,弗朗西斯·希利亚德,在作出普通法判决时,"一般的便利性——即公共政策——常常是权利的最高标准"。[77]

这样,州法院和联邦法院就以普通法规则的形式发展了政策,这些规则倾向于刺激商业活动和经济发展。例如,在19世纪早期,法院变革了普通法的财产概念,以释放经济"能量",而在此之前,财产主要被理解是用来保证稳定和安全的。在较早的财产概念

---

[76] 2 Tocqueville,前注1,页37,42; Story, Miscellaneous,前注3,页478;请看,Hilliard,前注3,页viii(主张说,今天"所有的知识都被认为是实际的")。"美国人对教育的期待与他们对宗教的期待一样,即它'是实际的,会带来收益'"。Hofstadter,前注61,页299;引用的是,Henry Steele Commager, The American Mind 10 (1950)。

[77] 1 Kent,前注3,页477;Hilliard,前注3,页vi;请看,Story, Miscellaneous,前注3,页275(讨论了曼斯菲尔德在英国商法方面的作用)。有关对于曼斯菲尔德的伟大性的进一步赞扬,请看,Hilliard,前注3,页8;1 Kent,前注3,页477。

下,所有权隐含着保护:财产法允许所有人仿制其他人损坏他或她的财产。法院改变了这一法律,它发展了新的规则,使得努力为商业目的开发自己的财产的所有人可以免除潜在的赔偿责任。这样,在后来的财产概念当中,所有人可以对自己的财产为所欲为,不论这对其他人的效果如何。[78]

如果同较早的达特茅斯学院诉伍德沃德案(Dartmouth College v. Woodward)相比较,最高法院1837年对查尔斯河大桥诉沃伦大桥公司案(Charles River Bridge v. Warren Bridge Company)就代表了这一转变。判决于1819年的达特茅斯学院案产生的原因是,新罕布什尔州(New Hampshire)通过了一项立法,该立法修改了最初据以成立学院的慈善章程。通过一篇由首席大法官约翰·马歇尔(John Marshall)撰写的意见,最高法院判定:首先,最初的社团章程构成了一份合同,受到《宪法》合同条款(the contract clause)的保护,以及,第二,被试图通过的立法性修改实质性地改变了并且违宪地损害了该章程。通过这样做,最高法院强化了既得财产权的稳定性和安全性,这里的既得财产权是在最初的社团章程之下创造的。[79] 但是,到1837年的查尔斯大桥案时,最高法院却愿意以极其不同的方式来理解财产。在1785年,马萨诸塞州(Massachusetts)通过了一个社团章程,以建设和运营查尔斯河上的一座收费大桥。在1828年,该州立法机构特许设立了一家新的

---

[78] Hurst,前注1,页21;请看,Horwitz I,前注1,页99-102,211-252;White,前注1,页51;Nelson,前注1,页520;请比较,1 Tocqueville,前注1,页252(民主在人民中间产生了巨大的"能量",他们"创造了奇迹")。

[79] *Dartmouth College v. Woodward*, 17 US (4 Wheat.) 518, 624-628 (1819);请看,White,前注1,页612-628。发出几份有选择的和排他性的公司章程或特许状以促进长期的发展,这在18世纪晚期和19世纪早期是一种比较普遍的做法,但是,在19世纪的前几十年中,各州开始授予数以百计的章程,从而激发了更多的经济竞争。请看,D. Miller,前注10,页25,28(列出了排他性的章程的例子);Wood, Radicalism,前注10,页308-315。

公司，即沃伦大桥公司，目的是在查尔斯河上建设和运营第二座大桥。因为这第二座大桥，查尔斯河大桥失去了很多预期的交通流量和过路费收入。根据达特茅斯学院案的判决，查尔斯河大桥公司论证说，其最初的章程创造了一种既得财产权，应受合同条款的保护。现由罗杰·B·陶尼（Roger B. Taney）任首席大法官的最高法院却作出了不同的判决。按照陶尼的多数派意见，社会正在发生变化，而且是越变越好。法律应当被用来促进经济发展和繁荣，而不必考虑任何假定的对于财产安全和稳定的利益："一切政府的目标和目的都是促进自己赖以建立的社区的幸福和繁荣。在像我们这样的自由、富有活力和创造力、人口和财富不断增长的国家里，每一天都会发现需要新的交通通道，以利出行和贸易，并且对于人民的舒适、便利和繁荣都是必不可少的。一个州永远不应该被假定放弃了这一权力，因为，就像征税权一样，保持这一权力不被削减是整个社区的利益所在"。就像这时的人们所认为的，财产变成了一种"促进增长的制度"，而非仅仅是一种促进稳定和安全的制度。[80]

尽管第二阶段的法律科学主义者在19世纪早期变得忠于一种对于司法判决的实际的和工具性的进路，但是这一实用主义的进路被理解为完全与当时的自然法取向相一致。就像斯托里在（再一次）赞扬曼斯菲尔德勋爵、特别是赞扬曼斯菲尔德在海商法和商法领域的判决时所说的，"其与原则在总体上的一致是出众的，其实际的重要性亦是如此"。肯特声称，财产权不但产生于自然法和神启，而且也刺激着人类的社会和商业进步：

> 对于财产的感觉被恩赐给了人类，目的是把他们从懒

---

[80] *Charles River Bridge v. Warren Bridge Comp*., 36 US (11 Pet.) 420, 547-548 (1837); Hurst, 前注1, 页28。

惰之中激发出来,并刺激他们行动;而且,只要获取财产的权利被行使的方式符合社会关系、以及产生自社会关系的道德义务,那么它就应当受到神圣的保护。对于财产的自然的、有活力的感觉渗透了社会进步的基础。它引起了耕种土地、设立政府、建立司法、获取舒适的生活、增进游泳的学科、表现商业精神、培养品位、建立慈善机构、以及表现乐善好施的慈爱。[81]

但是,精确来讲,对于原则的忠诚、特别是对于自然法的忠诚,怎么能够同司法裁决的工具论进路相一致呢?答案在于原则与案件之间的柏拉图主义的关系。按照柏拉图的观点,理念独立于具体情形而存在。理念是普遍的和不变的,而具体个案则发生变化,它们显示了但却永远不能完美地例证这些理念。就像已经讨论过的,前现代的法理学者以类似的方式理解法律原则与案件之间的关系:法律原则是普遍的、独立于个案的,后者代表了对于原则的不完美的表现。从这一视角看来,自然法原则为美国法律制度、包括普通法提供了一种形而上学的基础。但是,原则仍然必须进行具体的解释和应用于具体的司法争议,而在法官们做这些事情的时候,他们就得实际、工具主义一些。事实上,就像托马斯·格雷(Thomas Grey)已经注意到的,这个时代的法学家和法理学者们在大多数时候都并没有假设,自己可以从一般原则向下进行演绎推理,以机械性地确定低层次的法律规则或者具体争议的正确结果。对于原则的了解可能提供指引,但是并不能完全决定一位法官对于任何具体案件的决定。在一篇1854年的意见当中,莱缪尔·萧(Lemuel Shaw)记录了自然法的普遍原则与其在具体案件中的工具

---

[81] Story, Miscellaneous, 前注3, 页69; 2 Kent, 前注3, 页319; 请看, 2 Kent, 前注3, 页318-319。

性裁判之间的柏拉图主义的关系:

> 普通法的一大优点和优势是:它并非由一系列具体的实际规则组成,这些规则由书面的条文建立,适应于个别案件的精确的事实,一当其所适用的商业惯例和做法停止或发生了变化就会变得过时和失败;相反,普通法是由一些宽泛和全面的原则组成,这些原则立足于理性、自然正义以及开明的公共政策,它们被更改以适应所有属于其范围内的具体个案的情形。(尽管普通法)的基础在于衡平的原则、自然正义以及总体便利(亦即公共政策);尽管这些一般性的考虑对于实际的目的来说,对于每天发生于充满活力的社区的商业之中的各种各样的复杂案件来说,都过于模糊和不确定;但是,就案件已经产生和惯例已经成长起来的范围内,普通法的规则因为习惯和司法先例的存在而在相当程度上对于实际目的而言变得精确和确定了。[82]

因为司法裁判的这种工具性的进路,在很多甚至在大多数情形中,自然法原则都淡入了司法背景。但是,尽管在具体案件当中这些原则只会非常偶然地被提及,但是它们总是作为法律体系的基础——这是由原则构成的基础,它之所以能够淡入背景只是因为如此之多的美国法官、律师和法理学者都自愿地同意和接受了宽泛的自然法原则的思想——而具有重要性。与后来的现代主义时代相反,这一基础(或者至少是这一基础)并没有受到争议。而且,这样

---

[82] *Norway Plains Co. v. Boston & Maine R. R. Co.*, 67 Mass. 263, 267 (1854); Grey, *Langdell*, 前注1, 页8–9注27。Perry Miller 警告说, 法官们在这个时期工具性地塑造法律的自由不应当被夸大。请看, Miller 前注1, 页128, 234–235。

一个稳定的基础是在法院中正当化工具性的司法裁决的一种重要方式。西利亚德对司法性的立法作出了评论:"在一种意义上说法院并没有立法权。作出任何实际的和一般性的立法都会是对其合法(legitimate)功能的公然背离。但是,在很多司法问题上,完全没有典据和类似的已决的帮助。这时,法官的职责就变成了,不是真的通过一个专断的法令,而是要以理性和正义的普适法律作为自己的指引,在法律中融入一种独特判断的认可和令行禁止的力量,从而使其成为这片土地上的法律,不再是争辩和争议的目标"。[83]

总而言之,像他们第一阶段的先驱一样,第二阶段的前现代法理学者把普通法理解为一种科学,一个基于自然法的理性的原则体系。法律原则被理解成普适的,但又不同于案件本身。按照第一阶段和第二阶段的法理学者的观点,整个法理学可以被理性地归类为一个体系,其中不但包括自然法原则,而且也包括大量低层次的、反映着普通法的诉讼形式的法律规则。尽管这两个阶段之间有着这些重要的共同之处,但是,当19世纪早期一种不同的时间和历史观开始站稳脚跟时,前现代法理学从其第一阶段运动到了第二阶段。第一阶段的法理学者倾向于关注文明的兴衰和美国共和国的潜在的衰落。但是,第二阶段的法理学者完全接受了这样一种进步观:它假设人类有能力持续地接近对于自然和朴实原则的更为完整、更为完美的实现。为了达到这种进步,法学家和法理学者应该工具性地、以一种实用主义的方式应用这些原则,并特别注意促进商业。

内森尼尔·齐伯曼的著作清楚地例证了从第一阶段到第二阶段前现代法理学的转变。齐伯曼于1793年发表了自己的《政府原理概述》,这是在第一阶段。后来,在1833年,在第二阶段,他发表了自己的《政府原理》(*Principles of Government*),这是他前面的

---

[83] Hilliard, 前注3, 页3。

著作的增订版。1833年的版本基本上来讲十分类似于1793年的版本，但是一个彻底的区别显得很突出：在1833年的版本中，齐伯曼将工具化的、特别功利主义的推理融入了自己的自然法视角。因此，在1793年的版本中，在讨论一种"道德感"的时候，齐伯曼直白地写道："人具有一种道德感，他通过这种感官来感觉自己的行为正确与否"。但是，在1833年，齐伯曼转而把功用的原则当作"道德官能"或"道德构成"的一条基本箴言："所有道德行为的伟大目标（都是）总体的功用，或是社会的总体利益"。[84] 类似地，在1873年，齐伯曼将财产权基于自然法，根本就没有提及功用，但是，在1833年，他写道"财产权起源于自然原则，受到自然原则的确认，并且最终被功用的原则所支持"。而且，同杰里米·边沁和亚当·斯密相一致，齐伯曼认为，个人对幸福的追求会给社会整体带来最大的善益。[85]

事实上，齐伯曼把功用原则当成了一定意义上的终极的自然法。"因为所有自然法的目标和用途就是总体功用或促进社会人的总体利益和幸福，所以，对于任何被当成自然法的规则的可靠测试方法就是看它是否具有促进这种目标的一般倾向"。这样，对于齐伯曼来说，就像对其他第二阶段的法理学者一样，自然法和实用主义的工具主义（或者功利主义）是完全一致的。按照自然法与实在法之间的柏拉图主义的关系，齐伯曼在不变的自然法原则和其随

---

[84] Chipman, Sketches, 前注3, 页51-52; Chipman, Principles, 前注3, 页36。道德感的概念是一种在18世纪的英格兰和苏格兰哲学家中间特别流行的道德直觉主义的形式。请看, Wood, Radicalism, 前注10, 页239-240; The Oxford Companion to Philosophy 597, 815 (Ted Honderich ed., 1995); A Dictionary of Philosophy 238 (Antony Flew ed., rev. 2d ed., 1979)。

[85] Chipman, Principles, 前注3, 页71; 请看, Chipman, Sketches, 前注3, 页64-69（关于财产权）。Benjamin Wright 把晚期的齐伯曼描述为是在试图把布莱克斯通与边沁融到一起。Wright, 前注2, 页243-251。早在1817年, David Hoffman 就已经推荐和广泛地讨论了边沁, 见于他的 *Course of Legal Study*. Hoffman, 1817, 前注3页36, 218-219, 226-229。

情况而改变的实际应用之间进行了区分。"自然法及其规定的义务,就如同规定这些自然法的上帝一样恒久不变。当我们说自然法恒久不变时,这一定要被理解成是指自然法本身,而不是指其应用。任何自然法规则将要被应用的对象都可能被改变,在这种情况下,相同的自然法也要求在适用规则时进行相应的改变"。[86]

在坚决地采纳了这样一种工具论的态度之后,晚期的齐伯曼乐观地赞同了进步的思想。早期的齐伯曼曾经是这样一群第一阶段的法理学者中的一位:他们表现出了对于进步的思想的初期的信念,希望美国共和国可能"永远持续下去",但是,在第一阶段,这种希望通常处在一种对于国家的脆弱性的马基雅维利主义的担忧的阴影之下。但是,在1833年,齐伯曼更为自信地宣称:"在自由的政府制度下,社会将永远处于进步状态之中——行为和知识都将得到不断提高"。因为这个原因,齐伯曼有关政府衰落和解体的章节在1833年要比在1793年短得多。实际上,晚期的齐伯曼几乎完全摆脱了马基雅维利主义的担忧,他以功利的原则衡量并且赞扬了美国共和国:齐伯曼在1833年宣称,在总体上讲的"政府科学"的目的或目标,以及具体上的美国《宪法》的目的或目标,就是"促进和保证人民的幸福"。[87]

约瑟夫·斯托里的著作为第二阶段的前现代法律科学的组成部分提供了一个合适的最终例证。对于斯托里来说,法律科学要求系统化,"对原则进行科学的安排和协调"。而且,就像斯托里在他

---

[86] Chipman, Principles, 前注3, 页74, 168。晚期齐伯曼进一步显露了他的信念, 即自然法与功利主义是统一的, 他写道, "财产权起源于自然原则, 被自然原则所确认, 并且最后被功利的原则、即一般的利益所支持, 这是所有的自然法的伟大目标"; 页71。很说明问题的是, 在1793年, 齐伯曼把财产权放在了自然法的基础之上, 而根本就没有提到功利。Chipman, Sketches, 前注3, 页64-69。

[87] Chipman, Principles, 前注3, 页299-301; Chipman, Sketches, 前注3, 页292。请比较, Chipman, Principles, 前注3, 页298-302(有关政府腐败)以及Chipman, Sketches, 前注3, 页281-292(同样)。

1829年就任哈佛大学的戴恩法律教授（Dane Professor of Law）时的演说中所描述的，法理学之科学最终是基于自然法："自然法……是一切其他法律的根基，并且构成了法理学之科学的第一个台阶"。这样，在例如，在讨论合同法时，斯托里注意到："与其说（合同的）这种强制力来自于地方性法律的实际声明，还不如说是来自于自然法、或（就像人们有时所称的）普遍法"。最后，同19世纪的主流美国新教文化相一致，斯托里详细阐述了自然法与基督教之间的所谓联系。他认为，"基督教并不仅仅（是）自然法的一个辅助物，而且还是自然法的一个指引；前者建立后者的结论，消除其疑云，并且提升其训导"。[88]

尽管斯托里相信自然法是法理学的基础，但是他同时也强调，一种工具性的或实用主义的法律进路会产生进步。特别地，普通法必须回应国家的实际的商业上的需要"普通法，作为一门科学，必须永远处在进步之中；不应对其原则或改进强加界限。在这个方面"，斯托里继续说，"它类似于自然科学：新的发现不断地导致新的、有时令人震惊的结果。因此，说普通法永远都学不完，这几乎就是在说一条真理。说人类的思想不能涵盖所有的人类交往，这仅仅是一个事实陈述。这是它真正的光荣：它具有弹性，随着社会的要求而不断扩展"。因此，毫不奇怪，斯托里在1842年写作了最高法院在斯威夫特诉泰森案（*Swift v. Tyson*）中的多数派意见，该案的判决是，联邦法院判决商业案件应当基于一般的联邦普通法，而后者无疑会被用来促进经济活动。[89]

对于斯托里来说，自然法的原则是独立于这些原则在低层次的

---

[88] Story, Miscellaneous，前注3，页69, 533, 535; Story, Constitution，前注3，页501。

[89] Story, Miscellaneous，前注3，页526; 请看，*Swift v. Tyson*, 41 US (16 Pet.) 1, 19-20 (1842)，被下面的案例推翻：*Erie R. Co. v. Tompkins*, 304 US 64 (1938); 也请看，Gilmore，前注1，页30-36; Horwitz 1，前注1，页245-252。

法律规则和司法判例中的不完美例证而存在的。这些原则是普遍的、永恒的和基础性的，而规则和判例是实用的和进步的。就像 G·爱德华·怀特（G. Edward White）暗示的，斯托里认为历史的"变化就是基本原则的逐步展开"。因为普遍的原则必须被在大量具体的语境中——在不同的气候、不同的地理环境、不同的经济条件中——进行应用，所以，低层次的法律规则和司法判例必然在不同的地方会有所不同。按照斯托里的观点，尽管全世界所共享的商法上的关切应该会导致在国际层面上的高度法律一致性，但是，在很多其他领域，迥异的利益和关切会阻碍统一性的出现，有时甚至阻碍在美国的相邻地区出现这种统一性。普通法可以进行理性的系统化，但是其具体规则却会永远都是不完美的，因为"生活中无限多的情形可能改变、限制或影响它们"。就像斯托里简明扼要地归纳的："（普通法）是一个根植于自然理性的体系，但同时却被人造的规则建设和完美化，被改变以适应人造的社会结构"。[90]

---

[90] White，前注 1，页 360；Story, Miscellaneous，前注 3，页 70，524；请看，Story, Miscellaneous，前注 3，页 214－215，224。有关普通法的诉讼程序，斯托里并不但写了一部有关诉讼程序的专著 A Selection of Pleadings in Civil Actions, Subsequent to the Declaration. With Occasional Annotations on the Law of Pleading（Salem, 1805; reprint, Buffalo, 1980），他还把对诉讼程序的理解同对于原则的理解联系了起来。请看，Story, Miscellaneous，前注 3，页 82－85。

第四章

现代美国法津思想

实证主义的开端:南北战争和其他力量

通常来讲,思想上的重大转变常常看起来是随着重大的社会巨变而出现的。事实真的就是如此:南北战争其实就是一场剧变,它引发了范式层面上的智识变化。甚至更为广泛地,超出了智识领域之外,这场战争及其后果,包括亚伯拉罕·林肯遇刺,几乎在美国社会所有可以想到的领域里都带来了重大变化。[1] 历史学家彼得

---

[1] 对于南北战争和重建的有用描述包括:William R. Brock, Conflict and Transformation: The United States, 1844–1877 (1973); Bruce Catton, The Civil War (1960); Eric Foner, Reconstruction, 1863–1877 (1988); James M. McPherson, Battle Cry of Freedom: The Civil War Era (1988); Allan Nevins, 1 Ordeal of the Union: Fruits of Manifest Destiny, 1847–1852 (1947); Peter J. Parish, The American Civil War (1975); Arthur Bestor, *The American Civil War as a Constitutional Crisis*, 69 Am. Hist. Rev. 327 (1964); Robert J. Kaczorowski, *Revolutionary Constitutionalism in the Era of the Civil War and Reconstruction*, 61 N. Y. U. L. Rev. 863 (1986)。对于 19 世纪晚期和 20 世纪早期的有用的历史描述包括:Godfrey Hodgson, America in Our Time (1976); Richard Hofstadter, The Age of Reform (1955); William E. Leuchtenberg, Franklin D. Roosevelt and the New Deal (1963); James T. Patterson, Grand Expectations: The United States, 1945–1974 (1996); Stephan Thernstrom, A History of the American People (2d ed., 1989); Robert H. Wiebe, The Search for Order, 1877–1920 (1967); Howard Zinn, A People's History of the United States (1980)。

·J·帕里施（Peter J. Parish）声称，南北战争是"美国历史的中心事件"，而埃里克·方纳（Eric Foner）在讨论这场战争以及其后的几年时声称，"生活中没有什么未发生改变的方面了"。战争当然开始于1861年，原因是南方腹地分离了出去，因此，北方各州最初是为了保持联邦而战，只有后来才解放了奴隶。但是，最终，很多北方人都认为这场战争是为了文明的进步，但是具有讽刺意味的是，美国文明最终却发生了完全的改变。最为根本的是，根除奴隶制以及四分之一年轻男子死亡或伤残，这深刻地改变了美国的社会结构。[2]

在南北战争之前，美国在很大程度上仍然是一个由一些孤立的、小的、农村的"社区岛"（island communities）组成的国家。战争本身在很大程度上破坏了旧有的生活方式，而后来，在19世纪晚期的金色时代（Gilded Age）时期，国家得以重建，出现了新的社会结构。当然，南北战争前美国也经历了重要的改变，但是从1861年之后，社会变化加速到了一种令人吃惊的速度。在1870年和1900年之间，人口从4000万增加到了7600万，主要是因为"美国历史上最大的移民潮"。值得注意的是，尽管在南北战争前大多数移民来自爱尔兰、德国、斯堪的纳维亚和英国，但是在南北战争之后的时期，大多数都来自意大利、俄国和巴尔干半岛的国家。这种移民的变化不但改变了美国的构成，而且也激发了本土主义（nativism）、针对南欧和东欧人（特别是犹太人）的种族主义以及最初的限制移民的呼声。例如，在20世纪早期，一份美国移民委员会（United States Immigration Commission）

---

〔2〕 Parish, 前注1, 页3; Foner, 前注1, 页460; 请看, Catton, 前注1, 页263; McPherson, 前注1, 页viii; Bestor, 前注1, 页327; 也请看, Paul D. Carrington, *Hail! Langdell!* 20 Law & Soc. Inquiry 691, 702 (1995)。

报告所谓地证明了犹太人、斯拉夫人和意大利人在道德和智识方面要比白种盎格鲁－撒克逊新教徒低下。同时，国民生产总值的增长速度甚至超过了人口增长所能解释的速度：它翻了4番。技术上的突破带来了罐装食品、电话、钢材、地铁和摩天大楼。随着铁路里程在南北战争结束时与19世纪末之间翻了接近9番，铁路革命化了交通运输并且导致了巨型公司——大商业，它永久性地改变了美国所有类型的生产和商业——的发展。大多数大工厂都在急速膨胀的城市里开业，它们通常雇佣着大量移民劳动者。国家变得完全工业化和城市化了，新的公司引进了官僚化的组织形式来应付大量的工人。受到运输和交通方面的进步的帮助，公司越来越把整个国家看作（并且当作）一个单一的市场，而不是当作一组相互分离的地理和文化区域。界线更为清楚的经济和社会阶层出现了，低级阶层主要由移民和小农场主组成，而上层阶层取得了不断增长的财富。用戈登·伍德的话说，"低级阶层变得更惹人注目、更种族化、更贫穷，并且与社会的其他部分更加分离"。这样，政治被阶层冲突所困扰，某些低级阶层变成了大众主义者，而一些"老派的"（old stock）新教乡绅在从新的公司和商业权力手中争夺控制权的时候变成了骑墙中立派（mugwump）。最后，随着西进运动最终结束，这个国家在19世纪初根本就不像1850年时的样子了。按照方纳的观点,南北战争以及随后的几年促进了"现代美国国家的诞生"。[3]

在智识上,南北战争结束后的年代正是现代主义的两个中心信念开始兴旺的时期:这两个信念就是世俗主义和历史主义(historicism)。[4] 一个促进了这两种现代主义信念的学术事件就是查尔斯·达尔文(Charles Darwin)1859年出版了《物种起源》(*Origin of Species*)。[5] 即使在这之前,一些美国知识分子在第二次宗教

---

〔3〕 Wiebe,前注1,页xiii("社区岛");Arthur Hertzberg, The Jews in America 152 (1989) ("美国历史上最大的");Gordon S. Wood, *Faux Populism*, New Republic, October 23, 1995, 页39, 41;评论的是,Robert H. Wiebe, Self‐Rule: A Cultural History of American Democracy (1995);Foner,前注1,页23;请看,Hofstadter,前注1,页23‐93;Howard M. Sachar, A History of the Jews in America 283‐304 (1992) (综述了对于开放移民的攻击);2 Thernstrom,前注1,页433‐458, 551‐560;Wiebe,前注1,页xiii‐xiv, 17‐27, 65, 84‐90;Zinn,前注1,页247‐249。老派的新教上层绅士阶层的成员在金色时代常常被称为"骑墙中立派",因为他们"试图用'最优秀者',也就是他们自己的公正的领导地位取代腐败的政客。面对着阶级冲突的可怕前景,他们既为自己的既得地位担忧,但同时也欢迎能够担当领导的机会"(Dorothy Ross, The Origins of American Social Science 61 [1991])。Robert Wiebe 强调了清晰的社会阶层的发展在美国民主演进过程中的中心地位。Robert H. Wiebe, Self‐Rule: A Cultural History of American Democracy 115‐116 (1995)。

〔4〕 有关19世纪和20世纪思想发展,包括有关美国大学的发展的一些有用的来源包括:Theodore Dwight Bozeman, Protestants in an Age of Science (1977); John G. Gunnell, The Descent of Political Theory (1993); George M. Marsden, The Soul of the American University: From Protestant Establishment to Established Nonbelief (1994); Peter Novick, That Noble Dream: The "Objectivity Question" and the American Historical Profession (1988); Edward A. Purcell, Jr., The Crisis of Democratic Theory (1973); Dorothy Ross, The Origins of American Social Science (1991); Morton White, Social Thought in America (1976); Laurence R. Veysey, The Emergence of the American University (1965); Edward S. Corwin, *The Impact of the Idea of Evolution on the American Political and Constitutional Tradition*, in Evolutionary Thought in America 182 (Stow Persons ed., 1956); Stow Persons, *Evolution and Theology in America*, in Evolutionary Thought in America 422 (Stow Persons ed., 1956); Robert Scoon, *The Rise and Impact of Evolutionary Ideas*, in Evolutionary Thought in America 4 (Stow Persons ed., 1956)。

〔5〕 Charles Darwin, The Origin of Species (1859);请看,Bozeman,前注4,页164, 168‐169;Persons,前注4,页425‐426。

大复兴之后就开始思考自己是不是应该更为清楚地区别宗教与科学。新教主义本身如此尖锐地将精神与物质分离开来，以至于它间接地暗示了这样一种可能性：将美国生活的某些（物质）领域世俗化，而将宗教大概放在一个独立的领域之中。当然，宗教在这种世界观（实际上，新教主义很长时间都持续地主导着美国文化）中仍然很重要，但是世俗看起来被从神圣之中解放了出来，并且从而能够获得成长——至少是在思想领域。因此，当19世纪70年代出现了有关达尔文的进化论的争议时，对科学进行世俗化的压力变得更为强烈了。尽管在南北战争之前的年代里大多数美国人都相信科学和宗教是相互和谐的，但是，在南北战争之后的时期里，科学和宗教看起来越来越相互分离、相互无关了。科学家常常仍然笃信宗教，但是他们的宗教同他们的科学工作是无关的。甚至更进一步，很多知识分子最终开始认为科学和宗教是相互对立的。按照爱德华·S·科温（Edward S. Corwin）的观点，进化论变得有争议，是因为它挑战了"特殊创造的观念，并将人从天国（降格）到了动物王国——从堕落的天使的身份降格为仅仅是动物的身份"。在最为极端的达尔文主义的立场看来，即使人类的精神也被理解为仅仅是对付环境的一种方法。人类"最为珍视的情感"，从这一视角看来，"仅仅是将其同其他动物联系在一起的进化过程的产物"。重要的是，世俗化的范围并没有完全局限于知识分子。大规模市场资本主义（mass market capitalism）的发展以及改善了的交通已经产生了大众文化（mass culture）：这样，智识上的趋向，包括世俗主义，就可以比以前快得多地从高雅文化扩展到大众文化。尽管世俗化当然并没有横扫整个国家，但是世俗化与信仰宗教之间的潜在冲突变得更为可见,甚至开始被人赞美了。[6]

达尔文的进化论也促进了现代主义进步观以及预期相观的"历史主义的意识"的发展。南北战争和金色时代的"历史性的动乱"让很多美国知识分子都深深地、有理由地"感到美国已经变了"。很多人都感受到了"过去与现在之间的一种根本的割裂"。达尔文主义的理论鼓励知识分子把这种社会变化理解为代表了一种超越了第二阶段前现代主义进步观的进化上的前进。前现代的进步受到了对于普遍和永恒原则的宗教确信的限制:也就是说,前现代的进步看起来被限制于一种向着完美实现这些原则的运动。但是现在,随着世俗化帮助把进步观从宗教信仰之中解放出来,进步可以被理解为必然要求潜在地无止境地进步。而且,当一些知识分子将这种刚刚出现的现代主义进步观同已经发展得很完善的美国的工具主义和功利主义的态度放在一起时,一种完全历史主义的意识就出现了:社会的无限进步可以来自于人类的聪明才智。[7]

具体地,在法理学当中,各种各样的社会和文化力量在南北战争前的19世纪就已经开始将美国推向现代主义,但是,就像在第

---

[6] Corwin, 前注4, 页185; Scoon, 前注4, 页19; 请看, Bozeman, 前注4, 页164–169; Richard Hofstadter, Anti–Intellectualism in American Life 117–118 (1962) (强调了大众文化); Marsden, 前注4, 页155–158; Ross, 前注4, 页54–57; Persons, 前注4, 页425–426; 请看, Stephen M. Feldman, Please Don't Wish Me a Merry Christmas: A Critical History of the Separation of Church and State 191 (1997) (关于19世纪晚期美国的新教文化); 也请看, Martin E. Marty, Protestantism in the United States: Righteous Empire 67–68 (2d ed., 1986) (认为新教主义在某些领域中的传播和成功有助于对其他领域进行世俗化)。作为对于不断增长的世俗主义的一种反应,一些新教徒在这个时期转向了一种更为正统主义的圣经学。Bozeman, 前注4, 页172; 也请看, John Dewey, *The Influence of Darwinism on Philosophy* (1910), in The Philosophy of John Dewey 31, 32 (John J. McDermott ed., 1981)。

[7] G. Edward White, The Marshall Court and Cultural Change 1815–1835, 页6 (1991) ("历史主义的意识"); Ross, 前注4, 页58 ("历史性的动乱"; "感到美国已经变了"); Dorothy Ross, *Modernist Social Science in the Land of the New/Old*, in Modernist Impulses in the Human Sciences, 1870–1930, at 171, 177 (Dorothy Ross ed., 1994) ("过去与现在之间的")。

3章中讨论过的，法律思想者抵制了这些压力。[8] 但是，南北战争及其后果最终加速了法理学清楚地从自然法转向实证主义——也就是从法律前现代主义向现代主义——的转变。佩雷·米勒认为，

---

[8] 下列来源提供了有关美国法理学、法律职业、法律教育和相关问题的有用的历史描述：Jerold S. Auerbach, Unequal Justice: Lawyers and Social Change in Modern America (1976); Edgar Bodenheimer, Jurisprudence (rev. ed., 1974); Edward S. Corwin, The "Higher Law" Background of American Constitutional Law (1955; reprint of Edward S. Corwin, *The "Higher Law" Background of American Constitutional Law*, 42 Harv. L. Rev. 149 [1928 – 1929]); Neil Duxbury, Patterns of American Jurisprudence (1995); Lawrence Friedman, A History of American Law (2d ed., 1985); Grant Gilmore, The Ages of American Law (1977); Charles G. Haines, The Revival of Natural Law Concepts (1958; 首次出版于1930年); Kermit L. Hall, The Magic Mirror (1989); James Herget, American Jurisprudence, 1870 – 1970: A History (1990); Morton J. Horwitz, The Transformation of American Law, 1780 – 1860 (1977) (以下称Horwitz I); Morton J. Horwitz, The Transformation of American Law 1870 – 1960 (1992) (以下称Horwitz 2); N. E. H. Hull, Roscoe Pound and Karl Llewellyn: Searching for an American Jurisprudence (1997); Laura Kalman, The Strange Career of Legal Liberalism (1996); J. M. Kelly, A Short History of Western Legal Theory (1992); William P. LaPiana, Logic and Experience: The Origin of Modern American Legal Education (1994); Robert G. McCloskey, The American Supreme Court (1960); Perry Miller, The Life of the Mind in America (1965); Gary Minda, Postmodern Legal Movements (1995); John Henry Schlegel, American Legal Realism and Empirical Social Science (1995); Bernard Schwartz, A History of the Supreme Court (1993); Robert Stevens, Law School: Legal Education in America from the 1850s to the 1980s (1983); White, 前注7; Robert H. Wiebe, Self – Rule: A Cultural History of American Democracy (1995) (以下称Wiebe, Self – Rule); Benjamin F. Wright, American Interpretations of Natural Law (1931); W. Burlette Carter, *Reconstructing Langdell*, 32 Ga. L. Rev. I (1997); Anthony Chase, *The Birth of the Modern Law School*, 23 Am. J. Legal Hist. 329 (1979); Stephen M. Feldman, *From Modernism to Postmodernism in American Legal Thought: The Significance of the Warren Court*, in The Warren Court: A Retrospective 324 (Bernard Schwartz ed., 1996); Robert W. Gordon, *Legal Thought and Legal Practice in the Age of American Enterprise*, 1870 – 1920, in Professions and Professional Ideologies in America 70 (1983) (以下称Gordon, *Enterprise*); Robert W. Gordon, *The Case for (and against) Harvard*, 93 Mich. L. Rev. 1231 (1995) (以下称Gordon, *Harvard*); Thomas C. Grey, *Holmes and Legal Pragmatism*, 41 Stan. L. Rev. 787 (1989) (以下称Grey, *Holmes*); Thomas C. Grey, *Langdells Orthodox*, 45 U. Pitt. L. Rev. I (1983) (以下称Grey, *Langdell*); Thomas C. Grey, *Modern American Legal Thought*, 106 Yale L. J. 493 (1996); 评论的是, Neil Duxbury, Patterns of American Jurisprudence (1995) (以下称Grey, *Modern*); M. H. Hoeflich, *Law and Geometry: Legal Science from Leibniz to Langdell*, 30 Am. J. Legal Hist. 95 (1986); Morton J. Horwitz, Foreword: *The Constitution of Change: Legal Fundamentality without Fundamentalism*, 107 Harv. L. Rev. 30 (1993) (以下称Horwitz, *Foreword*); Duncan Kennedy, *Toward an Historical Understanding of Legal Consciousness: The Case of Classical Legal Thought in America*, 1850 – 1940, 3 Research in Law & Sociology 3 (1980); Eben Moglen, *Holmes's Legacy and the New Constitutional History*, 108 Harv. L. Rev. 2027 (1995); 评论的是, Owen M. Fiss, 8 History of the Supreme Court of the United States: Troubled Beginnings of the Modern State, 1888 – 1910 (1993); William E. Nelson, *The Impact of the Antislavery Movement upon Styles of Judicial Reasoning in Nineteenth Century America*, 87 Harv. L. Rev. 513 (1974); Gary Peller, *The Metaphysics of American Law*, 73 Calif. L. Rev. 1151 (1985) (以下称Peller, *Metaphysics*); Gary Peller, *Neutral Principles in the 1950s*, 21 U. Mich. J. L. Ref. 561 (1988) (以下称Peller, *Neutral Principles*); Stephen A. Siegel, *Historism in Late Nineteenth – Century Constitutional Thought*, 1990 Wis. L. Rev. 1431; Joseph William Singer, *Legal Realism Now*, 76 Cal. L. Rev. 465 (1988); Marcia Speziale, *Langdell's Concept of Law as Science: The Beginning of Anti – Formalism in American Legal Theory*, 5 Vt. L. Rev. I (1980); Robert Stevens, *Two Cheers for 1870: The American Law School*, 5 Persp. Am. Hist. 405 (1971).

通过南北战争,"美国法律历史中的一个时代,以及美国思想历史中的一个时代,都被突然地、暴力性地终结了"。更为精确地说,可能有关奴隶制的危机——支持奴隶制和反对奴隶制的论者在南北战争前所提出的具体论证,及其在南北战争中的暴力性的解决——是对南北战争后的法理学的总的方向影响最大的一个因素。在美国法律的前现代时期中的很多时间里,自然法原则提供了一种法理学的基础,它毫无争议地处在法律体系的背景之中。就像已经提到过的,自然法同实在法之间的关系偶尔会在有关奴隶制的司法案件中受到争议。但是,对于美国法理学的未来来说,被提出来支持和反对奴隶制的宽泛的论证可能要比具体的司法判决具有更为长久的影响力。具体地说,随着理论立场从19世纪30年代进化到南北战争结束,有关奴隶制的争议也把自然法从法律思想的背景带到了前景之中。[9]

美国革命一代的很多人都开始反对奴隶制,这部分人是因为他

---

[9] Miller,前注8,页206。有关奴隶制危机的一些重要的基本来源和基本来源的选集包括:John C. Calhoun, *A Disquisition on Government*, in 1 The Works of John C. Calhoun 1 (1851) (以下称Calhoun, *Disquisition*);John C. Calhoun, *Speech On the Reception of Abolition Petitions, Delivered in the Senate* (February 6,1837), in 2 The Works of John C. Calhoun 625 (1851) (以下称Calhoun, *Speech*);George Fitzhugh,Cannibals All! (1857;重印于,1960) (以下称Fitzhugh,Cannibals);George Fitzhugh, *Sociology for the South* (1854), in Slavery Defended:The Views of the Old South 34 (Eric L. McKitrick ed., 1963) (以下称Fitzhugh, *Sociology*);Samuel Seabury,American Slavery Distinguished from the Slavery of English Theorists and Justified by the Law of Nature (2d ed., 1861;重印于,1969);Cotton is King and Pro‐Slavery Arguments (E. N. Elliott, ed.; Augusta: Pritchard,Abbot and Loomis,1860);The Pro‐Slavery Argument:as Maintained by the Most Distinguished Writers of the Southern States (Charleston:Walker, Richards,1852);Abolitionism:Disrupter of the Democratic System or Agent of Progress? (Bernard A. Weisberger ed., 1963);Agitation for Freedom:The Abolitionist Movement (Donald G. Mathews ed., 1972);Slavery Defended:The Views of the old South (Eric L. McKitrick ed., 1963)。一些有用的间接来源包括:Robert M. Cover,Justice Accused:Antislavery and the Judicial Process (1975);James Brewer Stewart,Holy Warriors:The Abolitionists and American Slavery (1976);Larry E. Tise,Proslavery:A History of the Defense of Slavery in America,1701‐1840 (1987);William M. Wiecek,The Sources of Antislavery Constitutionalism in America,1760‐1848 (1977);Bertram Wyatt‐Brown,Yankee Saints and Southern Sinners (1985);Arthur Bestor, *State Sovereignty and Slavery:A Reinterpretation of Proslavery Constitutional Doctrine,1846‐1860*,54 Ill. St. Hist. Soc'y J.,117 (1961);William E. Nelson, *The Impact of the Antislavery Movement upon Styles of Judicial Reasoning in Nineteenth Century America*,87 Harv. L. Rev. 513 (1974);Ferenc M. Szasz, *Antebellum Appeals to the "Higher Law,"* 1830‐1860,110 Essex Institute Hist. Collections 33 (1974);Frederick E. Welfie, *The Higher Law Controversy*,21 Mid‐America 185 (1939);Antislavery (Paul Finkelman ed., 1989);Proslavery Thought, Ideology, and Politics (Paul Finkelman ed., 1989)。

们相信天生的自由权,就像在《独立宣言》中记述的。在这个国家存在的前 25 年当中,特拉华州(Delaware)以北的所有各州都或者废除了奴隶制或者开始逐步地解放奴隶。当然,与北部各州不同,南部各州并没有开始类似的废除奴隶制的活动。但是,革命一代中的很多南方人都认为奴隶制是站不住脚的,尽管它必须被当作一种"必要之恶"而暂时地加以忍受。但是,一当美国在 1803 年禁止了国际奴隶贸易,即便在北方,反对奴隶制的运动也慢下了脚步。而且,不论在北方或南方存在什么样的反对奴隶制的情绪,但是针对非洲裔美国人的种族主义仍然深深地扎根在美国主流(白人)文化当中。[10]

在 19 世纪早期,至少有三个因素导致很多南方人转变自己的观点,并且更为强有力地为奴隶制辩护。第一,南方经济已经变得越来越依赖于棉花种植,而这又十分依赖于种植园奴隶制。第二,这个国家的几乎持续不断的地理扩张将蓄奴州与自由州在新的州和地区的地位问题上推向了冲突:这些新的州和地区应该是蓄奴州还是自由州?具体讲,新的州的地位可以决定全国议会中的权力平衡。第三,由威廉·劳埃德·加里森(William Lloyd Garrison)和温戴尔·菲利普斯(Wendell Phillips)领导,北方在 19 世纪 30 年代重新开始了废奴运动,这在南方和北方都点燃了保守派的反对。加里森派支持立即中止奴隶制,并谴责《宪法》,用加里森的话说,是一份支持奴隶制的"同死亡达成的契约和同地狱达成的协议"。甚至很多北方人都认为加里森派的立即终止的要求过于极

---

〔10〕 Wright,前注 8,页 228 - 229;请看,Cover,前注 9,页 33;Parish,前注 1,页 28 - 31;Paul Finkelman, introduction to Proslavery Thought, Ideology, and Politics xi (Paul Finkelman ed., 1989);compare Jack N. Rakove, Original Meanings: Politics and Ideas in the Making of the Constitution 72 - 74 (1996)(有关制宪会议时的奴隶制);Garrett Ward Sheldon, The Political Philosophy of Thomas Jefferson 129 - 140 (1991)(讨论了杰弗逊有关奴隶制的观点和行动);Gordon S. Wood, The Radicalism of the American Revolution 186 - 187 (1991)(强调说独立战争的意识形态激发了反对奴隶制的运动)。

端,令人无法接受,因此,一些北方人与南方人一道通过为奴隶制论辩而进行反对(尽管很多其他的北方人更为支持逐步地终止奴隶制)。不久,南方人变成了奴隶制最为引人注目的支持者,因为他们拒绝了自己的祖先的观点:奴隶制仅仅是一种必要的恶。并不令人奇怪,正在出现的对于奴隶制的辩护在一些方面上是同当时法律思想的总体趋势相一致的:这些论辩一般都是实用主义的或工具主义的,而自然法原则大都潜伏在背景之中。例如,当时是弗吉尼亚州的威廉和玛丽学院(William and Mary College)教授的托马斯·R·迪尤(Thomas R. Dew)在1832年写作时简要地提到了自然法,但是然后就强调了解放奴隶的"不可行性"。按照迪尤的观点,如果解放奴隶,那么奴隶主就必须因为失去了"财产"而受到补偿,而被解放的奴隶必须被驱逐出境,而这会给国家带来令人望而却步的成本。[11]

但是,在后来的几十年里,人们开始越来越多地用自然法和自然权利的更为强有力的词语来表述立场。在1850年3月,来自纽约州的参议员威廉·H·苏华德(William H. Seward)为反对在联

---

〔11〕 Thomas R. Dew, *Review of the Debate in the Virginia Legislature* (1832), in Slavery Defended: The Views of the Old South 20, 27 (Eric L. McKitrick ed., 1963); Szasz,前注9,页45;引用的是,Garrison,转引自,Walter M. Merrill, Against Wind and Tide: A Biography of William Lloyd Garrison 205 (1963)。有关主张立即废除奴隶制的论辩的例子,请看,William Lloyd Garrison, *An Address Delivered Before the Old Colony Anti-Slavery Society* (July 4, 1839),重印于,Agitation for Freedom: The Abolitionist Movement 26 (Donald G. Mathews ed., 1972); Wendell Phillips, *The Philosophy of the Abolition Movement*(演讲发表于1853年,出版于1863年), in Agitation for Freedom: The Abolitionist Movement 35 (Donald G. Mathews ed., 1972)。有关一个北方人的渐进废奴的论辩的例证,请看,Horace Mann, *Address to the Boston Young Men's Colonization Society* (March 13, 1833), in Abolitionism: Disrupter of the Democratic System or Agent of Progress? 13 (Bernard A. Weisberger ed., 1963)。一般地,请看,McPherson,前注9,页8(强调了国家的版图增长恶化了奴隶制危机); Parish,前注1,页28-31(讨论了促使南方人为奴隶制进行越来越精细和具有攻击性的辩护的因素); Tise,前注9(论辩说,北方人要比南方人更应该对支持奴隶制的论辩负责); Nelson,前注9,页525(论辩说,当法律工具主义在19世纪30年代很强有力时,废奴运动得到了复兴)。

邦地区中扩张奴隶制而发言长达3个小时。在一片简短但很快就会出名的演讲中，苏华德声称"存在着一种比《宪法》还要高的法律"。报纸抓住了这句话，并且在南北战争前的关键10年中使更高的法律或自然法的问题成为全国注意的中心。这样，到这个时候，自然法已经走出了背景，走到了美国政治和法理学的聚光灯之中：对于北方和南方双方面来讲，有关奴隶制的很多争论都要用自然法和自然权利的修辞进行表述了。[12]

在法律思想的未来方面，对于自然法的这种关注是关键性的。北方和南方对自然法的运用走上了各自独立的理论道路，这最终会导致南北战争之后的法理学走向一种不同的（北方的）方向。此前的美国法律思想者倾向于把自然法和自然权利结合在一起，很少精确地将二者区别开来；自然权利被宽泛地理解为自然法的一个组成部分。但是，在南北战争前的奴隶制争论的语境之中，自然法和自然权利看起来分裂了：通常来讲，北方人走了自然权利的道路，而南方人走了自然法的道路。反对奴隶制的北方人常常引用《独立宣言》来论辩说个人自由的自然权利与奴隶制的法律制度是相互冲突的。同时，支持奴隶制的南方人倾向于论辩说，自然法给社会强加了一种自然秩序，奴隶们被认为固定在自己适当的角色之中（位于底层）；按照这一观点，政府因此有理由通过法律惩罚来强制执行这种自然的或内在的社会秩序。[13]

美国反奴隶制大会（American Anti‑Slavery Convention）于1833年12月在费城开会，并发出了《情感宣言》（Declaration of Sentiments），它例证了北方的立场："享受自由的权利是不可剥夺

---

〔12〕 Szasz，前注9，页46（引用了，Seward，Congressional Globe，1850，1st session，31st Congress，XXII，part Ⅰ，263‑169）；请看，Welfle，前注9，页185‑187。

〔13〕 请看，Haines，前注8，页21‑27；页52‑53；Wright，前注8，页4‑12，211‑225，229‑239；Szasz，前注9，页33，37（强调了北方与南方各自不同的自然法版本的出现）；也请看，Wiecek，前注9，页138，186，259‑261。

的。侵犯这一权利就是篡夺耶和华的特权。每一个人都有权占有自己的身体——占有自己劳动的果实——并受法律保护——并且有助于社会的共同善益。因此，所有承认奴隶制的现行有效的法律在上帝面前都是完全无效的；它们是对神的特权的篡夺，是对自然法的挑战，是在卑鄙地推翻社会契约的基础……因此，它们应当被立即废除。"[14] 在 19 世纪 30 年代，这种引用自然权利来要求立即废除奴隶制的做法被很多人认为过于极端，但是，到 19 世纪 50 年代，即使温和地反对奴隶制的北方人也开始使用类似的修辞。来自非蓄奴地区（Free Soil）和共和党（Republican Party）的马萨诸塞州参议员查尔斯·萨姆纳（Charles Sumner）认为 1850 年的《逃亡奴隶法案》（Fugitive Slave Act）触犯了"神的法律"，因此不应被遵守，因为这部法律要求北方官员帮助重新捕获逃脱的奴隶。在同一年，也就是 1852 年稍晚的时候，萨姆纳声称，废除奴隶制会实现"我们的《独立宣言》中所阐明的、被一种真正的民主情感所激发的伟大的人权原则"。[15]

在南方，在这一时期，前副总统同时长期任南卡罗莱纳州

---

〔14〕 Wright，前注 8，页 212。有关引用自然权利和《独立宣言》来主张立即废除奴隶制的另外一个例子，请看，William Lloyd Garrison, *To the Public* (1831), in Agitation for Freedom: The Abolitionist Movement 23, 24 (Donald G. Mathews ed., 1972); 也请看，Lydia Maria Child, *Colonization Society and Anti - Slavery Society* (1833), in Abolitionism: Disrupter of the Democratic System or Agent of Progress? 20, 27 (Bernard A. Weisberger ed., 1963)（论辩说，奴隶制违反了"上帝的律法"）。

〔15〕 Charles Sumner, *Freedom National,Slavery Sectional* (August 2. 6, 1852), in Abolitionism: Disrupter of the Democratic System or Agent of Progress? 48, 49 (Bernard A. Weisberger ed., 1963); Charles Sumner, *Thze Party of Freedom;Its Necessity and Practicability* (September I5, 1852), in Abolitionism: Disrupter of the Democratic System or Agent of Progress? 45, 47 (Bernard A. Weisberger ed., 1963). 以类似的方式，William Hosmer 在 1852 年写道："每一人都对自身拥有自然权利——他自己的身体和思想，以及它们的各种官能和力量。" Welfle，前注 9，页 197；引用的是，William Hosmer, The Higher Law 89 (1852); 请看，James Brewer Stewart, *T. lze Aims and Impact of Garrisonian Abolitionism*,1840 - 1860 , in Antislavery 413 (Paul Finkelman ed., 1989)（论辩说，加里森的废奴论辩最终得到了其他废奴运动支持者的吸收和使用）。

(South Carolina) 的参议员的约翰·C·卡尔霍恩 (John C. Calhoun) 所表述的南方的标准的奴隶制的辩护最为著名。按照卡尔霍恩的观点,自然法在社会之上强加了一种秩序,因此,没有什么要比"所有人生来自由和平等""更没有基础、更为虚假了"。因此,并不是所有的人都有权享受自由。相反,将自由"赋予那些不适合自由的人不是一种祝福,而是一种诅咒"。从这一视角看来,卡尔霍恩推理说,法律上的奴隶制对于奴隶本人来说实际上是一种"正面的善"(positive good);奴隶们被认为占有了自己在社会中的自然的、适当的位置,而通过这样做,通过与白人种族交往,他们被提升到了他们"今天相对较为文明的状态"。在进行这一论辩的时候,卡尔霍恩暗含地拒绝了洛克主义的自由主义,而采纳了一种亚里士多德主义的公民共和主义;也就是说,他拒绝了在19世纪的美国正在出现的更为现代的平等主义的个人主义精神,转而接受了一种更为前现代的、精英主义的和层次化的社会观。[16]

这种论辩让北方的反对奴隶制的活动家们大为惊愕,"是奴隶主是傻瓜,还是他们认为除了自己以外整个世界都是傻瓜?他们居然想用这么浅薄的纱巾来蒙蔽我们的眼睛!"西奥多·德怀特·魏尔德 (Theodore Dwight Weld) 在1839年怀疑地问道,"他们每个小时都在掠夺奴隶的所有、所得,却说自己在保护自己对他们友爱的尊敬!什么啊!当他们抓住了自己的受害者,并且消灭了受害者的一切权利,但却仍然说自己是受害者的幸福的特殊的保护人!"[17] 尽管如此,南方人一直都遵循着、甚至扩展了卡尔霍恩的论辩,他们认为自然法给社会强加了一种秩序,因此奴隶制是一种

---

〔16〕 Calhoun, *Disquisition*, 前注9, 页54-57; Calhoun, *Speech*, 前注9, 页630-631; 请看, Wright, 前注8, 页233-234, 272-274。

〔17〕 Theodore Dwight Weld, *American Slavery as It Is: Testimony of a Thousand Witnesses* (1839), in Agitation for Freedom: The Abolitionist Movement 54, 56 (Donald G. Mathews ed., 1972)。

正面的善。"奴隶制,就其在南方、在我们之中存在而言",弗吉尼亚大学的一位教授阿尔伯特·泰勒·布莱德索(Albert Taylor Bledsoe)宣称,"是基于政治正义的,是同上帝的意志和他的神启的设计相一致的,并且有助于人类最崇高的、最纯粹的、最优秀的利益"。[18]

乔治·菲茨休(George Fitzhugh)因为将支持奴隶制的立场推到了极致而著称,在这方面他可能要超过了任何其他南方人。菲茨休当然相信"奴隶制起源于更高的法律,是而且永远一定是同人性同时代的、同样久远的"。他明确地赞同亚里士多德,但却否定了洛克,并因而质疑了《独立宣言》中所描述的(洛克主义的)自然权利是否存在。甚至更进一步,菲茨休认为自由劳动力的观念是一种闹剧:北方的自由劳动者实际上处境还不如南方的奴隶。按照菲茨休的观点,主人与奴隶是"朋友",而雇主和劳动者是"敌人"。自由劳动者整日工作,但却仍旧完全负责照顾自己,而奴隶

---

[18] Albert Taylor Bledsoe, *Liberty and Slavery*;*or*,*Slavery in the Light of Moral and Political Philosophy*, in Cotton is King and Pro - Slavery Arguments 271, 273 (E. N. Elliott, ed.; Augusta: Pritchard, Abbot and Loomis, 1860; reprint, 1968);请看,James Henry Hammond, *Hammond's Letters on Slavery* (January 28, 1845), in The Pro - Slavery Argument: As Maintained by the Most Distinguished Writers of the Southern States 99, 109 - 111 (Charleston: Walker, Richards, 1852)。

可以舒适地依靠自己的主人。[19]

最后,佐治亚州(Georgia)的亚历山大·H·斯蒂芬斯(Alexander H. Stephens),亦即邦联的副总统,在 1861 年毫不含糊地声称,社会的自然秩序提供了新的南方政府的"基石":

> (邦联的)新宪法已经永远地解决了所有有关我们的特别制度——我们中间所存在的非洲奴隶制——的令人不安的问题,即黑人在我们的文明形式中的正确身份。这是最近的敌对和现在的革命的直接起因。……在旧的宪法制定时被他(杰弗逊)和大多数处于领导地位的政治家们所喜欢的主流观点是,奴役非洲人……在原则上、社会上、道德上以及政治上都是错误的。……这是不对的。……我们的新政府是基于恰恰相反的思想;其基础、基石都是建立在这样一个伟大真理之上的:黑人同白人不是平等的;奴隶制——黑人从属于较为优秀的种族——是其自然的和正常的状态。在世界历史上,我们的这种新政府是

---

[19] Fitzhugh, Cannibals, 前注 9, 页 5, 15 - 19, 71, 235; Fitzhugh, *Sociology*, 前注 9, 页 44 - 48; 请看, Nevins, 前注 1, 页 198 - 202; Wright, 前注 8, 页 238 - 239。William Harper 以类似的方式明确地批评了《独立宣言》并且论辩说,自由劳动者的境况要比奴隶更差。William Harper, *Slavery in the Light of Social Ethics*, in Cotton is King and Pro - Slavery Arguments 547, 553, 569 (E. N. Elliott, ed.; Augusta: Pritchard, Abbot and Loomis, 1860; reprint, 1968); 请看, George Frederick Holmes, *Review of Uncle Toms Cabin* (1852), in Slavery Defended: The Views of the Old South 99, 108 - 109 (Eric L. McKitrick ed., 1963)。有关菲茨休很著名但很极端的声誉,请看, Drew Gilpin Faust, *A Southern Stewardship:The Intellectual and the Proslavery Argument*, in Proslavery Thought, Ideology, and Politics 129, 141 - 142 (Paul Finkelman ed., 1989); Robert A. Garson, *Proslavery as Political Tlieory:The Examples of Jolin C.Callioun and George Fitzhugh*, in Proslavery Thought, Ideology, and Politics 177, 180, 185 (Paul Finkelman ed., 1989); Richard Hofstadter, *John C.Callioun:The Marx of the Master Class*, in proslavery Thought, Ideology, and Politics 225, 247 (Paul Finkelman ed., 1989)。

第一个基于这一伟大的生理、哲学和道德真理的政府。[20]

可以理解,卡尔霍恩和奴隶制的很多其他辩护者都认为自己是保守派,不是激进派。他们直接把一个自然地分层的社会这一思想同建国的国父们联系到一起,而《邦联宪法》(Confederate Constitution)毫不奇怪地相当类似于原始的《宪法》。别忘了,在19世纪30年代,南方人和北方人都视加里森派废奴主义者而非奴隶主为激进派。一般来讲,奴隶制的支持者们顺应主流前现代美国思想的一部分方式是,用一种大概的公民共和方式来构想社会——将其构想成一个自然分层的、具有明显的经营阶层和劳动阶层。[21] 但是,奴隶制的支持者们同时没有能够认识到或者接受一些在19世纪前10年内降临到美国身上的变化。就像在第3章中已经讨论过的,一种范围广阔的大众主义正在全国蔓延,包括北方和南方。这种大众主义,作为人民主权的重要组成部分,已经在19世纪的前几十年在国家政治的层面上使公民共和制精英主义黯然失色。因此,主张一种由精英领导的、自然分层的社会,主张奴隶制,尽管是根源于传统的美国政治思想,但却与全国性的变化的大方向背道

---

[20] Bestor,前注9,页179;引用的是,Corner - Stone Speech, March 21, 1861, in Henry Cleveland, Alexander H. Stephens, in Public and Private: With Letters and Speeches 721 (Philadelphia, 1866)。

[21] William Gilmore Simms, *The Morals of Slavery* (1837), in The Pro - Slavery Argument: As Maintained by the Most Distinguished Writers of the Southern States 175, 258 (Charleston: Walker, Richards, 1852)["他们(我们的国父们)所主张的那种民主不但承认了而且坚持了不平等"];请看,Nevins,前注1,页156;Ross,前注4,页30 - 31;1 Thernstrom,前注1,页385;Tise,前注9,页43 - 57, 110 - 111。Tise指出,最早出版的支持奴隶制的小册子写作于1701年,它论辩说,奴隶制适合社会的自然秩序。Tise,前注9,页16 - 18。Tise补充说,支持奴隶制的思想是"主流美国社会思想的重要组成部分"。Larry E. Tise, *The Interregional Appeal of Proslavery Thought:An Ideological Profile of the Antehellum American Clergy*, in Proslavery Thought, Ideology, and Politics 454, 458 (Paul Finkelman ed., 1989)。

而驰。

但是，最为重要的和最为简单的，对于法理学的未来而言，南方输掉了南北战争。在胜者通吃的意义上，北方的胜利在一定意义上驳倒了南方的自然法观念（尽管北方对于自然权利的主张并不必然会被以同样的方式削弱）。当然，种族歧视在战后的美国文化中仍然根深蒂固，但是很少有严肃的法理学者仍然主张自然法正当化了用法律强制执行一种美国社会的所谓内在秩序。尽管南北战争后的社会达尔文主义者相信某些人天生高级而其他人生来低级，但是社会达尔文主义者倾向于用放任自由主义来思考社会。他们认为，优秀者和不优秀者应当被允许自行升降，不许政府的协助或干涉；用法律强制执行一种自然秩序被认为是不必要的、甚至可能是有害的。[22]

甚至更为广泛地讲，总体上的自然法论辩（包括自然权利的一些主张）的"要么全有要么全无的特性"以及这些立场可能相互不一致、并且无法和平解决（就像南北战争所例证的）的可能性，影响了自然法的所有主张。在战前有关奴隶制的争议的语境之中，对于自然法（和自然权利）的主张，按照彼得·J·帕里施的观点，已经"使正统的实际政治处于危险之中"。[23] 在一个正在

---

[22] 请看，Richard Hofstadter, Social Darwinism in American Thought, 1860 – 1915 (1944); Novick, 前注4, 页74 – 76; 请看，例如，William Graham Sumner, *Tlie Absurd Effort to Make the World Over* (1894), in 3 Great Issues in American History 84 (1982). 当然，一些法理学者可能会驳斥支持奴隶制的自然法论辩，仅仅因为这么做是正确的或正义的。但是，我想说的是，如果南方赢得了南北战争，那么北方的废奴观点的正确性或正义性在南北战争后的时期里就不会有什么重要性了。最后，当然，一种自然地种族隔离（如果说不是以种族为秩序）的社会在最高法院的宪法法理学中重新出现了，因为最高法院在 Plessy v. Ferguson 案中阐述了隔离但平等的教义。163 US 537 (1896)。

[23] Parish, 前注1, 页27; Moglen, 前注8, 页2045; 请看，LaPiana, 前注8, 页75 – 76; Wright, 前注8, 页276, 293, 298 – 299; Szasz, 前注9, 页47; Welfle, 前注9, 页204。

变得越来越关注人民主权这一民主思想的国家之中,这种反政治的论辩至少是有问题的。因此,并不偶然的是,林肯及其共和党同僚,尽管并不反对主张自然权利,但却常常强调人民的主权——"民有、民治、民享之政府"——这与实证主义的法律观是相互呼应的。而从法理学的视角来看,主张截然不同并相互对立的自然法和自然权利观念产生了错综复杂的潜在的推测和混淆;但是,法律思想者显然不能通过专注于具体的或实证的法律表述来避免纠缠在这些问题之中。[24]

其他因素进一步促进了南北战争当中和南北战争结束后不久的自然法的终结和实证主义的上升。因为南北战争后总体上倾向于对知识问题进行世俗化,在法理学上明确地基于神启来诉诸自然法开始显得不够科学,因而无法被接受。类似的,美国知识分子当中正在出现的历史主义的感觉促使法理学加怀疑是否存在永恒的、普遍的并且不变的自然法原则。同时,实证主义作为一种理论立场获得了声望,这部分上是由于英国法理学者约翰·奥斯汀(John Austin)的著作。作为杰里米·边沁的信徒,奥斯汀在1832年首次发表了《法理学领域之确定》(*The Province of Jurisprudence Determined*),但是他的著作只有在19世纪60年代他过世后再版

---

[24] Abraham Lincoln, *Gettyshurg Address* (November 19, 1863), in Witness to America 764, 765 (Henry Steele Commager and Allan Nevins eds., 1949);请看,Wright,前注8,页175 - 176,180;Bestor,前注1,页346 - 347。值得注意的是,在对奴隶制法律进行的一项研究当中,罗伯特·卡弗尔认为19世纪早期是实证主义的。请看,Cover,前注9。在我看来,通过如此强烈地集中关注法院中的奴隶制争议,卡弗尔没能解释19世纪法律思想中的强有力的自然法因素。而且,卡弗尔没有在19世纪基于自然权利的论辩与基于自然法的论辩之间进行充分的区分。请比较,White,前注7,页129注190(批评了卡弗尔认为19世纪早期法律思想是实证主义的观点);Anthony J. Sebok, *Misunderstanding Positivirm*, 93 Mich. L. Rev. 2054, 2081 注112 (1995)(批评了卡弗尔认为19世纪晚期的形式主义是以自然法为导向的观点)。但是,尽管我并不同意卡弗尔对于19世纪早期的最终判断,但我相信,有关奴隶制的辩论以及最终的南北战争强有力地促进了美国法理学从自然法向实证主义的转变(就像正文中讨论的)。而且,在他认为人民主权在美国常常被认为高于自然法的程度上,我同意卡弗尔的观点。

才变得有影响力。作为分析派法理学的鼻祖,奥斯汀明确地、有力地攻击了布莱克斯通的自然法概念,后者在19世纪早期的美国是如此地富有影响力。奥斯汀写道:"威廉·布莱克斯通爵士……在他的《评论》中说,上帝的法律在义务方面要高于所有其他的法律;人类的法律都不得违背它们;人类的法律如果违背了它们就没有效力;所有有效的法律的力量都来自这一神的原文。……现在,说与神的法律相冲突的人类的法律不具有拘束力,也就是说不是法律,这完全是胡说。最为邪恶的法律也因此是最与上帝的意志相对立的法律,一直都而且现在也持续地被司法机关作为法律强制执行"。奥斯汀接着提出了自己对法律实证主义的经典表述:法律的命令论(the command theory of law)。"(一条)法律",按照奥斯汀的观点,"就是一个命令,它使一个人或一些人有义务按照一定方式行为"。在南北战争后的年代里,随着美国法律科学主义者们开始认真对待实证主义,奥斯汀的著作强有力地影响了他们。[25]

　　自然法的衰落和实证主义的兴起是相互关联的,它们在法理学中产生了一个典型的现代主义的认识论问题:即基础的问题。在南北战争前,自然法的原则为美国法律体系提供了一个理论基础,但是这个基础突然土崩瓦解了。什么可以被当作一个新的基础呢?当然,人民是主权者,并且这一事实正当化了由立法机关进行的立法活动。而且,事实上,立法在19世纪末变得越来越重要。但是,如果立法所依赖的基础是它被认为代表了人民的主权,那么普通法的司法判决又怎么办?当普通法仍然是美国法律图景中最为普遍的特征时,什么是指引和限制普通法法官的基础性渊源呢?这一形而上学的和认识论问题为美国法律现代主义提供了一个日程表:在其

---

〔25〕 John Austin, The Province of Jurisprudence Determined 29, 157 – 158 (Wilfrid E. Rumble ed., 1995; 1st ed., 1832);请看,页285;LaPiana,前注8,页76 – 78, 116 – 118;Wilfrid E. Rumble, introduction to Austin, 同上, 页 vii – xxiv;Sebok,前注24,页2056 – 2057, 2062 – – 64, 2086 – 2087。

后的至少 100 年里，法理学者们努力为司法判决找到一个客观的基础。[26]

第一阶段的现代法理学：兰德尔主义的法律科学

在南北战争之后，美国的大学得到重建，就像国家的很多其他部分一样。老的大学改革了，年轻的大学出现了，并且大学总体上上升为一个重要的社会机构。这些"新"大学的教员和领导者面对的是一个迅速变化的智识图景，因为世俗主义和历史主义在南北战争后开始兴旺发达。美国的知识分子通过寻找客观性和控制方法来对这些发展作出焦虑的反应。人文学科的大多数学者不再对以上帝作为知识的基础感到满意——也就是说，他们开始对把自然和社会事件归结与上帝的意志的做法感到犹疑——但是这种世俗化并没有减少他们对客观性的渴求。因为惧怕，因而不愿接受一个充满着极端的主观性、相对主义和专断性的世界，他们开始了对于客观性的某种（或某些）新渊源的现代主义的寻找。这种对客观性的寻找为现代主义的研究提供了宽广的日程表，而现代主义的研究是迅速成长中的大学的一个基本使命。如果上帝死了（至少对于认识论目的而言），那么就必须找到一个上帝的替代物。[27] 甚至在看起来最可能接受极端历史偶然性之可能性的历史学科中，客观性的理想也变成了"这一职业的中心规范"。最初，很多学术学科都主张

---

〔26〕请看，Bruce A. Ackerman, Reconstructing American Law (1984)（讨论了美国法律图景在 20 世纪的变迁，其结果是立法统治了自然法）；Robert W. Gordon, *American Law through English Eyes：A Century of Nightmares and Noble Dreams*, 84 Geo. L. J. 2215, 2218 (1996)（讨论了"现代法理学的主要工作"）。

〔27〕请看，Ross, 前注 4，页 61, 318（讨论了学术界的控制欲）；Marsden, 前注 4，页 187；Veysey, 前注 4，页 2-17（区别了老式的南北战争前的学院与南北战争后的新的大学）；Friedrich Nietzsche, *The Gay Science* at §125, in The Portable Nietzsche 93, 95 (Walter Kaufmann ed., 1982)（声称"上帝死了"）。

自己具有科学所具有的权威性，它们试图在某种形式主义当中，试图通过专注于公理性的原则和逻辑自洽的体系来寻找客观性。因此，按照乔治·M·马斯丹（George M. Marsden）的观点，世俗化，或用他的话说，"较老的神学的倒塌"，使南北战争后的学者表现出了一种"对于秩序、系统化、效率、科学原则、（以及）自我节制的激情"。[28]

哈佛大学校长查尔斯·艾略特（Charles Eliot）处在创造这种新型大学运动的前沿。在1869年，他亲自挑选了克里斯托弗·哥伦布·兰德尔（Christopher Columbus Langdell）加入哈佛法学院的三个人的教师队伍，次年兰德尔被任命为院长。在兰德尔院长的领导下，法律学术被专业化了。在南北战争之前，大多数律师学习法律是通过在律师事务所实习，而不是在法学院学习。南北战争前仅有的几位法学教授通常兼职法官或者执业律师。但是，兰德尔试图把法律教授变成全职教师和学者。从兰德尔的视角看来，法律学者在大学内的职位可以为科学地研究法律提供必须的时间。法律教授，作为专业学者，把法律研究变成了一个高度专业化的、基本排除了外部考虑因素的学科。同在阅读和写作中广泛涉猎的南北战争前的法理学者——例如，大卫·霍夫曼的《法律学习课程》推荐阅读的书目包括了从《圣经》到亚里士多德、到培根、到边沁——不同，南北战争后的法律教授集中研究法律，而且只是法律。伦理的、社会学的、历史的等类似的关切被简单地排除在该学科之外。因此，法律教授在科学地研究法律方面富有经验，可以教导自己的学生如何学习——和理解——法律。对于法律学术的未来很重

---

[28] Marsden，前注4，页187；Novick，前注4，页16（"这一职业的中心规范"）；White，前注4（集中关注了20世纪早期对于形式主义的摒弃）。有关科学权威主义的意义，请看，Novick，前注4，页31；Ross，前注4，页62。19世纪晚期美国大学的建设者们最初利用了德国大学作为发展美国大学的典范。Marsden，前注4，页88；Veysey，前注4，页2，16-17，439。

要的是,兰德尔主义的法律教授被认为提供了其他地方得不到的但却是美国社会所需要的两种特殊的服务(或产品)。第一,兰德尔主义者通过自己的法律学术生产了法律科学知识;第二,他们通过在此时已经高度专业化的科学化的法律领域内严格地训练学生生产出了合格的律师。反过来,大学训练出来的律师就显得有能力向美国公众(特别是富有的公司客户)提供一种特殊的、重要的专业服务:在深奥的、专业化的法律科学中的专长。[29]

---

[29] 请看,LaPiana,前注8,页7-28(讨论了艾略特和兰德尔);Marsden,前注4,页186-189(集中关注了艾略特);Chase,前注8,页332-346(论辩说,哈佛大学的各个院系在1870年左右以及其后也发生了类似的改革)。有关法律和其他领域的专业化,请看,Richard L. Abel, *American Lawyers* (1989);Magali Sarfatti Larson, *The Rise of Professionalism: A Sociological Analysis* (1977);也看看,Gunnell,前注4,页42-45(讨论了社会科学的专业化);Novick,前注4,页47-60(强调了在历史学科内的专业化)。尽管艾略特选择了兰德尔,但是全体教员仍然需要投票选兰德尔当院长,但是没有其他教员对该职位感兴趣。Carter,前注8,页4-16;Speziale,前注8,页6-11。马克斯·韦伯强调了大学法学院的建立与法律的形式理性化之间的联系。请看,Stephen M. Feldman, *An Interpretation of Max Weber's Theory of Law : Metaphysics , Economics , and the Iron Cage of Constitutional Law* , 16 L. & Soc. Inquiry 205, 114 – 115, 230 – 232 (1991);也请看,George Ritzer, *Professionalization , Bureaucratization and Rationalization: The Views of Max Weber* , 53 Social Forces 4 (1975)(讨论了专业化与理性化之间的韦伯主义的联系)。
我明确地说兰德尔主义的法律教授是男性,因为在兰德尔主义的兴盛时期在法律学术界中没有女性。女性成为律师(而不是法律教授)的斗争一直到19世纪60年代和70年代才开始。到了20世纪早期,女性几乎在每一个州都可以加入律师协会。但是,即使女性可以成为律师,很多法学院仍然不录取她们学习。在1870年,共有1611名学生在31所法学院学习。在这些学生当中,有4位女性,尽管并不是所有4个人都被允许毕业。到1890年,总共有7000名学生,包括135名女性。但是,一直到进入20世纪很久,很多法学院仍然不录取女性。例如,哥伦比亚大学直到1929年才录取了第一位女性学生。D. Kelly Weisberg, *Barred from the Bar : Women and Legal Education in the United States* 1870 – 1890, 28 J. Legal Educ. 485 (1977)。在所有法学院中的第一位女性教授是 Ellen Spencer Mussy 和 Emma Gillett,她们在1898年创建了自己的法理学院,即华盛顿法学院(Washington College of Law)。但是,华盛顿法学院直到1947年才被接纳为美国法学院联合会(Association of American Law Schools)(AALS)(它成立于1900年)的会员,之后不久该法学院开始附属于美利坚大学(American University)。"在美国律师协会(American Bar Association)(ABA)认可的并且是AALS成员的法学院当中,第一

在学术领域里，艾略特利用兰德尔以其他新型大学的形象创造了一所法学院。而且，就像他们在其他大学院系中的同事一样，兰德尔和他的信徒们面临着以旧神学因世俗化倒塌为标志的智识图景。特别地，在法律领域中，旧的神学就是自然法。那么，最为重要的是，兰德尔主义者们是第一批试图在一个当时已经变为实证主义的世界中理解和合法化普通法体系的美国法理学者。而且，总体来讲，兰德尔主义者以那个时期典型的智识工具、方法和主张面对这一挑战：他们披着科学权威的外衣，他们搜寻有关现实的科学知识，并且他们用逻辑系统化了自己的发现。[30] 简而言之，兰德尔主义者是第一阶段法律现代主义者的典型。因为自然法已经被否定

个被授予属于终身教职系列职位的女性法律教授是 Barbara Nachtrieb Armstrong"，她在 1922 年在加州大学伯克利分校（University of California, Berkeley）得到了一个终身教职系列的任命，即法律与社会经济学讲师。到第二次世界大战结束时，只有 3 位女性 "在成员法学院中拥有终身教职或者终身教职系列的位置"。Soia Mentschikoff 最初开始在哈佛教书是在 1947 年，而这时哈佛还没有录取过女性学生！Herma Hill Kay, *The Future of Women Law Professors*, 77 Iowa L. Rev. 5（1991）；请看，Donna Fossum, *Women Law Professors*, 1980 Am. B. Found. Res. J. 903。

[30] 当更多的骑墙中立派知识分子发现各州政府和全国政府不如学院更容易受到他们对权威的主张的影响，他们就领导了新式大学的出现。Ross，前注 4，页 62–63。托马斯·C. 格雷把兰德尔主义者归进了这个骑墙中立派的类别。Grey, Langdell，前注 8，页 35。我基本上依赖于 C·C·兰德尔的以下著作：Cases on Contracts（2. d ed., 1879）（以下称 Langdell, Casebook）；Summary of the Law of Contracts（2. d ed., 1880）（以下称 Langdell, Summary）；*Preface to the First Edition*, in Cases on Contracts（2. d ed., 1879）（以下称 Langdell, Preface）；*Teaching Law as a Science*, 21 Am. L. Rev. 12. 3（1887）（以下称 Langdell, Teaching）；*Classification of Rights and Wrongs*, 13 Harv. L. Rev. 537（1900）；*Classification of Rights and Wrongs（Part II）*, 13 Harv. L. Rev. 659（1900）（以下称 Langdell, Classification）；*Mutual Promises as a Consideration for Each Other*, 14 Harv. L. Rev. 496（1901）（以下称 Langdell, Mutual）；*Dominant Opinions in England during the Nineteenth Century in Relation to Legislation as Illustrated by English Legislation, or the Ahsence of it, During That Period*, 19 Harv. L. Rev. 151（1906）（以下

了，他们必然要试图把法律体系的基础放在别处。特别地，兰德尔主义者变成了理性主义者，他们主要依赖于抽象的理性或逻辑。[31]

兰德尔很少直接把实证主义当作一个理论来讨论，但是兰德尔主义者们作为一个整体都是忠诚的实用主义者。约瑟夫·毕尔

称 Langdell, *Dominant*)。我也依赖了 Joseph Beale, 1 A Treatise on the Conflict of Laws (1916); Samuel Williston, The Law of Contracts (1920); William A. Keener, preface to A Selection of Cases on the Law of Quasi - Contracts iii (1888) (以下称 Keener, preface); William A. Keener, *Methods of Legal Education* (Part II), 1 Yale L. J. 143 (1892) (以下称 Keener, *Methods*)。一个有关兰德尔的最近的论文的选集，请看, *Colloquy on Langdell*, 20 Law & Soc. Inquiry 691 (1995)。

我不同意托马斯·C·格雷间接暗示的观点，他认为兰德尔主义法律科学是前现代的。在他在其他方面都很出色的对于兰德尔的研究当中，格雷把兰德尔主义法律科学称作是"古典的正统学说"，它是"现代法律思想"的"不可或缺的衬托"。Grey, *Langdell*，前注 8，页 3。我同意兰德尔主义法律科学对于其后的美国法理学在很大程度上起到了一种衬托作用，但是它并不是前现代意义上的古典。因此，尽管起到了衬托的作用，兰德尔主义法律科学也是现代的，因此它同其后的现代主义法理学的其他形式之间有很多共同之处。LaPiana，前注 8，页 59，187 注 11（质疑了兰德尔有关合同法的著作是否应该被称作是古典的或正统的）。我从前也用用过"古典的正统学说"（classical orthodoxy）这个短语。请看，例如，Feldman，前注 8，页 329。尽管这个短语有用地强调了兰德尔法律科学对于美国法理学的重要性——它是标准的或长期占主导地位的法律进路——但是我现在相信，"古典的"这个词可能会引人误解（因为它可能暗示着前现代）。在一篇更晚近的文章当中，格雷本人也把兰德尔法律科学描述为现代的。请看，Grey, *Modern*, 前注 8，页 494。

[31] Langdell, *Preface*, 前注 30，页 viii - ix; Langdell, *Dominant*, 前注 30，页 151; Langdell, *Classification*, 前注 30，页 542; Beale, 前注 30，页 143; 请看, Beale, 前注 30，页 149 - 150（论辩说，普通法是在进步的）; LaPiana, 前注 8，页 122 - 131, 136（讨论了兰德尔主义的实证主义者以及有关兰德尔的实证主义的证据）; Grey, *Langdell*, 前注 8，页 28 - 29 以及注 99（讨论了兰德尔主义者对自然法的摒弃和对于法律进步思想的接受）。

（Joseph Beale）是兰德尔的第二代信徒，他认为"自然法的原则不能被认为是法律……直到它被确立为某个实际活着的并且运行着的实在法体系的原则"。有时，兰德尔本人使用了纯粹实证主义的表述。例如，他说"所有的义务都来源于国家的命令"，而且"法律"这个词，按照律师们通常使用的方法，"是指法院在诉讼当事方之间的诉讼中所执行的法律"。而且，兰德尔主义者们拒绝了这种自然法的概念：法律原则是普遍的和永恒的。相反，在总体上与一种实证主义的视角和一种历史主义的（因此是现代主义的）意识相一致，兰德尔主义者们把法律原则理解为是随着时间发展或进化的。在他第一部合同法案例教科书的前言中，兰德尔强调了法律原则的"生长、发展、（以及）确立"——一种"在很多个世纪中的很多案件中的"缓慢地生长。

但是，最为清楚的是，兰德尔主义的法律科学主义者们的实证主义进路体现在他面对已决案件的腔调上。对于兰德尔来说，这些案例（或者含有这些案例的书籍）是"一切法律知识最终的渊源"。通过研究案例，法律科学主义者们可以用归纳法发现客观的法律原则或教义。因此，兰德尔的法律科学概念是同他的案例教学法紧密相关的。他所引进的案例教学法要求对一些案例进行深入的分析：通过一个苏格拉底式的提问过程，教授引导学生们发现案件中内在的法律原则。案例法与南北战争前典型的进路形成了对比，后者是通过讲座展示抽象的原则和规则。按照兰德尔在其案例教科书的前言中的观点，案例法是最佳的教学方法，因为案例本身是"原始的渊源"。法律教授有资格教育法律学生，因为，作为一个法律科学主义者，他不但在法律执业方面富有经验，而且也在学习法律方面——在从案例中发现原则方面——富有经验。[32]

因此,兰德尔主义的法律科学的两个中心特征就是:对于已决案例的实证主义的关注,以及使用归纳推理来发现法律原则。但是,这一南北战争后的进路的最突出的特征是它忠于演绎推理或者逻辑。事实上,兰德尔所身体力行的法律科学在风格上具有显著的笛卡儿主义的特征。南北战争前的法律科学主义者相当真诚地接受了大量的案件,但是兰德尔主义的科学家使用了一种令人们记起笛卡尔的怀疑的方法或者怀疑主义。兰德尔明确地将他怀疑的目光转向了案件先例:"今天对(法律研究目的而言)有用和必须的案件对于所有被报告的案件来讲比例非常小。对于任何进行系统研究的目的而言,绝大多数都是无用的,甚至比无用还要糟糕"。然后,为了概念化一种逻辑上自洽的并且(希望是)宏伟的法律原则和规则的体系,兰德尔和他的同事以一种笛卡尔主义者的顽强的凶猛应用了演绎推理。"作为一门科学,法律由特定的原则或教义组成",兰德尔声称。"而且,基本的法律(原则或)教义的数量要比人们通常认为的少得多。……如果这些教义可以被归类和排列,把每一个教义都放在其适当的位置里并且不放在别处,那么它们就不会再因为自己的数量把人们吓倒了"。史蒂芬·托尔闵(Stephen Toulmin)这样简练地讲到了笛卡尔:"抽象的公理进来了,具体的多样化不见了。"这句话同样也适用于兰德尔。法律原则类似于欧几里得几何学的公理:它们数量不多,可以被分类和安排成一个正式的体系,并且它们是对所有其他法律原则进行逻辑推理的源头。

---

[32] Langdell, *Teaching*, 前注30, 页124("一切法律知识最终的渊源"); Langdell, *Preface*, 前注30, 页 ix("原始的渊源");请看, Beale, 前注30, 页148-149(论辩说,普通法法官发现法律而非造法); Keener, *Methods*, 前注30, 页144(把法律科学同案例教学法整合了起来); Langdell, *Teaching*, 前注30, 页124-125(关于法律教授在大学中讲授法律的资格)。有关南北战争前的法律教育和兰德尔最初遇到的敌对态度,请看, La-Piana, 前注8, 页29-54(描述了南北战争前的法律教育); Charles Warren, History of the Harvard Law School 372-374 (1970; reprint of 1908 ed.)。

兰德尔主义者们整齐地、理性地把整个法律体系排列成了一个类似于金字塔的概念框架，少数几个公理性的和抽象的原则位于金字塔的顶端，更为精细和大量的规则位于塔底。那些不能被整齐地放进正式的概念框架中的案件县里被认为是错误的，因而是无关的。[33]

对于逻辑的忠诚产生了两个相互关联的后果。第一，分析上的或者逻辑上的合理性是正确的法律推理的惟一标准；所以法官不得考虑可能产生自判决的正义或者不正义。第二，19世纪前期特有的公开实用主义的或工具性的司法判决方法被抛弃了；实际的（或政策）的考虑因素被认为会影响那种能够区别有效的法律推理的逻辑纯粹性。这两个后果的很好的例证就是兰德尔对邮箱规则（the mailbox rule）——它规定着一份邮寄的对于双务合同的要约的接受是在发出时生效还是在收到时生效——的讨论。在他的《合同法要义》（*Summary of the Law of Contracts*）中，兰德尔解释道，对于一份双务合同的要约的接受包含着一个暗含的反要约。按照分析性的定义，任何反要约都必需传递，因为"向受要约人传递是每一个要约所必需的"。因此，作为一个演绎推理问题，通过邮局邮寄的（作为一个反要约的）接受在传递前不生效，或换句话说，在被收到前不生效。在用三段论证明了寄出的接受只有在收到时才有效之后，兰德尔开始驳斥那些认为接受在发出时即生效的常见论辩。兰德尔所驳斥的最后一个这种论辩是，他所建议的规则——接受只有在被收到时才有效——会导致不正义和实际中的荒谬结果。他的反驳很惊人："对于这个论辩的真正回答是，它是无

---

[33] Langdell, *Preface*, 前注30, 页 viii – ix; Stephen Toulmin, Cosmopolis: The Hidden Agenda of Modernity 33 (1990); 请看, Beale, 前注30, 页135（法律"并不仅仅是随意的规则的集合，而是一个科学原则的体系"）; Beale, 前注30, 页148 – 149（解释说，很多案件都是错误判决的，因此并不是真正的法律）; 也请看, Friedman, 前注8, 页617 – 618; Grey, *Langdell*, 前注8, 页16 – 20。

关的"。[34]

简而言之,对于兰德尔主义的法律科学主义者来说,要解决法律问题,就要仔细地注意原则和规则的精确的分析性定义以及不可避免地从这些原则和规则中产生的逻辑后果。尽管公理性原则最终必需从案件当中归纳得出,但是,一旦得出之后,这些原则本身就是法律的内容。就像兰德尔的主要信徒之一威廉·A. 基纳(William A. Keener)所说的:"案例仅仅是用以从中抽出原则的材料。"因此,在南北战争之后的法律科学当中,原则和演绎逻辑十分显著。[35]

因此,并不奇怪,兰德尔主义的法律科学并没有显示出南北战争前的法律科学通常具有的那种自下而上的推理风格。南北战争前的专著通常反映着反复出现案件的狭隘的事实情形,以及令状和诉讼形式的细节。与此形成对比的是,南北战争后的法律科学主义者们倾向于表现出一种自上而下的推理风格。就像已经提到过的,法典诉讼程序已经在很多州(包括兰德尔曾经执业的纽约州)已经取代了普通法的诉讼形式。因此,南北战争前的法律科学主义者认为诉讼形式型塑着普通法的归类,而兰德尔主义者们在自己的分类

---

[34] Langdell, Summary, 前注30, 页15, 18-21。在作出了这一主张后,兰德尔继续了他对正义的讨论:"但假定它是有关的,它可以被用来反对那些使用它的人,而不会丧失任何力量";页21。他然后论辩说,如果认为接受在发出时生效,这会导致更大的不正义。因为这种更为实际的论辩,托马斯·雷认为兰德尔最初的回应——即对于正义的关注是无关的——是"一种有意的法理学上的卖弄"。Grey, *Langdell*, 前注8, 页4注11。我相信,兰德尔的明确的语言表明,格雷把这一点说得过头了。第一,当认为正义是无关的时候,兰德尔声明说这是"真正回答"。第二,在开始他对正义和实际的关切的讨论时,兰德尔认为自己仅仅是在把这些想法当成一种"即便……也……"类型的论辩:即便你并不接受我的第一个论辩(它是真正的回答),你也可能被这个进一步的论辩说服。因此,兰德尔在开始他对正义的讨论时说道:"但假定它是有关的"。Langdell, Summary, 前注30, 页21。兰德尔以类似的方式解构了他对单务合同中的要约的收回的讨论;页3-4。

[35] William A. Keener, *The Inductive Method in Legal Education*, 17 Am. Bar Assoc. Rpts. 473, 484 (1894); 转引自, LaPiana, 前注8, 页135。

体系中得以自由地进行更高层次的抽象；事实上，兰德尔主义者实际是被迫在案件中寻找其他进行组织的主题。所出现的进行组织的新主题是高层次的公理性原则，比如合同法中的对价和双方同意（要约和接受）。这些原则的重要性在兰德尔主义的案例教科书和专著当中很明显。例如，在塞缪尔·威利斯顿（Samuel Williston）的专著《合同法》(*The Law of Contracts*)中，这些原则不再仅仅是一种松散的进行组织的主题；相反，它们是整个项目的核心——是阐发每个章节的实质性的源头。兰德尔自己的《合同法要义》是一部篇幅较短的类似专著的著作，它专注于分析合同的原则；它所包含的对案件的引用和讨论特别少。事实上，在他们的文章和专著中，兰德尔主义的法律科学主义者们倾向于回避对真实案件的讨论，特别是避免事实细节。相反，为了例证自己的主要观点，兰德尔主义者们构造了假设的情形，清除了所有无关的事实性的令人分心的东西，其中的人物也都是非个人化了的、被称作甲乙丙丁的法律行为者。兰德尔的信徒詹姆斯·巴尔·埃姆斯（James Barr Ames）代表了这种字母表熬汤式的风格："甲向丙承诺支付乙欠丙的款项，以换取丙免除乙的债务的许诺。如果乙对于丙有抗辩理由并因此不对丙负有义务，那么，甲因自己的允诺的条件而不对丙负有义务。如果，相反，乙没有针对丙的抗辩理由，而甲却拥有针对乙的抗辩理由，那么，甲必须支付给丙。因为丙为换取甲对自己的承诺而放弃了自己对于乙的主张，所以丙必须有权对其进行强制执行，不受任何有利于甲的衡平法的考虑的影响"。[36]

---

[36] James Barr Ames, *Novation*, 6 Harv. L. Rev. 184, 192 (1891.)；请看，Langdell, Summary, 前注 30；Williston, 前注 30；请看，例如，Joseph Beale, A Selection of Cases and Other Authorities Upon Criminal Law (1894)；William A. Keener, A Selection of Cases on the Law of Contracts (1898)；William A. Keener, A Selection of Cases on the Law of Quasi-Contracts (1888)；Joseph Beale, *Gratuitous Undertakings*, 5 Harv. L. Rev. 111, 230 (1891)。关于对普通法诉讼形式的拒绝的重要性，请看，LaPiana, 前注 8, 页 4, 58, 104。

如果，像我暗示的那样，兰德尔主义者是第一批直面法律现代主义所具有的形而上学和认识论问题的美国法理学家，那么，他们所提供的解决方案至少第一眼看起来是充斥着复杂的难题的。兰德尔主义者们对于形式演绎推理的强烈的忠诚看起来最为适合一种自然法的体系，在这种体系里，法官在理论上可以从较高的法律原则出发自上而下地进行推理，以正确地解决具体案件。但是，兰德尔主义者拒绝了自然法。在一个实证主义的世界里，法律是主权者的命令，因此法官看起来可以制定法律。但是，大多数兰德尔主义者都否认法官拥有这种权利。按照兰德尔主义者的观点，普通法的公理性原则最初是通过从案例自下向上进行归纳推理得出的，但是这些案件正确与否要通过从原则进行自上而下的演绎推理来决定。就像托马斯·格雷所说的，这种做法"看起来是循环论证"。兰德尔主义者们并没有成功地指出现代主义所要求的形而上学的和认识论的基础，相反，他们看起来只是提供了一股旋转飞扬的尘土，一个在半空中旋转的循环性的体系。[37]

但是，尽管表面上是如此，兰德尔主义的法律科学中的这些张力是可以在某种程度上得以缓和的。说得清楚一点，我并不想正当化或合法化兰德尔主义的法理学进路。相反，我希望解释它至少对于兰德尔主义者来讲的合理性在哪里。我的解释出自一个类比：如果南北战争前的法律科学主义者可以被富有成果地同柏拉图进行比较，那么南北战争后的法律科学主义者可以被有用地同亚里士多德进行比较。柏拉图论辩说理念或形式是独立于、分离于具体情况存在，而亚里士多德论辩说理念同物质之间的区别只在于含义。大卫·罗斯指出了柏拉图与亚里士多德之间的不同："柏拉图在他的理念理论中所声称的普适原则是不是自我存在的真实实体？……亚

---

[37] Grey, *Langdell*, 前注 8, 页 11。

里士多德给出了坚定的否定答案。"[38] 按照亚里士多德的观点，理念和物质（或者普适原则与具体细节）在事实上是无法分开的：理念内生于具体细节或表现，并且理念只有通过具体细节或表现才存在。一个事物的真正含义是它的理念，但它如果要存在的话就必须在物质当中表现出来。当然，理念"对于亚里士多德来说就如同个人一样真实和客观"。换句话说，它们并不仅仅是思想的建构物，相反，同时，它们只有通过具体细节表现出来、或者作为具体细节的特征而存在。简而言之，我们"不能假定一个独立的由普适原则组成的世界"。因此，例如，善或爱的理念并不是独立于其具体表现而存在的，但是这些理念的含义可以被作为普适原则进行讨论和分析。[39]

如果形而上学的基础在一定意义上由理念和物质共同组成，那么人们是怎么获得知识的呢？也就是说，人们怎样从对物质（或细节）的感官感觉得到了有关理念（或普适原则）的知识呢？亚里士多德写道："这些知识状态既不是内在于一个确定的理念的，也不是从其他更高的知识状态之中发展出来的，而是从感官感觉中发展出来的。这就像战争中的溃退首先被一个人开始抵抗，然后又被另外一个人开始抵抗所阻止，直到最初的阵列得到恢复。"换句话说，对于亚里士多德来说，人们必须首先感觉到或经历到一系列

---

[38] David Ross, Aristotle 157 (5th ed. 1949)；请看，Joseph Owens, A History of Ancient Western Philosophy (1959)。

[39] Ross, 前注 38, 页 158；请看, Aristotle, *Metaphysics*, in Aristotle 6, 5, 77 - 78 (Philip Wheelwright trans.；Odyssey Press 1951) (以下称 Aristotle, *Metaphysics*)；Aristotle, *Natural Science*, in Aristotle 3, 17 - 18, 23 (Philip Wheelwright trans.；Odyssey Press 1951)；Aristotle, *Psychology* (*De Anima*), in Aristotle II5, 11. 0 - 1. 1 (Philip Wheelwright trans.；Odyssey Press 1951) (以下称 Aristotle, *Psychology*)；请比较，Aristotle, *Nichomachean Ethics* (I. Bywater trans.), in The Complete Works of Aristotle 171. 9 0. Barnes ed., 1984) (以下称 Aristotle, *Ethics*) [拒绝了柏拉图的理念或形式 (Forms) 的理论]。亚里士多德的另外一部重要的相关著作是, *Zoology*, in Aristotle IO5 (Philip Wheelwright trans.；Odyssey Press 1951) (以下称 Aristotle, *Zoology*)。

的具体细节,然后再自下而上地进行归纳推理来发现理念。但是,尽管亚里士多德强调经验和归纳推理,但是他对特别依赖于演绎逻辑的等级式分类体系的喜爱也很著名。最高的原则或理念是他用演绎方法得到的分类框架的前提(或源头)。而且,亚里士多德的精细的等级式的、逻辑化的体系必然要以理念而非物质为中心;理念可以被用逻辑相互联系起来,在概念上组织起来,而物质包含着具体的变化,会挫败这种逻辑化的组织。[40]

理念与物质之间的这种亚里士多德主义的关系阐明了兰德尔主义法律科学中的案件与原则之间的关系。同南北战争前的法律科学主义者形成对比的是,兰德尔主义者并没有假设原则是分离于和独立于案件判决而存在的。相反,法律原则和案件被理解为在事实上无法分离。就像亚里士多德论辩说理念内在于并且只有通过具体的细节或表现才能存在一样,兰德尔主义者论辩说原则内在于、并且只有通过案例才能存在。基纳明确地宣称,法律是"一门由一系列原则组成的科学,只能在已决案件中才能发现这些原则"。因此,对于兰德尔主义者来说,法律原则是真实的和客观的——其意义可以被讨论和分析——但它们仍然只有通过在案件中得到体现或表现才得以存在。当基纳解释案例教学法时,他建议了这种案件与原则之间的形而上学的混合:通过阅读案件"而非阅读"专著中的"原则",学生"是在学习和探索原则本身"。换句话说,普通法的形而上学的基础是由原则和案件共同组成的。[41]

---

[40] Owens,前注38,页303;引用的是,Aristotle;请看,Aristotle, *Metaphysics*,前注39,页67 – 104;Aristotle, Zoology,前注39,页107 – 113;也请看,D. W. Hamlyn, A History of Western Philosophy 60 – 61., 66 – 71 (1987);Ross,前注38,页24,54 – 55。

[41] Keener, *Methods*,前注30,页144(着重号为后加);请看,Keener, preface,前注30,页iii – iv。Beale论辩说,只有当它们被具体的法域作为实在法(或"普通法")接受时,"大写的普通法"(Common Law)的原则才是存在的。请看,Beale,前注30,页138 – 139, 144。

如果是这样的话,那么法律科学主义者是怎样通过案件得到有关原则的知识的呢?让我们接着使用亚里士多德主义哲学的类比:法律科学主义者研究一系列案例,然后通过自下而上的归纳推理发现原则。但是,一旦发现这些原则之后,这些高层次的原则就成为演绎逻辑的链条的源头,通过自上而下的推理产生出精确地分类和安排的形式化的体系。这样,尽管它来源于具体案件,但是兰德尔主义者的精细的法律体系是围绕着抽象的原则和规则的。因此,普通法的认识论基础最初是案件,但主要是公理性原则和演绎推理。

关于兰德尔主义的法律科学与亚里士多德主义哲学之间的关系,有四点需要说明:

第一,就像南北战争前的法理学家一样,南北战争后的法律科学主义者并不赞成任何形式的唯名论(nominalism),唯名论暗示着除了个案判决之外别无他物。尽管兰德尔主义者最初关注案例——这激发了案例教学法——但是,兰德尔主义法律科学与亚里士多德主义哲学之间的类似性强调了法律科学主义者所认为的发现公理性原则所具有的重要性,而公理性原则被认为是内在于大量案件之中的。就像基纳暗示的,法律科学并"不是基于这样的理论:法律是由案件的汇集组成的"。因此并不偶然,兰德尔主义者通过把大量案件简约为少数原则来对法律进行理性化的倾向在19世纪晚期变得对于法律职业特别有用。不但普通法的诉讼形式不再为理解法律提供组织性的主题,这一点已经讨论过,而且,西方出版公司(the West Publishing Company)在19世纪80年代开始了自己的"全国案例报告系统"(the National Reporter System)。律师和法官被不断变厚的西方出版公司的报告淹没了,所以他们欢迎兰德尔主义者帮助过滤这些案例并且找出少数几个被认为很重要的隐蔽在大量案例中的原则。[42]

第二，而且同第一点紧密相关，在亚里士多德主义哲学中，一种对于演绎逻辑的激情导致他集中关注理念（或普适原则）而不是物质，并且，类似的，在兰德尔的法律科学中，对于演绎逻辑的激情导致它集中关注原则和规则而非案件。而且，在一定意义上，对于推理逻辑的热情忠诚，加上与之相关的认为法律原则是真实的和客观的观念，一起合法化了（尽管有些有悖常情）对于正义和实际考虑因素的忽视，而正义和实际考虑因素本应当是判决案件时最应注意的。兰德尔主义者暗含地意识到了抽象的命题（规则和原则）与社会现实（正义和实际考虑因素）之间的关系至少在一个重要的方面是有问题的：谈论一方面的规则和原则与另一方面的社会现实之间的纯粹的演绎逻辑关系并不一定是有意义的。但是，讨论不同的抽象命题之间的——也就是不同的规则和原则之间的——演绎逻辑关系确实是有意义的。因此，当兰德尔主义者坚持认为像正义和实际考虑因素这些社会现实元素与法律无关时，他们强调逻辑秩序对于理解法律体系是至关重要的，这就至少在表面上变得可信。至少，如果说法律体系与社会现实没有联系的话，我们可以想像一个基于抽象理性的法律体系。[43]（当然，想像这样的法律体系并不意味着我们会希望它实际存在）

第三，兰德尔主义者并没有有意识地认为自己是亚里士多德主义者，就像南北战争前的法理学家没有有意识地认为自己是柏拉图主义者一样。尽管亚里士多德主义的类比很有用，但是，很清楚，兰德尔主义法理学并不等同于亚里士多德哲学；其间存在着重大的

---

[42] Keener, *Methods*，前注30，页144（着重号为后加）；请看，Gilmore，前注8，页58–59（有关西方公司的全国案例报告系统）。

[43] 请比较, Andrei Marmor, *No Easy Cases? in Wittgenstein and Legal Theory* 59, 193 (Dennis M. Patterson ed., 1991.)（规则与规则的关系可以是逻辑的，但是规则与世界的关系却不能是逻辑的）。

区别。亚里士多德相信，自然是有目的的，包含着道德的和美学的价值，而兰德尔主义者却并不这么认为。因此，并不奇怪，亚里士多德相信自然法和正义，而兰德尔主义者是实证主义者。亚里士多德信仰表象和我们的感觉的真实性，但兰德尔主义者怀疑并且事实上明确地拒绝了很多案件。简而言之，亚里士多德是前现代的，而兰德尔主义者是现代的。[44]

第四，尽管现代主义的兰德尔主义法律科学同前现代主义的亚里士多德哲学之间存在着这些重要的区别，但是二者之间的显著的类似之处不但有助于解释兰德尔主义的法理学内部的令人困惑的张力，而且也显示了南北战争前的（前现代的）法律科学与南北战争后的（后现代的）法律科学之间的一种类似。例如，尽管兰德尔主义者倾向于避免在自己的文章和专著的文本中讨论实际的案例，但是他们还是有时让自己的脚注充斥着引用，就像南北战争前的专著作者所做的那样。而且，南北战争前和南北战争后的法律科学主义者都强调高层次的原则，尽管是不同种类的原则——自然法原则让路给了用归纳法得出的实证主义的公理。最为重要的，尽管它们各自的原则在类型上存在区别，但是南北战争前和南北战争后的法律科学主义者都把普通法看成是一个理性的原则体系。詹姆斯·古尔德1822年的表述可以被很容易地变成1880年的兰德尔主义的表述："我的教学计划在某种程度上所特有的目标，就是教授法律——特别是普通法——不是作为一堆相互隔绝的实证规则……而是作为一个相互联系的理性原则的体系；因为普通法毫无疑问就

―――――――――

[44] Aristotle, *Ethics* 1，前注39（讨论了人类生活的 *telos*，或者是自然的目的）；请看，Louis Dupre, Passage to Modernity 17–18, 16–28 (1993)。

是如此。"[45]

南北战争前和南北战争后的法律科学之间强烈的相似性暗示着,兰德尔主义者,作为第一批现代主义的美国法理学者,在某些方面没能完全抓住脱离前现代主义的运动的意义。尽管兰德尔主义者相信现代主义意义上的进步——他们论辩说普通法慢慢地进化——但是他们并没有完全采纳一种历史主义的态度。别忘了,从兰德尔主义的视角看来,法官不能仅仅为了社会的功用进行工具性的造法活动。在讲到南北战争后的总体智识倾向时,多萝西·罗斯(Dorothy Ross)论辩说,"(19世纪80年代)的心理状态是典型的'乌托邦式的',并且在基本的方面具有19世纪早期思想的特征"。对于南北战争之后时期的这种描述特别适合于兰德尔主义者:尽管他们相信普通法是处在进步之中的,但是他们把普通法想像成一个具有完美逻辑的、具有概念秩序的体系的努力就看起来有点乌托邦了。可能出于这一原因,一些评论者错误地认为兰德尔主义这是自然法理论家:从公理性原则出发自上而下地进行演绎推理看起来暗示了一种自然法的取向。但是,当然,兰德尔主义者是实证主义者:通过将自己的法理学类比于亚里士多德哲学,就像已经解释过的,他们的实证主义同他们表面上的自然法取向——即对原则和逻辑的专注——之间的张力至少在部分上得到了缓和。而且,恰恰是自然法与实证主义之间的关键性的区别将南北战争前的时期划为前现代,将南北战争后的时期划为现代。[46]

---

[45] Miller, 前注 8, 页 156; 引用的是, James Gould, *The Law School at Litchfield*, United States Law Journal (1812); 请看, Hoeflich, 前注 8 (讨论了南北战争前和南北战争后时期的法律科学的概念)。一部脚注里充满了引用的兰德尔主义的专注的例子,请看, Williston, 前注 30。

[46] Dorothy Ross, *The Literal Tradition Revisited and the Repuh/ican Tradition Addressed*, in New Directions in American Intellectual History 116, 11. 5 (John Higham and Paul K. Conkin eds., 1979); 请看, Sebok, 前注 24, 页 2081 - 2083 (批评了那些认为兰德尔是一位自然法理论家的评论者)。

因此，尽管兰德尔主义者对于历史主义的立场模棱两可，但是，他们在其他方面都代表了第一阶段的现代主义。他们不但是实证主义者和理性主义者——他们主要依靠抽象的理性来发现法律的真理——他们也至少在两个方面推进了自主的、独立的主体或自我的思想。

第一，兰德尔主义者间接地将自己——一些法律学者——描绘为既是法律真理的权威的宣示者又是受司法机关信任的咨询者。南北战争后的法律科学无声地假定，法律学者是自主和独立的自我，有资格宣示法律原则和规则，并就这一教义的内容和应用指导法官。换句话说，部分上因为兰德尔主义者拥有一种混合的社会角色——既是大学教授又是律师——所以他们发展的法律学术也是一个混合体：一方面是被假定科学和客观的研究，另一方面是实际的（律师的）辩护。也就是说，兰德尔主义者科学地发现法律真理，同时又支持法官接受和应用这些真理。因此，在他们作为大学教授和作为律师的双重角色当中，兰德尔主义者强烈地主张他们所谓的个人主义的自我性。[47]

第二，以一种类似的方式，兰德尔主义者帮助发展了法律原则和规则，它们逐步在私人的、自私自利的行为的领域或空间周围划下了界限。与亚当·斯密的资本理论和在整个19世纪一直发展的美国个人主义精神大体相一致，兰德尔主义者提出，有关财产和合同的普通法保护着事先存在的个人之间可以公平地协商和交易的经济市场。在这一经济活动领域之内，独立的、自主的自我被认为可以追求对于自己的经济和社会欲求的满足，不会受到政府干涉。并不偶然，在社会迅速发展和不稳定的19世纪晚期，这种放任自由

---

[47] 请看，Grey, Modern , 前注8，页494（有关混合形式的学术）；Pierre Schlag, *The Prohlem of the Subject*, 69 Tex. L. Rev. 161. 7, 1633 – 1661 (1991)（关于兰德尔与自我的社会建构）。

的主张可以与兰德尔主义有关法律确定性和科学秩序的主张结合在一起，为美国社会中较为富有的人（他们为建设南北战争后的大学出了很多钱）提供了令其放心的安慰。[48]

兰德尔主义法律科学的一个具有政治意义的表现是最高法院在19世纪末、20世纪初的洛克纳案（*Lochner*）时期对于合同自由的保护。在判决于1905年的洛克纳诉纽约案中，最高法院判定，一部限制了面包房雇员工作时间的州法律是违宪的。最高法院的结论是，这一法律违反了第十四修正案的正当程序条款，因为它侵犯了合同自由：雇员可能希望工作时间超过每星期60小时或每天10小时，而政府不应该禁止他们这么做。多数派意见中的推理至少在两个相关的方面反映了南北战争后的法律科学。第一，最高法院的实质正当程序的进路呼应着兰德尔主义的形式主义：多数派假定存在着一个事先存在的私人活动的领域或空间，任何归于这一领域的行为都一概受到保护，政府不得干涉。换句话说，这个案子取决于最高法院对于这个问题的所谓逻辑演绎：被禁止的行为是否属于一个事先就定义好的概念类别，即受保护的私人行为。第二，多数派的形式主义结论本身也加强了围绕着私人行为的领域的表面的边界，在这个领域内，独立自主的自我被认为可以自由地达成合同性的约定。在某种程度上，洛克纳案和相关的最高法院案例宪法化了自由放任经济学和现代的个人主义精神：为了所谓的促进个人自由或者选择自由，最高法院试图保护经济市场不受不正当的政府规制或干涉。在这个放任自由宪法观和实质正当程序的时代里，洛克纳案最高法院在一个接一个的案件中废除了表面上干涉了市场自由运

---

[48] 请看，Gordon，前注8，页88 - 89；Peller，*Neutral Principles*，前注8，页576；Gunnell，前注4，页45（强调了大学与商业利益的重叠）。

行的社会福利立法。[49]

兰德尔主义的法律科学与洛克纳主义的宪法法理学之间的联系提出了自然权利的问题。准确地说，如果南北战争前南方所援引的自然权利在南北战争后被拒绝了，就像前面讨论过的，那么，北方为什么可以援引自然权利呢？是不是有些自然权利推理或修辞的遗存延续到了南北战争后的时期？我将从三个视角讨论这个问题：国会、宪法学者、以及最高法院大法官。

就像人们可能预期的，不论智识上的趋势是什么，至少在紧接着南北战争之后的进行重建的十年里，充斥着政治的国会这一机构最为清楚地继续以自然权利的辞藻表达立场。在战争前和战争中，北方人拥护联邦和自然权利，以对抗南方所援引的国家主权和自然秩序，包括奴隶制。因此，对于重建时期由共和党人控制的议会来说，对联邦权力和自然权利的主张确认了北方的胜利。保护民权，特别是保护那些"对于生命、自由和财产如此重要"以至于成为自然权利的那些权利，变成了南北战争后共和党人的一个中心主题。因此，国会通过了1866年和1875年的《民权法案》(the Civil Rights Acts)，并提出了重建时期宪法修正案，以面对强硬的南方，确认联邦权力和有关自由和平等的个人权利重要地位。当然，因为针对非洲裔美国人的种族主义在北方和南方都还很广泛，所以把国会的这些行为转化成对于非洲裔美国的真正保护而非纸面上的保

---

[49] *Lockner v. New York*, 198 US 45, 57, 64 (1905); Duxbury, 前注8, 页3 (把兰德尔主义的形式主义同洛克纳主义的形式主义联系了起来); Singer, 前注8, 页478-479 (把兰德尔主义法律科学同对契约自由的保护联系了起来)。一些其他的洛克纳主义的案例包括: *Bailey v. Drexel Furniture Co.* (童工税收案), 259 US 20 (1922); *Hammer v. Dagenkart* (童工案), 247 US 251 (1918); *Allgeyer v. Louisiana*, 165 US 578 (1897); *Chicago, Milwaukee & St. Paul Railway v. Minnesota* (明尼苏达州税案), 134 US 418 (1890)。

护,就是一个完全不同的问题。[50]

而且,国会政治是一个问题,而学术又是另外一个问题了。在南北战争后的时期里,宪法学者处于一个相当奇特的位置上。最为重要的是,兰德尔主义的法律科学主义者相信宪法过于政治化和模糊,无法进行科学的研究。换句话说,它并非真正的或纯粹的法律。出于这一原因,兰德尔主义者避免就宪法和其他公法题目进行教学和研究,他们更喜欢专注于司法领域,比如合同、财产和侵权法。宪法因此被留给了其他(非兰德尔主义的)学者,其中最为著名的是托马斯·M. 库利(Thomas M. Cooley)和克里斯托弗·G. 梯德曼(Christopher G. Tiedeman)。[51] 这些学者对自然法问题的态度通常特别含糊。他们没有像兰德尔主义者那样特别强烈地拒绝自然法和自然权利,但是他们也没有像南北战争前的学者那样将自然法和自然权利作为一种法律基础或者以其他方式依赖它们。

当然,库利和梯德曼的重要的宪法专著含有暗示着自然权利的语言。梯德曼甚至超过了库利,他看起来明确地支持自然权利。梯德曼1886年出版的《论警察权之限制》 (*Treatise on the*

---

[50] Kaczorowski,前注1,页924;请看,Derrick Bell, Race, Racism, and American Law (2d ed., 1980)(详细叙述了非洲裔美国人为获得对于权利的保护而进行的斗争);Foner,前注1,页228-280(讨论了有关权利和联邦权力的各种各样的共和党立场)。

[51] Thomas M. Cooley, A Treatise on the Constitutional Limitations which Rest Upon the Legislative Power of the States of the American Union (Da Capo Press 1972; reprint of first ed., 1868) (以下称 Cooley, Constitutional Limitations); Thomas M. Cooley, A Treatise on the Law of Torts or the Wrongs which Arise Independent of Contract (1880) (以下称 Cooley, Torts); Christopher G. Tiedeman, A Treatise on the Limitations of Police Power in the United States (Da Capo Press 1971; reprint of first ed., 1886) 以下称 Tiedeman, Limitations); Christopher G. Tiedeman, The Unwritten Constitution of the United States (1974, photo. reprint of first ed., 1890) (以下称 Tiedeman, Unwritten);请看, LaPiana,前注8,页136-137; Gordon, *Harvard*,前注8,页1254; Grey, *Modern*,前注8,页496-497。兰德尔的弟子 James Barr Ames 和 Joseph Beale 威胁要撤回对于芝加哥大学的新的法学院的支持,因为芝加哥大学意图在这所新的法学院的课程中包括有关政治学的科目。LaPiana,前注8,页129-130; Grey, *Langdell*,前注8,页34-35。

Limitations of Police Power）是这样开篇的："个人的私人权利……并不依赖国内法的规定作为渊源。它们属于处于自然状态中的人；它们是自然权利，是理性之法所承认的、并且存在于理性之法之中的权利"。但是，仅仅在几页纸之后，梯德曼开始含糊其辞了，他提出了宪法的"已确立的原则"："法院在履行自己将立法部门限制在其权力的宪法界限以内的职责时，不能仅仅因为一部法律与司法机关的自然权利和道德概念或抽象的争议相冲突就废除和作废这部法律。"梯德曼继续说道，尽管如此，自然权利的概念仍然可能影响到对于《宪法》明确规定，比如正当程序条款的司法解释。[52]

尽管梯德曼在《论警察权之限制》中含糊其辞，当这部书被与他的其他书面和口头声明、包括他的《美国的不成文宪法》（Unwritten Constitution of the United States）放在一起理解时，梯德曼在自然权利问题上的立场十分类似于库利。对于梯德曼和库利两个人来说，自然法和自然权利只有在被采纳为实在法的程度上才是有意义的，而实在法基本上是随着一个民族和国家的历史和文化发展而演化的。因此，在一定意义上，自然权利之所以能够继续保持其重要性，只是因为美国人民继续支持对自然权利进行实际执行，而不是因为这些权利的抽象存在。例如，在一篇发表于1887年的演讲中，梯德曼坚持认为，"即使在伦理学当中，也不存在……绝对的、不可剥夺的、自然的权利这种东西。所谓的自然权利依赖于人民的法律和伦理观念，并随后者一同变化"。最后，即便梯德曼和库利关于自然权利的陈述不够精确，但是，我们可以安全地作出结论：两位理论家都不曾像如此之多的南北战争前的理论家

---

[52] Tiedeman, Limitations, 前注 51, 页 1, 7；请看，页 10 – 11。库利的 Constitutional Limitations 甚至更不清楚地表达了一种自然权利理论。请看，例如，Cooley, Constitutional Limitations, 前注 51, 页 35 – 36（库利有关自然权利的最强的表述）。

(在前现代主义第一阶段和第二阶段之中都有)那样将自然权利或民权同一种更广泛的、涵盖着一种自然社会秩序的自然法联系在一起。部分上因为南方在南北战争中被打败,部分上因为美国社会中个人主义精神的前进,自然权利和民权脱离了自然法。民权和自然权利(在它们在战争后还继续存在的程度上)变成了个人所拥有的东西,失去了从前与之相关的前现代的社会结构和义务。[53]

不论他们在自然权利问题上的立场为何,很清楚,库利和梯德曼是19世纪末、20世纪初杰出的自由放任主义宪法理论家。大概是呼应着自由放任的资本理论,他们试图限制可允许的政府规制在经济市场中的影响,并且通过这样做增进个人自由。库利的宪法专著首次出版于1868年,是该领域中的重要著作,1910年之前出了7版,并被恰当地称为库利的《宪法之限制》(*Constitutional Limitations*)。用典型的暗示自然权利的模糊语言,库利弹奏出了自由放任宪法观的基本音符:

也有可能有人产生疑问,如果一个有关任何一类公民的法规在性质上完全是恣意的,并且以之前的法律从来没

---

[53] Siegel,前注8,页1517;引用的是,Tiedeman, Annual Address: The Doctrine of Natural Rights in its Bearing Upon American Constitutional Law, in Report of the Seventh Annual Meeting of the Missouri Bar Association 97, 111 (1887);请看,页1437, 1489 – 1491, 1515 – 1518, 1542 – 1543;请看,例如,Cooley, Constitutional Limitations,前注51,页21 – 25(强调了普通法的历史发展)。在 *Unwritten Constitution* 中,梯德曼写道:
在技术上,对于罗马法的自然法概念的批评是有道理的;因为,不会存在不是由国家的主权权力承认的或创造的法律权利。主权者的命令一直都是法律,并因此在法律上是正确的,因此有多少所谓的自然权利因而受到了侵犯并不重要。但是,奥斯汀主义者在这里的错误,就像他们在有关法律的起源和发展的问题上的一般性错误,是在于他们没能注意到这一事实:不论流行的权利观从科学的角度看来有多么错误,这些权利观确实都被加入了并且影响了实在法的发展。(前注51,页71 – 72)
一般地,请看,Owen M. Fiss, 8 History of the Supreme Court of the United States: Troubled Beginnings of the Modern State, 1888 – 1910, at 389 – 390 (1993)(讨论了洛克纳案时代把自由当成是个人的占有物的观念)。

有见过的形式限制了这些公民的权利、特权或法律行为能力，那么，尽管它是普遍适用的，但是它是否能够被支持呢？在这些方面的区别应当基于某些使其具有重要性的原因——比如婴儿和精神病患者不具有行为能力；但是，如果立法机关规定，从事某一特定行业或职业的人不具有行为能力去订立合同、接受财产让与、或者建设其他人可以建设的房屋或者以任何其他人可以使用的方式使用自己的财产，那么就很难怀疑，这一规定超越了立法权的正当界限，即便它并没有与宪法的明确规定发生冲突。被禁止以整个社区被允许的方式获取或享受财产的人或阶层就是被剥夺了对于他或他们"追求幸福"来讲极其重要的具体自由。[54]

因此，十分清楚，库利和梯德曼的自由放任主义的宪法学术在主题上是与最高法院的洛克纳主义宪法判例联系在一起的：学者和最高法院所集中关注的是所谓的保护经济市场不受政府干预，并从而促进个人自由。最高法院的洛克纳主义法理学的很多批评者轻蔑地将其称为一种自然权利的进路，它紧密地基于梯德曼、特别是库利的宪法专著。这里有两点需要强调。

第一，洛克纳案时期的最高法院引用库利和梯德曼来支持中心的自由放任主义命题的次数少得令人吃惊：这一命题就是，最高法院有权推翻政府的被认为是恣意的对于市场的限制。到1938年，最高法院从来没有引用过梯德曼的两部主要的宪法专著。同时，在这一时期，最高法院引用了库利的很多次，但很少是用来支持其自

---

[54] Cooley, Constitutional Limitations, 前注51, 页393；请看, Grey, *Modern*, 前注8, 页496-497（讨论了放任自由的宪法观）；Siegel, 前注8, 页1452-1453（同上）。梯德曼明确声称，他的目的是支持"自由放任的交易，它否认政府有权在提供公共秩序和个人安全之外做其他事情"。Tiedeman, Limitations, 前注51, 页vi。

由放任主义的观点。在这些不常发生的情形中的一次最为清楚的情形当中，最高法院实际上依赖的是库利的侵权法专著，而非他的宪法专著。因此，最高法院的洛克纳主义法理学可能在主题上类似于自由放任主义的宪法学术，但是最高法院很少用主要的学者来支持其推翻社会福利立法的有争议的判决。相反，最高法院通常依赖遵循先例原则，有时引用一长串它自己的先例来正当化又一个自由放任主义的判决。[55]

第二，对洛克纳主义判例本身进行的仔细研究显示出了一种对于类似于库利和梯德曼的作品所面对的自然权利的模棱两可的立场。洛克纳系列案件的根源常常被追溯到斯蒂芬·J·菲尔德（Stephen J. Field）和约瑟夫·P·布拉德利（Joseph P. Bradley）两位大法官在判决于1873年的屠宰场系列案（The Slaughterhouse Cases）中的反对意见，以及这两位大法官在判决于10年之后的屠夫工会公司诉新月城公司案（Butchers' Union Company v. Crescent City Company）中的附和意见。例如，菲尔德大法官明确地论辩说，第十四修正案应当被理解为是保护"自然的、不可剥夺的权利"，其中包括自由订立劳动合同的权利。但是，需要强调的是，那些案件中的大多数法官既没有支持、也没有反驳菲尔德和布拉德利对自然权利的明确引用。直到1897年，在阿尔格耶诉路易斯安娜案（Allgeyer v. Louisiana）中，才有一份多数派意见提

---

[55] 请看，Adair v. United States，208 US 161, 173（1908）（引用了，Cooley, Torts，前注51）；Siegel，前注8，页1487（描述了库利与洛克纳主义判决的共同的历史关联）。有关最高法院在讨论放任自由的命题时对库利的 Constitutional Limitations 的引用，请看，Hammer v. Dagenhart，247 US 251, 274（1918）；Citizens' Saving & Loan Ass'n v. City of Topeka，87 US 655, 663 以及注4（1874）。用西方法律公司的计算机检索功能检索"阿尔格耶"（Allgeyer）这个词表明，在最高法院1937年之前放弃了洛克纳主义进路之前，最高法院至少引用了1897年判决的阿尔格耶案49次。请看，Allgeyer v. Louisiana，165 US 578（1897）。有关一个连续引用放任自由主义的判决的例子，请看，Adkins v. Children's Hospital of the District of Columbia，261 US 525, 545（1923）。

到了自然权利,在该案当中,最高法院以违宪为理由推翻了州政府的一个行为。该案中的多数派引用了布拉德利在屠夫工会案中的附和意见:"进行任何一种普通的终身职业的权利是一种不可剥夺的权利。《独立宣言》里的'追求幸福'这个短语就作出了这样的规定。"即便如此,最高法院在阿尔格耶案中对自然权利的讨论并非其作出如下结论的主要论据:处于争议之中的州政府对于保险合同的限制违反了正当程序。当然,最高法院轻易地提及了不可剥夺的权利,仅仅这一事实就可能被认为是重要的,但是,在后来的洛克纳主义案件中,包括洛克纳案本身,最高法院几乎从来没有使用明确的自然权利辞藻,就更没有强烈地依赖自然权利来正当化自己的判决了。但是,最高法院在十分依赖遵循先例原则时,确实引用了阿尔格耶案很多次,引用的频率实际上远远超过了它对洛克纳案的引用。[56]

总而言之,让我们回到最初的问题:自然权利推理或修辞的某些残留有没有被保持到南北战争之后的时期?回答是:"有一点。"著名宪法学者库利和梯德曼既没有强烈地反驳,也没有强烈地依赖

---

[56] *The Slaughterhouse Cases*, 83 US (16 Wall.) 36, 96-97 (1873) (Field, J., dissenting); *Allgeyer v. Louisiana*, 165 US 578, 589 (1897) (引用了, *Butchers' Union Co. v. Crescent City Co.*, 111 US 746, 762 (1883) (Bradley, J., concurring));请看,*The Slaughterhouse Cases*, 83 US (16 Wall.) 页114-116 (Bradley, J., dissenting); *Butchers' Union Co. v. Crescent City Co.*, 111 US 746, 754-757 (1883) (Field, J., concurring); 762 (Bradley, J., concurring)。在判决于1895年的 *Frisbie v. United States* 案中,最高法院曾经提到"公民的不可剥夺的权利"包括了"契约自由",但是最高法院在那个案件中支持了处于争议当中的政府行为。*Frisbie v. United States*, 157 US 160, 165 (1895)。在 *Loan Association v. Topeka* 案中,最高法院推翻了一个市的税收法律,但没有提及《宪法》,但是,最高法院确实写道,存在着"对于(政府)权力的限制,它们产生于所有自由政府的本质属性"。*Loan Association v. Topeka*, 87 US (20 Wall.) 655, 663 (1874)。在 *Adair v. United States* 案中,最高法院强调了"基本权利",但没有暗示说它们就是自然权利。相反,它声称,国会在商业条款下的权力不能"被用来违反任何由《宪法》的其他条文保护的基本权利"。*Adair v. United States*, 208 US 161, 180 (1908)。在 *Coppage v. Kansas* 案中,最高法院把自由和财产称作是"同时存在的人权"。*Coppage v. Kansas*, 236 US 1, 17 (1915)。

自然权利。至少在其明确的语言中,最高法院在洛克纳主义案件的判决中的做法也类似。而且,最高法院几乎从来没有明确地依赖于这些学者来支持甚至是自由放任的命题——即最高法院有权推翻被认为是恣意的政府对市场的限制——用来支持最高法院有关自然权利的模棱两可的立场就更少了。尽管如此,很多后来的学者,特别是洛克纳主义法理学的批评者,合理地假定自由放任主义的宪法主义是基于自然权利的。别忘了,就像我讨论过的,最高法院和主要的宪法专著作者使用了模棱两可的语言,从来没有像兰德尔主义法律科学主义者那样毫不含糊地弃绝自然权利并采纳实证主义。而且,大法官们偶尔明确提及自然的或不可剥夺的权利,不论有多么罕见,都可以合理地正当化这样的假定:在其他情况中,最高法院至少暗含地依赖于了自然权利。[57]

最后,值得注意的是,洛克纳案时代的最高法院并没有推翻所有的受到挑战的经济法规。尽管最高法院推翻了几乎200个这种法规以及联邦的制定法,它也支持了很多其他法规。在一项有趣的研究中,克伦·奥兰(Karen Orren)的结论是,洛克纳案的最高法院更可能推翻政府对劳动和雇佣合同的限制,而不是政府对经济市场的其他限制。通过解释,奥兰令人信服地论辩说,最高法院是在暗含地保护劳动合同中体现的前现代的主人和仆人的关系的遗存。

---

〔57〕 请看,Wright,前注8,页298-299(论辩说,洛克纳案最高法院间接地依赖了自然权利)。有关在洛克纳时代内学者支持和反对洛克纳案的著作,请看,Arthur W. Machen, *Corporate Personality*, 24 Harv. L. Rev. 253, 261-262 (1911)(支持放任自由的宪法观,他论辩说公司是自然的实体);Haines,前注8,页172-195(批评了洛克纳案最高法院的自然权利推理)。对于自然权利推理在19世纪晚期最高法院的一些实体正当程序案件当中是不是明显的甚或是间接的,更为晚近的学者有不同的意见,请比较,Moglen,前注8,页2032-2033(论辩说,最高法院使用了自然权利推理)和Nelson,前注8,页552-557(同上)与Horwitz 2,前注8,页156-159(论辩说,20世纪早期的进步主义者错误地认为19世纪晚期最高法院遵循了自然权利)和Robert W. Gordon, *The Elusive Transformation*, 6 Yale J. L. & Human. 137, 154 (1994)(评论的是,Horwitz 2,前注8)(同意了Horwitz在这个问题上的观点)。

但是，重要的是，有关法理学的发展，即使最高法院的判决具有保护这样一种前现代的痕迹的效果，但是最高法院从来没有使用明确的语言甚至是十分隐讳地暗示自己是在执行一种自然的社会秩序，而这会让人们太容易记起南方在南北战争前的自然权利论证。相反，在大法官们模棱两可地使用了那些引用自然法或自然权利的程度上，他们倾向于是指自然的或不可剥夺的权利。而且，就像库利和梯德曼一样，这些大法官看起来是把自然法概念化为了个人所占有的、可以针对他人使用的东西，而不是以其他方式明确地同自然法或自然的社会秩序联系在一起的。[58]

第二阶段的现代法理学：
美国法律现实主义

尽管兰德尔主义法律科学在 19 世纪晚期和 20 世纪早期主导了美国法律思想，但是其他同时代的法理学进路也发展了。例如，19 世纪后半叶美国出现了所谓的历史学派，但是，出于各种原因，其长期的影响力却是有限的。历史学派的主要提倡者是上一代的欧洲人：弗里德里西·卡尔·冯·萨维尼（Friedrich Carl von Savigny），他是一位德国人，并在 19 世纪前 10 年的早期出版了自己的作品，以及亨利·梅因（Henry Maine），他是英国人，并于 1861 年出版了自己最为著名的作品——《古代法》（Ancient Law）。从他们的视角看来，法律就像是语言：它作为国家文化的一部分缓慢发展。在美国，历史学派的最早拥护者是詹姆斯·柯立芝·卡特（James Coolidge Carter）。卡特是一位出众的纽约律师和律师界的领导人，在 19 世纪晚期强烈地反对纽约州持续不断的对法律进行法典化的

---

[58] Karen Orren, Belated Feudalism: Labor, the Law, and Liberal Development in the United States 111 – 117 (1991); 请看，Erwin Chemerinsky, Constitutional Law: Principles and Policies 482 (1997)。

努力。因此,除了过世后出版的一本书以外,他的作品主要是"派系性的和论辩性的",并且是作为"演讲或对律师协会的小册子形式的报告"出版的。对于卡特来说,历史的进路纠正了他在法典化运动中看到的自以为是。卡特所称的"经过验证的普通法",一定是随着一个国家的历史演化的。它无法被突然地控制和重构,就像法典化支持者们自以为是地试图做的那样,否则就会导致"伤害"和"混淆"。事实上,在那个世纪的早期,萨维尼本人也利用自己的历史进路来反对德国的法典化运动。[59]

不论如何,卡特的思想并没有在美国法律思想中兴旺发达。当他把自己对法典化的反对扩展到一般性地反对立法时,他可能弱化了自己的法理学立场;他坚持认为立法实际上是同民主不相容的。甚至兰德尔也没有表现出这种对立法的厌恶:他相信,制定法是重要的,需要仔细研究,只不过不是在美国法学院当中,因为法学院应当专注于纯粹的法律(也就是普通法)。[60] 卡特的更为敌对的观点对于人民的主权具有不断增长的强调,这显然同美国政治思想的本质特征相互冲突。于是,最终历史学派在美国法理学当中并不那么重要。其主题在宪法理论方面同其他19世纪晚期思想家,比如库利和梯德曼,相互呼应,也同其他那些反对社会福利立法的放任自由的政治辩护者相互呼应。但是,从长期来看,历史学派还不足够历史主义:它将历史看作是产生和保守地强加规范性的价值或

---

〔59〕 Herget,前注8,页120-121("派系性的","演讲");James Coolidge Carter, Law: Its Origin, Growth, and Function 83, 209-210 (1907);请看,Friedrich Carl von Savigny, Of the Vocation of Our Age for Legislation and Jurisprudence (Abram Hayward trans., 1831;1814年首次以德语出版),in The Great Legal Philosophers 290, 290 (Clarence Morris ed., 1959);也请看,Bodenheimer,前注8,页70-83;Horwitz 2,前注8,页117-121(讨论了卡特对法典化的反对)。

〔60〕 Langdell, *Dominant*, 前注30,页153, 166-167〔赞扬了戴雪(Dicey)19世纪的一部有关英国立法的著作〕;请看,LaPiana,前注8,页124。有关卡特对立法的反对,请看,Carter,前注59,页204-240;Herget,前注8,页120-130。

习惯。在世纪之交站稳了脚跟的更为现代的历史主义观点是将历史看作是显露了由人类聪明才智激发的无穷进步的潜在可能。现代主义者试图为了总体的福利而对社会进行控制和重新组织。这样,具有讽刺意味的是,历史学派对于美国法律思想的最重大的长期意义可能是它鼓励了一种总体上的历史意识——这种意识最终在历史主义的现代主义分支之中得到了更为完整的体现。[61]

尽管历史学派的长期影响很小,但我们却不能说小奥利弗·温德尔·霍姆斯的法理学也是如此。霍姆斯也是兰德尔同时代的人,并且常常被认为是兰德尔的第一位重要批评者,但是,在很多方面,早期的霍姆斯是同兰德尔主义的同时代人强有力地联合在一起的。可能最为重要的是,霍姆斯是一位忠诚的实证主义者。他声称自然法法学家是"天真的",并且,早在1872年,在明确地讨论奥斯汀的实证主义法理学时,霍姆斯写道,"主权是一种形式的权力,而主权者的意志就是法律,这是因为他有权强迫人们服从或处罚不服从的人,而不是因为其他原因"。[62] 作为一个实证主义者,霍姆斯完全被南北战争后法理学的现代主义浪潮吞没了。因此,因

---

[61] 有关历史学派的相对的不重要,请看,Herget,前注8,页22(历史学派"在美国法律哲学中扮演了一个不是支配性的、而是主要的支持性的角色");请比较,Duxbury,前注8,页34(指出霍姆斯借用了梅因和萨维尼的历史法理学,但除此之外没有讨论历史学派);Horwitz 2,前注8,页121(把卡特描述为一位"步行者")。

[62] Oliver Wendell Holmes, Jr., *Natural Law*, 32 Harv. L. Rev. 40 (1918), in The Essential Holmes 180, 181 (Richard A. Posner ed., 1992)("天真的"); Oliver Wendell Holmes, Jr., review of Frederick Pollock, *Law and Command*, The Law Magazine and Review 189 (1872), 6 Am. L. Rev. 723 (1872), in Justice Oliver Wendell Holmes: His Book Notices and Uncollected Letters and Papers 21, 22 (1973)("主权是一种形式的");也请看,Oliver Wendell Holmes, Jr., *Codes, and the Arrangement of Law*, 5 Am. L. Rev. I, 4-5 (1870)(以下称 Holmes, *Codes*)(论辩说,谁拥有主权是一个事实问题)。在他后来的生涯当中,霍姆斯清楚地和尖锐地把法律研究同道德分离了开来。请看,Oliver Wendell Holmes, Jr., *The Path of the Law*, 10 Harv. L. Rev. 457, 459-462 (1897)(以下称 Holmes, *Path*)。关于兰德尔与霍姆斯之间的比较,请看,Duxbury,前注8,页46 和注147(讨论了那些认为霍姆斯是一个纯粹的反形式主义者、因而与兰德尔相互对立的评论者);LaPiana,前注8,页169(强调了兰德尔与霍姆斯之间的类似之处)。

为不具有南北战争前的法律科学主义者对于判例的信念,霍姆斯(像兰德尔一样)怀疑和质疑了案例,就像他早期思想的代表作《普通法》所显示的那样,他在这部书中试图对普通法的体系重新进行概念化。霍姆斯对于司法意见表现出了引人注目的怀疑,他论辩说它们常常模糊或否认判决的真实基础。而且,他重构普通法的努力表现出了一种典型的建立基础的现代主义的追求。实际上,霍姆斯声称整个普通法都基于一个基本原则。在有关侵权法的两个章节的开头,他写道:"我的目的……是发现所有的侵权责任在根本上是否存在任何共同的基础,并且,如果是这样的话,这个基础是什么。假设这一努力会成功,那么它会显示普通法民事责任的一般原则。"霍姆斯相信,通过发现一个最终的基础性原则,自己成功地完成了自己的研究:一个(被认为的)客观的合理性标准,其最佳体现是"普通人,具有普通的智力和合乎情理的谨慎"。[63] 这样,在一定意义上,《普通法》是十分简约主义的——试图把全部普通法压缩为一个原则——而且,因为这一理由,它是高度抽象、形式化和概念化的。简而言之,在很多方面,它十分类似于一部兰德尔主义法理学著作。实际上,霍姆斯在别的地方承认了自己对包括兰德尔在内的那些给普通法带来了逻辑和概念秩序的

---

[63] Oliver Wendell Holmes, Jr., The Common Law 35 – 36, 51, 77 – 78, 111 (Dover ed., 1991; first ed., 1881). 霍姆斯本人认为自己的同时代人是第一代没有前现代信仰的人。请看,G. Edward White, Justice Oliver Wendell Holmes: Law and the Inner Self 37 (1993)。

作者。[64]

尽管霍姆斯同兰德尔主义者之间存在着这些类似之处，但是霍姆斯坐在他们中间却不是那么舒服。一方面，对于兰德尔主义者来讲，一旦从案件中归纳出了普通法的公理性原则，那么，随着法律科学主义者概念化了一个具有逻辑秩序的体系，这些原则和演绎逻辑就变得很突出。另一方面，对于霍姆斯来说，尽管逻辑是重要的，但是它永远都没有压倒对实用主义的关切。在1870年，霍姆斯主张，"尽管（普通法的）一般安排应该是哲学化的（或逻辑化的），但是与实践的便利之间的妥协却是十分正确的"。在《普通法》中，霍姆斯声称："实际上法律的生长是立法性的。……法官们最不经常提及的、并且总是有着冠冕堂皇的理由的考虑因素，恰恰是法律获得所有生命活力的秘密根源。当然，我是指那些对于相关社区来说什么是便利的考虑因素。"[65]

如果说，就像已经讨论过的，兰德尔主义者在某些方面没能抓住远离前现代主义的运动的全部重要性，那么，霍姆斯可能更为完全地理解了这一变迁。霍姆斯甚至可以被认为是第一个完全转向了

---

[64] 请看，例如，Oliver Wendell Holmes, Jr., review of A. V. Dicey, A Treatise on the Rules for the Selection of the Parties to an Action (1870), 5 Am. L. Rev. 534 (1871)（以下称 Holmes, Dicey）; Oliver Wendell Holmes, Jr., review of C. C. Langdell, Summary of Contracts (1880), 14 Am. L. Rev. 233 (1880), in Mark D. Howe, Justice Oliver Wendell Holmes, The Proving Years 156 (1963)（以下称 Holmes, Langdell）。霍姆斯也同兰德尔一样认识到了从普通法诉讼形式向法典诉讼形式的转变在法律分类当中的重要性。请看，Holmes, Codes, 前注 62, 页 13; Holmes, Dicey, 前注, 页 535; 也请看，White, 前注 63, 页 117。

[65] Holmes, Codes, 前注 62, 页 4; Holmes, 前注 63, 页 35; 请看，Grey, Holmes, 前注 8, 页 819（强调了霍姆斯的实用主义）。Nicholas St. John Green 在法理学方面有些具有霍姆斯的色彩，他最初在兰德尔之下在哈佛教书，但是为了抗议兰德尔主义者过于理论化的进路而离开了。他其后帮助波士顿大学（Boston University）设立了法学院。请看，LaPiana, 前注 8, 页 110 – 122; 请看，例如，Nicholas St. John Green, Slander and Libel, 6 Am. L. Rev. 593 (1872.); review of John Townsend, A Treatise on the Wrongs Called Slander and Libel, and On the Remedy by Civil Action for Those Wrongs (1872)。

一种现代历史主义的感受力的美国法理学家,他在自己最为著名的格言中暗示了这种感受力:"法律的生命从来都不是逻辑:法律的生命在于经验。"他最初是在对兰德尔的《合同法要义》(Summary of Contracts)的一篇批评性评论中写下这句话的,并且在《普通法》的第1页重复了这句话。霍姆斯在《普通法》中继续说:

> 人们感觉到的时代的需要,盛行的道德和政治理论,公共政策的直觉,不论是公开承认的或是下意识的,甚至法官与自己的同胞分享的偏见,这些同那些三段论相比,在确定人们应受之管辖的规则时要有用得多。法律体现了一个民族在很多个世纪中的发展过程,对待它时不能觉得好像它只包含一部数学书中的公理和推论。为了知道它是什么,我们必须知道它曾经是什么,以及它倾向于变成什么。我们必须交替地查阅历史和现存的立法理论。[66]

因此,甚至更进一步同兰德尔主义法理学形成对比,霍姆斯建议法官公开承认自己制定法律(或立法)的权力,并且更为有意识地努力为了社会的善益而制定法律。例如,在讨论邮箱规则的时候,尽管兰德尔集中关注一种三段论的证明,但是霍姆斯强调了实际的考虑因素:"(在邮箱的情况当中)疑问(在于)合同在何时完成了:是在回复的承诺被放入邮箱当中时,还是在它被收到时。如果任何一种观点对于便利更为有利,那么这就是采纳这一观点的

---

[66] Holmes,前注63,页1;Holmes, Langdell,前注64,页156;请看,Minda,前注8,页16(论辩说,法理学的现代主义时代在霍姆斯身上达到了最佳时期);Grey, Holmes,前注8,页796-798(讨论了霍姆斯的法理学中的历史主义的态度的重要性)。

充分理由。"[67]

这样,同现代的历史主义态度相一致,霍姆斯相信,历史表明社会是进步的,并且人类可以控制和疏导社会变化。尽管这一现代化的态度可能有点自以为是,但是它却并不一定是乌托邦的。同兰德尔主义者不同,霍姆斯从来没有把普通法当成一个完全有逻辑的和具有概念秩序的系统。"事实是",霍姆斯主张,"法律总是在不断接近自洽,但却永远无法达到自洽"。它总是从位于一端的生活之中采纳新的原则,并且它又总是从位于另外一端的历史之中保留旧有的原则,这些旧有的原则尚且没有被吸收或丢弃"。事实上,霍姆斯根本就是更为犬儒主义,而不是乌托邦或充满希望。在他职业生涯的晚期,他悲哀地说道,"我认为,即使世界生活在与我们的法律在很多方面都不同的法律之下,它也会一样不错……我们特殊的法典之所以能够得到尊重,仅仅是因为它的存在,因为我们已经习惯它了,而不是因为它代表了一个永恒的原则"。[68]

总而言之,尽管兰德尔主义者十分符合第一阶段的现代主义,但是霍姆斯却不那么容易。兰德尔主义者试图通过主要专注于公理性的原则和演绎推理来给普通法奠定基础。霍姆斯自愿地考虑了原则和逻辑,但这却没有削弱他对实践经验的考虑。在效果上,霍姆斯的实用主义的历史主义预示了法律现代主义的第二个阶段——实

---

[67] Holmes,前注63,页305。兰德尔曾经基于他的三段论证明论辩说,对要约的接受应当在被收到时生效;实际的考虑因素和正义根本无关紧要。在兰德尔确实讨论了这种实用的关切时,他小心地绕开了对于它们的重要性的讨论,他解释说这些关切并不是可以合法地给司法决定以基础的原则。与兰德尔的论辩形成鲜明对比的是,霍姆斯主张,便利本身就可以具有决定性。接着,作为一个附属问题,霍姆斯加上了一个逻辑的论辩,以支持对要约的接受在发出时即生效的观点,并特别地批评了兰德尔的三段论推理;请看,页305-307。有关霍姆斯建议的由司法机关进行有意识的造法活动,请看,页36;Holmes, *Path*,前注62,页467。

[68] Holmes,前注63,页36("事实是");Oliver Wendell Holmes, Jr., *Law in Science and Science in Law*, 12. Harv. L. Rev. 443 (1899), in The Essential Holmes 185, 198 (Richard A. Posner ed., 1992.)("我认为")。

证主义——作为知识的客观来源,这个阶段的法理学家们主要关注经验。但是,霍姆斯对第二阶段法律现代主义的这种预示最为清楚地出现在他晚期的法理学著作中,特别是发表于 1897 年的《法律的道路》(*The Path of the Law*)。在这篇论文中,霍姆斯论辩说,法律研究应该以预测"公共力量通过法院这一工具的出现"为自己的目标。霍姆斯推理说,为了预测对公共力量的使用,法律学者应该把自己放在"坏人"的位置上。坏人只是想要知道法院在何时会施加惩罚;他不在乎逻辑自洽和抽象原则。所以,霍姆斯暗示了一种外部的或行为主义的法律观的优点:就像一个站在司法程序之外的坏人一样,法律学者可以观察到,一些刺激会产生可以预测的司法反应和法律后果。[69]

尽管第二阶段的法律现代主义直到 20 世纪 20 年代和 30 年代随着美国法律现实主义的发展才形成,但是,第二阶段的基本元素也标记了 20 世纪早期法律社会学家(sociological jurisprudents)的作品,比如罗斯考·庞德(Roscoe Pound)和本杰明·卡多佐(Benjamin Cardozo)的作品。同霍姆斯一样,这些法理学家对兰德尔主义者表达了前后不一的(或模棱两可的)情绪。同兰德尔主义者和霍姆斯一样,这些法律社会学家是忠诚的实证主义者,他们也对法律原则、理性秩序和系统组织保留了相当的关切。但是,这些法律社会学家们攻击了兰德尔主义者过度形式主义的法律推理,这种推理被庞德轻蔑地称作"机械法理学"。在很多时候,法律真理和正确的法律判决不是被发现的。他们论述说,相反,"进行司法/给出正义"(administration of justice)有时会要求普通法法官为

---

[69] Holmes, *Path*, 前注 62, 页 457–461; 请看, 例如, Jerome Frank, *Mr. Justice Holmes and Non-Euclidean Legal Thinking*, 17 Cornell L. Q. 568 (1932.)(强调了霍姆斯在背离兰德尔主义法理学中的作用)。

了社会的善益而立法。[70]

在很多方面,庞德和他的同事们在法理学中呼应了温和的进步主义者(Progressives)在当时的政治,这些人的总体目标是补救那些来自于放任市场资本主义和大规模工业化的困难。进步主义的出现伴随着这样一种政治的和智识的感觉:美国社会就是大量相互冲突的既得利益,包括劳动者和资本家的既得利益。因此,进步主义者倾向于支持政府对信托和童工的限制,但他们同时又道德化了像饮酒和妓女这些罪恶,并且偶尔表达了先天论(nativist)的情绪。这样,作为进步主义者,法律社会学家不但强调了司法机关造法,也强调了政治上温和的立法机关造法,坚持认为法律应该发生充分的变化,以适应变化的社会条件。所以,并不奇怪,庞德开始了对于洛克纳案最高法院的放任自由宪法观的长期学术批评,他抨击这种宪法观的原因之一就是它表现了一种自然权利的思维。[71]

即使进步主义的政治运动在第一次世界大战前后消退了,但是法律现代主义的第二阶段在20世纪20年代和30年代随着美国法律现实主义的出现而达到了最佳时期。[72] 至少三个原因联合起来

---

[70] Roscoe Pound, *Mechanical Jurisprudence*, 8 Colum. L. Rev. 605, 605 – 609 (1908)(以下称 Pound, *Mechanical*);也请看, Benjamin Cardozo, The Nature of the Judicial Process (192. 1); Roscoe Pound, *The Scope and Purpose of Sociological Jurisprudence*, 25 Harv. L. Rev. 489 (1912.); Roscoe Pound, *The Theory of Judicial Decision*, 36 Harv. L. Rev. 940 (1923)。对于法律社会学的出色讨论,请看, Hull, 前注 8; G. Edward White, *From Sociological Jurisprudence to Realism: Jurispruqence and Sooal Change in Early Twentieth – Century America*, in Patterns of American Legal Thought 99 (1978)。

[71] 请看, Roscoe Pound, *Liberty of Contract*, 18 Yale L. J. 454, 455, 464 – 468 (1909)(攻击了放任自由宪法观,认为它是基于自然权利)(以下称 Pound, *Liberty*)。有关一般的进步主义,请看, Hofstadter, 前注 1, 页 176 – 182; Weibe, 前注 1, 页 164 – 195。

[72] 对于现实主义的展开讨论包括: Laura Kalman, Legal Realism at Yale, 1927 – 1960 (1986)(以下称 Kalman, *Legal Realism*); Schlegel, 前注 8; William Twining, Karl Llewellyn and the Realist Movement (1973)。对于现实主义者的各式各样的名单的汇编,请看, Hull, 前注 8, 页 343 – 346。

引发了现实主义在这次战争后的成长。

第一，第一阶段法律现代主义的工作看起来已经几乎枯竭了。在南北战争后，兰德尔主义的法律学者面对着概念化美国法律体系的挑战，而这个法律体系已经被剪除了自然法的原则，也被剪除了从前由普通法的诉讼形式所施加的组织。在大多数时候，兰德尔主义者都轻而易举地控制了、甚至完成了自己的任务，至少就他们自己所感觉到的任务而言是如此：即对现在已经现代主义的法律制度进行抽象的理性化和概念建构。因此，很多下一代的年轻法律学者都面临着令人沮丧的前景：庸俗地重复过去，一次又一次地理性化和重新理性化法律。就像现实主义者弗莱德·罗戴尔（Fred Rodell）所说的，法律学术已经变得"在性质上垂死了"。[73]

第二，这些年轻的法律学者中有一些人认识到了正在萌芽的社会科学的意义和潜力，这些社会科学正在大学的其他部分里迅速发展。随着社会科学的上升，兰德尔主义对于纯粹法律——独立于历史、经济学、心理学和其他学科——的强调，在那些卷入了当时智识潮流的兴奋之中的法律教授看来特别有问题。沃尔特·威勒·库克（Walter Wheeler Cook）和安德黑尔·穆尔（Underhill Moore）两个人都在 1922 年听了一次讲座，在这次讲座中，哲学家约翰·杜威（John Dewey）主张"法律最好应被看作一门经验科学"。对于库克和穆尔来说，这次讲座改变了他们的法理学，促使他们转向一种更为经验化的或"实验性"的方法。实际上，库克，以及赫曼·奥里分特（Herman Oliphant）、黑瑟尔·因特玛（Hessel Ynte-

---

[73] Fred Rodell, *Goodbye to Law Reviews*, 2. 3 Va. L. Rev. 38, 38 (1936); 请看, Stephen M. Feldman, *Diagnosing Power:Postmodernism in Legal Scholarship and Judicial Practice* (*With an Emphasis on the Teague Rule against New Rules in Habeas Corpus Cases*), 88 Nw. U. L. Rev. 1046, 1090 – 1091 (1994); John Henry Schlegel, *Langdell's Legacy or,The Case of tlie Empty Envelope*, 36 Stan. L. Rev. 1517, 1529 – 1530 (1984), review of Robert S. Stevens, Law School: Legal Education in America From the 1850s to the 1980s (1983)。

ma) 和利昂·马歇尔 (Leon Marshall), 一起在约翰·霍普金斯大学 (Johns Hopkins University) 于 1929 年创立了法律研究所 (Institute of Law), 它致力于对法律进行经验性研究, 并不试图训练学生成为律师。[74]

第三, 特别是随着 20 世纪 30 年代新政的出现, 摒弃洛克纳案法院的放任自由宪法观的政治压力开始增大, 以便为自由主义经济立法扫清道路。受到移民和其他政治外围集团广泛支持的新政, 要比较早的进步主义运动自由主义得多, 后者倾向于用传统美国价值进行说教。"新政", 用劳拉·凯尔曼 (Laura Kalman) 的话说, "变成了不带有道德主义的进步主义"。通过立法, 包括创设和扩展行政机构, 富兰克林·罗斯福 (Franklin Roosevelt) 和其他新政主义者公开地、积极地试图改变美国经济, 以结束大萧条。放任自由资本主义显然产生了经济崩溃、贫困和不公正, 但是越来越官僚化的中央政府试图控制、并在实际上复活资本主义。新政主义者通过了大量制定法, 比如《国家工业恢复法》(National Industrial Recovery Act)、《社会保障法》(Social Security Act)、《全国劳动关系法》(National Labor Relations Act), 目标是"使工业体系更为人性化, 并保护工人及其家人免受剥削"。就像很多现实主义者开始在政治上支持新政一样, 他们所支持的恰恰就是洛克纳案法院反复推翻的那种类型的自由经济立法。大量现实主义者领袖, 包括杰罗米·弗兰克 (Jerome Frank)、瑟曼·阿诺德 (Thurman Arnold)、亚伯·福塔斯 (Abe Fortas) 和费利克斯·科恩 (Felix Cohen), 最终在新政中得到了重要的官方职位。而且, 在政治之外, 现实主义者通常都追寻罗斯考·庞德的合理的 (如果说不一定是正确的话)

---

[74] Laura Kalman, *Bleak House*, 84 Geo. L. J. 2245, 2245 (1996); 引用的是, Schlegel, 前注 8, 页 8, 重述了杜威的一次演讲; Walter Wheeler Cook, The Logical and Legal Basis of the Conflict of Laws 4 (1942) ("实验性"的方法); 请看, Purcell, 前注 4, 页 3-73 (关于科学自然主义的出现); Schlegel, 前注 8, 页 57-61。

最初分类，即把洛克纳主义的宪法观归类为基于自然权利。因此，从现实主义者的视角看来，洛克纳案法院是在传播过时的和前现代的偏见，这些偏见危险地阻碍了现代的进步。[75]

在从第一阶段现代主义向第二阶段现代主义过渡方面，需要强调现实主义运动的两个组成部分：第一，对第一阶段现代主义的抽象理性主义的摒弃，以及，第二，转向以经验主义作为基础性知识的来源。现实主义者谴责了兰德尔主义法律科学的抽象的、非语境化的理性主义，认为它同有意义的社会现实没有关系，同人类对外在世界的体验没有关系。兰德尔主义学者声称自己的抽象理性使自己能够发现客观的法律真理——普通法的规则和原则——但是像费利克斯·科恩这样的现实主义者蔑视兰德尔主义的规则和原则，认为它们是"超验的废话"。例如，为了确定一个法院是否对一个公司拥有管辖权，一个兰德尔主义者会问，"公司在哪里？"然后，兰德尔主义者会假装借助抽象的规则和原则来解决这个问题——作出结论说，比如，这家公司是在纽约。但是，科恩论辩说，尽管兰德尔主义者自命不凡，但是他们的规则和原则在这个案件中并不能产生一个确定的结果。"很清楚，当一个公司是在一个州注册、但其代理人却在另外一个州进行公司业务时，这个公司究竟位于何方这个问题并不是一个可以通过经验观察解决的问题，"科恩写道。"事实上，这个问题在形而上学的地位上是同下面的问题一样

---

〔75〕 Laura Kalman, Abe Fortas: A Biography 23 (1990); Leuchtenberg, 前注 1, 页 333（"使工业体系"）；请看, Hofstadter, 前注 1, 页 316 – 317; Leuchtenberg, 前注 1, 页 338 – 339, 344（把进步主义同新政进行了比较）；请看，例如, Thomas Reed Powell, *The Judicialicy of Minimum Wage Legislation*, 37 Harv. L. Rev. 545, 554 – 556 (1924)（从现实主义的视角论辩说，契约自由是由洛克纳案最高法院的大法官们发明的一种权利；契约自由并非《宪法》的组成部分）。我并不是在暗示现实主义法理学可以被等同于新政，相反，我认为，很多现实主义者变成了新政主义者，他们甚至为罗斯福政府工作。请看, Duxbury, 前注 8, 页 153 – 154; Grey, *Modern*, 前注 8, 页 501 – 502。现实主义法理学显然同新政政治有强烈共鸣，因此促使很多现实主义者接受了新政的政治立场。请看，例如, Kalman, 前注 8, 页 17。

的……'一个针尖上能站几个天使?'"兰德尔主义风格的推理仅仅是为通过某些其他方式或方法得出的结论提供了一个标签而已。这个例子中的结果——即公司是在纽约——意味着,出于没有说明的原因,法院已经决定这家公司应该可以被在纽约提起诉讼。[76]

在《荆棘丛》(The Bramble Bush)中,卡尔·卢埃林鼓吹了现实主义者针对抽象理性主义的打破旧习的立场,以及他们随之而来的对于解决实际争议的关注:"一般性的命题是空洞的。……规则本身……是没有价值的。对争议做些什么,把这些事做得合乎情理,这就是法律的目标。而那些负责做这些事的人,不管他们是法官、治安官、书记员、狱卒还是律师,都是执法官员(officials of the law)。在我看来,这些官员就争议而做的事情,便是法律本身。"[77] 按照最为极端的现实主义者的观点,抽象的规则和原则不仅不能确定司法结果,而且更进一步,它们或是蒙昧主义的,或是完全不相关的。兰德尔主义的法律科学的形象因而就是一个神话,甚至可能还是一个危险的、引人误解的神话。在一个值得注意的自白中,一位现实主义的联邦地区法院法官,即约瑟夫·哈其森(Joseph Hutcheson),声称自己是基于"本能的"直觉来断案的。规则和原则至多只是作为事后的正当化理由——作为"对于法律行为的异想天开的理性化"——它们被聪明地构建起来就是为了模糊化、同时又要看起来是正当化了法官的直觉结论。在现实主义者亚伯·福塔斯变成了最高法院大法官后,他有时会写作不带法律

---

[76] Felix Cohen, *Transcendental Nonsense and the Functional Approach*, 35 Colum. L. Rev. 809 (1935), in The Legal Conscience 33, 34-37 (1960).

[77] Karl Llewellyn, The Bramble Bush 12 (1930)(着重号已省略)(以下称 Llewellyn, Bramble Bush)。所引用的段落中的最后一个句子最终成为了争议的中心,卢埃林在该书的后续版本中收回了这句话;Karl Llewellyn, The Bramble Bush 8-9 (1951);请看,Karl N. Llewellyn, *On Reading and Using the Newer Jurisprudence*, 40 Colum. L. Rev. 581, 603 (1940)(表达了"公开的忏悔",因为自己在 The Bramhle Bush 中认为,法律就是官员们所作的事情,不论这些事情有多么任意)。

引证的意见草稿,然后让自己的助理用适当的教义(doctrine)和先例来"点缀"这些草稿。但是,值得注意的是,即便是在现实主义者十分贪婪地进行挑剔和破坏时,在20世纪20年代晚期和30年代早期,兰德尔主义的理性主义并没有完全从法理学的图画中消失。美国法律研究所(American Law Institute)在同一时期的组建以及它开始的《重述》(Restatement)运动可以被理解为兰德尔主义对于现实主义的一次反动性的反应。面对着现实主义的批评,重述者们(Restaters)(其中很多都是年老的兰德尔主义者)基本上是意图阐述普通法的领域,比如合同法和侵权法,以一种抽象的、具有概念体系的、形式化的方式来呈现它们。[78]

尽管有"重述"运动,但是现实主义者对抽象理性主义的进攻还是被推动前进了,这部分上是因为他们在政治上反对洛克纳案法院的放任自由宪法观。现实主义者正确地把洛克纳案法院的司法形式主义看作是同兰德尔主义者的法理学形式主义紧密联系的。因此,对其中一者的攻击也就是对另外一者的攻击。现实主义者厌恶洛克纳主义宪法观所具有的显然的自然权利取向,除此之外,现实主义的批评通常采取两种形式中的一种,而这两者只有第一种才集中关注抽象的形式主义推理。洛克纳案的关键之处是最高法院所谓的逻辑推论,即为立法所禁止的雇佣行为——在面包房里超时工

---

[78] Joseph Hutcheson, *The Judgment Intuitive: The Function of the "Hunch" in Judicial Decision*, 14 Cornell L. Q. 274, 278, 286 – 287 (1929); Rodell, 前注 73, 页 38; Kalman, 前注 8, 页 46; 引用的是, Fortas, from Kalman's interview with Fortas's clerk, John Griffiths; 请看, Karl Llewellyn, *Some Realism ahout Realism – Responding to Dean Pound*, 44 Harv. L. Rev. 1222, 1238 – 1241 (1931); Max Radin, *The Theory of Judicial Decision Or: How judges Think*, 11 A. B. A. J. 357 (1925)。有关"重述"运动的历史信息, 请看, Grant Gilmore, The Death of Contract 58 – 65 (1974); H. Goodrich and P. Wolkin, The Story of the American Law Institute 1923 – 1961 (1961); J. Honnold, The Life of the Law 144 – 180 (1964); 请看, 例如, Restatement of Contracts (1932)。对于"重述"运动的现实主义批评, 请看, Cohen, 前注 76, 页 59; Walter Wheeler Cook, *Scientific Method and the Law*, 13 A. B. A. J. 303, 307 (June 1927)。

作——属于一个有关私人行为的、已经预先定义好的概念类别或领域，政府对其不得干涉。现实主义者声称，这种抽象理性主义不但没能脱去传统的文化偏见，而且实际上反映了和强化了它们，因此进一步遮蔽了真理。换句话说，在现实主义者看来，洛克纳案法院依赖了假定存在一个预先存在的私人行为的领域，而这个领域保护着个人自由，但是这种依赖并没有基于有关社会现实的经验。相反，这个被假定的私人行为的领域是一个由文化偏见所产生的幻觉。用罗伯特·黑尔（Robert Hale）的话说，"放任自由"的体系"在现实中充斥着对于个人自由的强迫性的限制"。个人可以达成被认为属于私人领域的雇佣合同，这只是因为政府已经创造了、并且继续支持合同法体系。如果去除了政府行动，那么所谓的私人领域就不能存在；相反，私人领域之所以存在恰恰是因为政府行为。而且，与最高法院的假定相反，在私人领域内的个人并不必然是自由的：不存在政府干预并不等于自由，因为私人领域内的各种个人和团体不断地强迫彼此。实际上，在很多情况中，政府行为可以增进个人自由。[79]

对于放任自由宪法观的第二种现实主义批评源自霍姆斯在洛克纳案中的反对意见。霍姆斯强有力地论辩说，最高法院应当尊重立法机关限制雇员工作时间的决定。最高法院没有行使适当程度的司法自制，侵犯了立法机关的制度职能。尽管霍姆斯的反对意见在开始时相对来讲不受人们注意，但是，在5年之内，法律社会学家和其他进步主义者就已经在赞美它了。沿着这一道路，现实主义者继而抓住了霍姆斯的立场，强调了除法官之外的单个的政府专家——

---

[79] Robert L. Hale, *Coercion and Distribution in a Supposedly Non – coercive State*, 38 Pol. Sci. Q. 470, 470 (1923); 请看, Robert L. Hale, *Force and the State: A Comparison of Political" and Economic" Compulsion*, 35 Colum. L. Rev. 149, 149, 168, 198–201 (1935)。法律社会学家 Morris R. Cohen 作出了类似的论辩。Morris R. Cohen, *The Basis of Contract*, 46 Harv. L. Rev. 553, 585–587 (1933)。

也就是说立法机关和行政机构中的专家——使用工具理性重新安排社会的能力，以促进大量公民的经济和社会福利。因此，霍姆斯在宪法案件中对于司法自制的呼唤强有力地呼应着现实主义者最终的新政政治，它表现出了一种对于人类聪明才智和社会进步的强大的现代主义信念。[80]

尽管现实主义者攻击抽象理性主义，但是大多数现实主义者并没有拒绝现代主义对基础性知识的忠诚；他们仅仅否认抽象理性可以显露法律真理。对于现实主义者来说，兰德尔主义法律科学的理性主义和洛克纳主义的宪法观不足以去掉文化所产生的传统和偏见。"法律思维的很多公理"，杰罗米·弗兰克声称，"并没有显露在表面上，而是隐藏起来的，必须挖出来才看得见"。因此，以一种第二阶段现代主义特有的行动，现实主义者转向以经验作为客观性的来源。现实主义者主张，抽象的法律规则和原则可能并没有限制司法判决，但是外部的（和社会的）世界的具体事实确实影响、甚至决定了这种判决。而且，与第二阶段现代主义的发展相一致，相关事实越来越显得是以个人的行为为中心了。支配某一位具体法官的事实可能像一个证人头发的颜色、一个律师的鼻音、法官当天早晨碰巧吃的早餐显得同样古怪和任意。按照弗兰克的观点，"由法官进行司法，其中的人的因素是无法抑制的"。[81]

因此，现实主义者论辩说，细致地注意法律行动者的可观察行为的经验研究可以显示出那些引起了可预测的司法反应的刺激因素。"只有经验的观察"，沃尔特·威勒·库克声称，"才能给我们

---

[80] *Lochner v. New Yorlc*，198 US 45，74–76（1905）（Holmes，J.，dissenting）；请看，White，Holmes，前注63，页364–365（讨论了霍姆斯的反对意见的意义）。

[81] Jerome Frank，*Mr. Justice Holmes and Non-Euclidean Legal Thinking*，17 Cornell L. Q. 568，571，580（1932）；请看，Jerome Frank，Law and the Modern Mind（1930）；也请看，Donald H. Gjerdingen，*The Future of Legal Scholarship and the Search for a Modern Theory of Law*，35 Buffalo L. Rev. 381，395–396（1986）；Peller，Metaphysics，前注8，页1154，1239–1241，1260–1261。

以任何具体科学、包括法律科学中有用的基本原理"。所以,对于这些现实主义者来说,20世纪20年代方兴未艾的社会科学的方法给人们以生产出有关法律体系的客观知识的希望。随着较新的社会科学变得"越来越致力于客观性、经验主义和归纳法优越论(inductivism)",它们开始强调"量化的方法和行为主义心理学"。很多现实主义者,比如库克、安德黑尔·穆尔和查尔斯·克拉克(Charles Clark),或者推崇、或者实际采纳了(或试图采纳)社会科学的方法。例如,穆尔开始了一项有关康涅狄格州(Connecticut)银行惯例的经验研究,集中关注了到期期票(maturing time notes)的法律问题。穆尔不是像一个兰德尔主义者可能做的那样去通过研究教义和案件来分析这个问题,相反,他把一份包含27个问题的调查问卷发给了康涅狄格州的所有银行,收集了答案,并且试图找出有关期票的实际银行惯例。另外一位现实主义者,威廉·O·道格拉斯(William O. Douglas),对破产的原因进行了一次类似的经验调查。通过使用社会科学的方法,比如对照小组和广泛的调查问卷,道格拉斯形成了"统计研究",这成了他就改进《破产法》(Bankruptcy Act)所提的众多建议的基础。[82]

所以,同第二阶段的现代主义相一致,现实主义者是成熟的历史主义者:他们对迅速的历史变化的清醒意识使他们相信,因为人类的聪明才智,社会可以无穷无尽地进步。从这一观点看来,经验

---

[82] Walter Wheeler Cook, *Legal Logic*, 31 Colum. L. Rev. 368 (1931); Ross, 前注4, 页311("量化的方法"); Novick, 前注4, 页141; 请看, William O. Douglas and Dorothy S. Thomas, *The Business Failures Project – 2. An Analysis of Methods of Investigation*, 40 Yale L. J. 1034, 1036 (1931); Underhill Moore and Gilbert Sussman, *Legal and Institutional Methods Applied to the Debiting of Direct Discounts – 3. The Connecticut Studies*, 40 Yale L. J. 752 (1931); 请看,例如,William O. Douglas, *Some Functional Aspects of Bankruptcy*, 41 Yale L. J. 329 (1932)。有关社会科学的重要性,请看,Purcell, 前注4, 页3–94; Schlegel, 前注8; 请看,例如,Jerome Frank, *Why Not a Clinical Lawyer – School?*, 81 U. Penn. L. Rev. 907, 921–922 (1933)(建议把社会科学整合到法学院当中)。

研究会提供对社会进行工具性控制和重新安排所必需的知识。哲学实用主义者，比如杜威和威廉·詹姆斯（William James），影响了很多现实主义者，使他们按照"解决真正问题的实际需要"来构建自己的经验主义。例如，道格拉斯自信地以下面的话作为自己对破产体系的经验研究的结尾："显然，如果提供一个认识到了破产之前存在的大量经济和社会问题的体系，那么就可能把破产的权力整合到多个领域中的社会计划项目之中去，为不同的问题设计不同的政策。"因此，那些变成了新政主义者的现实主义者十分雄心勃勃地认为，自己能够有目的地制作立法，以补救最糟糕的社会病症，特别是大萧条。亚伯·福塔斯代表了这种现代主义的自负："（我们）可以看到新世界，并可以感觉到它正在我们的手中形成。恰恰是在这些变迁时期，在想出一个办法与将其付诸实现之间实际上没有障碍。"[83]

其他现实主义者只是稍微地谦虚一点点，他们认为自己能够为了社会善益而再造普通法。尽管所有现实主义者都拒绝兰德尔主义法律科学的抽象而正式的规则，但是一些现实主义者暗示，可以基于现实主义/经验主义的法律进路来设计一种新型的法律规则。按照这一观点，法官和学者会通过研究一个又一个"具体情形"来重新塑造法律，从而发现法律规则和司法判决在真实世界中的后果。费利克斯·科恩将这一方法称为功能进路。学者会描述和建议法律教义，而这些教义在一定意义上是从头开始、经验地建构的。因此，法律规则会反映产生自真实世界情形的狭窄的事实类别，而

---

[83] Grey, *Holmes*，前注8，页802（"解决真正问题的实际需要"）；William O. Douglas, *Wage Earner Banlcruptcies – State v. Federal Control*, 42 Yale L. J. 591, 593 (1933); Kalman, *Fortas*, 前注75，页28；引用的是，Fortas；请看，Cook，前注78（现实主义地强调了一种实用的经验主义）；William James, *Pragmatism's Conception of Truth*, in Pragmatism: The Classic Writings 227 (H. Thayer ed., 1982)；也请看，Ross, 前注4，页311-313（指出社会科学家是如何试图获得控制，以阻止自己有关迅速的历史变化的感觉）。

不是拥有适用范围过度宽广和一般化的抽象原则。例如，合同法会体现商人与非商人之间的重要区别，而不是拥有类似地适用于不论其具体情形如何的所有个人的合同法教义。较为狭窄的规则能够反映这样的现实：商人和非商人以十分不同的方式订立合同。而且，在法律体系包含着较为广泛的原则的程度上，现实主义者论辩说这些原则或标准应当被理解为需要在其具体适用中行使司法裁量权。像"不公平"（unconscionability）和"合理性"（reasonableness）这些概念不应该被僵化地定义，而是应该以灵活和直觉的方式适用，取决于每个案件的特殊事实。这些现实主义者以一种相关的思路论辩说，法官应该使法律为了促进特定伦理价值和实质目标而起作用。法官们主要负责解决实际争议，但是在这样做的时候，他们要进行"社会工程"。例如，科恩论辩说，在回答"是否存在合同？"这个问题时，法官不应该专注于抽象的和正式的法律原则，比如对价（consideration）。相反，法官应该集中注意，是一方还是另外一方应该对特定行为负责。各种各样的可能判决会带来什么样的实际世界的后果，会促进什么样的价值和目标？当然，现实主义者关于法官应当进行社会工程的论辩与他们受霍姆斯启发的对于洛克纳案最高法院司法能动主义的批评具有某种程度上的张力。但是，在大多数时候，这种张力通过以下方式得以避免：强调司法机关在普通法领域，比如合同法和财产法领域，内的社会工程，并坚持宪法领域内的司法自制。[84]

---

〔84〕 Llewellyn, Bramble Bush, 前注 77, 页 12（"具体情形"）；Cohen, 前注 76, 页 839 - 840；请看, Felix Cohen, Ethical Systems and Legal Ideals 62 - 63, 237（1933）; Llewellyn, 前注 78, 页 1237。对于科恩是如何在写作他 1941 年出版的 Handbook of Federal Indian Law 时应用了这一方法的讨论，请看, Stephen M. Feldman, Felix S. Cohen and His Jurisprudence:Reflections on Federal Indian Law, 35 Buffalo L. Rev. 479（1986）。法律社会学家首先开始使用了"社会工程"（social engineering）这个短语。请看, 例如, Pound, Mechanical, 前注 70, 页 609。

第三阶段的现代法理学：
法律程序

美国法律现实主义最终遇到了一种第二阶段现代主义结束时所特有的认识论危机：人们认识到基础性的知识可能是无法获得的，因为，不论理性主义和经验主义有多么地自命不凡，但是主体可能永远不能通约自己与外在世界之间的裂痕。更具体地说，法律现实主义在实体或伦理价值领域里遭遇了这一危机。对于第一阶段理性主义的现实主义/经验主义批判意味着，价值不能再得自于抽象推理，并且，当然，较早对前现代主义的摒弃意味着现代主义者不能在某种预先存在的自然秩序之中找到价值。对于现实主义者和其他第二阶段的现代主义者来说，很简单，经验研究提供了达到基础性知识的惟一途径。但是，同物理世界的知识不同，伦理价值显然不能从经验证据中发现，也不能被清楚地基于经验证据。换句话说，价值看起来只是相对的，产生自人类经验的具体的和个别的变幻莫测。因此，不断增长的伦理和文化相对主义伴随着现实主义和相关的经验主义社会科学的上升。到 20 世纪 30 年代，知识分子发现，很难证明一套道德价值或文化信条要优于其他的道德价值或文化信条。所有的文化和价值都同样正确（或不正确）。[85]

伦理和文化相对主义的这种上升在 20 世纪 30 年代给法律和政治理论家提出了一个严重的挑战。政治决策者——法官、立法者和行政者——怎样才能具有合法性地确定实体价值和目标？甚至更为广阔地，处于民主共和制之下的公民怎样才能理性地讨论和决定政治问题，特别是，如果这些公民受到了文化偏见和煽动性符号的左右？实际上，对于很多理论家来说，政治看起来只不过是一种野蛮

---

[85] Gunnell, 前注 4, 页 105; Purcell, 前注 4, 页 40 – 42, 69 – 73; Ross, 前注 4, 页 314 – 315。

的权力,而政治决定非理性地来自于每一个特定和具体情况中的利益互动。事实上,到1940年,大多数现实主义者都已经放弃了纯粹经验研究的努力。这种研究可能为社会科学家发现价值中立的真理,但是,对于希望阐述和正当化实体价值和目标的法律和政治理论家来说,经验研究肯定不能提供必要的基础性知识。就像威廉·O. 道格拉斯承认的:"所有这些我们如此努力工作获得的事实看起来帮不上什么忙。"最后,20世纪30年代末的政治事件强化了对于法律和政治理论的这一挑战。特别地,对于很多美国知识分子来说,极权主义、特别是纳粹主义在国际上的上升使对于民主和法治的坚定信念成为一种必须。但是,伦理相对主义的上升迫使知识分子去思考一个令人不安的问题:如果所有的价值都是相对的,那么为什么美国的民主政府要优于极权主义?[86]

因此,思想潮流和国际事件的联合就把对民主进行理论正当化的任务推到了美国思想的最前方。有意思的是,对民主理论本身的关注对于知识界来说却有些不同寻常。因为这个国家的共和制意识形态和大众主义的倾向,也由于其他原因,美国在其历史上逐渐地变得更为民主。至少作为一个形式问题(而不必然是一个社会现实),批准于战后重建时期的1870年的第15修正案将投票权扩展到了非洲裔美国人,而批准于1920年的第19修正案将选举权扩展到了妇女。而且,当然,对共和制(包括其民主的成分)的本质过去已经进行了彻底的辩论——比如,在建国时期和在南北战争时期。但是,在一定程度上,只有在20世纪30年代,民主作为一种

---

[86] Schlegel,前注8,页230;引用的是道格拉斯(Douglas),见,Douglas to Hutchins, 4/7/34, Robert Maynard Hutchins Papers, University of Chicago;请看,Gunnell, 前注4,页105, 122-123, 127-145;Purcell,前注4,页96, 112-114, 138;Schlegel,前注5,页2, 20, 211, 230,(有关现实主义的消亡);Singer,前注8,页468;G. Edward White, *From Realism to Critical Legal Studies:A Truncated Intellectual History*, in Intervention and Detachment 274, 278 (1994)(以下称 White, *From Realism*)。

政府理论才在美国变成了一个主要的知识关切。事实上,在第二次世界大战之后,民主不但对于美国知识分子来说仍然是至关重要的,而且也变成了一个司法和政治的中心问题。在 20 世纪 40 年代之前,最高法院甚至很少提及民主,但是从那个时代起,最高法院越来越注意它了。除了不断地在其意见中提及民主,最高法院还判决了一些案件,其明确的意图就是促进民主参与——例如,推翻了不同的州设计的用以阻碍非洲裔美国人参与民主过程(尽管有第 15 修正案)的一些机制。例如,最高法院因其违宪而推翻了州选举中种族歧视性的重新划分选区以及人头税。更广泛地,最高法院判决认为,任何人的选票都不应该比任何其他人的选票价值更大或更小:一人一票。同时,国会通过了立法——1965 年的《投票权法案》(Voting Rights Act)和 1964 年的《民权法案》(Civil Rights Act)——它们是被设计用来保证投票权,途径是根除被用来阻碍少数族裔参与的识字、教育和人格测验。也是在 1964 年,第 24 修正案得到了批准,禁止了联邦选举中的人头税,而 1971 年的第 26 修正案保证了任何 18 周岁或以上的人士都拥有投票权。[87]

---

[87] Harper v. Virginia Board of Elections,383 US 663(1996)(人头税);Reynolds v. Sims,377 US 533(1964)(一人一票);Gomillion v. Lightfoot,364 US 339(1960)(按种族划分选区);Voting Rights Act of 1965,79 Stat. 437,42 U. S. C. § §1973 以及下列等等;Civil Rights Act of 1964,78 Stat. 241,42 U. S. C. § §1971,1975(a)-(d),2000(a)-2000(h)(4);请看,Purcell,前注 4,页 5(19 世纪"美国人毫不关心对民主进行的精细的理论正当化");Wiebe,Self-Rule,前注 8,页 55(指出"晚到 1841 年,哈泊兄弟[Harper and Brothers]出版公司还声称不存在关于民主的美国书籍");Morton J. Horwitz,Foreword:The Constitution of Change:Legal Fundamentality without Fundamentalism,107 Harv. L. Rev. 30,56-57(1993)(关于民主显得越来越重要)(以下称 Horwitz,Foreword)。但是,请看,Barry Friedman,The History of the Countermajoritarian Difficulty,pt. 1,The Road to Judicial Supremacy,73 N. Y. U. L. Rev. 333,385(1998)(引用了 George Sidney Camp,Democracy(1841),并认为 Camp 于 1841 年出版了美国有关民主的第一部专著)。国会从前制定过 1957 年和 1960 年的两部《民权法案》,二者都包含了有关选举权的不够充分的章节。请看,Derrick Bell,Race,Racism,and American Law 145-146(2. d ed.,1980)。

但是，这种如今已经为时颇久的政治和司法对民主参与的强调，是同知识界在 20 世纪 30 年代中期和晚期转向民主理论一起出现的。随着第二次世界大战威胁的临近，政治思想家努力地回答伦理相对主义和国际极权主义联合起来给美国民主政府提出的智识难题。在一定意义上，美国人不但在物质上、而且在智识上也为这场战争进行了动员（这一动员同冷战一起持续到 20 世纪 50 年代）。在 1938 年的一次发表于美国政治学学会（American Political Science Association）的主席演讲中，克拉伦斯·迪克斯特拉（Clarence Dykstra）给政治和法律思想者提出了严峻的考验："这个世界所面对的（一个）极为重要的问题就是，责任是否可以通过民主过程来获得和维持。"就像迪克斯特拉明确地声称的，"纳粹、法西斯［以及］共产党人……已经向我们提出了挑战，让我们在代议制体系的轨道内找到一个解决方案"。[88]

这样，在第二次世界大战前夜，一些富于想像力的理论家通过超越性地转向第三阶段的现代主义对这个挑战作出了回应。为了开始这一智识运动，这些理论家十分简单地假定，美国政府优于极权主义的原因恰恰是因为它是民主的：对于民主的忠诚是不可动摇的。因此，就像康德曾经问过解释人类经验的不必要条件是什么一样，政治理论家现在是在问，什么是民主的必要条件。例如，在 1939 年，约翰·杜威问道，什么类型的文化存在民主的政治自由。对于杜威，民主在美国的繁荣是因为其文化产生了"一个基础的一致意见和信念的社区"——也就是对民主的忠诚。但是，杜威提出问题说，我们怎样才能保证民主不会蜕化为极权主义，就像在世界的其他部分发生的那样？他的结论是，民主的政治方法或程序——比如咨询、说服、谈判和交流——需要被延伸到文化领域，

---

[88] Clarence Dykstra, *The Quest for Responsihility*, 33 Am. Pol. Sci. Rev. 1, 11, 22 (1939); 请看，Novick，前注 4，页 281（关于美国的智识和物质动员）。

以保证可以发展和保护一种文化,而这种文化则会继而促进政治民主。简而言之,对于杜威,民主的关键在于民主的程序:"民主的目标要有民主的方法才能实现。"[89]

杜威的两个主题——忠诚于程序或过程,以及相信美国社会的一致意见——变成了第二次世界大战之后发展一种相对主义民主理论的中心组成部分。尽管在仅仅几年之前,价值的相对性曾经威胁到美国政府理论的生存,但同样的相对主义现在变成了民主的理论基础。按照相对主义的民主理论,一个社会必须不停地选择自己应该支持什么实质价值、并因而追求什么目标,但因为价值是相对的,所以在完全不同的价值之间进行选择的惟一具有合法性的方式就是民主过程。在一个极权主义国家里,政府专制地选择和支持特定的价值和目标,但民主却不同。在民主制下,每一个个人都被认为是把他或她的预先存在的价值带到了政治竞技场,然后,通过民主过程,社区选择促进和追求特定的价值和目标。在社区层面上,民主过程本身提供了确认规范性选择的惟一标准;除了被政治竞技场内的人民接受之外,再也没有更高的确认标准了。因此民主类似于资本主义:市场(民主)提供了一个表达个人偏好和价值的场所,然后生产(政府)进行相应的回应。[90]

对于这一相对主义的民主理论的最为重要的表述被称作多元化。多元论者把政治过程看作是相互竞争的利益团体之间的一场具

---

[89] John Dewey, Freedom and Culture 134, 175 (1939). 杜威在广义上使用了"文化"这个词,使其包括了经济和社会制度;请看,页 6 - 12;也请看,Robert Brooks, *Reflections on the "World Revolution"* of 1940, 35 Am. Pol. Sci. Rev. I (1941)。

[90] 请看,Purcell, 前注4, 页 235 - 266; Jane Mansbridge, *The Rise and Fall of Self - Interest in the Explanation of Political Life*, in Beyond Self - Interest 8 - 9 (Jane Mansbridge ed., 1990); 请比较,Daniel Bell, The Cultural Contradictions of Capitalism 2. 3 - 2. 4 (1978)(关于经济原则向政治的转变); Joseph A. Schumpeter, Capitalism, Socialism, and Democracy 242. (Jd ed., 1950)(强调了民主是作出决定的一个方法)。

有合法性的战争，所有这些团体把事先存在的、在很大程度上非理性的（或与理性无关的（arational））价值带到了政治竞技场内。在一场为了满足自身需求而影响或控制立法者的无原则的斗争中，利益团体试图组成联盟、相互妥协、或者以其他方式获取政治支持。个人、利益团体和立法者从来都不考虑社区利益或共同善益。罗伯特·达尔（Robert Dahl）代表了这一视角，他写道："如果不受外在制约因素限制的话，任何个人或团体都会试图对他人实行暴政。"所以，政治斗争的结果不如过程本身重要：过程使结果获得了合法性。价值是相对的，但是民主必须继续。[91]

而且，很多政治理论家相信，美国文化产生了一种必须的有关民主过程的一致意见。尽管各种各样的个人和利益团体可能在政治斗争中相互冲突，但是它们分享某些基本的文化规范，这使社会不会分崩离析为充满怨恨的碎片。达尔再一次抓住了其精神："认为我国保持了民主是因为其《宪法》，这种观点在我看来明显是颠倒了关系；令人信服得多的假设是，《宪法》之所以存在，是因为我们的社会在本质上是民主的。"按照这一观点，美国社会在根本上和谐地组成了一种文化上赞美民主过程的一致意见：个人自由地表达多样化的观点，他们谈判，他们意见相左，他们相互妥协。就像爱德华·普赛尔（Edward Purcell）曾经说过的，战后的理论家把美国人看作是忠诚于一个"不加反思的实用性"的过程。[92]

---

[91] Robert Dahl, A Preface to Democratic Theory 6 (1956); 请看，例如，V. O. Key, Politics, Parties, and Pressure Groups (4th ed., 1958; first published in 1942.)（强调了政治是对权力的行使，并讨论了压力集团在这种权力行使过程中的角色）; David B. Truman, The Governmental Process (1951)（一个对于政治利益集团的运作的影响力的广泛研究）；也请看，Purcell，前注 4，页 254 – 272，283。

[92] Dahl，前注 91，页 143；Purcell，前注 4，页 153；请看，Gunnell，前注 4，页 241；Purcell，前注 4，页 231，235 – 266；请看，例如，Louis Hartz, The Liberal Tradition in America 14 – 20, 58 – 59, 85 – 86, 134 (1955)（强调了美国道德的一致意见）；Richard Hofstadter, The American Political Tradition and the Men Who Made It (1948)。

社会一致意见的感觉之所以得到发展，至少有三个原因：电视、强迫以及战后的繁荣。第一，尽管 1947 年生产了 7000 台电视机，但仅仅 3 年之后就生产了 730 万台。到 20 世纪 50 年代中晚期，电视已经变成了一种主要的媒体力量，并且同时进入了一个"温和年代"：广告商和赞助商迫使电视网消除有争议的节目，而空洞的智力竞赛节目成了最受欢迎的节目之一。而且，随着网络电视扩展到如此之多的家庭之中，广告导致了"大众消费文化的激进扩张"。在全国范围内，观众被鼓励使用同样的麦片、同样的牙膏、同样的头痛药、同样的清洁剂、同样的所有的东西。换句话说，电视直接地和暗含地都导致了一致意见。第二，在 20 世纪 50 年代的红色恐怖当中，参议员约瑟夫·麦卡锡（Joseph McCarthy）和众议院非美国行为委员会（Un-American Activities Committee）压迫性地追捕所谓的颠覆分子和共产主义者，这导致了公开的激进分子的数量缩小，不论是在学术界还是在其他地方。事实上，数以百计的教员被辞退了，"一种小心翼翼和自我审查的氛围"在其后的很多年里都笼罩着大学生活。第三，尽管有这种压制性的气氛，但在美国全国都形成了一种经济、军事和政治强势的感觉。美国是惟一一个在第二次世界大战后"绝对来讲和相对来讲都变得强大得多"的主要国家，"在一种新的力量平衡之中，它是国际舞台上的一个巨人"。实际上，战后的经济繁荣把美国变成了一个"富裕社会"。在战争后，这个国家"在四分之一世纪里维持着有史以来最高的持续增长率"。很多美国人都自以为是地认为，这样的力量和成功是应得的：这个国家代表着平等、自由和民主这些高贵的价值。因此，到了 20 世纪 60 年代早期，很多美国人都分享这样一种观点："商人和不熟练的工人，作家和家庭妇女，哈佛大学和战略空军指挥部（Strategic Air Command），国际商业机器（International Business Machines）

和工人运动,都在一个和谐的政治、智识和经济体系之中拥有自己可以扮演的角色。"在这一点上,美国人慷慨地意图同世界的其他部分分享自己的民主和资本主义制度的成果——尽管,当然,世界的其他部分并不总是感激美国的这种慷慨。[93]

同时,法理学家很容易就接受了第二次世界大战前后出现的知识分子对于民主的关注。例如,在一篇发表于 1952 年的富有影响的文章中,耶鲁法学院(Yale Law School)教授和很快就会升任院长的尤金·V. 罗斯托(Eugene V. Rostow)声称"《宪法》应该保证政治决定的民主合法性"。而且,在很大程度上,法律理论家和接受相对主义的民主理论仍然需要解释有关民主制下之法治的具体问题。如果司法决定过程仅仅是一种恣意的命令,是宗教司法(cadi justice),那么法治就仅仅是一个神话,并且民主政府的气球很快就会干瘪下去。因为政治对于民主的忠诚是稳固的,所以法律对于法治的忠诚也是稳固的。尽管法律现实主义还没有完全死去,但是大多数学者现在都谴责现实主义者是虚无主义者:别忘了,他们认为法律规则和理性并非司法判决过程的重要决定因素。法律推理和法治一定是一种无法否认的已知事物,不论现实主义的主张是怎么样的。这样,像政治理论家一样,法律理论家进行了一次超越。就像政治理论家问了什么是民主的必要条件一样,法律理论家问了法治的必要条件是什么。如果法治的这些条件可以被指出

---

〔93〕 Hodgson,前注 1,页 137("温和年代");Patterson,前注 1,页 344("大众消费文化的激进扩张");Novick,前注 4,页 315("一种小心翼翼");Patterson,前注 1,页 82("绝对来讲");John Kenneth Galbraith, The Affluent Society (1958);Patterson,前注 1,页 61("在四分之一世纪");引用的是,Daniel Yankelovich, The New Morality 166 (1974));Hodgson,前注 1,页 12("商人")。关于电视的重要性,请看,Hodgson,前注 1,页 134 - 152;2 Thernstrom,前注 1,页 812 - 813。

来,那么它们就可以为客观的司法决策提供人们一直所需要的基础来源。在他们对这些基本条件的追寻当中,法律理论家又是像政治理论家一样集中关注过程,其支撑是一种假定的有关美国法律体系的可接受性的社会一致意见。值得注意的是,这些"法律程序"教授十分容易地分享了社会一致意见的思想,这部分上是因为他们自身缺乏多样性。在20世纪40年代和50年代,他们中的绝大多数都是白人男性。尽管这个事实显然没有保证他们在所有问题上都意见一致,但这种同质性确实减少了出现关于基本前提和总体态度的严重意见不合的可能性。[94]

尽管法律程序思想学派在第二次世界大战之后繁荣兴旺起来,

---

[94] Eugene V. Rostow, *The Democratic Character of Judicial Review*, 66 Harv. L. Rev. 193 (1952.);请看, Harold D. Lasswell and Myres S. McDougal, *Legal Education and Public Policy:Professional Training in the Public Interest*, 51 Yale L. J. 203, 206, 217 (1943)(法律教育应当训练制定政策的能力,以协助取得民主价值); Lon L. Fuller, *Reason and Fiat in Case Law*, 59 Harv. L. Rev. 376, 395 (1946)(强调了"民主社会不可或缺的一种妥协和宽容的精神")(以下称 Fuller, *Reason and Fiat*)。对于现实主义者的批评,请看, Walter B. Kennedy, *Functional Nonsense and the Transcendental Approach*, 5 Ford. L. Rev. 272 (1936)(批评了费利克斯·科恩的现实主义); Francis Lucey, *Natural Law and Amencan Legal Realism*, 30 Geo. L. J. 493 (1942)(从自然法的视角谴责了现实主义者);也请看, Henry M. Hart, Jr., *Holmes' Positivism – An Addendum*, 64 Harv. L. Rev. 92. 9, 934 (1951)(批评了霍姆斯和其他法律现实主义者的行为主义和实证主义,因为他们不承认思想或理性改变行为的力量)(以下称 Hart, *Holmes' Positivism*); Louis L. Jaffe, *Foreword:The Supreme Court*,1950 Term, 65 Harv. L. Rev. 107 (1951)(批评了现实主义者,因为他们相信最高法院的工作集中在政治而非法律方面)。关于在第二次世界大战后现实主义的复兴,请看 Laura Kalman 所讨论的 Yale, Legal Realism, 前注71, 页45 – 87; 请看,例如, Robert L. Hale, *Bargaining, Duress,and Economic Liberty*, 43 Colum. L. Rev. 603 (1943)(一篇1940年之后的现实主义文章的例子)。关于法学教授的同质性,请看, Richard A. Posner, *The Decline of Law as an Autonomous Discipline*:1962 – 1987, 100 Harv. L. Rev. 761, 765 – 766 (1987)(强调了20世纪50年代和60年代法律教授中意识形态冲突的缺失)。关于第二次世界大战后法律学术界的少量女性,请看, Fossum, 前注19; Kay, 前注19。在20世纪40年代和50年代,一些犹太人,比如 赫伯特·韦斯勒(Herbert Wechsler),进入了法律学术界,尽管在这个时期里,大多数犹太人都倾向于避免公开展示自己的犹太身份和传统。请看, Leonard Dinnerstein, Antisemitism in America 87 – 88 (1994)(讨论了学术界针对犹太人的广泛的歧视)。

但是其法理学根源在同时代的、战前的对于现实主义者的批评之中就很明显了。例如，朗·富勒（Ron Fuller）论辩说，现实主义者过于严重地依赖于法官和其他法律官员的可观察的行为。因此，现实主义者削弱了民主，因为他们假定，法律仅仅是法官所做的事情，法律规则和司法推理是毫无意义的。而且，按照富勒的观点，现实主义者急于拒绝法律推理，这促使他们犯下了实证主义的错误，即质疑了事实与价值之间——亦即是在法与应然法之间——的必然联系。随着富勒最终详细阐述自己的理论，事实与价值之间的这一联系开始体现于法律的内在道德。富勒指出了法律的这种内在道德的组成部分，办法是问一问第三阶段现代主义特有的那个超验问题：什么是使法律成为可能的条件？他的结论是，这些条件包括8个程序上的迫切需要之物，例如法律应当清晰、很好地公布、适用于未来这些要求。简而言之，按照富勒的观点，法律的内在道德的程序构成了法律之存在和力量的"一个基本条件"。[95]

所以，第三阶段法律现代主义，其形式是法律程序思想学派，到20世纪50年代已经清楚地出现了。法律程序理论家完全致力于解

---

[95] Lon L. Fuller, The Morality of Law 155 (rev. ed., 1969); 请看, Lon L. Fuller, The Law in Quest of Itself 45 – 59, 109 – 110, 111 – 113 (1940); 也请看, John Dickinson, Legal Rules: Their Place in the Process of Decision, 79 U. Pa. L. Rev. 833 (1931); Fuller, Reason and Fiat, 前注94, 页378 – 379, 395。关于早期对规则怀疑主义的一次进攻, 请看, Morris Cohen, The Place of Logic in the Law, 19 Harv. L. Rev. 611 (1915), in Law and the Social Order 165 (1933)。关于对于法律程序学派的讨论, 请看, Neil Duxbury, Faith in Reason: The Process Tradition in American Jurisprudence, 15 Cardozo L. Rev. 601, 611 – 631 (1993); William N. Eskridge, Jr., and Philip P. Frickey, The Making of The Legal Process, 107 Harv. L. Rev. 1031 (1994); Peller, Neutral Principles, 前注8; G. Edward White, The Evolution of Reasoned Elaboration: Jurisprudential Criticism and Social Change, in Patterns of American Legal Thought 136 (1978)。富勒在与英国分析法学家H·L·A·哈特的一场争论中阐述了自己的早期思想。请看, H. L. A. Hart, The Concept of Law (1961); H. L. A. Hart, Positivism and the Separation of Law and Morals, 71 Harv. L. Rev. 593 (1958); Lon Fuller, Positivism and Fidelity to Law – A Reply to Professor Hart, 71 Harv. L. Rev. 630 (1958)。

释法治以及在美国民主下正当化司法决策。早在 1951 年，亨利·M. 哈特（Henry M. Hart）就已经阐述了法律程序的中心主题："制度解决之原则"。就像哈特和阿尔伯特·萨克斯（Albert Sacks）在他们著名、但却很久没有出版的课程材料《法律程序：制定和适用法律中的基本问题》（*Legal Process：Basic Problems in the Making and Application of Law*）中重述的，"制度解决的原则表达了这样一种判断：作为正当地建立的程序的结果而正当地得出的决定……应当被接受对整个社会都具有拘束力，除非并直到它们被正当地改变了"。制度解决这一法律程序原则发展了现实主义者对于放任自由宪法观的批评：按照现实主义者的观点（他们追寻的是霍姆斯），洛克纳案法院犯了司法能动主义的错误，因为它侵犯了立法机关的制度功能。但是，法律程序理论家把这种制度批判推到了其极限：制度这一概念变成了至高无上的。按照法律程序的观点，社会创造和指定不同的法律制度来解决不同种类的社会问题。十分简单，法院同立法机关是不同的。因此，法官不能像立法者那样自由地立法。同时，法院履行一定的活动或"基本的"功能，而立法机关不应该侵犯，就像哈特在他著名的 1953 年《哈佛法律评论》（*Harvard Law Review*）有关国会对于联邦法院管辖权之限制的对话中所强调的。[96]

法律程序理论家不但把现实主义者对洛克纳案的制度批评推向

---

[96] Hart, *Holmes′ Positivism*, 前注 94, 页 936, 注 11（"制度解决的原则"）; Henry Hart, Jr., and Albert Sacks, The Legal Process：Basic Problems in the Making and Application of Law 4（tentative ed., 1958）（以下称 Hart and Sacks, tentative ed.）; Henry Hart, Jr., *The Power of Congress to Limit the Jurisdiction of Federal Courts：An Exercise in Dialectic*, 66 Harv. L. Rev. 1361, 1365（1953）（有关本质功能的论题）; 请看, Hart and Sacks, tentative ed., 页 iii, 3, 366 - 368, 661。哈特和萨克斯在 1954 年的时候已经开始准备法律程序学派课程的材料。而且，他们和其他教授发展相关的课程（例如，有关立法的课程）也已经有了 10 多年了，而且哈特和萨克斯吸取了那些相关的课程材料。请看, Eskridge and Frickey, 前注 95, 页 1033 - 1045。哈特和萨克斯的《法律程序》案例教科书最终于 1994 年出版。Henry Hart, Jr., and Albert Sacks, The Legal Process：Basic Problems in the Making and Application of Law（William N. Eskridge and Philip P. Frickey eds., 1994）（以下称 Hart and Sacks, 1994）。

了极限,而且他们通过超验的分析进一步阐发了它:如果法院、立法机关和其他政府实体拥有不同的制度角色,那么,什么是定义着这些角色或者使这些角色成为可能的程序呢?从这一视角看来,各种各样的政府制度在很大程度上是被它们所必须的不同的程序或过程所定义的,而在不同政府机构中工作的个人因此也就受到其各自过程的限制。因此,法律程序理论家把相当多的学术和教育资源都投入到发展像行政法和联邦管辖权这些领域,在这些领域中他们专注于权力分立和联邦主义——也就是说,专注于立法、行政和司法部门之间制度的和以过程为基础的关系,也专注于州与联邦政府之间的这种关系。实际上,法律程序的中心主题可能在哈特与赫伯特·韦斯勒(Herbert Wechsler)的《联邦法院与联邦体系》(*The Federal Courts and the Federal System*)中要比在任何其他地方都体现得更为清楚;这部案例教科书(看起来是永远地)定义了有关联邦法院的课程的主题。在该书第一版前言中,两位作者写道:

> 本书主要是关于……联邦-各州关系的问题,但它还有两个次要的主题。在不同的语境中,我们提出了法院适合做什么——不适合做什么——的问题,因而我们试图提出所有有关联邦法院同联邦和州政府的其他部门之间的适当关系的一系列的问题。我们也穿插提出了联邦法院的组织和管理问题,希望促进对于联邦司法管理以及对其进行改善的可行途径的理解。[97]

按照法律程序理论,具体定义司法决策的过程被称作"理由

---

[97] Henry M. Hart, Jr., and Herbert Wechsler, preface to The Federal Courts and the Federal System (1953);请比较,Grey, *Modern*,前注8,页504(强调了法律程序理论家对行政法和联邦法院的喜爱)。

充分的详细阐述"。理由充分的详细阐述要求法官总是为判决给出理由、以细致和自洽的方式表述这些理由、并且假定"类似案件应当类似处理"。法官必须使判决联系于相关的法律规则,并且必须以一种与先例保持逻辑一致的方式适用这条法律规则。"如果法律安排想要行得通的话",那么这种"对于自洽性的追求就是一种必要",哈特和赛克斯以一种清晰的超验语调宣布。而且,在普通法案件和制定法解释的语境中,理由充分的详细阐述承认了在某些特定语境中的数量有限的司法能动主义。尽管如此,法律程序理论的中心要旨是同法律现实主义相互对立的:法律规则和司法意见是重要的。按照法律程序理论,理由充分的详细阐述这种要求有意义地限制了法官,而这种限制的方式却是执行官员、立法者和行政者所没有受到的。理由充分的详细阐述指出了那些威胁到民主之中的法治的条件或过程,并且这些过程为中立的和非政治化的司法决策提供了一个客观的基础。[98]

在第三阶段法律现代主义中,对于独立自主的、用工具理性来控制和重新安排社会的自我的忠诚丝毫没有减弱。这种忠诚至少以三种方式表现出来。第一,政治和法律理论家通常声称,相对主义的民主理论通常根植于一种现代个人主义的传统,而它又被认为是产生自约翰·洛克的政治哲学并且支撑着美国宪法框架。例如,路易·哈兹(Louis Hartz)论辩说,美国的宪法学说同洛克主义的理论分享着一个基本的假定:具有合法性的政府出现于自由的、分散的个人联合起来创造了一个保护自由和财产的政治社区。因为这一个人主义的传统,哈兹声称,"伯克(Burke)就等于是美国的洛克"。第二,特别是在法律程序理论当中,哈特和赛克斯的法律定

---

[98] Hart and Sacks, tentative ed. , 前注 96, 页 164 - 167; Hart and Sacks, 1994, 前注 96, 页 147; 请看, Peller, *Neutral PrincIples*, 前注 8, 页 571, 591 - 597, 600, 603; White, *From Realism*, 前注 86, 页 181。

义同现代主义的个人主义相互呼应:"法律就是做什么事情,一种有目的的行为,一种为了解决社会生存之基本问题所做的持续努力。"以类似的思路,制度解决这一法律程序原则问了根本的问题:谁作决定?也就是说,什么政府机构或行动者应该适合决定特定的问题(当然还有,什么过程应该指引或限制这些决策?)很清楚,某些政府机构——立法机关和行政机构——内的专家被认为有资格用工具理性来指引或控制社会。实际上,就像已经讨论过的,即使法官偶尔也可以用法律来帮助制定法和普通法的原则和政策。第三,法律程序学者坚定地相信自己是法律体系中重要的行动者。他们相信,自己应该教导最高法院大法官学习法律,大法官们会认真听讲,并且最高法院的判决(因而也就是学者们的教导)改变了美国社会。在很多年里,开始于1951年的、受人尊敬的《哈佛法律评论》"前言"(*Harvard Law Review Forwards*)是法律程序学者的特别保留地,他们试图对最高法院进行启蒙。甚至有证据表明,至少一位大法官,即前哈佛教授费利克斯·弗兰克福特,考虑了学者们的建议,尽管他当然不是一定会遵循它们。而直到1968年,一位有些悲观的"前言"作者仍然希望学术能够影响最高法院:"即便在法律评论被大量引用、但却不常被注意的日子里,它仍然可能起到一定作用:把一面放大其瑕疵的镜子举到最高法院面前。"[99]

---

[99] Hartz, 前注91, 页156; Hart and Sacks, 1994 前注96, 页148; Louis Henkin, *Foreword:On Drawing Lines*, 82 Harv. L. Rev. 63, 63 (1968); 请看, Hartz, 前注92, 页59 – 62(关于个人主义); Kalman, 前注8, 页32 – 33(描述了、在萨克斯批评了最高法院对不具名的法庭意见的使用之后,弗兰克福特和萨克斯是如何通过信件交流的); Richard H. Fallon, Jr., *Reflections on the Hart and Wechsler Paradigm*, 47 Vand. L. Rev. 953, 962 (1994); Peller, *Neutral Principles*, 前注8, 页568 – 572; Mark Tushnet and Timothy Lynch, *The Project of the Harvard "Forewords":A Social and Intellectual Inquiry*, 11 Const. Commentary 463 (1994 – 1995)(有关哈佛"前言"的历史)。弗兰克福特大法官在一篇意见里明确讨论了法律程序学者的学术建议,请看, *Textile Workers Union v. Lincoln Mills*, 353 US 448, 473 – 474 (1957)(Frankfurter, J., dissenting)(讨论了保护性管辖权的理论)。

122 　　从一个视角看来，法律程序理论家仅仅指出了法律制度、特别是司法判决过程的技艺规范（craft norms），尽管他们做得很细致和精确。[100] 这些理论家坚持认为，如果一位法官想要做好事，那么他或她应当只做我们所说的东西。实际上，回头看看法律程序学者，他们常常显得如此傲慢、但却乏味，以至于他们让人感到迷惑：为什么聪明的学者把自己全部事业都用于表述像"类似案件类似对待"这种陈腐的格言呢？但是，当法律程序被看作第三阶段的现代主义时，这种献身、甚至献身者的狂热就都变得可以理解了。在第二次世界大战后，法律基础主义显得濒临灭绝了：法治以及司法判决的客观性都受到了智识的围攻。现实主义者已经不可救药地质疑了兰德尔主义的抽象理性主义，而现在现实主义者自身的经验主义也受到了类似的贬损。而在这种智识危机和迫在眉睫的绝望之中，法律程序理论家相信自己已经发现了解决办法。他们居然从帽子里变出了兔子！通过超验推理，他们解释了美国是怎样得到民主和法治的。他们在冷战期间证明了美国的正当性。他们描述了美国法律体系的结构、条件、程序，而它产生了司法判决所必须的客观基础。

第四阶段的现代法理学：晚期的危机

123 　　多种多样看起来相互无关的因素促成了最高法院在后二战时期最为重要的判决，即布朗诉教育委员会案。极权主义20世纪30年代在欧洲的兴起不但使美国知识分子集中关注民主理论，这一点在上面已经讨论过，而且这也给美国人以社会压力，迫使他们实践自

---

[100] 请看，G. Edward White, *Judicial Activism and the Identity of the Legal Profession*, in Intervention and Detachment 222, 234（1994）（以下称 White, *Judicial Activism*）。

己宣称的民主理想。在第二次世界大战前,公开的种族主义和反犹主义在美国是受到社会尊敬的,也非常普遍。事实上,在20世纪30年代从德国逃往美国的犹太人认为,反犹主义(作为一种形式的种族主义)在美国要比在纳粹德国更为厉害!但是,在战后,公开的种族主义和反犹主义与种族灭绝之间的呼应显得过于紧密了,因而开始让社会觉得尴尬;为了自己感情上好过一点,美国人需要把自己同德国人明显地区分开来。用杰罗米·A. 切恩斯(Jerome A. Chanes)的话说,"阿道夫·希特勒(Adolf Hitler)使反犹主义声名狼藉"。这句话也可以用到希特勒和种族主义身上。德国人是种族主义的怪物,但是美国人不同:美国人是例外。美国人忠诚于所有人的平等和自由,或者至少很多美国人现在想要相信这一点。[101]

当然,吉米·克罗法律(Jim Crow laws)在南方的持续存在给这种平等主义的信念和宣言带来了问题。州政府强制执行了那些明确对非洲裔美国人进行种族隔离和歧视的法律,这很难被同美国的民主和平等理想(或托词)调和起来。但是,在战后前几年内,很多白种美国人继续忽视社会现实与这些理想之间的不一致。随着民权运动在20世纪50年代晚期扩展,人们更加难以持有这种冷漠的态度了。到20世纪60年代早期,电视已经变成了大多数美国人的主要新闻来源,南方针对民权抗议人的残暴行为的电视形象产生了全国对于法律和社会变革的空前支持(例如,这导致了1964年

---

[101] Jerome A. Chanes, *Antisemitism and Jewislt Security in America Today: Interpreting the Data. Why Can't Jews Take "Yes" for an Answer?* in Antisemitism in America Today 3, 24 (Jerome A. Chanes ed., 1995); Benjamin Ginsberg, The Fatal Embrace: Jews and the State 141 (1993)(到1960年,新闻媒体声称公开的反犹表达是极端主义的和非美国的)。有关欧洲移民对于美国20世纪30年代的反犹主义的感觉,请看,Martin Jay, The Dialectical Imagination: A History of the Frankfurt School and the Institute of Social Research, 1923 – 1950, at 34 (1973); Gunnar Myrdal, An American Dilemma 53, 1186 注 4 (1944)。

的《民权法案》）。因此，公开的种族主义（包括反犹主义）最终变成了一种社会禁忌：种族主义转为地下，并变得隐秘、心照不宣和无意识。当然，非常明显，公开的种族主义和反犹主义从来没有在美国完全消失，但是它们变得远不如以前普遍了——远不像以前那样是日常生活的普通而自然的经历了。[102]

同时，在最高法院的法理学方面，从19世纪晚期直到20世纪30年代中期，最高法院基本上都遵循了洛克纳案判决所代表的放任自由宪法观。但是，政治和智识压力导致了最高法院在1937年的变革：对于司法自制的忠诚取代了洛克纳案最高法院在牵涉经济规制的案件中的能动主义。在很大程度上，最高法院接受了现实主义者对洛克纳案的制度性批评，并且，至少是暂时地，大多数法官一贯地服从国会和各州议会。尽管如此，司法上的这种一致意见很快就随同哈兰·F. 斯通（Harlan F. Stone）在判决于1938年的美国诉卡罗琳产品案（*United States v. Carolene Products*）中的脚注4出现了裂缝。斯通暗示，尽管司法自制在有关经济规制的案件中是适当的，但是，在有关某些个人权利和自由的案件中，某种程度的司法能动主义可能是适当的。不久，从前联合在一起的最高法院中的进步主义者和新政自由主义者分裂成了两个派别。一派大法官由胡果·布莱克（Hugo Black）和威廉·O. 道格拉斯（William O. Douglas）领导，他们抓住了斯通的洞见，认为存在着"优先的自由"，比如言论自由和宗教自由，而这种自由需要特别的司法保护。第二派大法官由费利克斯·弗兰克福特（Felix Frankfurter）和

---

[102] 关于民权运动的总体情况，请看，David J. Garrow, Bearing the Cross: Martin Luther King, Jr., and the Southern Christian Leadership Conference (1986); Robert Weisbrot, Freedom Bound: A History of America's Civil Rights Movement (1990); 请看, Hodgson, 前注1, 页149（把电视与民权运动联系到了一起）; Patterson, 前注1, 页480（同前）; 也请看, Novick, 前注4, 页348–360（关于战后反种族主义共识的发展）。关于战后时期的反犹主义，请看，Dinnerstein, 前注94, 页162–166。

罗伯特·H. 杰克逊（Robert H. Jackson）领导，他们坚持（几乎是）严格地遵守司法自制的哲学。按照后一个派别的观点，如果最高法院在各种各样的权利中间进行挑选，把其中一些列为优先的、而其他列为非优先的，那么这会同洛克纳案法院犯了无节制的能动主义错误一样。这一争论从来不是纯粹的宪法理论争论；第二次世界大战时期的政治和社会压力也对大法官们发生了作用。例如，在1940年，最高法院支持开除两名公立学校学生，他们是耶和华见证会教徒（Jehovah's Witnesses），他们被开除的原因是，他们出于宗教原因而拒绝向国旗敬礼。随后，宗教狂热在全国高涨，有时甚至发生暴力行为。因此，最高法院来了一次突然变脸，推翻了自己的判决，在1943年判定，强制向国旗敬礼是违宪的；在第二次世界大战期间，激烈的宗教迫害看起来有点儿过于极权主义了，司法部门无法忽视这一点。[103]

---

[103] *United States v. Carotene Products*, 304 US 144, 152 n. 4（1938）；*West Coast Hotel Co. v. Parrish*, 300 US 379（1937）（被改变之后的最高法院显示出了自制）。有关最高法院分裂的讨论，请看，Horwitz 2，前注8，页252；Richard Kluger, Simple Justice 240 – 241, 582 – 584（1975）；Schwartz, 前注8，页253 – 255, 269 – 276；Bernard Schwartz, Super Chief 32, 40 – 48（1983）。有关注解4——它是由斯通的助手 Louis Lusky 写作的——作为有关优先自由的争论的来源，请看，Horwitz 2，前注8，页252；Schwartz, 前注8，页281；Alpheus Thomas Mason, *The Core of Free Government*, 1938 – 1940；*Mr. Justice Stone and "Preferred Freedoms"*, 65 Yale L. J. 597（1956）；也看看，Joseph Tussman and Jacobus tenBroek, *Tlte Equal Protection of tIre Laws*, 37 Cal. L. Rev. 341（1949）（强调了最高法院有关平等权利的判决的出现）。各种各样的大法官和学者辩论了优先的自由是否与霍姆斯的洛克纳案反对意见相一致。请看，Horwitz, Foreword，前注87，页81；Mason, 同前，页602。G. Edward White 最近论辩说，优先自由的教义在历史上起源于较早的第一修正案案件。G. Edward White, *The First Amendment Comes of Age*; *The Emergence of Free Speech in Twentieth – Century America*, 95 Mich. L. Rev. 299, 327 – 330（1996）。相关的国旗敬礼案是，*West Virginia State Board of Education v. Barnette*, 319 US 624（1943），推翻了 *Minersville v. Gobitis*, 310 US 586（1940）；请看，Mason, 同前，页622（有关宗教褊狭的高涨）；Richard Primus, Note, *A Brooding Omnipresence*: *Totalitarianism in Postwar Constitutional Thought*, 106 Yale L. J. 423, 437 – 438（1996）（把最高法院推翻 *Gobitis* 案的判决归因于一种把美国在符号上同纳粹德国区别开来的欲望）。我并不是说最高法院的判决单独引起了褊狭和暴力的爆发。

在这一社会和司法语境之中——一个正挣扎着处理自身的种族主义的民族、一群分裂的、不稳定的最高法院大法官——布朗诉教育委员会案于1852年到了这个最高法院的门前，挑战了公立学校中的种族隔离的合宪性。并不奇怪，在口头辩论后大法官会议于1952年12月召开，该案的结果并不清楚。按照最乐观的估计，大法官们可能仅以5票对4票判定种族隔离违宪。但是，很重要的是，弗兰克福特大法官已经决定投票判定种族隔离违宪，尽管他在其他时候都坚定地拥护司法机关对立法行为的尊重。在这次会议上，弗兰克福特说服了其他法官下令在下一个最高法院审期中重新辩论该案，目的是为了回答由他和他的助理亚历山大·比格尔（Alexander Bickel）起草的具体问题。这些问题集中于第14修正案的历史以及（如果种族隔离被判定违宪）与司法命令（decree）相关的问题。弗兰克福特寻求重新辩论的真实目的现在还存在学术争论。历史学家最初论辩说，他承担了最高法院的领导地位，并且，在这个地位上，他在寻求延迟判决，这样就可以形成更强大的多数派。最近，学者们用新发现的证据来论辩，弗兰克福特只是在寻求某些有原则的基础，在这些基础上把他通常的司法自制与他已经确定的判决——即学校种族隔离是违宪的——协调起来。不论弗兰克福特的动机如何，重新辩论的结果是将判决延迟到了下一个审期。然后，情势急转直下，首席大法官弗莱德·M. 文森（Fred M. Vinson）死于1953年9月。当布朗案在1953年12月进行重新辩论时，厄尔·沃伦（Earl Warren）是新的首席大法官。[104]

---

〔104〕 *Brown v. Board of Education*, 347 US 483 (1954)。Richard Kluger 和 Bernard Schwartz 曾经把弗兰克福特描述得更具英雄主义，而 Mark Tushnet 和 Katya Lezin 论辩说，他的角色要更为有限。Kluger，前注103，页599；Schwartz，前注8，页286-288；Schwartz, Super Chief, 前注103，页76-81；Mark Tushnet and Katya Lezin, *What Really Happened in Brown v. Board of Education*, 91 Colum. L. Rev. 1867 (1991)；请看，Kalman，前注8，页28-34。

作为首席大法官，沃伦在保证布朗案最终获得一致意见判决方面毫无疑问扮演了关键角色。在其他战略手腕之外，沃伦促进一致意见的方法还包括，说服大法官们把这个案子分成两个部分，把司法命令的问题［布朗案 II（ Brown II ）］同宪法主张的实体问题［布朗案 I（ Brown I ）］分开对待。有关大法官个人，一种在道德上和宪法上都做正确的事的愿望肯定激励了他们中的几个人。一些大法官毫无疑问分享了美国战后不断增长的情绪，认为公开的种族主义在社会上和道德上都不再是可以接受的了。但是，还有其他几个考虑因素也给大法官们施加了压力，影响了他们的方向。全国促进有色人种协会（National Association for the Advancement of Colored People）（NAACP）指挥了一场持续的（尽管可能是不系统的）法律运动，它缓慢但却扎实地扩展了业已存在的平等保护的传统，直到帕雷西诉弗格森案（ Plessy v. Ferguson ）的"隔离但平等"原则显得在表面上也是无法辩护的了。而且，吉米·克罗法律中固定下来的公开的种族主义阻碍了国家、特别是南方的经济发展。在国际上，这种种族主义阻碍了我国在冷战中寻求第三世界国家支持的努力。简而言之，对于国家的很大一部分来说，法律上执行的种族隔离已经变成了令人厌恶的阻碍进步的绊脚石。[105]

不论如何，布朗诉教育委员会案最终判定，对公立学校儿童实

---

［105］ Brown , 347 US at 495 – 496；Brown v. Board of Education , 349 US 294（1955）（ Brown II ）；Plessy v. Ferguson , 163 US 537（1896）；Schwartz, Super Chief, 前注 103，页 88 – 93；Tushnet and Lezin, 前注 104，页 1878；请看，Derrick A. Bell, Brown v. Board of Education and the Interest – Convergence Dilemma , 93 Harv. L. Rev. 518（1980）；也请看，Mary L. Dudziak, Desegregation as a Cold War Imperative , 41 Stan. L. Rev. 61（1988）；请比较，Kluger, 前注 103，页 710（通过强制执行美国的原则，通过给出"简单的正义"，最高法院成了国家的良心）。有关 NAACP 的角色，请看，Mark Tushnet, Segregated Schools and Legal Strategy: The NAACP's Campaign Against Segregated Education, 1925 – 1950（1987）；Jerome M. Culp, Jr. , Toward a Black Legal Scholarship: Race and Original Understandings , 1991 Duke L. J. 39, 55 以及注 42（论辩说，NAACP 要有比 Tushnet 所承认的更为一贯的法律策略）。

施种族隔离违反了第 14 修正案的平等保护条款。沃伦为最高法院撰写的意见出人意料地简短。他在开篇时说,通过第 14 修正案时的历史并没有给法院提供任何清楚的指引;因此,他推理道,《宪法》的解释必须考虑到有关种族隔离的公立教育的当前社会语境。沃伦接着强调了两点。第一,种族隔离对于非洲裔美国儿童有着有害的心理后果。第二,公立教育在美国极为重要:

> 今天,教育可能是各州和地方政府最为重要的功能。义务教育法和大量的教育支出都证明我们认识到了教育对于我们的民主社会的重要性。在履行我们最为基本的公共职责中,甚至是在军队中服役,它都是必须的。它是良好的公民权利和义务的根基。今天,它是唤醒孩子的文化价值、为他将来的专业训练作准备,以及帮助他正常地适应自己的环境的主要工具。在今天,如果任何孩子被拒绝了受教育的机会,那么他是否还能被合理地预期会在生活中成功,这值得怀疑。这样一个由国家承诺提供的机会,是一项必须以平等的条件提供给所有人的权利。

因此,沃伦作出结论说,"隔离的教育设施天生就是不平等的"。[106]

布朗案中的判决和意见促使美国法律思想跃入了现代主义的第四个阶段,即晚期危机,其特征是十分不一致的态度和计划——焦虑、绝望、愤怒、指责,以及利用了理性主义、经验主义和超验主义的各种组合的越来越复杂的现代主义解决方案。布朗案不但产生了社会愤怒,而且也产生了学术骚动。早期的法律程序材料并没有集中研究宪法判决语境中的司法审查问题。布朗案把这一问题带到

---

[106] *Brown*, 347 US at 492–495.

了前沿，而在这一过程中几乎立即揭露了法律程序理论的超验理性中的内在缺陷。[107]

有趣的是，在布朗案之后的第一篇《哈佛法律评论》"前言"中，阿尔伯特·萨克斯热情洋溢地赞扬了这一判决和最高法院。他写道，布朗案"力争了法律程序的最佳功用"，而沃伦简短的意见代表了"司法政治才能"，这在部分上是因为"其直白简单的风格"。尽管如此，萨克斯对沃伦法院发动了法律程序主义的进攻，批评它过多地使用了以法庭名义发出的（per curiam）概要意见。于是，在这里，法律程序学者与沃伦法院之间的一个基本张力立刻就显现出来了。法律程序理论家强调规则和法律推理在司法意见中的重要性，但沃伦法院在判决案件时却没有充分地解释其推理过程。到了下一篇"前言"，法律程序学者和最高法院之间的关系已经恶化了。在一项部分上是针对萨克斯的指责中，罗伯特·布罗切（Robert Braucher）刻薄地提到，他不会赞扬沃伦法院的"司法政治才能"。[108]

法律程序学者与沃伦法院之间的张力在接下来的几年中都继续着。因此，法律程序理论家在批评最高法院的过程中阐释了自己基本的理论观点。例如，亚历山大·比格尔和哈里·威灵顿（Harry Wellington）不但谴责了最高法院过度使用未经解释的以法庭名义发出的判决（正如萨克斯所做的），而且也批评了它发出的空洞的意见（这类似于通过谈判达成的协议）而非"判决背后的理性地

---

[107] 请看，Kalman，前注 8，页 5 - 6（强调了布朗案最终对于法律学术的重要性）；Minda，前注 8，页 39（同前）；Peller，*Neutral Principles*，前注 8，页 592（早期法律程序学派并没有集中关注司法审查）。课程材料，即，*The Legal Process: Basic Problems in the Making and Application of Law*，并没有提到布朗案。请看，Eskridge and Frickey，前注 95，页 2050。

[108] Albert M. Sacks, *Foreword: The Supreme Court*, 1953 Term, 68 Harv. L. Rev. 96, 96 - 99 (1954); Robert Braucher, *Foreword: The Supreme Court*, 1954 Term, 69 Harv. L. Rev. 120, 120 (1955)。

阐释了的基础"。欧内斯特·布朗（Ernest Brown）批评了最高法院仓促地处理了很多案件，它没能得到完整的诉讼摘要（briefing）和口头辩论所能带来的好处。换言之，最高法院没能遵循那些得出经过适当推理的结论所要求的程序。亨利·哈特论辩说，最高法院不断增长的案件数量使它无法履行自己的制度角色——撰写带有清晰地阐述出来的理由和原则的意见。最高法院必须成为法治的榜样："只有那些以理性为基础、而不是那些仅仅以政令或先例为基础的意见才能完成美国最高法院必须做的工作。"在进行这一论辩时，哈特阐述了上诉审层面上的理性阐述程序。按照哈特的观点，一起对一个案子进行推理的一组法官应该体验到一种"集体思想的成熟"，即一个理性化的过程，它能够使法庭超越单个法官的个性。[109]

法律程序理论家与沃伦法院的白热化的争论最终在1958年变得无法控制了，在这一年，赫伯特·韦斯勒向最高法院及其辩护者发出了终极挑战。在他的文章《朝向中性宪法原则》（*Toward Neutral Principles of Constitutional Law*）当中，韦斯勒论辩说，因为制度上的不同，只有法院（而非立法机关或行政者）必须为自己的决定给出有理由的解释。这些解释一定不能是个案的、工具性的或无原则的。相反，法院必须用一个"中立的原则"正当化每一个判决：一个通过超越具体个案的眼前结果而达到了"充分的中立性和普遍性"的基础或理由。最为重要的是，韦斯勒接着用这一中立原则的标准测试了沃伦法院的旗舰判决，即布朗案。他寻找一个能够支持这一判决的中性原则的努力导致了这样的结论：结社自由是惟一的可能性。韦斯勒承认，种族隔离违反了那些想要融

---

[109] Alexander M. Bickel and Harry H. Wellington, *Legislative Purpose and the Judicial Process : The Lincoln Mills Case*, 71 Harv. L. Rev. 1, 6 (1957); Ernest J. Brown, *Foreword : Process of Law*, 72 Harv. L. Rev. 77 (1958); Henry M. Hart, Jr., *Foreword : The Time Chart of the Justices*, 73 Harv. L. Rev. 84, 94–101 (1959).

合的人（即布朗案中的原告）的结社自由，但是他质疑了这一原则在布朗案中的应用是否真的是一次中立的或有理由的适用。韦斯勒惊人地作出结论说，强制的融合也违反了结社自由——具体说就是那些想要保持种族隔离的人的结社自由。因此，韦斯勒指责说布朗案的原则或规则并非中立的，因此该判决在客观上是错误的。[110]

韦斯勒对布朗案的指责立刻激发了大量的学术讨论。在一方面，韦斯勒的攻击看起来几乎是不可避免的。在萨克斯最初对布朗案的赞扬之后，法律程序学者已经变得对沃伦法院越来越充满敌意了。他的主要抱怨集中于最高法院被认为不够充分的意见，这些意见经常不能满足有理由的阐述的要求。从法律程序主义的观点看来，沃伦法院常常显得差不多仅仅是一个捉摸不定的现实主义者，拒绝承认带有良好推理的司法意见中所表达的法治的重要性。因此，即使不是韦斯勒，某些其他法律程序理论家也肯定会最终转回沃伦法院引人注目的判决——布朗案。而且，对于相当简短的布朗案意见的这样一种重新检视很可能会得出这样的结论：它没有满足法律程序学派的要求（因为沃伦显然没有努力这样做）。就像韦斯勒所断定的，"（布朗案中的）问题严格讲就在于这篇意见的推理"。但是，在另一方面，很多学者都认为韦斯勒的攻击和结论是完全不可接受的。如果说没有代表更多的东西的话，布朗案至少代表了美国式的平等，因此是无懈可击的，即便对该案的接受在某种

---

[110] Herbert Wechsler, *Toward Neutral Principles of Constitutional Law*, 73 Harv. L. Rev. I, 15–16, 31–34 (1959).

程度上削弱了法律程序学派对法治的辩护。[111]

因此，很多学者努力维护布朗案中的判决，尽管他们常常并没有为沃伦法院提供任何更为广泛的辩护。路易·波莱克（Louis Pollak）为布朗案判决提出了一份替代意见，他声称该替代意见满足了韦斯勒对中立原则的要求。查尔斯·布莱克（Charles Black）同样提出了一个中立原则来为布朗案进行辩护，但是更为重要的是，他也愤怒地谴责了韦斯勒和法律程序学派。对于布莱克来说，种族隔离是处于具体历史现实中的一种悲剧性的社会关系，而对于中立选择的要求倾向于对这一不幸事件中的人类苦难进行危险的抽象。因此，按照布莱克的观点，布朗案的实体结果是如此地具有说服力，以至于它应该存续下去，不论它是否能够被中立原则正当化。如果法律程序学派不能为布朗案进行辩护，那么，法律程序学派就必然是错误的。布朗案必须维持不变。[112]

于是，到了大约 1960 年左右，布朗案和沃伦法院加速了第四阶段法律现代主义的晚期危机的来临。在第三阶段，法律程序理论家用超验主义推理来描述民主社会中的法治和客观司法判决所需要的条件。但是，沃伦法院、特别是布朗案，提出了一个无法妥协的现实。沃伦法院的判决意见表明，法律程序理论至多描述了一个想

---

〔111〕 Wechsler, 前注 110, 页 32; 请看, Kalman, 前注 8, 页 27（论辩说，布朗案的意见显得是"有意识地现实主义的"）; G. Edward White, *Earl Warren as Jurist*, 67 Va. L. Rev. 461, 462–473 (1981)（关于沃伦毫不关心法律程序的要求）（以下称 White, *Earl Warren*）。其他针对布朗案的引人注目的批评包括: Raoul Berger, Government by Judiciary 243–245 (1977)（沃伦忽视了通过第 14 修正案的真正的历史）; Alexander Bickel, The Supreme Court and the Idea of Progress 37 以及注 * (1978; 1st ed., 1970)（以下称 Bickel, Idea of Progress）（布朗案最终会在历史上过时）; Learned Hand, The Bill of Rights 54–55 (1958)（批评了布朗案最高法院，因为它的行为类似于洛克纳案最高法院）。

〔112〕 Louis H. Pollak, *Racial Discrimination and Judicial Integrity: A Reply to Professor Wechsler*, 108 U. Pa. L. Rev. 1 (1959); Charles L. Black, Jr., *The Lawfulness of the Segregation Decisions*, 69 Yale L. J. 421 (1960).

像的世界，而非现实。摩西·拉斯基（Moses Lasky）哀叹说，理性的阐述和中立的原则的概念仅仅是理论，同司法判决的现实没有关系。其他法理学家要严厉的多。在 1960 年，艾迪生·穆勒（Addison Mueller）和默里·L. 斯瓦茨（Murray L. Schwartz）直接谴责中立原则的概念站不住脚。他们论辩说，任何原则在进行逻辑上的扩展时都最终会与某些其他与之竞争的原则产生冲突。没有什么原则是真正中立的，因此，有关中立原则的法律程序理论不能为宪法判决过程提供一个客观的基础。[113]

尽管法律程序理论在其后的很多年里都一直会是主要的法理学进路，但是它对学术界的支配性的控制已经在相当程度上松懈和衰退了。用年事已高的卡尔·卢埃林在 1960 年的话说，法理学家正在经历"一次信任危机"。这一危机已经"让我们的心灵和双手都蒙蔽和瘫痪，因为它是关于我们的上诉法院的工作是否具有任何可预测性，律师是否拥有任何稳定的立足点"。很快，学者们开始四处出击，试图满足现代主义世界观对于基础的要求。不同的学者利用了理性主义、经验主义、超验主义或者任何其他找得到的学术工具。很多理论家在对于客观基础的追求当中利用了哲学的或社会科学的方法。罗纳德·德沃金（Ronald Dworkin）把法律程序理论同英国从约翰·奥斯汀到 H. L. A. 哈特（H. L. A. Hart）的分析法理学的传统整合到了一起。通过这样做，德沃金试图解释，司法推理的程序是怎样使法官能够在有原则的基础上正确地判决案件。一些法律理论家试图把约翰·罗尔斯（John Rawls）的政治哲学融入到法理学当中去。例如，在为晚期沃伦法院保护贫困者获得政府协助的判决进行辩护时，弗兰克·米切尔曼（Frank Michelman）从罗尔斯主义的视角论辩说，各州应当具有保护穷

---

[113] Moses Lasky, *Observing Appellate Opinions from Below the Bench*, 49 Cal. L. Rev. 831, 831 – 834 (1961); Addison Mueller and Murray L. Schwartz, *The Principle of Neutral Principles*, 7 U. C. L. A. L. Rev. 571, 577 – 578, 586 (1960).

人"免受不平等社会中普遍存在的某些危险的威胁"的责任。在 20 世纪 60 年代中期,出现了以经验为导向的法律与社会运动;一些社会学家和法律教授联合起来于 1964 年成立了法律与社会协会(Law and Society Association)。这些学者中很多人都使用经验方法研究最高法院的判决是否有效地改变了美国社会:例如,最高法院中止公立学校中的祈祷活动的命令是否使地方学校委员会(school boards)真的消除了这种宗教活动?这些所谓的缝隙研究(gap studies)通常的结论是,司法判决没有取得其想要的目标,但是,这些学者继而以典型的现代主义风格暗示,这些研究本身可能导致更为有效的社会控制和变革方法。因此,颇为重要的是,与现代主义法理学的较早阶段不同,在这一晚期危机阶段处于领导地位的学者没有对任何总体的法理学进路达成广泛的一致意见。[114]

法理学在这一时期出现的两个主要发展是法律经济学运动和批判法律研究运动。法律经济学学者试图用经济分析的方法来发现有关法律制度的客观真理,特别是在合同法、侵权法和财产法这些普通法领域。就像一般的经济分析一样,一个基本的现代主义假定提供了法律经济学进路的出发点:所有的个人都试图最大化对自身私利的满足。如果个人可以自由地、理性地追求自己的私利,那么社

---

[114] Karl Llewellyn, The Common Law Tradition 3 (1960)(卢埃林这里实际上是在指一般的法律人,而不是特指法律学者); Ronald Dworkin, Taking Rights Seriously (1978); John Rawls, A Theory of Justice (1971); Frank I. Michelman, Foreword: On Protecting the Poor through the Fourteenth Amendment , 83 Harv. L. Rev. 7, 9, 14 – 15 (1969); The Impact of Supreme Court Decisions (Theodore L. Becker ed. , 1969)(含有缝隙研究)。关于德沃金与法律程序学派的关系,请看, Duxbury, 前注 8, 页 195; Vincent A. Wellman, Dworkin and the Legal Process Tradition; The Legacy of Hart and Sacks , 19 Ariz. L. Rev. 413 (1987)。米切尔曼在 1969 年写作时引用了罗尔斯 1971 年出版《正义论》之前发表的文章。Michelman, 同前, 页 15 注 10; 请看, Charles Reich, The New Property , 73 Yale L. J. 733 (1964)(与米切尔曼相似,他论辩说应当保护获得政府施舍的权利); 也请看, Kalman, 前注 8, 页 61 – 68(关于对于罗尔斯的使用)。有关法律与社会运动的发展,请看, Duxbury, 前注 8, 页 440 – 445; Kalman, 前注 8, 页 49。一般地,请看, Novick, 前注 4, 页 57 – 58(强调了 20 世纪 60 年代历史职业中缺少"全局的解释")。

会本身也就被认为可以取得其最高善益，即以经济上最有效率的方式配置资源和商品。在根本上，经济效率随着社会总体生产的增长而相应增长。实际上，在很大程度上是从这些假定出发，经济学家罗纳德·科斯（Ronald Coase）已经在 1960 年发表了一篇文章，该文最终成了法律经济学运动的源泉。科斯定理声称，在一个没有交易成本的世界里，法律权利的配置不会影响资源的分配，资源会自然地运动到最有效率的配置上去。[115]

以科斯定理和其下的经济学假定为基础，法律经济学学者暗示，他们的方法既有描述性的意蕴、也有规范性的意蕴。在描述方面，他们声称经济分析精确地描绘了普通法的历史发展——这一发展已经导致了更高的经济效率——不论法官自身认为自己在这些年里所做的是什么。因此，在某一意义上，法律经济学学者追随现实主义者否定了司法意见的作用，但是，同法律程序学者一样，法律经济学学者仍旧在司法判决过程中看到了清晰的逻辑。其他法律经济学学者把这一分析向前推进了一步，为法律制度提出了规范性的建议。最引人注目的是，理查德·波斯纳（Richard Posner）论辩说，普通法法官应该使法律模仿经济市场。如果一个被认为不受规制的市场会导致以某种方式分配商品，那么普通法法官就应该努力达到同样的商品配置。按照波斯纳和他的同事的观点，这是因为，重要的并不是商品的公平分配——即所有的人都应当受到公平对待——而是商品分配的方式应当能够提高整个体系的效率。而一个不受规制的市场被假定能够生产出最有效率的结果。总之，法律经

---

[115] Ronald Coase, *The Problem of Social Cost*, 3 J. L. & Econ. 1 (1960); 请看，James R. Hackney, Jr., *Law and Neoclassical Economics: Science, Politics, and the Reconfiguration of American Tort Law Theory*, 15 Law & Hist. Rev. 175 (1997)（对于法律与经济学运动的出现的一个历史描述）。

济学的进路试图增加社会的总体产出,而不论这所导致的公平或不公。[116]

在很多人看来,法律经济学进路的吸引人之处在于它表面上的科学和严密。在《法律研究杂志》(*Journal of Legal Studies*)这本创建于1972年、致力于发表法律经济学文章的杂志的第一卷中,波斯纳宣称:"本《杂志》的目的是鼓励将科学方法用于对法律制度的研究。就像生物学之于有生命的有机体、天文学之于恒星、或者经济学之于价格体系,法律研究也应当同法律制度之间具有同样的关系:努力对法律制度在事实中的运作作出精确、客观和系统的观察,并发现和解释这些观察中反复发生的规律——即这个体系的'规律'。"当然,法律经济学运动已经发展了。例如,今天,该运动最有生命力的因素可能是公共选择理论,它把经济分析应用于像立法决策这样的政治活动。尽管如此,法律经济学保持了其明显的现代主义取向,它所声称的科学的客观性就是这种取向的缩影。[117]

批判法律研究(CLS)运动出现于20世纪70年代的早期和中期。很多"批派"(crits)从前都是越南战争的学生抗议者,他们在念法学院期间就已经不再相信法律程序理论所描述的公平客观的美国法律体系和温和的自由主义的政治合意。随着批派进入法律学术界,他们挑战了主流法理学、特别是法律程序理论这一类型(最终也包括了法律经济学),因为他们把自己的注意力集中于美国社会中以阶级为基础的经济划分——这一划分来自于财富在不同团体之间的不平等的分配。法律程序学者试图证明法律内在的理

---

[116] Richard Posner, Economic Analysis of Law (1st ed., 1973);请看,A. Mitchell Polinsky, An Introduction to Law and Economics (1983)(对于早期法律经济学运动的一个概述)。

[117] Richard A. Posner, *Volume One of The Journal of Legal Studies – An Afterword*, 1 J. Legal Stud. 437, 437 (1972)。关于公共选择理论的一个讨论,请看,Daniel A. Farber and Philip P. Frickey, Law and Public Choice (1991)。

性，但是批派试图证明法律是一种意识形态，它无法正当化地合法化美国社会中财富和权力的差异。同法律程序学派的主张相反，批判法律研究学者论辩说，司法判决并非一个中立的过程，而是彻头彻尾的政治。法律不但是政治性的，而且它还是具有偏向性的政治：它偏爱那些在美国已经十分受到偏爱的个人和团体。在法律体系中，"有钱人"一贯地（尽管并不是一直地）胜出。但是，批派主张，法律是意识形态的，这是因为它倾向于遮蔽或掩盖这种政治偏向：法律声称自己是中立和正义的，即便它同时一贯地偏爱某些强大的团体。因此，批派拒绝用自由主义的零敲碎补的改革来改善法律体系的可能性。这种改革不可避免地会被法律的意识形态吸收和拉拢，最终使这个体系毫无改变。相反，批派坚持认为，惟一的出路在于对这个体系进行完全的或革命化的变革。[118]

值得强调的是，批派是现代主义者。毫无疑问，不同学术领域之间的学科边界在这个时候正在开始出现裂缝，这在同时期其他的交叉学科法理学运动中也很明显，比如法律经济学。但是，可能更甚于当时任何其他运动中的学者——而且当然胜过了之前的现代主义学者、包括现实主义者——批派是折衷主义者。他们开始引用各式各样的来源，包括很多欧陆思想家。他们的脚注提到了韦伯

---

[118] 请看，例如，Alan David Freeman, *Legitimizing Racial Discrimination through Antidiscrimination Law: A Critical Review of Supreme Court Doctrine*, 61 Minn. L. Rev. 1049 (1978); Peter Gabel, *Intention and Structure in Contractual Conditions: Outline of a Method for Critical Legal Theory*, 61 Minn. L. Rev. 601 (1977); Duncan Kennedy, *Form and Substance in Private Law Adjudication*, 89 Harv. L. Rev. 1685 (1976)。有关批判法律研究论文一个处于领导地位的选集，请看，*The Politics of Law* (David Kairys ed., 1981)。一位处于领导地位的实践者对于批判法律研究运动的概述，请看，Mark Kelman, A Guide to Critical Legal Studies (1987)。关于"有钱人"通吃，请看，Marc Galanter, *Why the "Haves" Come Out Ahead*, 9 L. & Soc'y Rev. 95 (1974)。关于整体变革的必要，请看，Roberto Mangabeira Unger, Knowledge and Politics (1975)（拒绝了对自由主义进行的一次部分上的批判）; Duncan Kennedy, *How the Law School Fails: A Polemic*, 1 Yale Rev. L. & Soc. Action 71, 80 (1970)（肯尼迪写作这篇文章时仍是个法学院学生）。

(Weber)、马克思(Marx)、胡塞尔(Husserl)、海德格尔(Heidegger)、哈贝马斯(Habermas)、米罗-庞蒂(Merleau-Ponty)、阿伦特(Arendt)、迪尔凯姆(Durkheim)、萨特(Sartre)、费尔巴哈(Feuerbach)、利维-斯特劳斯(Levi-Strauss)和其他人——当然都不是传统的美国法律权威。但是,尽管批派愿意超出普通的引用范围,但是他们在很大程度上仍然信仰基本的现代主义假定,就像他们所引用的很多欧陆思想家一样。最为重要的是,批判法律研究作品的一个中心特征是所谓的基本悖论(fundamental contradiction)。邓肯·肯尼迪(Duncan Kennedy)提供了开创性的表述:

> 个人自由的目标同时依赖于和不相容于达到这一目标所必须的公共强制行为。其他人(家人、朋友、官僚、文化名人、国家)都是我们之所以成为人所必须的——他们提供了我们的自我的内容,并能在关键的方面保护我们不会毁灭。……但在构建我们和保护我们的同时,其他人(家人、朋友、官僚、文化、国家)的宇宙是使我们灭绝的威胁,而且强加给了我们一些很显然是糟糕的、而非良好的融合的形式。一个朋友可以用眼神就让我十分痛苦。无数的遵从、无数针对他人而对自我作出的或大或小的抛弃,都是我们在社会中所体验的自由的代价。[119]

按照肯尼迪的描述,基本悖论是一种结构现象,其特征是两个极端之间的两极对立:个人自由与公共强制。罗伯特·W.高登(Robert W. Gordon)称其为"社会存在的最具威胁性的方面之一:其他人所造成的危险,他们的合作对我们来说是必不可少的(如

---

[119] Duncan Kennedy, *The Structure of Blackstone's Commentaries*, 18 Buff. L. Rev. 105, 211-212 (1979).

果没有他们帮助通过社会定义我们的个人身份,那么甚至连个人身份都没有了),但是他们又可能杀死我们或奴役我们"。批派论辩说,因为这一基本悖论是一种深层的结构,所以它在日常生活的表层并不是容易看到的,但是,如果我们深挖到表面之下,那么它就会倾向于在很多语境中以很多面目反复出现。因此,批判法律研究作者花费了大量时间来解释法律体系的各个领域是如何产生自基本悖论的底层结构的。杰拉尔德·E. 弗拉格(Gerald E. Frug)把现代城市的无力感在部分上归结于它,而弗郎西丝·E. 奥尔森(Frances E. Olsen)把家庭与经济市场之间的二分法同这一基本结构联系了起来。[120]

批派对于基本悖论的专注在两个重要方面把他们标记为现代主义者。第一,他们相信社会生活可以简化成这种基本的或基础性的积木,然后这些积木就可以被用来解释所有形式的多样化的社会发展。就像肯尼迪所说的,所有的法律问题都可以简化为"惟一一个两难选择:集体自主决定相对于个人自主决定的合适程度"。在效果上,基本悖论对批派而言变成了真理的客观来源。第二,尽管他们在学术上忠诚于这种底层的结构,但是批派们同时相信,自己可以以某种方式克服这一基本悖论的局限,引入一种新的、具有真正自由的社会生活。因此,最终批派相信自己能够为了人类的善益重塑社会。现代主义可以大步向前了。[121]

对于批判法律研究的最佳理解可能是把它看作一种代际的运

---

[120] Robert Gordon, *New Developments in Legal Theory*, in The Politics of Law 281, 288 (David Kairys ed., 1982); Gerald Frug, *The City as a Legal Concept*, 93 Harv. L. Rev. 1057 (1980); Frances E. Olsen, *The Family and the Market:A Study of Ideology and Legal Reform*, 96 Harv. L. Rev. 1497 (1983).

[121] Kennedy, 前注 119, 页 113; 请比较, Joan C. Williams, *Critical Legal Studies:The Death of Transcendence and the Rise of the New Langdells*, 62 N. Y. U. L. Rev. 429 (1987)(论辩说,批派们是解构主义者或非理性主义者,因而仍然陷在传统的——或者现代主义的——形而上学当中)。

动。从这一视角看来,批派就是那些持批评态度的或激进的思想者,他们在 20 世纪 70 年代进入法律学术界,并主导了左派法律思想 15 年左右。当然,批派之后还有其他持批评态度的思想者,但是,出于各种各样的原因,这些更为晚近的批评性作者最好不被归类到批判法律研究运动之中(最为重要的是,很多更为晚近的思想者都是后现代的而非现代的)。批派人物本身的驱动力不但包括他们对于自己的法学院经历的深刻失望,还在很大程度上包括他们作为战争抗议者的经历。因此,有时候,批派看起来几乎着迷于证明自己的法学院教授的完全失败,这些教授辛勤劳动,以阐明基本的法律程序主义主题。例如,保罗·布莱斯特(Paul Brest)和马克·塔什奈特论辩说,最终已经变成了法律程序主义著作的源泉的宪法理论的目标,在逻辑上是无法实现的。从法律程序主义的视角看来,一个有效的宪法理论需要使宪法判决基于某些客观的基础,并需要同时保证政治上的中立性。就像布莱斯特和塔什奈特的结论所说的,法律程序主义为宪法理论设定的这些目标具有内在的不一贯性。换句话说,法律程序主义的思维是自相矛盾的,而那些将全部心血都注入到宪法理论当中的法律程序学者其实是浪费了自己的专业生涯。尽管他们对自己的学术前辈进行了这种抨击,但是批判法律学者看起来在 20 世纪 80 年代的某一时间将该运动结束了。理所当然地,邓肯·肯尼迪象征性地结束了批派的短暂生命,他明确地否定了基本悖论这一概念,在 1984 年宣称"它必须被完全根除和消灭"。这样,随着批派成熟起来,他们当中的很多人转而进入了更为主流的努力当中。例如,塔什奈特变成了一位处于领导地位的宪法历史学家,而布莱斯特变成了斯坦福法学院(Stanford Law School)的院长(尽管仅仅几年之前,杜克法学院(Duke Law School)当时的院长保罗·D. 加灵顿(Pual D. Carrington)还大声喊叫说批派应该被从法学院的教席上驱逐出去）。[122]

同时，尽管法律思想已经走过了种种路径，但法律程序理论还是没有完全消失——远远没有消失。一些忠诚的法律程序学者变得越来越焦虑，推进了自己针对沃伦法院的战争。在他们的观点看来，最高法院一贯地忽视、并因而弱化了法治；人们再一次听到了虚无主义的叫声。其他更有希望的法律程序学者则试图既为法律程序辩护、也为沃伦法院辩护，他们的方法是发展越来越复杂的理论。实际上，随着时间的流失，韦斯勒对布朗案的挑战产生了法律程序主义中一些最具想像力和最老练的作品。例如，理查德·沃瑟斯特沃姆（Richard Wasserstrom）最为雄辩地阐述了法律程序学派对类似现实主义的规则怀疑主义（这看起来降低了很多沃伦法院意见的品质）的回应。按照沃瑟斯特沃姆的观点，现实主义者混淆了两个不同的过程：发现的过程和正当化的过程。发现的过程描述了一个法院是怎样在一个案件中得出了结论，而正当化的过程描述了法院如何正当化或合法化自己的结论。在被适用于发现过程时，现实主义对法律推理和司法意见进行的批判就是正确的：司法意见常常并不精确描述法官怎样得出自己的结论。但是，在被适用于正当化的过程时，现实主义者就错了：司法意见精确地描述了（或应该精确地描述）法官如何正当化自己的结论。也就是说，现实主义者没有认识到，司法意见的目的应当是描述对结论进行的正

---

[122] Peter Gabel and Duncan Kennedy, *Rollover Beethoven*, 36 Stan. L. Rev. I, 18 (1984)（"它必须被完全"）；Paul Brest, *The Fundamental Rights Controversy：The Essential Contradictions of Normative Constitutional Scholarslzip*, 90 Yale L. J. 1063 (1981)；Mark Tushnet, *Darkness on the Edge of Town：The Contributions of John Hart Ely to Constitutional Theory*, 89 Yale L. J. 1037 (1980)；请看，Paul D. Carrington, *Of Law and the River*, 34 J. Legal Educ. 222 (1984)；请比较，Kalman，前注 8，页 125（认为 *Rollover Beethoven* 对话标志着批评学术中的一次重要转变）。一位处于领导地位的批派写的有关批判法律研究运动的传记性的背景，请看，Gordon，前注 120，页 282 – 283。有关塔什奈特的更为晚近的学术作品的例子，请看，Mark V. Tushnet, *Making Civil Rights Law：Thurgood Marshall and the Supreme Court, 1936 – 1961* (1994)。

当化，而非对结论进行的发现。尽管发现的过程可能不是理性的，但是正当化的过程可以是、而且应该是严格地理性的。因为，按照法律程序主义的观点，在正当化过程中的这种严格理性的要求最终有意义地（并且客观地）限制了司法判决过程。因此，沃伦法院一贯地没有充分地正当化自己的判决，这种做法不恰当地、危险地把大法官们从有理由的阐述这一要求所施加的制度限制中解放了出来。[123]

如果说沃瑟斯特沃姆最为雄辩地阐述了支持带有良好推理的司法意见的法律程序主义论证，那么亚历山大·比格尔最为雄辩地陈述了对于宪法判决过程中的司法能动主义的制度批判。比格尔呼应着多元化政治理论，他论辩说，立法程序是一个无法无天的利益冲突过程，这对每一个人都是开放的，是由不断变化的多数派控制的。立法行为在很大程度上是无原则的，而且最多只是反映了解决问题和达到目标的最为便利的途径。尽管如此，对于比格尔来说，我们的立宪政府的中心承诺就是民主的程序，立法行为也因而是具有合法性，这恰恰是因为这些行为是民主的——它们被认为代表了人民中多数派的意志。因此，当最高法院以违宪为理由推翻一项立法行为时，最高法院就被认为是挫败了民主的意志。如果立法机关的制度角色就是允许民主自由地发挥作用，那么最高法院在司法审查中的制度角色就迫使它反民主精神行事。简言之，最高法院的角色创造了一种"反多数派的难题"。[124]

---

[123] Richard A. Wasserstrom, The Judicial Decision 25-28 (1961)。对于沃伦最高法院的攻击的例子，请看 Alexander M. Bickel, The Least Dangerous Branch 82-83 (2d ed., 1986; 1st ed., 1962) (以下称 Bickel, Least Dangerous); Gerald Gunther, *The Subtle Vices of the "Passive Virtues" – A Comment on Principle and Expediency in Judicial Review*, 64 Colum. L. Rev. 1, 4-5 (1964) (赞扬了比格尔对沃伦法院的支持者的谴责)。

[124] Bickel, Least Dangerous, 前注 123, 页 16; 请看, 20, 24-25, 27, 225-226; Bickel, Idea of Progress, 前注 111, 页 37 和注 *。有关对反多数派难题的思想的历史描述，请看, Barry Friedman, *The History of the Countermajoritarian DijJiculty*, pt. 1, *The Road to Judicial Supremacy*, 73 N. Y. U. L. Rev. 333 (1998)。

比格尔本人为这个反多数派的难题提出了一个可能的解决方案。按照比格尔的观点，只有当司法审查给政府加入了其所缺少的某些重要的东西时，司法审查才是可以正当化的。因为比格尔相信立法程序允许无原则的利益冲突，所以他论辩说，司法审查应该向我们的政府体系注入原则或伦理价值。与多元化的政治理论相一致，因为比格尔看到了一个对于基本的社会规范达成了一致意见的美国社会，所以他得出结论说，最高法院的制度功能必须是阐述和应用"我们社会的那些持久的价值"——即韦斯勒的中立原则。比格尔解释说："根本的想法是，只有当（司法审查的）程序给代议制政府注入了某些其本来没有的东西，它才是可以正当化的；而这就是原则、是行为的标准，它们的价值来自于对于社会的物质与精神需求的长远观点，并且不论眼前的结果是否便利或令人愉快，都要求人们遵循。"[125]

比格尔坚持认为，即便如此，最高法院也应当谨慎地行动，进行自我限制，以最小化自己同立法机构的民主程序的冲突。"被动的善德"——像诉讼地位（standing）、无实际意义（mootness）和成熟性（ripeness）这些教义——使最高法院可以小心地等待时机。通过依赖这些被动的善德，最高法院可以避免在实体上判决很多宪法案件，从而尊重立法判断，但是最高法院仍然可以抓住那些罕见的、就其实体进行判决会促进对持久价值的阐述的案件。这样，最高法院就维持住了自己在我们的民主体系中不稳定的但却很关键的反多数派的功能。[126]

因为美国法律思想已经陷入了第四阶段的现代主义，所以比格尔对于反多数派的难题的解决方法立刻就显得令人怀疑，尽管它很老练、

---

〔125〕 Bickel, Least Dangerous, 前注123, 页58。
〔126〕 同前, 页111-198; Alexander M. Bickel, Foreword: The Passive Virtues, 75 Harv. L. Rev. 40 (1961)。

很聪明。杰拉尔德·冈瑟尔（Gerald Gunther）指责比格尔削弱了法治，因为他的被动的善德并没有为司法判决过程提供客观的基础。对于冈瑟尔来说，这些被动的善德是"空洞的公式"，"（给最高法院）决定是否判决案件提供了几乎无限的选择权"。正因为如此，它们是"降低法律的"，并最终与法律程序理论不相容。更为重要的是，比格尔本人最终质疑了最高法院是否能够表述真正中立的原则。如果所有的实体价值都是相对的——就像相对主义的民主论所暗示的——那么最高法院既无法阐述中立的价值，也无法阐述客观的价值。对于晚期的比格尔来说，现代主义对于清除了文化传统的基础的追寻具有悲剧性的荒谬性：理性本身是不具有内容的，而价值必然要起源于传统本身。因此，法律程序学派对于美国民主中的法治的全部辩护就显得毫无希望，而法律学者也面临着第四阶段现代主义的深刻的绝望。[127]

但是，这种绝望把一些法律程序学者推动到了更高层次上的复杂和老练。实际上，法律程序理论可能在约翰·哈特·伊利（John

---

[127] Gunther，前注 123，页 13，15，17；请看，Bickel, Idea of Progress，前注 111，页 99，165；Alexander Bickel, The Morality of Consent 24 – 25（1975）；请比较，J. Skelly Wright, *Professor Bickel*, *The Scholarly Tradition*, *and the Supreme Court*，84 Harv. L. Rev. 769（1971）（批评了比格尔的转变）；也请看，Minda，前注 8，页 44（注意到了比格尔对于中立原则的思想的否定）。

法律程序学派的"中立原则"的概念的精确的变量从来都没有受到精确定义。请看，Duxbury，前注 8，页 276 – 277 以及注 481，484（指出了韦斯勒受到批评，因为他没有充分地定义中立原则这个概念）。特别地，中立原则有时看起来意味着一种抽象的中立性。从这一视角看来，一个中立原则就是一种在并不很大程度上偏向各种相互竞争的政治立场中的任何一种——这样，法院通过依赖一个这样的中立原则就可以宣示判决，而不会侵犯立法决策的领地。法律程序学派学者看起来就十分经常以这种抽象的方式讨论中立原则。但是，在其他地方，中立原则的概念显得仅仅意味着在美国社会得到广泛接受，或者，用 Robert Gordon 的话说，"之所以'中立'是因为它基于广泛的政治共识"。Robert W. Gordon, *American Law through English Eyes*: *A Century of Nightmares and Noble Dreams*，84 Geo. L. J. 2215, 2216（1996）。这一中立原则的概念没有那么抽象、也更为实用，但是，在根本上，这两个中立原则的概念都是有问题的。在第一个较为抽象的概念之下，中立原则会因为逻辑问题而瓦解掉。不存在这样的原则：它具有含义，可以被适用于具体案件，但仍然不偏向任何个别的政治立场。在第二个更为实用的概念下，美国社会在 20 世纪 60 年代的充满怨恨的分裂，就像在第 5 章讨论过的，会证明在任何重要问题上达到必须的政治共识是不可能的。

Hart Ely)的强化代议制的宪法理论中达到了顶点,这一理论试图在法律程序与布朗案之间进行调和。伊利接受了比格尔对于中立原则的怀疑性的结论,但他发誓要强化对于程序的忠诚。按照伊利的观点,对价值相对性的问题的惟一解决办法就是发展一种纯粹以程序为基础的宪法审判进路。最高法院甚至永远不应当试图阐述实体的价值或目标,不论它们是不是中立的;所有实体的价值判断必须来自于民主程序。但是,伊利意识到,民主程序并不总是公平的和开放性的,因此最高法院不应该自动地尊重立法判断。相反,最高法院应该监督民主代议的程序:如果、并且仅当立法行为是功能紊乱的或有缺陷的民主程序的结果时,该立法行为就应该因为违宪而被推翻。在伊利的观点里,程序本身就提供了客观的司法判决过程的基础。不仅如此,强化代议制的理论实际上消除了反多数派的难题,因为司法审查支持和促进民主程序。[128]

伊利详细阐述了自己的理论,他论辩说,最高法院可以以两种方式监督民主程序。第一,最高法院应当扫清政治变化的渠道。要做到这一点,最高法院就要防止政治"局内人"通过堵塞政治变化的渠道和永远地派出政治"局外人"来保证自己持续的政治力量。例如,通过不公平地分配立法机关的代表名额来否认或稀释投票权是政治程序中的一个"典型阻塞",因此必须由最高法院防止。第二,对为布朗案进行的辩护来说也是最为重要的,最高法院应该推动少数派的代表。也就是说,最高法院必须防止代表们因为敌意或偏见而系统化地伤害少数派。如果没有达到每一个人都被"实际地或真正地代表",那么民主程序就是失灵了。如果少数派

---

[128] John H. Ely, Democracy and Distrust 1 – 104 (1980)。代议强化理论的根源可以追溯到约翰·马歇尔。*McCulloch v. Maryland*, 17 US (4 Wheat.) 316 (1819);也请看, Jesse Choper, Judicial Review and the National Political Process 2, 127 – 128 (1980); Robert G. McCloskey, *Foreword:The Reapportionment Case*, 76 Harv. L. Rev. 54, 72 – 74 (1962)。

选出的代表仅仅因为他们是少数派就忽略他们的利益,那么,少数派尽管在技术上通过投票参加了民主程序,但是他们仍然是被排除在外了。因此,比如,当一个立法机构故意地因为一个不适当的动机(例如种族敌意)而歧视一个少数派,最高法院就应该判定该立法行为违宪。所以,出于这一原因,代议强化理论被认为是正当化了布朗案以及该案对公立学校中的种族隔离的谴责。那些命令进行种族隔离的立法机构没有充分代表非洲裔美国选民的利益。而且,非洲裔美国儿童所受的种族隔离的教育最终抑制了他们作为成年人完全地参加民主程序的能力。[129]

伊利的代议强化理论简单优美。即便如此,也立刻出现了大量的批评者,他们进行了毁灭性的攻击。例如,伊利论辩说最高法院应该通过推动少数派的代表来监督民主程序,但是,就像批评者很快就注意到的,最高法院本身必须区别各种各样的社会团体,它们都是多元化民主的无原则的战争中的失败者。最高法院指定一些这样的团体作为(独立的和狭窄的)有权获得特别司法保护的少数派,但却认为其他团体纯粹是民主程序中的失败者。在效果上,这些纯粹的失败者必须在立法的竞技场上自谋生路,不受法院的保护。从法律程序理论的视角看来,最高法院在社会团体之间必然作出的区分是有问题的:它要求最高法院从事那些不受限制的实体价值选择,而这恰恰是按照假设代议强化理论应该禁止的。这些批评者作出结论说,代议强化理论可能为布朗案提供了一个辩护,但是它达到这种效果(如果说它真的达到了的话)的代价是牺牲了法律程序的中心目标,即中立的和客观的司法判决过程。就像保罗·布莱斯特挖苦地写下的,伊利对以程序为基础的宪法理论表述得如此富于艺术,以至于他的失败不经意地证明了得出一个成功的理论是不可能的:"约翰·哈特·伊利最为接近地证明了这是做不到

---

[129] Ely,前注128,页101,117;请看,页105-179。

的。"这也适用于当时总体上的现代主义法理学:在一个多世纪的努力之后,现代主义法理学自己给自己强加的目标看起来在本质上就是达不到的。[130]

---

[130] Paul Brest, *The Substance of Process*, 42 Ohio St. L. J. 131, 142 (1981); 请看, Richard D. Parker, *The Past of Constitutional Theory – And Its Future*, 42 Ohio St. L. J. 223, 234 – 235 (1981)。

第五章

后现代美国法律思想

穿越朦胧的边界：从现代到后现代法理学

20世纪50年代以及60年代早期的美国是一个以意见统一和自信为特征的国家。[1] 很多美国人，包括大多数法律程序学者和政治理论家，在整个50年代都相信，全国人民有着统一的意见，全都赞美民主和法治。而且，他们相信，因为美国的技术、繁荣和力量，这些高贵的原则不但可以充满所有美国人的生活，而且也可

---

[1] 我在本章中引用到的有关美国历史、包括法理学历史和法律史的有用来源包括：David J. Garrow, Liberty and Sexuality: The Right to Privacy and the Making of *Roe v. Wade* (1994); Godfrey Hodgson, America in Our Time (1976); Richard Hofstadter, Anti-Intellectualism in American Life (1962); Laura Kalman, The Strange Career of Legal Liberalism (1996); Gary Minda, Postmodern Legal Movements (1995); Peter Novick, That Noble Dream: The "Objectivity Question" and the American Historical Profession (1988); James T. Patterson, Grand Expectations: The United States, 1945-1974 (1996); Bernard Schwartz, A History of the Supreme Court (1993); Stephan Thernstrom, A History of the American People (2d ed., 1989); Howard Zinn, A People's History of the United States (1980); Thomas Bender, *Politics, Intellect, and the American University*, 1945-1995, 126 Daedulus I (1997)。

以有益地塑造整个世界。但是，这一意见统一的阶段可能是"傻瓜的天堂……是一段虚假的满足和自大并且危险的幻想时期"。早期民权运动暗示了意见统一这一想法当中的缺陷，但随后，对于民权运动的广泛支持本身变成了这一一致意见的一部分——表面上反映着美国对自由和平等的忠诚。并且，运动前期的成功又强化了美国的自信：大多数美国人都相信，南方的种族主义可以被打败，这样所有的公民都会拥有平等的机会分享美国的梦想。这实际上是一段"远大预期"的时期。按照詹姆斯·T. 帕特森（James T. Patterson）的观点，"人们自信地谈论赢得'战争'，这些战争所针对的是当时的问题，从贫困到癌症到越南的动荡局面"。但最终，自20世纪60年代早期到20世纪70年代早期发生的事件会挫败这些预期，会戏剧化地击碎美国人所感觉到的和谐和成功。民权运动的转变，约翰·F. 肯尼迪（John F. Kennedy）总统、他的兄弟罗伯特·F. 肯尼迪（Robert F. Kennedy）参议员以及小马丁·路德·金（Martin Luther King, Jr.）遇刺；越南战争以及随之而来的抗议活动；以及水门事件（the Watergate Affair），都动摇了美国人、让他们开始怀疑自我，并且"把一致意见撕裂成了碎片"。[2]

越南战争可能要比其他任何事件都概括了美国人自信的解体。美国人的繁荣昌盛与他们的现代主义自负一起使他们相信，自己可以为整个世界设计社会进步。在冷战期间，美国人对于进步的概念就是要停止共产主义。在越南，这一想法演变成了相互关联的目标：打败北越的共产党人，并且保证东南亚地区的被认为是自由的经济和政府。但是，从美国在1964年和1965年派出部队开始，美国就严重地低估了北越人的决心。因此，对于美国的目标的追求就要求国家坚持不懈地升级自己的战争努力。尽管如此，随着每一次

---

〔2〕 Hodgson，前注1，页16（"傻瓜的天堂"）；Patterson，前注1，页451-452（"远大预期"，"人们自信地谈论"）；Hodgson，前注1，页492（"把一致意见撕裂"）。

升级,随着每一次轰炸攻势和每一次输送更多的士兵,美国都不知怎的没能朝着自己的目标取得什么进展。事实上,在战争中,美国在越南投下了700万吨炸弹,这超过了联军在二战中在欧洲和亚洲所投下数量的两倍还多。同国外的升级一起出现的还有国内的挫败,美国人分化为支持战争和反对战争的两极:在1965年,大多数美国人都支持国家参与越南事务,但是到了1969年,大多数美国人都反对它。很多反对者都通过参加那个时代著名的抗议游行来坦率地表达自己的不满。[3]

美国最终于1973年从越南撤出了自己的军队,理查德·尼克松(Richard Nixon)总统的政府声称自己谈判得到了一次"有荣誉的和平"。尽管如此,在1975年早期,北越进入了南越的首都西贡,并且击败了南越的政府。尽管美国在战争中花费了3500亿美元,尽管58000名美国人、超过415000名越南平民以及大约100万北越士兵死于这场战争,但是美国失败得很惨,没能达到自己的目标。这样的军事惨败当然产生了国际影响,但是它也产生了深远的国内影响,其中之一就是美国人不再像20世纪60年代开始时那样相信自己了。美国人必须接受这样一个事实:尽管自己的国家拥有巨大的经济和军事资源,但是美国却无法战胜东南亚的一个微小、相对落后的国家。这场战争显露了即使在美国"最优秀、最聪明的人"身上也存在的局限和弱点,而正是这些人被认为是指挥了国家的努力。在南越沦陷的同一年,来自爱荷华州(Iowa)的参议员约翰·C. 加尔弗(John C. Culver)哀叹说"越南大大地削弱了美国人民的国家意志"。[4]

---

〔3〕 有关越南的信息,请看,Gabriel Kolko, Anatomy of a War: Vietnam, The United States, and the Modern Historical Experience (1994); Patterson, 前注1, 页593-636; Thernstrom, 前注1, 页844-856; Zinn, 前注1, 页460-492。

〔4〕 David Halberstam, The Best and the Brightest (1972); Zinn, 前注1, 页538; 引用的是, Culver。

如果说越南战争代表美国人丧失了信心,那么民权运动的命运可能最佳地例证了一致意见的消失(这也进一步例证了信心的丧失)。以亚拉巴马(Alabama)州蒙哥马利市的萝莎·帕克斯(Rosa Parks)在1955年12月1日拒绝坐到公共汽车的后部为开端的几年里面,运动的关键组织是南方基督教领袖大会(Southern Christian Leadership Conference)(SCLC),其领导者是小马丁·路德·金(Martin Luther King, Jr.)、拉尔夫·艾伯纳西(Ralph Abernathy)以及弗莱德·沙透斯沃斯(Fred Shuttlesworth)三位牧师。特别是路德·金的作品,表明了SCLC领袖的乐观态度,表明了他们的一种感觉:非洲裔美国人可以成功地融入一个具有凝聚力的、平等主义的美国社区。用他自己的话说,即使路德·金"意识到了人类动机的复杂性",并且理解了"集体罪恶这一刺目的现实",但是,他对非暴力抵抗的毫不动摇的忠诚例证了他相信社区进步的可能性。"我们的目标是说服",路德·金声称。"我们采纳了非暴力的方式,因为我们的目标是一个处于和平状态的社区。……我们会一直都愿意对话和寻求公正的妥协,但是我们已经准备好了在必要时遭受苦难……成为我们所看到的真理的证人"。[5]

到20世纪60年代早期,学生非暴力协调委员会(Student Nonviolent Coordinating Committee)(SNCC)已经成了不断演变的民权运动中的另一个关键组织。SNCC主要是由年轻人组成的,包括很多大学生,他们开始时参加了餐馆里的占座示威(sit-in)。大多数SNCC成员"开始时是自由主义信条的相信者",但是他们

---

[5] Martin Luther King, Jr., *Pilgrimage to Nonviolence* (1960), in A Testament of Hope: The Essential Writings of Martin Luther King, Jr., 35, 36 (James M. Washington ed., 1986); Martin Luther King, Jr., *An Address before the National Press Club* (1962), in A Testament of Hope: The Essential Writings of Martin Luther King, Jr., 99, 103 (James M. Washington ed., 1986)。对于路德·金的观点的一个简要概述,请看,Stephen M. Feldman, *Whose Common Good? Racism in the Political Community*, 80 Geo. L. J. 1835, 1866 - 1876 (1992)。

"最终还是放弃了这个体系"。就像戈弗雷·霍芝森（Godfrey Hodgson）解释的："（SNCC领导者）在开始时相信基督教福音是有意义的、美国的承诺是有意义的、联邦政府的正义性是有意义的。恐惧、痛苦、失望和背叛改变了他们。他们变得更加悲观、更加怀疑、更加具有嘲弄性——更加分离主义（separatist）。他们丧失了对政治天堂的信心。"具有讽刺意味的是，到路德·金1963年夏天在"向华盛顿进军"（March on Washington）当中做了他著名的《我有一个梦》（*I Have A Dream*）演讲的时候，这个梦已经开始消退了。路德·金讲到"一个深深地根植于美国梦之中的梦，即，有一天，这个国家会起来实现其信条的真正含义——我们认为这些真理是不言自明的，所有的人都生来平等"。但是，马尔科姆·X（Malcolm X）用一种非常不同的观念进行了反驳："我根本就没有看到什么美国梦，我看到的是一个美国恶梦。"对他来说，"向华盛顿进军"更应当被称作"华盛顿的一场闹剧"，因为，在计划阶段，肯尼迪政府秘密地、但却成功地使它非极端化了；部分因为政府的压力，"进军"集中关注了制定民权立法，而不是更具煽动性的问题，比如经济上的不公。接着，在"进军"之后的两年里，民权运动被"从一场抗议运动"转变为"一次反叛"。1965年，从洛杉矶沃茨（Watts）区开始，一系列暴力性的种族骚乱席卷了美国的城市。到1966年夏季，路德·金的种族融合宣言"我们会战胜"（We Shall Overcome）越来越被SNCC的斯多克里·卡米克尔（Stokely Carmichael）和其他人要求"黑色力量"（Black Power）的声音所淹没，而"黑色力量"对一些人来讲意味着将白人排除在民权运动之外。越来越多的非洲裔美国人，不是仅仅追求机会的平等，而是现在也要求实质结果的平等，而这就要求真正的、广泛的社会和经济变革——而这些变革是很多白种美国人不愿意或不能够（或者两者都有）带来的。[6]

简而言之，20 世纪 60 年代以及 70 年代早期的美国经历了一系列事件，这些事件根本地改变了公民们的感觉、预期和希望。20 世纪 50 年代的共识和信心已经消解了："60 年代真正的危机是，自从南北战争和重建以来，第一次有一整代美国人被迫去问一问：问题是不是能够解决，而不是像人们在大萧条时期所问的怎样解决自己的问题。这就是为什么肯尼迪和尼克松时代的重大冲突挑战了美国生活的中心希望，而这一希望却没有受到 20 世纪 30 年代工作职位短缺、或 20 世纪 40 年代的战争、或 20 世纪 50 年代的冷战的挑战。"[7] 换句话说，现代主义看起来走进了绝境。美国人没有团结到一起并治愈伤口，相反，20 世纪 60 年代的两极对立变成了 20 世纪 70 年代的支离破碎。一种权利意识已经出现了，呼应着民权运动，但是，这个时候却有着大量各种各样的利益团体寻求维护权利、补偿过去的不公。1966 年成立了全国妇女组织（National Organization for Women），妇女运动进入了国家舞台的中心。环保组织和其他公益团体也出现了。甚至主要的棒球联赛运动员也组织了

---

[6] Hodgson，前注 1，页 189；Martin Luther King, Jr., *I Have A Dream* (1963), in A Testament of Hope: The Essential Writings of Martin Luther King, Jr., 217 - 20 (James M. Washington ed., 1986)；Malcolm X, *The Ballot or the Bullet*, in Malcolm X Speaks 23, 26 (George Breitman ed., 1965) (Cleveland, April 3, 1964)；Hodgson，前注 1，页 200（引用的是，Malcolm X）（"华盛顿的一场闹剧"）；Hodgson，前注 1，页 179（"从一场抗议运动"）。对于民权运动的历史研究，请看，David J. Garrow, Bearing the Cross: Martin Luther King, Jr., and the Southern Christian Leadership Conference (1986)；Robert Weisbrot, Freedom Bound: A History of America's Civil Rights Movement (1990)；也请看，Zinn，前注 1，页 440 - 459。对于肯尼迪政府在"进军"中的角色，请看，Garrow，同前，页 265 - 286；Hodgson，前注 1，页 157, 196 - 197；Patterson，前注 1，页 482 - 483；Zinn，前注 1，页 448 - 449。关于路德·金与马尔科姆·X 的关系，请看，James H. Cone, Martin and Malcolm and America (1991)。关于"黑色力量"运动的出现，请看，Garrow，同前，页 481 - 525；Weisbrot，同前，页 196 - 221。

[7] Hodgson，前注 1，页 15；请看，Robert Wuthnow, The Restructuring of American Religion 269 - 270 (1988)；Bender，前注 1，页 22（丧失了对精英机构、包括对大学的信心）。

自己的协会。总而言之，美国社会看起来已经无可挽回地分裂成了多样化的和相互对立的团体（或者可能更准确的说法是，很多美国人第一次意识到了很久以来就存在的某些社会分裂）。这些分裂随后"主导了20世纪60年代之后好几十年的美国生活"。即使在一个拥有权利意识的社会当中，存在着这么多的团体同时要求为自己的目标主持公道，这意味着真正的社会变革能够成功的可能性是极小的。美国的社会结构抵抗了对于迅速的（有时甚至包括渐进的）变革的要求——不论这种要求可能多么具有合法性，而且，它们常常显得极其合情合理。所以，社会变革的希望通常都很短暂，很快就会让路给挫折、悲观主义和愤世嫉俗。[8]

美国社会中的这些典型转变反映在了最高法院的案件中——或者更为准确地说，反映在了向最高法院主张的权利当中，反映在了公众对那些承认并保护了这种权利的最高法院判决的反应之中，而公众的这些反应既有极其正面的也有极其负面的。即使在20世纪60年代早期到中期，这些社会变化就开始出现了，就像恩戈尔诉维塔尔案（*Engel v. Vitale*）所例证的。在20世纪50年代期间——即表面的意见一致时期，纽约州的教育董事会（Board of Regents）已经建议地方的教育委员会（school boards）要求儿童每天都在学校里背诵一篇祷告词，以促进宗教忠诚以及道德和精神价值。纽约州教育董事会建议使用一篇被认为是"不具有宗派性的"祷告词："全能的上帝，我们承认我们依赖于您，我们祈求您赐福于我们、我们的父母、我们的老师和我们的国家"。在1958年，当长岛（Long Island）新海德公园（New Hyde Park）镇的教育委员会采纳这一祷告词在教室里使用时，几位家长决定挑战其合宪性。

---

〔8〕 Patterson，前注1，页453（"主导了"）；请看，Hodgson，前注1，页365，492；Minda，前注1，页66；Novick，前注1，页415；Patterson，前注1，页452－453；也请看，Mark Tushnet and Katya Lezin, *What Really Happened in Brown v. Board of Education*, 91 Colum. L. Rev. 1867, 1867 (1991)（有关权利意识）。

开始时对这一诉讼的反应是不祥的,原告们收到了很多表达仇恨的信件。例如,有一封信说:"这看起来好像是犹太人在试图霸占美国,就像犹太人霸占了他们想在我国占有的所有东西一样。美国是一个基督教国家。"另外一封信宣称:"如果你不喜欢我们的上帝,那么就回到铁幕后面的你的老家去吧,你们这些犹太佬、女招待(Hebe)、秽物。"很显然,人们所认为的美国的一致意见已经开始显现出裂缝。[9]

当首席大法官沃伦手下的最高法院于1962年判决这个案件时,恩戈尔诉维塔尔案判定,在公立学校中每天背诵董事会的祷告词违反了宪法中的教会条款。最高法院援引了新教历史来解释教会条款:最高法院回忆道,清教徒17世纪从英国逃到美国来,就是为了避免按照政府的强迫使用英国国教的《通用祷告词》(Book of Common Prayer)。按照最高法院的意见,每天背诵董事会的祷告词,这与官方强加给人们一本祷告词的做法太近似了。最高法院进一步推理说,第一修正案禁止任何法律建立"官方宗教",即便该法律并没有强迫宗教习惯。尽管如此,最高法院还是承认,在这个具体语境之中还是存在强迫的,尽管学生被允许在自己同学背诵祷告词的时候保持沉默或离开教室。"当政府的权力、声誉和财政帮助被用来支持一个特定的宗教信仰时,就显然存在着间接的压力,迫使宗教上的少数派顺从盛行的、官方认可的宗教"。就像《新共和国》(New Republic)很快就注意到的,恩戈尔案激发了一场"凶残的争议"。尽管一些评论者赞扬了这个案子,因为它在教会与国家之间竖起了一堵高墙,但是其他很多人嘲笑最高法院"背叛了美国生活方式"。例如,一篇《华尔街日报》(Wall Street

---

[9] *Engel v. Vitale*, 370 US 421, 422, 430 (1962)(引用了祷告词); Naomi W. Cohen, Jews in Christian America: The Pursuit of Religious Equality 168 (1992)(引用了这些信件)。

Journal）评论员文章就人们害怕这个判决会产生的意涵而大发感慨："可怜的孩子们，他们都不会唱圣诞颂歌。"毫不奇怪，从美国历史的角度看，恩戈尔案产生了一系列给《宪法》增加一个基督教修正案的建议；事实上，共和党 1964 年的政纲就提倡这样一个修正案。[10]

虽然恩戈尔案很重要，但是 20 世纪 60 年代和 70 年代最具争议的最高法院案件——因而也是对从现代主义到后现代主义法理学的过渡来说最具影响力的案件——毫无疑问是分别判决于 1965 年和 1973 年的格里斯沃德诉康涅狄格州案（*Griswold v. Connecticut*）和罗伊诉韦德案。格里斯沃德案中的判决产生自对康涅狄格州的反避孕制定法进行的长时间的政治和法律斗争。[11] 在四年之前，该制定法已经在最高法院进行的一次宣告性判决诉讼（declaratory judgment action）中受到了挑战。在坡诉伍尔曼案（*Poe v. Ullman*）中，最高法院以 5 : 4 的微弱多数判定，该案并不具有可以进行判决的成熟性（ripe）。费利克斯·弗兰克福特大法官是最高法院进行司法自制的最强烈的支持者之一，他写了一篇相对多数（plurality）意见，赞扬了被动的美德。但是，到格里斯沃德案到达最高法院时，弗兰克福特和坡案当中的另外一位多数派

---

〔10〕 *Engel*, 370 US at 425 – 426, 430 – 431; *Engel v. Vitale*, The New Republic, July 9, 1962, in Religious Liberty in the Supreme Court 42 (Terry Eastland ed., 1993) （"凶残的"）; Cohen, *supra* note 9, at 171（"背叛了"）; *In the Name of Freedom*, Wall Street Journal, June 27, 1962, in Eastland, 同前, 页 138（"可怜的孩子们"）; 请看, Cohen, 前注 9, 页 171 – 177, 211; Stephen M. Feldman, Please Don't Wish Me a Merry Christmas: A Critical History of the Separation of Church and State 190 – 191, 222, 234 (1997)（讨论了各种各样的给《宪法》加上一个基督教修正案的建议）（以下称 Feldman, Please Don't）。Howard M. Sachar 写道："仅仅在 1962 年，一群南方共和党议员就发起了 49 项单独的宪法修正案来允许在学校中祷告。" Howard M. Sachar, A History of the Jews in America 796 (1992)。

〔11〕 *Griswold v. Connecticut*, 381 US 479 (1965); 请看, Garrow, 前注 1, 页 1 – 269。

成员已经退休了。因此,康涅狄格计划生育协会(Planned Parenthood League of Connecticut)的董事埃斯特尔·格里斯沃德(Estelle Griswold)以及她的大多数同事都相信最终能够取得胜利。[12]

在格里斯沃德案中,威廉·O. 道格拉斯大法官写作了一篇相当支离破碎的多数意见,判定这部反避孕制定法违反了宪法上的隐私权。道格拉斯很少大幅度修改自己的意见,但是,在这个案子中,为了回应威廉·J. 布冉能(William J. Brennan)写的一封信,道格拉斯对自己的第一稿修改了很多。道格拉斯的第一稿基本上是依赖于第一修正案中的结社权,但是,布冉能的信(基本上是由他的助手写的)暗示,即使道格拉斯没有依赖实体正当程序(substantive due process),他的推理也"可能像洛克纳案那样回来让我们感到困窘"。在修改后的意见中,道格拉斯采取了两个步骤来回避可能出现的指责,即沃伦法院实际上是在重新颁布洛克纳案时代最高法院的误入歧途的、现在已经被废弃的宪法冒险。

第一,道格拉斯声称,与洛克纳案相反,格里斯沃德案中的最高法院并没有超越自己制度角色的边界:"我们并不是一个超级议会,无法决定那些有关经济问题、商业事务或社会条件的法律是否明智、是否必要、是否适当。可是,这部法律却直接控制着丈夫与妻子之间的亲密关系以及他们的医生在这种关系的一个方面中的角色。"[13]

第二,道格拉斯在很大程度上修改了自己的推理顺序。尽管他在对实体问题进行分析时保持了自己开始时对于结社权的强调,但

---

[12] *Poe v. Ullman*, 367 US 497, 508 (1961);请看,Garrow,前注1,页196 - 269。在1962年,怀特和戈德堡大法官已经取代了弗兰克福特和惠特克(Whittaker);页224。马克·塔什奈特认为,真正的(自由的)沃伦最高法院在这次人员变化之后才存在。Mark Tushnet, *The Warren Court as History:An Interpretation*, in The Warren Court in Historical and Political Perspective 1, 4 - 6 (Mark Tushnet ed., 1993) (以下称 Tushnet, *Warren Court*)。

[13] *Griswold*, 381 US at 482;请看,Garrow,前注1,页246(布冉能的信)。

是道格拉斯在这一讨论的中间突然宣称，第一修正案有一个能够保护隐私权的阴影。随后，他把自己的关注点从结社权转到了《权利法案》（Bill of Rights）中的其他几项保证。他推理说，这些保证中的每一个都产生了或发出了能够保护隐私权的阴影。然后，道格拉斯把自己最初对结社权的讨论说成是仅仅是在进行例证：

> 《权利法案》中的具体保证具有阴影，这些阴影是由这些给其以生命和内容的保证所散发出来的东西组成的。多种多样的保护创造了隐私的区域。第一修正案的阴影中所包含的结社权即是其一，就像我们已经看到过的。第三修正案禁止在和平时期不经房主同意而在"任何房屋中"驻扎士兵，这是那种隐私权的另一个侧面。第四修正案明确确认了"人民确保自己的人身、房屋、文件和私人财产（effects）不受不合理的搜查和扣押"。第五修正案在其自证其罪条款（Self-Incrimination Clause）中使公民能够创造一个隐私区域，政府不能强迫他放弃这个隐私区域、从而给他造成伤害。第九修正案规定："《宪法》中列举某些权利，并不应当被解释为否认或蔑视人民所保留的其他权利。"[14]

接着，在简要讨论了对隐私权的一些特别保护之后，道格拉斯发现，这些各种各样的阴影联合起来产生了一个隐私"区域"——一个大于其各组成部分（即那些阴影）之算术和的整体。但是，道格拉斯再一次相当突然地改变了自己的关注点，这次他转向了婚姻关系，然后他就迅速得出结论说那部反避孕法律侵犯了受保护的隐私权区域。"所以，本案是一种处于隐私权区域之内的关

---

[14] *Griswold*, 381 US at 484（引用已省略）；请看，页 482-483。

系，这个区域是由几个基本的宪法保证创造的。而且，本案所关涉的法律禁止使用避孕用具、而不是规制这些器具的生产或销售，它试图达到目标的方式对于这种关系具有最大限度的破坏影响。……我们会不会允许警察搜查已婚者卧室中的神圣区域，以获得那些能够说明人们使用了避孕器用具的告密的证据？这个想法本身对于环绕着婚姻关系的隐私概念来说就是可憎的"。道格拉斯在多数派意见的结尾使用了一处露骨的修辞手法，暗示说隐私权是自然法："我们所处理的隐私权要比《权利法案》还古老——比我们的政党还古老，比我们的学校体系还古老。"[15]

其他大法官本人令人侧目地显示出了他们对格里斯沃德案中的推理的极大不安。在口头辩论时、以及在辩论后会议上，首席大法官沃伦以及胡果·L·布莱克大法官和拜伦·R·怀特大法官担忧那些能够推翻这部制定法的可能的正当化理由以及这些正当化理由的潜在影响范围。特别地，他们担忧这些理由对于堕胎的意涵。而且，尽管判决这部制定法违宪的投票结果是7∶2，但是只有4位大法官加入了道格拉斯大法官的意见。约翰·M.哈兰（John M. Harlan）大法官和怀特大法官都只是附和判决结果，但都分别写作了自己的意见。甚至参加了道格拉斯的意见的阿瑟·J.戈德堡（Arthur J. Goldberg）大法官，也还是写作了一篇独立的附和意见，而首席大法官沃伦和布冉能大法官不但参加了道格拉斯的多数派意见，也参加了戈德堡的附和意见。布莱克大法官和波特·斯图尔特（Potter Stewart）大法官写作了反对意见。[16]

与道格拉斯一样，所有其他的大法官都是在洛克纳案的阴影中

---

〔15〕 同前，页485–486。
〔16〕 因此，克拉克（Clark）、戈德堡、布冉能大法官以及首席大法官沃伦同加入了道格拉斯，共同创造了这篇多数派意见。请看，Griswold，381 US at 479–531；Garrow，前注1，页248–252（讨论了如何累积起5张票以创造一篇多数意见）；也请看，Garrow，前注1，页240–241（讨论了对堕胎的关切）。

写作自己的附和意见和反对意见。当然，布莱克和斯图尔特各自的反对意见都最为猛烈地指责最高法院逾越了制度限制、因而是在像洛克纳案中的最高法院那样行动。布莱克有时听起来特别像法律程序理论家："我想说的是，《宪法》里没有哪一条明确地或暗示地授权本院成为一个监督机构，去监督合法构成的立法机构的行为、去推翻它们的法律，而这样做的理由仅仅是最高法院相信这些立法机构所采纳的立法政策不合情理、不明智、武断、任性或不合理性。采纳这种宽松、具有弹性、不受控制的判定法律违宪的标准，如果说这最终可能被采纳的话，会构成一次重大的、违宪的朝向法院的权力转移，我相信而且必须说，这对法院会很糟糕，对于国家来说更糟。"[17] 毫不奇怪，在表达自己对格里斯沃德案中的推理的担忧方面，这些大法官们并不孤独。法律程序理论家（其他学者也加入了其中）用两个典型的、相互关联的批评继续了他们对于沃伦法院的进攻：第一，这篇意见中的法律推理是不充分的，第二，最高法院超出了自己正确的制度角色（这是洛克纳案的翻版）。例如，保罗·考普尔（Paul Kauper）严厉地批评了道格拉斯的意见，说它是一次试图令自己显得客观的站不住脚的努力，而实际上，它是基于实体正当程序的。海曼·格罗斯（Hyman Gross）认为道格拉斯扭曲了"隐私"的含义，而阿尔弗莱德·凯力（Alfred Kelly）批评了戈德堡对于宪法历史的使用，认为这种使用模糊了这样的事实：最高法院回归到了"洛克纳案之后的开放性的实

---

[17] *Griswold*, 381 US at 520 – 521（布莱克大法官，反对意见）；请看，511 – 518（布莱克大法官，反对意见）；527 – 531（斯图尔特大法官，反对意见）。只有怀特大法官的附和意见并没有明确地回应对于洛克纳案的制度性批判。戈德堡推理说，第 14 修正案保护了基本的个人权利，但是他谨慎地提到了第 9 修正案对于最高法院的判决的相关性；页，493（戈德堡大法官，附和意见）；引用的是，*Snyder v. Massachusetts*, 291 US 97, 105 (1934)。哈兰大法官最为清楚地接受了一种十分类似于洛克纳案的实体正当程序的进路，但是他强调了最高法院在宪法审判当中仍然是受到限制的。*Griswold*, 381 US at 501（哈兰大法官，附和意见）。

体正当程序概念"。拉欧尔·博格（Raoul Berger）认为，格里斯沃德案"表明，在自己的感情被牵涉其中时，大法官们很愿意充当'超级立法机构'"。甚至在最高法院中代表格里斯沃德的托马斯·爱默生（Thomas Emerson）也承认学者们可以很容易地批评这篇意见。[18]

罗伯特·伯克（Robert Bork）可能是格里斯沃德案最坦率的批评者。伯克同意赫伯特·韦斯勒的观点，即，所有的宪法判决都必须基于中立的原则，但是伯克进一步论辩说，最高法院不能选择任何基本价值进行司法保护。最高法院所进行的任何此类选择都会是不中立的——这种价值不会是一个中立的原则。对伯克来说，最高法院在决定宪法问题时只能基于那些由"国父们"（Founding Fathers）选定的价值。最高法院只能通过两个办法找到这些价值：第一，找到那些在宪法文本或制宪者意图中"列明"的权利，第二，承认那些使我们的政府得以存续所必须的权利，比如言论自由领域中的那些权利。否则，大法官们就一定是在把自己的价值强加给美国社会中的其他人："当《宪法》什么也没说的时候，除了自己的价值偏好之外，最高法院应该再也找不到别的能够用来衡量各种主张的天平了。"最后，伯克作出结论说，格里斯沃德案是"沃伦法院的一个典型判决"：它完美地例证了无原则的司法判决过程可以

---

[18] Paul G. Kauper, *Penumbras, Peripheries, Emanations, Things Fundamental and Things Forgotten: The Griswold Case*, 64 Mich. L. Rev. 235 (1965); Hyman Gross, *The Concept of Privacy*, 42 N. Y. U. L. Rev. 34, 40–46 (1967); Raoul Berger, *Government by Judiciary* 265 (1977); Thomas I. Emerson, *Nine Justices in Search of a Doctrine*, 64 Mich. L. Rev. 219, 234 (1965)。事实上，保罗·考普尔支持格里斯沃德案的结论，并且认为最高法院应该更公开地承认这是一个实体正当程序/基本权利案件。Kauper, 同前，页 253–254；请看，Robert G. Dixon, Jr. , *The Griswold Penumbra: Constitutional Charter for an Expanded Law of Privacy?* 64 Mich. L. Rev. 197 (1965)（支持格里斯沃德案的结果但是批评了它的推理）。

怎样削弱民主程序。[19]

不论学者如何攻击格里斯沃德案，它还是成了最高法院 20 世纪后半期最重要、最富争议的判决——罗伊诉韦德案——的跳板。罗伊案当然挑战了得克萨斯州（Texas）反堕胎法的合宪性，这些法律禁止堕胎，除非"为了拯救母亲生命的目的"。当该案 1971 年 12 月最初在最高法院进行辩论时，理查德·尼克松总统任命的两位大法官刘易斯·F. 鲍威尔（Lewis F. Powell）和威廉·H·伦奎斯特（William H. Rehnquist），刚刚得到参议院的确认，但是还没有加入最高法院，当时的最高法院是由尼克松之前任命的首席大法官沃伦·博格（Warren Burger）主管的。在罗伊案的这次最初的口头辩论之后，看起来存在着 5∶2 的多数意见，倾向于推翻得克萨斯的制定法，这一意见的狭窄的基础是，它含糊不清、因而违宪和无效。事实上，哈里·布莱克门（Harry Blackmun）大法官传阅了一份意见草稿，这份草稿集中关注了这一程序上的问题，并没有触及基础性的实体宪法主张的法律依据。但是，在出现了一些不确定性之后，大法官们最终投票决定，在下一个审季中满庭重新辩论该案。值得注意的是，布莱克门用这个夏天研究了实体宪法主张所提出的问题；他回到了明尼苏达（Minnesota）的家中——他曾经是那里的梅跃诊所（Mayo Clinic）的一位律师——并且进一步研究了堕胎与反堕胎法律。[20]

当罗伊案在下一个审季进行了重新辩论后，很清楚，大多数大法官都支持布莱克门从实体上推翻那些反堕胎法律。他根据自己夏

---

〔19〕 Robert H. Bork, *Neutral Principles and Some First Amendment Problems*, 47 Ind. L. J. I, 1, 4, 7-9, 17, 22-23 (1971); 请看, Garrow, 前注 1, 页 263-265。

〔20〕 *Roe v. Wade*, 410 US 113 (1973); Garrow, 前注 1, 页 521-522, 537-538, 547-559; 也请看, Kalman, 前注 1, 页 7（罗伊案对于一代学者来说是一个"定义性的案件"）; Schwartz, 前注 1, 页 337-361（讨论了罗伊案）。同罗伊案一同判决的一个案件挑战了佐治亚州反堕胎法的合宪性。*Doe v. Bolton*, 410 US 179 (1973)。

季的研究重新写作了自己的意见,并于 1972 年 11 月 22 日给最高法院分发了一份草稿。在这份草稿中,布莱克门的结论是,各州应当被允许禁止妇女在妊娠头三个月之后堕胎。但是,瑟古德·马歇尔(Thurgood Marshall)大法官给布莱克门写了一封信——这封信几乎完全是由他的助手马克·塔什奈特起草的——建议说应该集中关注成活力(viability):各州应当被允许在妊娠头三个月之后为了母亲的健康和安全而进行规制,但是各州不应当被允许禁止在出现成活力(即妊娠的中三个月)之前进行堕胎。在同布莱克门进行的私人谈话中,布冉能大法官曾经建议对意见草稿进行类似的修改。因此,在 1972 年 12 月 21 日,布莱克门分发了一份几乎是最终稿的意见草稿,这份草稿紧密地遵循了布冉能和马歇尔(以及塔什奈特)的建议。[21]

1973 年 1 月 22 日发出的最终判决和意见判定得克萨斯的反堕胎法律违反了第 14 修正案的正当程序条款。就像在格里斯沃德案中一样,大法官们也十分清楚罗伊案与洛克纳案的潜在联系。实际上,如果说洛克纳案就像一个在阴影中游荡的幽灵,那就低估了它的重要性。如果说洛克纳案是一个幽灵,那么它是在大法官们的耳朵里悄悄地发出嘘声,看看他们是不是会退缩。所以,布莱克门在多数派意见的开篇承认了"堕胎争议的敏感和情绪化的本质"。然后,他试图把罗伊案同洛克纳案区分开来,他明确地援引了霍姆斯在洛克纳案中的反对意见作为支持:

> 当然,我们的任务是要不带感情和偏好地用宪法的尺度解决这个问题。我们诚挚地希望做到这一点,而且,因为我们是如此,我们探究了、并且在本意见中在一定程度上强调了医学的和医学-法律的历史,以及这一历史所显

---

[21] Garrow, 前注 1, 页 580 – 586。

示的人们在许多世纪当中对待堕胎问题的态度。我们也牢记了大法官霍姆斯先生在他现在已经被证明了的洛克纳诉纽约案中的反对意见中的警告:"(《宪法》)是为彼此观点根本不同的人们准备的,而我们偶然地发现某些观点很自然、很熟悉,或者很新奇,甚至令人震惊,这不应当终结我们对体现了这些观点的制定法是否符合《美国宪法》的判断。"[22]

因此,布莱克门在这个尽管有些简短和拐弯抹角的导入性段落中所使用的方法是要建立罗伊案最高法院的合法性(legitimacy)。同洛克纳案最高法院不同,罗伊案最高法院将进行客观的判决——或者再用布莱克门的话说,这个案子会用"不带感情和偏好地用宪法的尺度"解决。支撑这一客观判决的一个支柱就是对有关堕胎的历史的细致和正确的理解。布莱克门因而用了意见的一大块来追溯反堕胎法律的历史,最早追溯至古代希腊和罗马时代。通过这样做,布莱克门的目标是反驳这样的主张:反堕胎法律坚定地根植于美国传统;相反,他推理道,反堕胎法律是一个主要在19世纪后半期引入的反常事物。[23] 在探究了各州为什么在那个时期制定反堕胎法律之后,布莱克门转向了这篇意见的核心:隐私权。

布莱克门开始时承认,"《宪法》并没有明确地提到任何隐私权",但是他立即补充说,"在一系列案件中……最高法院承认了《宪法》之下确实存在一种个人隐私的权利,或者对于某些隐私区域或地区的保证"。在最高法院接下来引用的判决中,格里斯沃德案显然是一个关键性的先例。十分重要的是,布莱克门接着解释

---

[22] Roe, 410 US 页 116 - 117;引用的是,*Lochner v. New York*, 198 US 45, 76 (1905)(霍姆斯大法官,反对意见)。

[23] Roe, 410 US 页 129 - 147。

说,隐私权包括了妇女对选择是否进行堕胎所具有的利益:

> 不论这一隐私权是否能像我们所感觉到的那样在第14修正案的个人自由概念和对国家行为的限制当中找到,也不论这一隐私权是否能够像地区法院决定的那样在第9修正案保留给人民的权利中找到,它都足够广泛,能够涵盖一位妇女是否结束自己的妊娠的决定。国家通过完全否认这一选择权而给妊娠的妇女造成的损害是显而易见的。这可能牵涉即使在妊娠早期也可以进行医学诊断的特定和直接的伤害。怀孕或另外的子女可能把痛苦的生活和未来强加给一位妇女。心理上的伤害可能马上就会发生。精神健康和生理健康都可能因为照料孩子而加重负担。对于所有有关的人来说,还存在着与多余的孩子相联系的痛苦,同时还存在着把一个孩子带到一个心理上和其他方面都不能为其提供照料的家庭的问题。在其他案件中,就像在本案中一样,可能会出现非婚怀孕所带来的进一步的困难和持续不断的耻辱。所有这些都是这位妇女和对她负责的医生必然要在咨询中考虑到的因素。[24]

但是,布莱克门接下来补充道,"这一权利并不是无条件的,必须与各种进行规制的重要利益放在一起考虑"。所以,这篇意见剩下的部分集中关注,究竟在什么时候各州利益才足以胜过一位妇女进行选择的利益,以正当化各州对堕胎决定的干涉。最高法院推理道,各州对堕胎的限制只有在为了达到"令人信服的(compelling)州的利益"而不可或缺的时候才是可以被允许的。因此,布莱克门接下来对所主张的州的利益进行的分析导致了最高法院的妊

---

[24] 同前,页152-153。

娠三个月的分析框架。在妊娠头三个月,各州被禁止以任何方式限制堕胎。在妊娠的中三个月,各州保护妊娠妇女的健康的利益正当化了各州对于堕胎的规制,但这种规制只能是为了保护妊娠妇女的目的。最后,在具备成活力之后以及在妊娠末三个月,各州"保护潜在人类生命的利益"是如此强烈,以至于可以正当化各州对于堕胎的禁止,除非是为了"保护妊娠妇女的生命或健康而必须的"。[25]

并不奇怪,因为洛克纳案的幽灵在他们的耳朵里不停地说话,所有附和意见和反对意见,除了首席大法官博格简短的附和意见,都以不同的方式处理了洛克纳案。斯图尔特大法官的附和意见推理说,按照格里斯沃德案,罗伊案应当被正确地理解为一个实体正当程序判决,即使这样它会与洛克纳案呼应得更为紧密。道格拉斯大法官也写作了附和意见,他反驳说,格里斯沃德案和罗伊案都不应该被形容为依赖于实体正当程序。而且,就像我们可能会预期的,伦奎斯特大法官和怀特(White)大法官不承认布莱克门的主张,即多数派使用了客观的"宪法的尺度"。他们指责说,罗伊案是一个实体正当程序判决,最高法院超出了自己的制度界限,这个判决因而就是洛克纳案的翻版。[26]

当然,就像格里斯沃德案一样,罗伊案激发了大量的学术批评。在针对格里斯沃德案的批判爆发出来之后,对罗伊案的批评在很大程度上就是可以预测的了,尽管这些批评被注入了新的能量,这些能量反映了堕胎问题在各个方面产生的强烈感情。一个最为重要的进攻来自厄尔·沃伦的一位前助手,约翰·哈特·伊利,他此时是耶鲁法学院的教授。除了他文雅而有力的写作风格,伊利批判

---

[25] 同前,页154-155,162-164。
[26] 同前,页167-168(斯图尔特大法官,附和意见);页212注4(道格拉斯大法官,附和意见);页174(伦奎斯特大法官,反对意见);页221-222(怀特大法官,反对意见)。

的力量还来自于他的主张：沃伦法院的大多数判决，包括布朗诉教育委员会案，都是可以从法律程序的角度进行辩护的（就像我在第 4 章末尾讨论的一样）。换句话说，伊利并没有攻击来自于沃伦法院或博格法院的每一个能动主义判决，而是把罗伊案挑出来进行非比寻常的指责。伊利阐述了对于罗伊案的五个批评，很多其他的评论者后来都会对其进行重复或者阐发。第一，他宣称，《宪法》"对于堕胎根本就一言未发，不论是清楚的还是模糊的"。第二，他主张，即便格里斯沃德案正确地承认了一种宪法上的隐私权，这样一种权利也不会涵盖一位妇女选择是否进行堕胎的利益。隐私权可能包括把政府排除在已婚者的卧室之外，就像在格里斯沃德案中一样，但这与得以进行堕胎之间距离很远。第三，伊利认为，罗伊案法院以立法的方式平衡了利益，从而超越了它的制度限制。第四，他论辩说，即使很多富于争议的最高法院判决可以用代议强化理论（他后来才创造了这个短语）进行辩护，但是罗伊案无法用类似的方法进行正当化。"同男人相比"，伊利评论道，"很少有女人是我们立法机关的成员，我相信这一事实应该与对那些偏向于男人而非女人的立法进行审查的适当标准……有些相关性。但是，没有胎儿是我们的立法机关的成员。当然他们有自己的支持者，但是妇女也一样"。因此，"与男人相比，女人可能构成了"一个分散的和孤立的少数派，需要进行特别的司法保护，但是"同尚未出生的人相比，女人就不是如此了"。第五（最后一点，但当然不是最不重要的一点），伊利主张罗伊案最高法院遵循了"洛克纳案的哲学"。事实上，伊利论辩说，罗伊案和洛克纳案"当然是孪生兄弟"，但是，在这两者之间，"罗伊案可能成为更为危险的先例"。[27]

其他很多著名的学者攻击了罗伊案。阿奇拜尔德·考克斯（Archibald Cox）甚至为自然法进行了辩护，但是他仍然作出结论说，没有什么"具有足够抽象性的规则（可以）把（罗伊案）提升到高于政治判断的层面以上"。而且，就像格里斯沃德案一样，罗伊案最直言不讳的批评者之一就是罗伯特·伯克。他重申了一般性的批评——罗伊案最高法院像立法机关一样行为，因而超越了自己的制度限制，而且，通过这样做，最高法院也重复了洛克纳案最高法院的罪过——但是伯克因其刻薄而显得与众不同。他在1990年的作品中嘲笑道："在我们的历史上如此之晚的时间才发现（堕胎的）问题不是一个由民主决定的问题、而是一个宪法问题，这是如此地令人难以信服，以至于它肯定要求进行51页纸的解释。不幸的是，在整个（罗伊案）意见中，没有一行字的解释，没有几句话算得上是法律论证。而且最高法院16年以来也从未提供1973年所缺乏的解释。最高法院将来也不大可能进行这种解释了，因为，不论人们对堕胎权的观点如何，它都无法在《宪法》中找到。"[28]

尽管有大量的无情的批评者，罗伊案（以及格里斯沃德案）并不缺乏辩护者。但是，即使那些称赞罗伊案的结果——一种受到宪法保护的选择是否进行堕胎的权利——的人也常常批评多数派意

---

[27] John Hart Ely, *The Wages of Crying Wolf A Comment on Roe v. Wade*, 82 Yale L. J. 920, 927, 933-935, 939-940 (1973)。David Garrow 把伊利的文章称作是"无疑是对罗伊案最为重要的批判"。Garrow, 前注1, 页609。

[28] Robert Bork, The Tempting of America 112 (1990); Archibald Cox, The Role of the Supreme Court in American Government 114 (1976)。有关对罗伊案的进一步批评，请看，Richard A. Epstein, *Substantive Due Process by Any Other Name：The Abortion Cases*, 1973 Sup. Ct. Rev. 159; Gerald Gunther, *Some Reflections on the Judicial Role：Distinctions, Roots, and Prospects*, 1979 Wash. U. L. Rev. 817。有关对罗伊案的反应的讨论，请看，Garrow, 前注1, 页605-617; Kalman, 前注1, 页58-59。

见。例如，西尔维亚·劳（Sylvia Law）认为，妇女进行选择的利益应当被作为性别平等的问题而不是作为隐私权的问题进行保护。实际上，因为美国法律思想已经进入了第四阶段（晚期危机）现代主义，所以有很多人为选择堕胎的权利、隐私权和其他富于争议的宪法性权利（或将要成为宪法性权利的权利）提出了多种多样的、富有想像力的辩护。但同时，恰恰因为这是第四阶段现代主义，很少有学者能够说服任何其他学者遵循自己的建议，并且很多学者认为其他人提出的理论显然不充分。[29]

法律思想就这样被卷入了一个绝望的漩涡当中。20世纪50年代的法理学堡垒——法律程序学派已经失去了自己在法律学术界的霸权地位，但现在它看起来正在完全失去自己的掌控。法律程序理论家同大量的其他学者一同挣扎，都试图拼命地坚持自己的现代主义目标和方法。法律现代主义要求司法决定过程——包括宪法审判——应当基于某种客观的基础。但是，尽管有一百多年勤奋的（有时甚至是英勇的）努力——尽管有各式各样的理性主义、经验主义和超验主义的努力——但是法律理论家们还是无法为法治找到任何这样的基础。最高法院的判决，比如布朗案、格里斯沃德案和罗伊案，突出了这一失败，并且放大了学术上的绝望。尽管这些里

---

[29] Sylvia Law, *Rethinking Sex and the Constitution*, 132 U. Penn. L. Rev. 955 (1984)。其他一些批评了罗伊案意见但试图为其结果辩护的人包括：Ruth Bader Ginsburg, *Some Thoughts on Autonomy and Equality in Relation to Roe v. Wade*, 63 N. C. L. Rev. 375 (1985); Philip B. Heymann and Douglas E. Barzelay, *The Forest and the Trees: Roe v. Wade and Its Critics*, 53 B. U. L. Rev. 765 (1973); Laurence H. Tribe, *Structural Due Process*, 10 Harv. C. R. -C. L. L. Rev. 269 (1975)。对于实体宪法权利的有趣的辩护，请看，Michael J. Perry, The Constitution, the Courts, and Human Rights (1982)（强调了道德哲学，并且把司法审查看作是一个发展这个国家的道德的机会）; Thomas C. Grey, *Eros, Civilization and the Burger Court*, 45 Law & Contemp. Probs. 83, 84 - 85 (1980)（对于格里斯沃德案的最佳辩护是基于传统的辩护）; Thomas C. Grey, *Origins of the Unwritten Constitution: Revolutionary Thought*, 30 Stan. L. Rev. 843 (1978)（依赖于自然法）。

程碑式的判决显然无法在现代主义法律思想的变量之内得到成功的辩护，但是还是有很多学者认为这些案件在实质上是正确的——几乎正确得无法争辩。

最终，这些案件迫使现代主义直面自己可能终结的可能性，因为它给自己设定的要求现在看来根本就达不到了。早在1966年，阿奇拜尔德·考克斯的《哈佛法律评论》"前言"就集中体现了很多沃伦法院判决给法律学者造成的两难困境。考克斯泰然自若地赞扬了"沃伦法院的崇高成就"，但他同时也悲叹："尽管我说了上面的话，但是，用可以参照已被接受的法律渊源的原则来理性化宪法判决，这种能力是宪法审判中的一个根本的、主要的因素。"到了20世纪70年代晚期，在罗伊案之后，一些学者甚至明确放弃了自己对基础的现代主义的追寻。阿瑟·艾伦·莱弗（Arthur Allen Leff）认识到，在前现代主义当中，规范性的问题被认为是以神学的方法解决的："上帝的意志具有约束力，因为它是神的意志。"但是，在现代主义的末尾，规范性的价值看起来最终是没有基础的，尽管存在着无数发现基础的努力："在什么样的情形之下，（除了上帝以外，）还有任何其他人的未经检视的意志可以经受住从宇宙的角度发出的'谁说的'这个问题，并且最终能够同上帝的意志一样具有决定性？根本就没有这样的情形。"就像罗伯托·昂戈尔（Roberto Unger）的俏皮话说的，法律教授看起来是"一些丧失了自己的信仰但却保持了自己的工作的教士"。[30]

随着学者们毫无结果地搜寻某种能够正当化像布朗案、格里斯沃德案和罗伊案同时又不牺牲法治目标的理论，20 世纪 70 年代晚期出现了两种相互对立的有关宪法解释的具体问题的总体的现代主义进路：解释主义（interpretivism）和非解释主义（noninterpretivism）。解释主义者（有时被称作原旨论者）论辩说，只有宪法文本和制宪者的意图可以合法地成为宪法判决的基础；只有当一个立法行为与"成文《宪法》中表述的或显然暗含的规范"不相一致时，最高法院才可以因违宪而推翻这个立法行为。在另一方面，非解释主义者（有时被称为非原旨论者）论辩说，文本和制宪者的意图模糊和不完整、令人毫无希望，因而必须以某些其他渊源作为补充。因为这些理论争论出现在第四阶段法律现代主义的晚期危机当中，不同的非解释主义理论家为意义和价值提供了极其多样化的渊源，包括传统、社会共识、甚至自然法。例如，按照一位自然法支持者的观点，如果一个立法行为与自然权利或正义不一致，最高法院就可以判定这个立法行为违宪。解释主义者进行了回应，他们论辩说，非解释主义只是为绕过《宪法》提供了一个借口。宪法的客观性只能来自于文本和立法者的意图：如果我们超出了这些渊源，那么宪法审判就缺失了标准，因而无法进行批评性的评价。非解释主义者回答说，他们各自的进路至少是与解释主义同样客观

---

[30] Archibald Cox, *Foreword:Constitutional Adjudication and the Promotion of Human Rights*, 80 Harv. L. Rev. 91, 94, 98 (1966); Arthur Allen Leff, *Unspeakable Ethics, Unnatural Law*, 1979 Duke L. J. 1129, 1232 (着重号为原文所加); Roberto M. Unger, *The Critical Legal Studies Movement*, 96 Harv. L. Rev. 561, 675 (1983); 请看, Gary Minda, *Jurisprudence at Century's End*, 43 J. Legal Educ. 27, 58 (1993) (一种不断增长的感觉，即我们是在法理学的一个时代的终点); John Henry Schlegel, *American Legal Realism and Empirical Social Science:From the Yale Experience*, 28 Buff. L. Rev. 459, 462 (1979) ("后现实主义法律理论已经几乎走完了自己的路，急急忙忙地冲进了一个死胡同")。

的:从他们的角度看来,他们所喜欢的意义和价值的渊源——传统、社会共识,等等——为判决提供了一个坚实的基础。[31]

就像约翰·哈特·伊利暗示的,对于解释主义者和非解释主义者来说,他们的问题都是伦理相对主义,这产生了二战后时期被如此广泛地接受的多元化的政治理论。伦理相对主义削弱了任何基于所谓的客观渊源的司法审查观,不论这个渊源是成文文本、自然法或是其他。伊利令人信服地论辩说,解释主义同最为人们所接受的那些形式的非解释主义都是不确定的:他们未能满足自己所设定的为司法审查提供一个客观渊源的任务。伊利对自然法的敏锐批评看起来对于解释主义进路和其他非解释主义的进路同样适用:"(自然法)的优点是,你可以用它来支持你想要支持的任何东西。其缺点是,每个人都理解这一点。"在伊利的手里,解释主义和非解释主义总是会陷入相对主义的主观性漩涡:最高法院的大法官们不可避免地显得是在把自己的个人价值强加给社会。就像在第4章结尾讨论过的,伊利当然提供了自己的代议强化理论作为解决宪法争议的客观方法,但是他的批评者立即回应道,这一进路并不比任何其他进路更具确定性。[32]

在这时,面对着所有理论的显然的不确定性,一些宪法学者,比如托马斯·C.格雷和保罗·布莱斯特,转过头来采取了一个不

---

[31] John Hart Ely, *Democracy and Distrust* 1 (1980);请看,Thomas C. Grey, *Do We Have an Unwritten Constitution?* 27 Stan. L. Rev. 703, 705–706 (1975)(对比了解释主义与非解释主义);Paul Brest, *The Misconceived Quest for tile Original Understanding*, 60 B. U. L. Rev. 204 (1980)(使用了原旨主义(originalism)和非原旨主义(nonoriginalism)这些短语)。有关一个解释主义者的例子,请看,Berger, 前注18,页45, 363–372。有关自然法论辩的一个例子,请看,Thomas C. Grey, *Origins of the Unwritten Constitution:Revolutionary Thought*, 30 Stan. L. Rev. 843 (1978)。有关各种非解释主义立场的概述,请看,Ely, 同前,页43–72。

[32] Ely, 前注31,页50;请看,页1–73。有关对伊利的理论的批评,请看,Paul Brest, *The Substance of Process*, 42 Ohio St. L. J. 131 (1981);Richard D. Parker, *The Past of Constitutional Theory and Its Future*, 42 Ohio St. L. J. 223 (1981)。

同的策略。他们开始论辩说，解释主义与非解释主义最初的区别可能是误导性的；别忘了，即使是所谓非解释主义者总是声称自己是在解释《宪法》。他们接着论辩说，宪法审判——实际上，所有其他的审判也都是一样——可能一直是一个解释问题。而且，如果审判总是一种解释，那么宪法理论家和其他法律理论家的最有希望的进路就是研究解释过程本身。[33]

随着法律理论家在 20 世纪 80 年代开始这种"解释的转变"，至少三个因素促使他们从法律学术界之外的作者那里广泛地寻找想法和灵感。

第一，第四阶段现代主义法律学者最近已经在法律学术中创下了先例，他们依赖了非法律的思想家，比如哲学家约翰·罗尔斯和经济学家罗纳德·科斯（当然，几十年前，美国法律现实主义者还以经验主义的社会科学家的工作作为基础）。在第四阶段，批判法律研究学者在这个方面特别具有影响力，因为他们相当依赖欧洲大陆思想家。而且，到 20 世纪 70 年代中期，密歇根大学（University of Michigan）法律和英语教授詹姆斯·伯埃德·怀特（James Boyd White）已经开始集中研究法律与文学之间的关系。对怀特来说，法律中的语言学和解释学实践与文学中的相关实践一样帮助建

---

[33] Paul Brest, *The Fundamental Rights Controversy:The Essential Contradictions of Normative Constitutional Scholarship*, 90 Yale L. J. 1063（1981）; Paul Brest, *The Misconceived Quest for the Original Understanding*, 60 B. U. L. Rev. 204（1980）; Thomas C. Grey, *The Constitution as Scripture*, 37 Stan. L. Rev. I, I（1984）; 也请看，Ronald Dworkin, Law's Empire 359 - 360（1986）; Larry Simon, *The Authority of the Constitution and its Meaning:A Preface to a Theory of Constitutional Interpretation*, 58 S. Cal. L. Rev. 603, 619 - 622（1985）; Richard H. Weisberg, *Text into Theory: A Literary Approach to the Constitution*, 20 Ga. L. Rev. 939, 940 - 941（1986）。

构了我们的文化和社区。[34]

第二，在20世纪60年代晚期和20世纪70年代，人文科学和社会科学中出现了严重的工作职位短缺。彼得·诺威克（Peter Novick）描述了历史学中的情况："在1970年的美国历史学会（American Historical Association）会议上，188个被列出的职位有2,481名申请者，竞争是如此激烈，以至于必须采用安全措施来防止那些找工作的人破坏发给他们的竞争者的面试邀请。"但是，在20世纪60年代和70年代的这些年里，法学院却在急速发展，很多法学院的教员队伍都在扩张。很多人因而选择了当法律教授，尽管他们更喜欢人文科学和社会科学。所以，在得到机会或借口时，这种法律教授很容易转向非法律的资源。[35]

第三，随着后现代主义智识文化的扩展，美国的很多学术领域的学科界限开始崩溃。法律思想仅仅是其中之一。美国学术界转变中的一个较早的关键事件发生于1966年，当时约翰·霍普金斯大学主办了一次名为"批评的语言与人的科学"（The Languages of Criticism and the Sciences of Man）的大会。"这个多代际的、国际的、跨学科的大会最终在一个为期两年的系列后续讨论会和研讨会中包含了1000名人文学者和社会科学家，它为把法国理论引入美国学术界建立了一个广泛的跨学科的基础"。尽管这次大会最初主要影响的是文学研究、人类学和在较小程度上的历史学，但是其效果却蔓延了出去，与其他因素结合在一起。到1980年，解释文化人类学家克利福德·吉尔兹（Clifford Geertz）（他本人对法理学产

---

[34] James Boyd White, The Legal Imagination: Studies in the Nature of Legal Thought and Expression (1973)（一本为法学院学生准备的教科书，包括了英语文学以及法律的节录）; James Boyd White, When Words Lose Their Meaning (1984); 请看，Kalman，前注1，页60–61; Minda，前注1，页68，149–150。

[35] Novick，前注1，页574；请看，Kalman，前注1，页60–61; Thomas C. Grey, Modern American Legal Thought, 106 Yale L. J. 493, 505 (1996)。

生了强大的影响)对于学科界限进行了总体评论:"我们正在看到的并不是对文化地图进行的又一次重新划分——不是挪动几处争议中的边界,不是描画一些美丽如画的山中湖泊——而是对绘图的原则进行的改变。我们用以思考自身的思考方式的方法正在发生变化"。[36]

对于学科壁垒的瓦解来说,可能没有比托马斯·库恩(Thomas Kuhn)最初出版于 1962 年、重印于 1970 年的著作《科学革命的结构》(The Structure of Scientific Revolutions)的广泛传播更为重要的因素了。在至少一个世纪的美国大学生活当中,自然科学提供了客观性和现代主义的基础主义的理想——几乎所有的学科都渴望达到这一理想。因此,在他挑战了传统的自然科学观的意义上,库恩的重要性来自于他对这一理想的明确的攻击。按照这种传统的观点,科学是客观的和机械化的,并且以线性方式发展:随着他们发展那些基于对未经处理的客观数据的中立观察的理论,科学家们被认为增长了自己对自然的知识。库恩令人信服地驳斥了这种传统观点。相反,他论证说科学家按照或通过一种"范式"——为科学家社区所接受的一种宽广的视角或有关现实的地图、一种世界观——来理解或解释世界。科学社区的范式塑造了那些科学家认为有趣和适于研究的问题,而且,更为重要的是,范式塑造着科学家对于数据的感受。库恩主张,范式是"进行感觉的必要条件"。[37]

---

[36] Bender,前注 1,页 26("这个多代际的");Kalman,同前,页 99;引用的是,Clifford Geertz, *Blurred Genres:The Refiguration of Social Thought*, in Local Knowledge: Further Essays in Interpretive Anthropology 20 (1983);请看,Kalman,前注 1,页 101 - 112(强调了吉尔兹的影响力,特别是他 1981 年在耶鲁的一个有关法律学术的大会上的讲话所产生的影响);Novick,前注 1,页 577 - 592(有关 20 世纪 80 年代学科界限的广泛的瓦解)。

[37] Thomas S. Kuhn, The Structure of Scientific Revolutions 113 (2d ed., 1970);请看,Novick,前注 1,页 537(关于科学的客观性为其他领域中的工作提供了一个基础或理想)。

库恩的科学革命的概念强调了被人们接受的或占主导地位的范式所具有的深入的影响力。按照库恩的观点，科学社区偶尔会受到革命的撼动，在这些革命中一个占主导地位的范式被另外一个范式所取代。科学革命的一个典型例子就是从亚里士多德和托勒密的（Aristotelian‐Ptolemaic）有关宇宙的地心理论向哥白尼的日心说的转变。这样的范式革命实际上十分重要："科学家们受到新的范式的引导，采用新的工具并观察新的地方。甚至更为重要的是，在革命当中，科学家们用熟悉的工具在他们从前看过的地方看到了新的和不同的事物。这就好像是专业社区被突然运送到了另外一个星球，在那里，熟悉的事物被以不同的眼光看待并且被加入了不熟悉的事物。"所以，库恩暗示，随着科学从一个范式转移到另一个范式、从而变得更为复杂和专业化，科学也就进步了；但是，与传统观点相反，科学并不必然越来越接近于客观真理。[38]

不论一些读者的结论是怎样的，库恩并没有意图证明科学是不可能的，他要解释的东西恰恰相反：科学是如何成为可能的。他试图解释个人是怎样成功地学会在一个科学社区内工作或研究科学的。不论库恩的目的如何，他的思想看起来逐步地使各种各样的学科中的学者不再渴望追求一种传统的和现代主义的有关科学客观性的观点。诺威克观察道："托马斯·库恩的工作在几乎每一个领域里都是绕不过去的。"学者们开始利用范围不断增长的多种多样的资源和学科来重新构建他们各自的、尽管现在变得没有定型的领域内的研究目标和方法。当然，在努力表述更为后现代和解释主义的有关理解和知识的概念时，很多这样的学者倾向于重复库恩的范式的概念。但是，库恩在法理学领域的影响力要比在任何其他地方都更为强大，在法理学当中，对于范式和革命性变迁的讨论已经变得司空见惯。例如，在一篇较早的关于法律阐释学的富有影响力的文

---

[38] Kuhn，前注37，页111；请看，页162–173。

章当中，罗伯特·M. 卡弗尔（Robert M. Cover）引用了库恩，并且把法律传统描述为"一个复杂的（有助于）建立行为范式的规范世界的重要组成部分"。类似地，在一篇1986年的文章中，苏珊娜·雪莉（Suzanna Sherry）赞成"在道德、政治和宪法理论中进行一次范式转变"。事实上，劳拉·凯尔曼报告说，截至1995年，库恩的《科学革命的结构》被521篇法学评论文章引用（甚至还被5个联邦案件引用）。[39]

因此，就像很多其他领域中的学者一样，法律理论家开始更为自由地在自己的学科边界之外进行涉猎。那些在20世纪80年代开始了解释转变的法理学家很快就在其他学科中发现了已经发展出了老练的解释进路的作者。除了库恩之外，斯坦利·费什（一位文学批评家）、理查德·罗蒂（Richard Rorty）（一位美国哲学家）和汉斯-乔治·伽达默尔（一位德国哲学家，在第2章讨论过）是在法理学圈子里特别有影响的人物。在这种学者的影响下，一些宪法理论家最终停止了追问那个根深蒂固的现代主义问题：什么样的基础可以客观地限制宪法解释和审判或者为宪法解释和审判提供基础？相反，这些宪法学者开始追问一个后现代的问题：（宪法）解

---

[39] Novick, 前注1, 页524; Robert M. Cover, *Foreword：Nomos and Narrative*, 97 Harv. L. Rev. 4, 9, 6 以及注 10（1983）; Suzanna Sherry, *Civic Virtue and the Feminine Voice in Constitutional Adjudication*, 72 Va. L. Rev. 543, 543（1986）; 请看，Kalman, 前注1, 页99; Novick, 前注1, 页532-535（论辩说，库恩意图支持而非削弱自然科学家的工作）; Paul Rabinow and William M. Sullivan, *The Interpretive Turn：Emergence of An Approach*, in Interpretive Social Science - A Reader I（Paul Rabinow and William M. Sullivan eds., 1979）（关于解释的总体上的转变）。

释是怎样发生的?[40]

153 有关法理学领域向后现代解释主义的转向,斯坦利·费什提供了一个合适的例子。在其早期有关英国文学批评和作为密尔顿(Milton)研究者的研究当中,费什已经因为遵循读者反应理论而著称,这个理论强调读者对于文本的体验决定了文本的含义。但是,在他后来的作品中,费什在很大程度上修改了他的解释进路。事实上,晚期的费什阐发了一种与伽达默尔的哲学阐释学特别相近

---

[40] 请看,例如,Owen M. Fiss, *Objectivity and Interpretation*, 34 Stan. L. Rev. 739 (1982)(依赖于斯坦利·费什来发展有关法律和解释的观点);Sanford Levinson, *Law as Literature*, 60 Tex. L. Rev. 373 (1982)(同前)。但请看,Stanley Fish, *Fish v. Fiss*, 36 Stan. L. Rev. 1325 (1984)(批评了费斯(Fiss)对费什的著作的解释);Stanley Fish, *Interpretation and the Pluralist Vision*, 60 Tex. L. Rev. 495 (1982)(批评了莱文森(Levinson)对费什的著作的解释)。(除我本人之外,大量借鉴了伽达默尔的哲学阐释学的法律学者包括:J. M. Balkin, *Understanding Legal Understanding*;*The Legal Subject and the Problem of Legal Coherence*, 103 Yale L. J. 105 (1993); William N. Eskridge, Jr., *Gadamer/Statutory Interpretation*, 90 Colum. L. Rev. 609 (1990); Francis J. Mootz, *The Ontological Basis of Legal Hermeneutics*:*A Proposed Model of Inquiry Based on the Work of Cadamer, Habermas, and Ricoeur*, 68 B. U. L. Rev. 523 (1988);请看,Stephen M. Feldman, *The New Metaphysics*:*The Interpretive Turn in Jurisprudence*, 76 Iowa L. Rev. 661 (1991);也请看,David Couzens Hoy, *Interpreting the Law*:*Hermeneutical and Poststructuralist Perspectives*, 58 S. Cal. L. Rev. 135 (1985)(一位非法律学者在一个法理学语境中讨论伽达默尔)。有关对罗蒂的富有争议的引用,请看,Joseph William Singer, *The Player and the Cards*;*Nihilism and Legal Theory*, 94 Yale L. J. 1 (1984),对它的批评见于,John Stick, *Can Nihilism Be Pragmatic*? 100 Harv. L. Rev. 332 (1986)。

我引用和讨论的费什的其他一些著作包括:Stanley Fish, *Introduction*:*Going Down the Anti-Formalist Road*, in Doing What Comes Naturally 1 (1989)(以下称 Fish, *Anti-Formalist Road*); preface, to Doing What Comes Naturally ix (1989)(以下称 Fish, preface); *Still Wrong after All These Years*, in Doing What Comes Natu-rally 356 (1989)(以下称 Fish, *Still Wrong*); *Dennis Martinez and the Uses of Theory*, 96 Yale L. J. 1773 (1987)(以下称 Fish, *Dennis Martinez*); *Change*, 86 South Atlantic Quarterly 423 (1987)(以下称 Fish, *Change*); *Working on the Chain Gang*:*Interpretation in the Law and in Literary Criticism*, in The Politics of Interpretation 271 (W. Mitchell ed., 1983)(以下称 Fish, *Chain Gang*); *Introduction, or How I Stopped Worrying and Learned to Love Interpretation*, in Is There a Text in This Class? 1 (1980)(以下称 Fish, *Stopped Worrying*);*Is There a Text in This Class*?, in Is There a Text in This Class? 303 (1980)(以下称 Fish, *Is There*);*Normal Circumstances, Literal Language, Direct Speech Acts, the Ordinary, the Everyday, the Obvious, What Goes without Saying, and Other Special Cases*, in Interpretive Social Science - A Reader 243 (Paul Rabinow and William M. Sullivan eds., 1979)(以下称 Fish, *Normal Circumstances*)。

的进路。这个晚期的和更为后现代的解释主义者费什在20世纪80年代早期就开始吸引法理学者的注意力了。最终,在一个典型的后现代的改变当中,费什本人如此深入地陷入了法理学有关法律解释的争论当中,以至于他真的跨了学科,从文学批评转到了法律学术;他最终成了杜克大学(Duke University)的法律教授兼英语教授。[41]

随着费什转向了法理学研究,他把一个复杂的、智识上很完美的进路带入了解释,包括法律解释当中。在很多年里,现代主义宪法学者都被一种或者/或者的两难困境钩住了:我们或者拥有客观性,或者拥有不受限制的主观性。现代主义的司法审查概念要求宪法解释被基于某种坚实的基础——比如一种被认为是客观的宪法文本或者制宪者的意图——但是每一个被提出来的基础性理论看起来都蜕化为一种主观相对主义,这使宪法解释显然不受限制、变成仅仅是一个异想天开的个人偏好的问题。费什声称解决了这个两难困境,他事实上把这两个或者都消除了。按照费什的观点,客观性是不可能达到的,因为我们总是已经在进行解释了。文本、作者的(或制宪者的)意图或者任何其他东西都是无法作为未经处理的事实理解的,或者换句话说,它们是无法作为未经解释的意义的来源进行理解的。"如果字面含义是指这样一种含义:不论语境为何、也不论讲话者或听者想的是什么,它都很清晰,而且因为它先于解释、因而可以作为对解释的一种限制,那么就没有所谓的字面含义这种东西"。[42]

但同时,费什主张,个人解释者或读者从来都不是不受限制的——从来都无法自由地把她个人喜欢的含义强加给文本。相反,

---

[41] 有关读者反应理论和费什的转变,请看,Jonathan Culler, On Deconstruction 64-78 (1982)。

[42] Fish, *Anti-Formalist Road*, 前注40, 页4。

解释者总是受到她的解释社区的实践的限制，这些实践给出"假定的区别、理解的类别以及有关相关性和不相关性的约定"。因此，出于客观性是无法达到的同样的理由——因为我们总是已经在进行解释了——不受限制的主观性同样也是不可能的。没有哪一个解释者曾经先于或者外在于解释实践而存在，而解释实践一直并且必然地限制了一个人对任何文本的解释，而这些文本的例子当中就包括了《宪法》。就像费什所说的，"从来都没有过、将来也不会有人能够从一个本身并非已经在进行解释的视角上检视解释的可能性"。[43]

那么，对于费什来说，解释的社区和实践的概念所完成的阐释学功能与伽达默尔的传统和偏见的概念所履行的功能相同，也与库恩的科学社区和范式的概念所履行的功能相同。用费什的话语来说，一个解释的社区塑造着其成员的实践，而这些实践"使解释和感觉的运行成为可能、同时也限制了解释和感觉的运行"。实际上，在一个伽达默尔和库恩肯定都会同意的思想当中，费什声称"已经就位的解释的建构物是意识的一个条件"。通过归属于并且参加解释的社区——每一个人都是一直如此——人们必然内在化了"技术诀窍"或者有关这个社区的实践的"内幕"，这些提供了"一种对相关性、义务、行动方向、标准等等的感觉"。费什然后特别把他的解释概念应用于司法判决过程："用可辨认的法律语言作出一个（司法）决定的能力，依赖于一个人已经内在化了那些构成这个人所理解的法律的规范、种类区别和证据标准。这种理解是在一种教育经历的过程中发展的，而这种教育的材料是不断展现出来的一系列案例、判决、反对意见、立法行为等等，它们是法学院教育的材料，是一个人后来作为法官助理或初级律师所受教育的

---

〔43〕 Fish, *Change*, 前注40, 页423–424（"假定的区别"）; Fish, *Dennis Martinez*, 前注40, 页1795（"从来都没有过"）。

材料。"[44]

很清楚，费什的法律解释或其他种类的解释的概念，完全是后现代的。他驳斥基础主义，但是，与现代主义者不同，他并没有发现自己陷于虚无主义或相对主义。相反，通过援用他更为充实的解释实践的概念，费什坚持认为文本的含义一直都是确定的，尽管确定方式有些奇怪。按照费什的观点，只要我们把一个文本从它的语境当中拿出来、只要我们抽象地想像这个文本，那么这个文本可以有多重含义。但是，就像费什反复告诫我们的，我们总是处在语境当中的：我们从来都不抽象地或者在某个理想国中解释一个文本。只要我们看到了一个文本，我们的头脑里就已经有了某些目的、某些预设、某些价值等等。而且，解释者处在一个特定的解释社区中的一个具体语境当中，所以他总是在文本中理解一个具体的含义。但是，费什补充说，含义可以随着语境的变化而变化。"有些矛盾的是"，费什解释道，词语并不能按照人们的喜好而具有任何含义，"相反……它们总是并且只能意味着一个事物，尽管那一个事物并不总是相同的"[45]。

最后，费什常常用独特的后现代的华丽词藻结束自己的作品，他声称自己对解释的洞见特别没有用处。从费什的视角看来，对解释实践的理论讨论并不能直接改变这种实践；换句话说，对一种解释实践的运作的理解并不能把我们从这种实践中解放出来。我们总是嵌在这种实践的解释性限制当中，不论我们有多少聪明的理论和睿智的感觉。解放或自由是不可能的，因为我们总是要受到我们的

---

[44] Fish, *Stopped Worrying*，前注 40，页 13 – 14（"使解释和感觉"）；Fish, *Dennis Martinez*，前注 40，页 1795（"已经就位"）；Fish, *Dennis Martinez*，前注 40，页 1790（"技术诀窍"、"一种对相关性"）；Fish, *Still Wrong*，前注 40，页 360（"用可辨认的"）；请看，Fish, *Chain Gang*，前注 40，页 273；Fish, *Dennis Martinez*，前注 40，页 1788。

[45] Fish, *Normal Circumstances*，前注 40，页 249；请看，Fish, *Is There*，前注 40，页 307 – 310。

"前见、偏见或个人喜好"的限制;这些是我们存在于世界之中的本质。按照费什的观点,这一有关解释的真理对于律师和法官的实践与对其他实践是一样有效的。因此,"审判或进行审判是一个事情",费什作出结论说,"而进行解释或者有关审判的理论是另外一回事"。[46]

总之,费什把后现代理论引入法理学领域的方式与伽达默尔的欧陆哲学紧密呼应,尽管费什甚至很少引用他。很多其他法律思想家同费什走(或者说游)在同一条道路上,尽管他们常常更直接地援用伽达默尔、雅克·德里达、米切尔·福柯、贾克斯·拉肯(Jacques Lacan)以及其他后现代欧洲思想家的思想。同时,其他法理学者同样转向了后现代的方向,但是他们选择了不同的前进道路。这些法理学者当中的一些人从分析哲学的角度研究后现代主义,常常从像路德维格·维特根斯坦(Ludwig Wittgenstein)和威拉德·冯·奥曼·奎因(Willard van Orman Quine)这样的思想家那里获得灵感。举例来说,丹尼斯·派特森论辩说奎因已经驳斥了现代主义的真理对应理论。按照对应论,一个命题或信念如果准确地反映或对应一个独立的和客观的现实,那么它就是正确的。按照派特森的观点,"奎因的观点——一种后现代的观点——是:除了其他信念之外,还有其他某些东西能够使我们的信念为真,这个想法根本毫无意义"。因此,派特森背离了现代主义的真理观,试图基于维特根斯坦哲学发展一种后现代法理学——一种"新的法律正当化的概念"。派特森解释说,"哲学不再生产有关真理和含义的理论,相反,它现在以对语言学实践进行清晰描述为己任。在法律中,这意味着描述法律的正当化实践(或)'论证的形式'。没有什么——不是词语、不是道德、不是经济——使一个法律命题成

---

[46] Fish, *Dennis Martinet*, 前注40, 页1779; 请看, 页1797(任何理论"都与它所意图批判和改革的实践完全无关"); Fish, preface, 前注40, 页 ix (同前)。

为真命题。我们使用法律论证的形式（比如以文本、历史、结构和教义为基础进行论证）来正当化我们对法律命题的真理性的主张。论证的形式是法律正当化所使用的语法。它们是被用来证明一个法律命题为真的方法"。[47] 这些以哲学为灵感来源的法理学者所做的理论化工作与其他因素一起促进了 20 世纪 80 年代和 20 世纪 90 年代后现代法律学术的不断增长的产出。例如，计算机协助法律研究在 20 世纪 70 年代被引入，并且在 20 世纪 80 年代和 90 年代得到了进一步发展，这些改变了法律文化，包括法律学术以及法律和司法实践。理查德·戴尔格多和简·斯蒂芬凯克（Jean Stefancic）注意到，组织公开出版的司法判决和法律图书馆的传统方法，比如西方出版公司的关键码（key number）和摘要（Digest）系统，倾向于塑造法律研究的结构并且限制法律研究。这些组织"工具就像 DNA 一样运作；它们使现在的体系能够不断地、轻松地、毫无痛苦地复制自我。它们的分类反映了先例和现存法律；它们既有助于传统法律思考，也限制了新的法律研究进路"。但是，计算机协助的法律研究已经开始打碎传统组织技术的链条。今天的律师进行法律研究时更不可能首先找到一个事先存在的西方公司关键码、然后按着这个关键码找到摘要中已经编目的案例。想法安，研究者

---

[47] Dennis Patterson, introduction into Postmodernism and Law xi, xii, xiv (Dennis Patterson ed., 1994); 请看, Dennis Patterson, Law and Truth (1996); Dennis Patterson, *Postmodernism/Feminism/Law*, 77 Cornell L. Rev. 254 (1992)。当然，并不是每个人都同意派特森对奎因或维特根斯坦的解释。请看, 例如, Brian Leiter, *Why Quine Is Not a Postmodernist*, 50 S. M. U. L. Rev. 1739 (1997) (批评了派特森对奎因的理解)。我曾从一种伽达默尔式的视角批评过派特森的解释主义观念。Stephen M. Feldman, *The Politics of Postmodern Jurisprudence*, 95 Mich. L. Rev. 166, 169 – 185 (1996)。有关其他援用了分析哲学来支持自己的后现代倾向的法理学者的例子，请看, Anthony D'Amato, *Pragmatic Indeterminacy*, 85 Nw. U. L. Rev. 148 (1990); Anthony D'Amato, *Aspects of Deconstruction:The "Easy Case" of the Under – aged President*, 84 Nw. U. L. Rev. 1. 50 (1989); Margaret J. Radin, *Reconsidering the Rule of Law*, 69 B. U. L. Rev. 781 (1989)。

可以通过选择把单词和词组组合成个人创造的布尔逻辑类型（Boolean – type）的问题（它用像"和"、"或"和"不"这样的连接词把搜索词语组合起来）来开始搜寻多种多样的法律材料、不论是不是案例。就像戴尔格多和斯蒂芬凯克认识到的，"自由的文本检索给了搜索者更广泛的对主题搜索进行选择的范围，使他或她不必再像以前那样依赖固定的主题标题"。这样，西方公司的关键码系统就不会再直接地限制懂得如何使用计算机的研究者了（他们可能仍然会受到各种各样的其他因素的限制，比如有限的想像力）。[48]

但是，以典型的后现代的方式，计算机协助研究的技术显得自相矛盾地产生前后不一致的结果——同时既产生了分裂又产生了综合。一方面，和看起来无限的已出版的案例供应一起，计算机协助研究在一定意义上分裂了或打碎了法律规则和原则。10 年以前，西方公司已经出版了大约 250 万个案例，并且每年出版大约 6 万个新案例。为论辩的目的，假定在 20 世纪较早的时候，遵循先例的原则以可以感知的程度限制了法律和司法实践（这当然是可以争辩的），但是这一原则仍然显得无法再履行这一功能了。通过计算机协助研究，有太多的案例太容易找到了。在这时，一个合理的假定是，一位坐在计算机前面的胜任的律师能够在数分钟之内找到一个几乎可以支持任何所需要的法律命题的先例。而且，法律数据库

---

[48] Richard Delgado and Jean Stefancic, *Why Do We Tell the Same Stories? Law Reform, Critical Librarianship, and the Triple Helix Dilemma*, 41. Stan. L. Rev. 207, 208 (1989)（"工具就像"）（以下称 Delgado and Stefancic, *Stories*); Jean Stefancic and Richard Delgado, *Outsider Jurisprudence and the Electronic Revolution: Will Technology Help or Hinder the Cause of Law Reform?* 52 Ohio St. L. J. 847, 854 (1991)（"自由的文本检索"）（以下称 Stefancic and Delgado, *Outsider*）。戴尔格多和斯蒂芬凯克认为，计算机法律研究对于传统法律研究方法来说"只是一个部分的解决方案"。Delgado and Stefancic, *Stories*，同前，页 209，请看，Stefancic and Delgado, *Outsider*，同前，页 855 – 857（详细描述了计算机辅助研究的一些缺点和限制）。

中超链接的存在有助于迅速地从一个渊源移动到另一个，如此循环直至无穷。只需要点一下鼠标就可以了。现在一个研究者可以在整个数据库之内移动，从一个地方跳到另一个地方，从一个案例掠到另一个案例，直到她找到一个令人满意地支持她的观点的判例。即使最高法院判例的根源现在也显得不比你的电脑屏幕深入。"超文本（使）中心化的假定从根本上变得有问题"，乔治·P. 兰多（George P. Landow）写道。"事实上，超文本在边缘上繁荣兴盛。在超文本当中，任何被链接起来的文本都可以成为一个注解、评论或附属的文本；并且每一个被链接起来的文本都作为另外的文本存在，它使人们把文本想像成他物（Other）或作为他物进行体验"。[49]

另一方面，计算机协助研究可以帮助学者、律师和法官履行综合的功能。研究者手头几乎有着数百万个案例，所以他需要某种类型的过滤工具来避免被无法控制的数据淹没。尽管西方公司的关键码系统可以满足这一需要，但是计算机协助研究提供了一种更具弹性、更容易扩展的技术，它更适合不断增长的案件数量。用计算机的术语说，当前的法律研究软件程序的图形用户界面（GUI）使研究者可以找到和抓住有用数量的信息，尽管在数据空间中漂流着显得无限多的数据。GUI 是一种"显露一半、消失一半的行为"，按照史蒂文·约翰逊（Steven Johnson）在《界面文化》（*Interface Culture*）中的观点，"它通过使你看不到大多数信息而使信息变得可以令你理解——其简单的理由就是，'大多数信息'太过众多了，无法在一次思考中进行想像"。总之，通过使无限多的案例变得可以理解，计算机协助研究可能会分裂法律教义，但 GUI 同时也是一种符号形式，它"恰恰就是被设计……用综合和使之有意

---

[49] George P. Landow, Hypertext 2.0, 页 88–89（rev. ed., 1997）；请看，Delgado and Stefancic, *Stories*, 前注 46, 页 215（关于西方公司出版的案例的数量）。

义来对付分裂和超负荷"。[50]

但是,可能比计算机协助研究更为重要的是,在 20 世纪 60 年代与 70 年代早期贯穿了美国社会的广阔变化——即自信和共识的丧失——最终在法律学术界表现得如同在国家的其他部分一样强烈。今天,这些丧失是显而易见的:法律学术界当中对法律是否能够有效地改变和控制社会持有多种多样的和不确定的态度。例如,大多数学者在很多年里都假定布朗诉教育委员会案的判决是一个给了民权运动以重要帮助的里程碑。但最近,一些学者进行了相反的论辩,认为布朗案实际上阻碍了民权运动,因为它激起了南方白人对社会和政治变化的抵抗。还有一些学者回答说,尽管布朗案最初激起了抵抗并因而减缓了民权运动,但是布朗案的长期效果是正面的。按照这种观点,媒体对南方白人的抵抗——特别是对和平的民权抗议者施加的暴行——的报道最终为变革产生了广泛的政治支持,导致了 1964 年的《民权法案》以及作为大社会(Great Society)项目的组成部分通过的其他类似立法。还有其他评论者坚持认为,大社会立法失败得很可怜,没能在美国产生真正的和持续的变化。因为对布朗案这个最高法院历史上最为重要的案件之一存在着这种尖锐的争议,所以并不奇怪,理查德·波斯纳最近观察道,法律人(包括法律教授)看起来已经丧失了自己对改善甚至是清楚的法律问题的能力的信心。"从 20 世纪 30 年代到 50 年代的一些所谓的胜利得到了重新评估,显得不再那么成功了;例如,《联邦程序规则》(Federal Rules of Civil Procedure)和《行政程序法》(Administrative Procedure Act)(以及总体上的审判和行政管理程序)都是如此"。同样,波斯纳看到,共识已经让路给了分裂:"法学院中的政治意见的光谱在 1960 年只占据了温和的自由主义和温和的保守主义之间的狭窄频段,今天却从左派的马克思主义、女权主

---

[50] Steven Johnson, Interface Culture 238 – 239 (1997).

义以及左翼虚无主义和无政府主义一直走到了右派的经济和政治自由主义以及基督教基础主义"。即使那些在某种程度上被认为是政治信念上的中间派的法律学者也常常在意识形态上显得与自己的同事分离开来了。[51]

在很大程度上，法学教授共识的崩溃来自于法律学术界的人员构成的变革。因为民权运动和妇女运动的成功，从20世纪60年代和70年代开始（不论这些成功事实上可能是多么地有限），越来越多的妇女和有色人种在20世纪后半叶不但进入了法律职业，而且进入了法律教授的圈子。法律学术界的这种多样化受到了20世纪60年代和70年代在很多法学院中流行的大繁荣气氛的极大刺激。例如，在1973至1974年，在水门事件之后不久，"有超过13.5万人参加了法学院入学考试（Law School Admission Test）……这比上一年多出了接近1.4万人，比20世纪60年代的任何一年都多出了几乎1倍。1976年注册的12.5万多个法学院学生支付了2.75亿美元学费"。因为有这么多的学生和学费流入，很多法学院的教师队伍都疯狂扩张。例如，在1967年和1975年之间，"全国经过认证的法学院的终身教职系列（tenure track）的教师数量增长了80%"。在这一繁荣兴盛的时期，法学院可以雇佣从前被排除在外的外围集团的成员——主要是妇女和少数族裔——而不会威胁到白人男性的安全。事实上，随着它们教员队伍的疯狂扩张，这些法学院得以继续雇佣客观数量的白人男性，尽管外围集团的成员也在同时加入教员队伍。举一个例子，在1960年，1645位终身教职

---

[51] Posner，前注 1，页 766，769。请比较，Gerald N. Rosenberg, The Hollow Hope: Can Courts Bring about Social Change? 110-156 (1991)（布朗案阻碍了民权运动，因为它刺激了南方的种族主义者，而他们能够延误政治变化）和 Michael J. Klarman, Brown, *Racial Change,and the Civil Rights Movement*, 80 Va. L. Rev. 7 (1994)（布朗案间接地帮助了民权运动，因为它产生了南方的暴力抵抗，这又激起了冷漠的北方白人去支持政治变化）与 Richard Kluger, Simple Justice 758-761 (1975)（尽管布朗案并没有独自改变美国，但是它是社会变化的一个中心元素）。

系列教员中只有 11 位是妇女——也就是刚刚超过全职法律教授的 0.5%——而到了 1979 年，妇女的数量上升到了 516 人，这构成了已经上升至接近 5000 人的总数的 10.5%。[52]

法律教员队伍中注入了相当数量的妇女和有色人种，这导致出现了一种"局外人的法理学"。外围集团或少数族裔学者的作品常常表现出一种迥异于法律程序学派和其他主流学者的法律体系观念。从一些外围集团的学者的视角看来，法律体系并没有平等地对待不同的社会团体。相反，对于法治本身的操纵是一种增加社会、经济和政治不平等的方法。在法律程序学派的学者看到了对中立的和客观的法律规则的适用——即类似案件类似对待——的情形当中，一些妇女和少数族裔作者反而看到了对外围集团的征服。换言之，主流学者和外围学者看起来都是在观察同样的社会和法律事件，但是每一个团体都以极其不同的方式看待和经历这些事件。在面对像布朗诉教育委员会案中的判决这种重大的法律事件时，主流现代主义学者通常相信这个事件体现了一个有关法律的根本真理、一个有着稳定的和固定的核心的真理。当面对同样的法律事件时，外围集团学者更可能认识到多重真理的存在。例如，一位非洲裔美国人宪法学者可能比一位白人学者更容易意识到，《宪法》既是一种压迫工具，也是一种解放工具：《宪法》看起来合法化了奴隶制和吉米·克罗法律，但却支持了民权运动和废止种族隔离。隐私，一个经历过（或者同情）少数派或外围集团的真实生活的人会认识到，现代主义者所声称的基本的或核心的真理实际上是被一个处

---

[52] Kalman, 前注 1, 页 61（"有超过 135000 人"）; Donna Fossum, *Women Law Professors*, 1980 Am. B. Found. Res. J. 903, 914（"全国经过认证的"）; 请看, Fossum, 同前, 页 905–906（给出了有关女性法律教员数量的统计数字）; Grey, Modern, 前注 35, 页 505; 也请看, Bender, 前注 1, 页 4–5, 28–29（讨论了二战后大学教授的人口构成在总体上的变化）。

于支配地位的文化多数派接受的真理。[53]

因为这一原因，局外人法理学的出现促进了后现代法律思想的发展。外围集团法理学者实际上敦促了其他学者去倾听一种"不同的声音"，去承认一种对于法律体系的非同寻常的或另类的观点的合法性。实际上，当人们意识到多种不同的声音——至少包括女权主义、批判种族理论和更晚近的男同性恋和女同性恋理论家——的出现时，现代主义者找到基本真理和使知识基于坚实基础的主张就变得极其有问题了。局外人法理学家的多种声音在从前只有一个真理明显可见的地方揭开了多样的真理。外围集团的学者因而帮助产生和正当化了后现代主义的反基础主义和反本质主义的特征。在一定意义上，外围集团的法律学者反复例证了德里达的所指之间的游戏（play of signifiers），因为他们揭示了，看起来稳定的现代主义含义是不稳定的、不断变化的。用批判种族理论和女权主义学者帕特里西娅·J. 威廉姆斯（Patricia J. Williams）的话说，"真的可以同时地但却不同地看待事物——即使是最为具体的事物"。[54]

因此，并不奇怪，一些局外人学者可以被适当地描述为典型的后现代主义者。例如，像批判种族理论中的理查德·戴尔格多和德里克·贝尔（Derrick Bell）以及男同性恋和女同性恋研究理论中

---

[53] Richard Delgado, *Shadowboxing：An Essay on Power*, 77 Cornell L. Rev. 813, 818（1992）（使用了"局外人法理学"（outsider jurisprudence）这个短语）；请看，例如，Derrick Bell, And We Are Not Saved 251 – 254（1987）（批判种族理论学者提出了这样的可能性：《宪法》和美国社会可以通过变革来消除经济压迫）；Anthony E. Cook, *Beyond Critical Legal Studies：The Reconstructive Theology of Dr. Martin Luther King, Jr.*, 103 Harv. L. Rev. 985, 1015 – 1011（1990）（宗教既合法化又非法化了对非洲裔美国人的权威）。但是，请比较，Bell, 同前，页 11（对种族平等的保证被变成了使种族现状永久化的工具）。

[54] Patricia J. Williams, *Alchemical Notes：Reconstructed Ideals from Deconstructed Rights*, 11 Harv. C. R. – C. L. L. Rev. 401, 410 – 411（1987）；请看，Alvin Kernan, *Change in the Humanities and Higher Education*, in What's Happened to the Humanities? 3, 5 – 6（Alvin Kernan ed., 1997）（强调了"高等教育中的一种范式转换"因为大学人口构成的变化而出现了）。

的威廉·埃斯克里奇（William Eskridge）和马克·A.费杰尔（Marc A. Fajer）。这些学者常常在自己的学术研究中使用叙事或讲故事而不是分析方法。这种讲故事从贝尔的常常很神秘的故事一直延伸到对作者自身经历的第一人称的描述，比如埃斯克里奇所描述的他因为自己的性偏好而被拒绝终身教职。不论具体的风格如何，所有形式的讲故事——但特别是一种拉什默恩（*Rashomon*）式的对多重故事的讲述——不但呼应着后现代的反基础主义，而且也暗示着，一个当前为人们所接受的真理可能本身仅仅是一个故事而已。当然，如果足够多的人接受了某一个故事，那么它可能会变得如此普遍，以至于大多数人并不认为它在本质上是一个故事；相反，人们把它当成一个客观真理——认为它在政治和文化上都是中立的。但是，局外人叙述的目的在于揭露这种真理的文化属性，从而表明它们是偶然的规范。在他的文章《同性恋法律叙述》（*Gaylegal Narratives*）中，埃斯克里奇论辩说传统的现代主义学术本身也是一种形式的讲故事：

> 法律学术不可避免地是叙述性的。传统法律学术讲述的故事是有关法律诉讼当事方及其在上诉法院的经历；司法意见以何种方式彼此相互联系；制定法的创制和施行；伴随着独立机构（agency）审判和制定规则的在利益集团、行政者和立法者之间进行的拔河战争；各种各样的法律机构及其各自领导人的历史；以及法律学术本身的历史。传统学术中所讲述的故事集中关注对法律精英很重要的问题，并且是从这些精英的视角讲述的，而他们的视角常常被当成共识或者中立的视角。因为这些精英绝大多数都是男人、很富有并且表面上都是异性恋，所以人们可以

怀疑，他们的故事是不是真的反映了社会共识或中立价值。[55]

尽管局外人法理学和后现代学术之间有着紧密的和明显的联系，但是很多学者也在二者之间看到了一种张力。早期外围集团学者——特别是女权主义者（他们首先出现）以及在较小程度上的批判种族理论者——是现代主义者而非后现代主义者。因此，并不奇怪，像玛莎·米诺（Martha Minow）这样的处于领导地位的女权主义者担心，"后现代主义的危险是一种相对主义，它同女权主义所致力的政治战斗相冲突，也同权威地指出并有效地对抗具有压迫性的事物的持续能力相互冲突"。对女权主义法理学近期历史的简要概述强调了女权主义与后现代主义之间的这种潜在张力。女权主义法理学的发展可以被理解为经历了四个相互重叠和迅速演进的阶段或类型：自由派、文化派、激进派和后现代派。第一，自由派女权主义者，比如西尔维亚·劳和温蒂·威廉姆斯（Wendy Williams）论辩说，在法律面前，妇女应当受到与男人相同的对待。在很大程度上，这些自由派女权主义者是在性别平等这个具体领域里阐释了法律程序理论。他们声称，当妇女和男子的情形类似时，

---

[55] William N. Eskridge, Jr., *Gaylegal Narratives*, 46 Stan. L. Rev. 607, 607–608 (1994)；请看，Bell，前注 53（使用了讲故事）；Richard Delgado, *Storytelling for Oppositionists and Others: A Plea For Narrative*, 87 Mich. L. Rev. 1411 (1989)；也请看，Patricia J. Williams, The Alchemy of Race and Rights (1991)；Kathy Abrams, *Hearing the Call of Stories*, 79 Cal. L. Rev. 971 (1991)；Marc A. Fajer, *Can Two Real Men Eat Quiche Together? Storytelling, Gender – Role Sterotypes, and Legal Protection for Lesbians and Gay Men*, 46 U. Miami L. Rev. 511 (1992)。Delgado 的 *Rodrigo Chronicles* 系列在很大程度上是在描写一位法律教授和一位法律学生之间的假想的对话，它是讲故事的典型例子。请看，例如，Richard Delgado, *Rodrigo's Sixth Chronicle: Intersections, Essences, and the Dilemma of Social Reform*, 68 N. Y. U. L. Rev. 639 (1993)。关于女同性恋法律理论的例子，请看，Ruthann Robson, Lesbian (Out) Law: Survival under the Rule of Law (1991)；Patricia A. Cain, *Litigating for Lesbian and Gay Rights: A Legal History*, 79 Va. L. Rev. 1551 (1993)。

他们就应该受到平等的对待——也就是说,类似案件要类似对待。第二,文化派或不同声音派女权主义者,比如罗宾·韦斯特(Robin West)在很大程度上探索了卡萝尔·吉里甘(Carol Gilligan)的富有影响力的著作《以不同的声音》(*In a Different Voice*)对于法理学的意蕴。吉里甘是一位心理学家,她论辩说妇女和男子倾向于发展不同的伦理价值体系,这可能是受到了文化的影响。最为基本的是,女性的伦理强调关心别人,而男性的伦理强调遵循抽象原则。吉里甘进一步表明,女性关心他人的伦理在很大程度上被早期的有关伦理发展的心理学理论忽视了,而且,作为一种修正的补救措施,她建议女性伦理不但应该受到承认,而且也应该得到接纳。也就是说,吉里甘试图赞美彼此的不同(或者赞美一种不同的声音)。按照吉里甘的暗示,文化派女权主义法理学者论辩说,法律体系偏爱和反映了男性的伦理,因而在法理学中应用女性关心他人的伦理会变革、实际上会改善美国的法律。第三,激进派女权主义者,最著名的是凯瑟琳·A·麦金农(Catharine A. MacKinnon),论辩说性别关系一直都是有关权力的——有关男人支配和征服女人。在一定程度上,激进派女权主义理论与批判法律研究运动有重合,它们二者都吸收了马克思主义和欧洲其他批判社会理论。[56]

---

[56] Martha Minow, *Incomplete Correspondence:An Unsent Letter to Mary Joe Frug*, 105 Harv. L. Rev. 1096,1104 (1991)。关于自由主义的女权主义,请看,Sylvia Law, *Rethinking Sex and the Constitution*, 132 U. Penn. L. Rev. 955 (1984); Wendy W. Williams, *Equality's Riddle:Pregnancy and the Equal Treatment/SpecialTreatment Debate*, N.Y.U. Rev. of L. & Social Change 315 (1984 – 1985). On cultural feminism,see Lynne N. Henderson, *Legality and Empathy*, 85 Mich. L. Rev. 1574 (1987); Martha Minow, Foreword:*Justice Engendered*, 101 Harv. L. Rev. 10 (1987); Suzanna Sherry, *Civic Virtue and the Feminine Voice in Constitutional Adjudication*, 71 Va. L. Rev. 543 (1986); Robin West, *The Difference in Women's Hedonic Lives:A Phenomenological Critique of Feminist Legal Theory*, 3 Wis. Women's L. J. 81 (1987); Robin West, *Jurisprudence and Gender*, 55 U. Chi. L. Rev. I (1988); 请看,Carol Gilligan, In a Different Voice (1982); Nell Noddings, Caring (1984). 关于激进女权主义,请看,Catharine A. MacKinnon, Feminism Unmodified (1987)。有关对于女权主义的概述,请看,Minda,前注1,页118 – 148 (提供了对4种类型的女权主义的极好的归纳,并且认为早期女权主义者是现代主义者); Patricia A. Cain, *Feminism and the Limits of Equality*, 24 Ga. L. Rev. 803 (1990) (同前); Linda Lacey, *Introducing Feminist Jurisprudence:An Analysis of Oklalloma's Seduction Statute*, 15 Tulsa L. J. 775,784 – 793 (1990) (提供了对前3种类型的女权主义的极好的概述)。

最为重要的是，在现代主义与后现代主义的立场之间的张力方面，前三种女权主义——即自由派、文化派和激进派——常常显得把所有的女人都简化成了大写的女人（WOMAN）：她是由一套事先构建起来的、有限的抽象特征、视角或利益定义的。例如，按照文化派女权主义者的观点，所有女人都倾向于以某种表现出一种关心他人的伦理的方式同其他人交往。从这样的现代主义视角看来，所有的女人看起来都具有一种普遍的本质——这种本质后来受到了像安吉拉·P. 哈里斯（Angela P. Harris）这样的外围集团女权主义者的挑战，她认为这种本质显得令人怀疑地属于白人、异性恋和上层中产阶级。哈里斯论辩说，因为这种"性别本质主义，即使当早期女权主义法理学承认有色人种的女人、女同性恋和贫困的女人的存在时，这种女人被讨论的范围也仅仅局限于她们与一种得自于白人、异性恋和上层中产阶级的大写女人之间的区别。[57]

而且，早期女权主义者以及早期批判种族理论学者是泰然自若的规范化的学者：他们明确地建议了各种各样的改变美国法律体系的方式，以改善女人和有色人种的生活。例如，麦金农因为支持对色情材料的法律限制而著称，而在一篇1987年的极具影响力的文章中，查尔斯·R. 劳伦斯（Charles R. Lawrence）认为，最高法院应当按照他对种族主义的老到描述来改变其平等保护的教义，他的描述不但解释了有意识的偏见，也解释了潜意识的偏见。这种规范性的学术———一种被光荣化了的主张——与后现代法律理论家所

---

[57] Angela P. Harris, *Race and Essentialism in Feminist Legal Theory*, 41 Stan. L. Rev. 581, 585 (1990); 请看, Audre Lorde, Sister Outsider 110 – 113 (Quality Paperback Book Club 1993; first published 1984)（强调了白人女权主义者为什么忽视了非洲裔美国人、女同性恋和贫穷女性的区别）; Nancy Fraser and Linda Nicholson, *Social Criticism without Philosophy: An Encounter between Feminism and Postmodernism*, 5 Theory, Culture, & Soc'y 373, 381 – 390 (1988)（关于早期女权主义在总体上具有的本质主义和简化主义）; Harris, 同前, 页585 – 601（批评了白人女权主义者, 因为他们对女性的本质主义的观念）。

写的论文形成了鲜明的对比,至少当规范性出现在法律程序学派和其他主流学者的作品中的时候,这些后现代法律理论家谴责了这种令人侧目的规范性的表演。从后现代的视角看来,这种规范性的法律学术所特有的明确的主张令人误入歧途地暗示说,读者(以及作者)是自主的和独立的个人,他们可以选择改变法律体系,并可以成功地实施他们所想要的任何这种变化——就好像这很简单一样。随着这些后现代理论家摒弃这种现代主义的个人主义的表现,他们转而引起了很多外围集团学者的愤怒,这些学者实际上给后现代主义者提出了下面的问题:"你为什么质疑个人通过法律体系选择和追求规范性目标和价值的能力,而那些历史上受到压制和被排除在外的主体已经取得了足够的社会权利和认可,从而使他们也可以追求他们自己的目标和价值?"事实上,一些外围集团的学者批评后现代理论,认为它仅仅是一种适合"工业化了的西方的白种、拥有特权的男子"的需要的意识形态。[58]

尽管如此,在近年,越来越多的外围集团法理学者——包括女权主义、批判种族理论和男同性恋和女同性恋理论家——已经开始

---

[58] Christine Di Stefano, *Dilemmas of Difference:Feminism,Modernity,and Postmodernirm*, in Feminism/Postmodernism 63, 75 (Linda J. Nicholson ed., 1990) ("工业化了的"); Charles R. Lawrence, *The Id,the Ego,and Equal Protection:Reckoning with Unconscious Racism*, 39 Stan. L. Rev. 317 (1987); 请看, Pierre Schlag, *Normative and Nowhere to Go*, 43 Stan. L. Rev. 167 (1990) (对规范性法律学术的后现代的批判); Robin West, *Feminism,Critical Social Theory and Law*, 1989 U. chi. Legal F. 59 (一位女权主义领袖批评了后现代的、包括福柯的进路)。女权主义政治理论家 Christine Di Stefano 明确地问了下面的问题:"为什么恰恰当西方历史发展到了从前被压抑的人们开始为自己和自己的主体性开始说话的时候,主体的概念以及发现/创造一个能够解放人们的'真理'的可能性开始变得可疑了?"Di Stefano, 同前, 页75; 请看, Rita Felski, The Gender of Modernity 208 (1995) (关于外围集团成员与其他倾向于后现代主义的知识分子之间的张力)。早期的批判种族理论家强调了自己的规范性。请看, Mari Matsuda, *Looking to the Bottom:Critical Legal Studies and Reparations*, 22 Harv. C. R. - C. L. L. Rev. 323 (1987); Kimberle Crenshaw, *Race,Reform,and Retrenchment:Transformation and Legitimation in Antidiscrimination Law*, 101 Harv. L. Rev. 1331 (1988)。

探索外围集团与后现代主义主题之间的联系和可能的融合。就像已经提到过的，在外围集团的学者反复证明了多重真理的存在、并因而削弱了现代主义的基础主义和本质主义的主张的程度上，他们可以被理解为典型的后现代主义者。但是，一些外围集团学者甚至更进一步明确地接受了后现代主义。这些后现代的外围集团学者正在发展一些方法，以结合带有激进政治取向的现代主义所具有的那些批判性的理论视角，而这种激进的政治取向代表了较早形式的局外人法理学。例如，后现代女权主义者，比如琼·威廉姆斯（Joan Williams），论辩说，女权主义者也可以认识到妇女同男人不同，但是他们仍然能够避免假定一个本质的大写的女人或者两性之间的某一套稳定的本质区别的存在。按照玛丽·乔·弗拉格（Mary Joe Frug）的观点，后现代的洞见表明女人和男人之间的区别实际上是偶然的，因此可以引起"政治斗争"，包括法律话语领域内的争斗。"有关性别区别的持续不断的解释斗争"，弗拉格认为，"可以对父权制法律权力发生影响"。在一部博学的但有些深奥的集中关注后现代主义与女权主义法理学之间的关系的著作中，德鲁西拉·康奈尔（Drucilla Cornell）试图"把'女性化的'写作和对女性的再现……从本质主义的指责中解放出来"。为做到这一点，康奈尔认为女性不应被理解为一个客体或本质，而是应当被理解为一种相对其他人而言的偶然的立场———一个人可以从这个立场出发对那些其他人进行开放和理解。对于康奈尔来说，后现代主义所强调的含义的不稳定性可以被用来支持女权主义削弱性别层级的政治目标。"从女性的立场进行写作包括一种明确的伦理的确认，而这本身就是对于对女性的贬低的行为上的挑战。我们确认女性……即便我们承认女性不能被简化或等同于女人的实际生活"。[59]

法律思想中的后现代主题

因为多种起因的结合,美国法律思想已经绕过了一个模糊的边界,从现代主义过渡到了后现代主义。在本章的前一节中,我讨论了几个相互具有辩证关系的因素,它们激发了从现代法理学到后现代法理学的运动:总体上的美国人、包括法学教授的共识和自信的崩溃;最高法院在格里斯沃德诉康涅狄格州案和罗伊诉韦德案中极具争议的判决,以及学者们后来对这些案件的反应;包括法律在内的很多领域中的跨学科研究的兴盛,以及后来来自于像哲学、文学批评和文化人类学的其他学科的后现代思想对法理学者的影响;法律思想、特别是宪法理论中的解释转型的出现;带有图形用户界面的计算机辅助法律研究的发展;以及法律学术界人员构成的变化,它促进了局外人法理学的发展。这些具有因果关系的因素结合起来的程度和方式根本就不清楚;就像小说家科麦克·麦卡锡(Cormac McCarthy)观察的:"历史中并不存在对照小组。"但是,尽管其起因具有这种不确定性,但是从现代主义到后现代主义的运动代表了一场广泛的文化、社会和政治变迁,它本身超越了学科界限,触及了大多数、如果还不是全部学术领域,包括法理学。[60]

像斯坦利·费什这些作者的后现代的解释策略以及我在前一节中讨论过的后现代局外人法理学者的创新的进路,代表了后现代法

---

[59] Joan C. Williams, *Dissolving the Sameness/Difference Debate:A Post - Modern Path Beyond Essentialism in Feminist and Critical Race Theory*,1991 Duke L. J. 296,299 - 308;Mary Joe Frug, *A Postmodern Feminist Legal Manifesto (An Unfinished Draft)*,105 Harv. L. Rev. 1045,1046 (1992);Drucilla Cornell,Beyond Accommodation 4,150 (1991).

[60] Cormac McCarthy, All the Pretty Horses 239 (1992)。

律思想的重要方面。但是，为了描绘一幅更加完整的图画，我将逐一解释我在第2章提到的八个总体的后现代主题，尽管现在我将集中在法理学这个特定领域中关注这些相互联系的主题。当然，后现代法律学者并没有一个统一的面孔。[61] 事实上，一些最为有趣的

---

[61] 我在本节中引用的一些后现代的法理学著作（或者有关后现代主义的著作）包括：Drucilla Cornell, Beyond Accommodation (1991); Drucilla Cornell, The Philosophy of the Limit (1992) （以下称 Cornell, Limit）; Stanley Fish, Doing What Comes Naturally (1989); Douglas E. Litowitz, Postmodern Philosophy and Law (1997); Gregory S. Alexander, *Takings and the Post – Modern Dialectic of Property*, 9 Const. Comment. 259 (1992); Marie Ashe, *Mind's Opportunity:Birthing a Poststructuralist Feminist Jurisprudence* (1987), in Legal Studies as Cultural Studies 85 (Jerry Leonard ed., 1995); Larry Cata Backer, *The Many Faces of Hegemony:Patriarchy and Welfare as a Woman's Issue*, 92 Nw. U. L. Rev. 327 (1997); J. M. Balkin, *Tradition,Betrayal,and the the Politics of Deconstruction*, II Cardozo L. Rev. 1613 (1990)（以下称 Balkin, *Tradition*); J. M. Balkin, *Transcendental Deconstruction,Transcendent Justice*, 92 Mich. L. Rev. 1131 (1994)（以下称 Balkin, *Transcendental*); J. M. Balkin, *What Is a Postmodern Constitutionalism*, 90 Mich. L. Rev. 1966 (1992)（以下称 Balkin, *Postmodern Constitutionalism*); J. M. Balkin, *Understanding Legal Understanding:The Legal Subject and the Prohlem of Legal Coherence*, 103 Yale L. J. 105 (1993)（以下称 Balkin, *Understanding*); J. M. Balkin, *Deconstructive Practice and Legal Theory*, 96 Yale L. J. 743 (1987)（以下称 Balkin, *Deconstructive*); James Boyle, *Is Subjectivity Possihle? The Post – Modern Subject in Legal Theory*, 62 U. Colo. L. Rev. 489 (1991); Anthony D'Amato, *Aspects of Deconstruction: The "Easy Case"of the Under – aged President*, 84 Nw. U. L. Rev. 250 (1989); Richard Delgado, *Storytelling for Oppositionists and Others:A Plea for Narrative*, 87 Mich. L. Rev. 2411 (1989); Richard Delgado and Jean Stefancic, *Images of the Outsider in American Law and Culture:Can Free Expression Remedy Systemic Social Ills?* 77 Cornell L. Rev. 1258 (1992)（以下称 Delgado and Stefancic, *Images*); Jacques Derrida, *Force of Law:The "Mystical Foundation of Authority,"* 11 Cardozo L. Rev. 919 (1990); William N. Eskridge, Jr., *Gadamer/Statutory Interpretation*, 90 Colum. L. Rev. 609 (1990); Patricia Ewick and Susan S. Silbey, *Conformity,Contestation,and Resistance:An Account of Legal Consciousness*, 26 New Eng. L. Rev. 731 (1992); Stephen M. Feldman, *Playing witll the Pieces:Postmodernism in the Lawyer's Toolbox*, 81 Va. L. Rev. 111 (1999)（以下称 Feldman, *Playing*); Stephen M. Feldman, *The Politics of Postmodern Jurisprudence*, 91 Mich. L. Rev. 166 (1996)（以下称 Feldman, *The Politics*); Stephen M. Feldman, *Diagnosing Power:Postmodernism in Legal Scholarship and Judicial Practice* (*With an Emphasis on the Teague Rule against New Rules in Haheas Corpus Cases*), 88 Nw. U. L. Rev. 1046 (1994)（以下称 Feldman, *Diagnosing Power*); William L. F. Felstiner and Austin Sarat, *Enactments of Power:Negotiating Reality and Responsihility in Lawyer – Client Interactions*, 77 Cornell L. Rev. 1447 (1992); Angela P. Harris, *Race and Essentialism*

后现代法律学术等于是"后现代警察":当一个后现代主义者批评另外一个后现代主义者实际上不够后现代时就是如此。即便如此,尽管

---

in Feminist Legal Theory,42 Stan. L. Rev. 181 (1990); Tracy E. Higgins," By Reason of Their Sex": Feminist Theory, Postmodernism, and Justice,80 Cornell L. Rev. 1136 (1991); Sanford Levinson and J. M. Balkin, Law, Music, and Other Performing Arts,139 U. Pa. L. Rev. 1197 (1991); Robert Justin Lipkin, Can American Constitutional Law Be Postmodern? 42 Buff. L. Rev. 317 (1994); Francis J. Mootz, The Ontological Basis of Legal Hermeneutics: A Proposed Model of Inquiry Based on the Work of Gadamer, Hahermas, and Ricoeur,68 B. U. L. Rev. 123 (1988); Francis J. Mootz, Postmodern Constitutionalism as Materialism,91 Mich. L. Rev. 111 (1992); Francis J. Mootz, Is the Rule of Law Possible in a Postmodern World? 68 Wash. L. Rev. 249 (1993) (以下称 Mootz, Rule of Law); Francis J. Mootz, The Paranoid Style in Contemporary Legal Scllolarship,31 Hous. L. Rev. 873 (1994) (以下称 Mootz, Paranoid Style); Dennis M. Patterson, Postmodernism/Feminism/Law,77 Cornell L. Rev. 214 (1992) (以下称 Patterson, Postmodernism); Dennis Patterson, The Poverty of Interpretive Universalism: Toward the Reconstruction of Legal Theory,72 Tex. L. Rev. 1 (1993) (以下称 Patterson, The Poverty); Dennis M. Patterson, Law's Pragmatism: Law as Practice and Narrative,76 Va. L. Rev. 937 (1990) (以下称 Patterson, Law's Pragmatism); john a. powell, The Multiple Self: Exploring between and beyond Modernity and Postmodernity,81 Minn. L. Rev. 1481 (1997); Margaret J. Radin and Frank Michelman, Pragmatist and Poststructuralist Critical Legal Practice,139 U. Pa. L. Rev. 1019 (1991); Peter C. Schanck, Understanding Postmodern Thought and Its Implications for Statutory Interpretation,61 S. Cal. L. Rev. 2101, 2108-2109 (1992); Pierre Schlag, Law and Phrenology,110 Harv. L. Rev. 877 (1997) (以下称 Schlag, Phrenology); Pierre Schlag, Law as the Continuation of God by Other Means,85 Calif. L. Rev. 427 (1997) (以下称 Schlag, God); Pierre Schlag, Hiding the Ball,71 N. Y. U. L. Rev. 1681 (1996) (以下称 Schlag, Hiding); Pierre Schlag, Clerks in the Maze,91 Mich. L. Rev. 2013 (1993) (以下称 Schlag, Clerks); Pierre Schlag, Writing for Judges,63 U. Colo. L. Rev. 419 (1992) (以下称 Schlag, Writing); Pierre Schlag, The Problem of tile Subject,69 Tex. L. Rev. 1627 (1991) (以下称 Schlag, The Problem); Pierre Schlag, Normativity and the Politics of Form,139 U. Pa. L. Rev. 801 (1991) (以下称 Schlag, Normativity); Pierre Schlag, Normative and Nowhere to Go,43 Stan. L. Rev. 167 (1990) (以下称 Schlag, Nowhere); Pierre Schlag," Le Hors De Texte - C'estMoi": The Politics of Form and the Domestication of Deconstruction,11 Cardozo L. Rev. 1631 (1990) (以下称 Schlag, Form); Pierre Schlag, Fish v. Zapp: The Case of the Relatively Autonomous Self,76 Geo. L. J. 37 (1987) (以下称 Schlag, Fish v. Zapp); Susan Silbey, Making a Place for Cultural Analyses of Law,17 Law & Soc. Inquiry39 (1992); Anthony D. Taibi, Banking, Finance, and Community Economic Empowerment: Structural Economic Theory, Procedural Civil Rigllts, and Substantive Racial Justice,107 Harv. L. Rev. 1463 (1994); Kendall Thomas, Beyond the Privacy Principle,92 Colum. L. Rev. 1431 (1992); Joan C. Williams, Rorty, Radicalism, Romanticism: The Politics of the Gaze,1992 Wis. L. Rev. 131; Steven L. Winter, Indeterminacy and Incommensurability in Constitutional Law,78 Calif. L. Rev. 1441 (1990)。

各个后现代法理学者之间有着争执,但是各种后现代主题在法律作品中的相互关系和融合还是很显著的。当被看作一个整体时,后现代法律学者确实看起来是在阐述一种与前现代主义和现代主义的范式化的世界观相对应的范式化世界观。而且,就像前现代和现代法律思想十分符合其各自时代的更为广阔的文化一样,后现代法理学呼应着我们所生活的文化时代。因此,下面就是后现代法律思想的八个主题。[62]

第一,后现代法律思想者拒绝现代主义者对于基础主义和本质主义相互关联的忠诚。在一百多年里,美国法律现代主义者一直在为法律和司法判决过程寻找一个基础;在这样做的时候,他们的范围包括了理性主义到经验主义到超验主义。相反,后现代主义者认为知识和含义总是没有基础的,没有基础的含义总是不稳定的和不断变化的。道格拉斯·E. 利托维茨(Douglas E. Litowitz)的《后现代哲学与法律》(*Postmodern Philosophy and Law*)从一种分析的视角研究后现代法理学,按照这部书的观点,后现代的反基础主义反映了"对法律人和哲学家在历史上提出来支持法律制度的具体安排的那些形而上的和/或认识论的基础的一种深刻的不信任和怀疑"。因此,后现代法律理论家不断地质疑具体词语以及整个法律文本的表面的稳定性;前一节讨论过的费什的后现代解释主义仅仅代表了这种现象的一个表现。例如,与这种反基础主义的主题相一致,后现代女权主义者现在主张,"在女权主义中以及在法律中,'女人'是一个充满麻烦的词语。这个类别在语言学、历史学或法律语境中都没有一贯的或自洽的建构"。[63]

为了强调反基础主义和反本质主义的深入的和可能很激进的影

---

[62] Feldman, *Diagnosing Power*, 前注61, 页1096(引入了后现代警察的概念)。
[63] Litowitz, 前注61, 页4-5("对于法律人和哲学家");Higgins, 前注61, 页1537("在女权主义中")。

响，一些后现代主义者认为，与现代主义的主张相反，法律中根本就不存在简单的案件。即使要求总统至少年满35岁的宪法规定也可以进行多重解释。沿着这一思路，后现代解构主义者安东尼·达马托（Anthony D'Amato）强调文本含义随着语境一起变化。因此，"因为语境可以变化，所以对于任何文本来说，根本就不存在单一的、对所有时间都是绝对的和不变的解释"。那些认为宪法中存在简单的案件——比如18岁的人不具备担任总统的资格——的现代主义者忽视了后现代主义对语境的重要性的这个基本洞见。作为一个抽象的假设情况，18岁的总统可能是一个荒谬的问题，但是，如果它在真实的案件中出现，那么这个问题就显得完全不同了。现实主义者的"所谓的简单的18岁的总统的案件本身就令人气愤"，达马托作出结论说，"它不会出现——而如果它确实在某种将来的语境中出现了，那么它就不再是令人气愤的了"。现代主义者用稍微不同的词语表达了语境的重要性，他们之所以看到了简单的案件，这只是因为他们含蓄地接受了某种作为背景的语境或假定的稳定性，而这种语境或假定看起来为客观的文本解释提供了基础。但是，后现代主义者强调，这种作为背景的假定总是可以被拿到舞台的中心并被取代，而且，通过这样做，后现代主义者解构了从前显得不具争议的文本含义。[64]

皮尔·施莱格（Pierre Schlag）是后现代法理学者的一个领袖，他解释了现代主义者为什么（错误地）相信法律在本体论上是基于一种坚实的基础。按照施莱格的观点，法律教育的某些特殊的方法使学生们对法律的坚实的实体存在产生了持久的信念。特别地，深奥的苏格拉底式的提问常常使学生们怀疑自己的教授是在"把

---

[64] D'Amato，前注61，页252，254；请看，Martha Minow and Elizabeth Spelman, *In Context*, 63 S. Cal. L. Rev. 1597 (1990)（强调了对语境的关注可以被用来批判其他人的立场）。

球藏起来"——这里的球在比喻的意义上代表法律。教授们熟练地运球、把它从一只手换到另一只手、把它滑到背后,总是让它保持在(有时)全神贯注的学生的渴望的目光以外。看着这种熟练的表演,学生们相信教授们一定是在藏球,因为他们从来没有真的看到它。因此,学生们间接地假定,某种真实的球是真实存在的:如果没有这种球的话,那么教授们怎么能(又怎么会)表演这种技巧?以这种方式,未来的律师、法官和法律教授发展了"一种对法律的本体论和认识论特征的虔诚的信仰"。他们深深地相信这个球,相信"稳定的、前解释的"法律。[65]

但是,施莱格然后提出了后现代的解构的论点:不论现代主义的律师和学者有着怎样的相信或信任,根本就不存在稳定的、前解释的法律。现代主义的法律学者就法律教义进行了无穷无尽的解释,就好像这些教义真的是作为"有活力的、具有稳定的身份的物体形式"而存在的;尽管如此,法律规则和原则并不是基于"任何有活力的或稳定的能指(referent)"。而且,法律在认识论上的空洞使现代主义法理学者能够用冗长的文章、书籍、甚至多卷本的专论来解释越来越精细的教义框架,能够把很多表面上的法律原则和规则巧妙地和富有逻辑地联系起来。但是,从施莱格的后现代观点看来,现代主义学者可以就这些原则和规则说任何自己想说的东西,因为它们实际上并不是作为稳定的能指存在的。人们可以很容易地用这些最具弹性的材料——根本就不存在的规则和原则——建构一个最具想像力、甚至很优雅的教义的大厦。[66]

其他后现代法理学者把反基础主义和反本质主义与对德里达的他性的关注联系在了一起。按照德里达的观点,阐释学的理解过程总是定义着,并且已经定义了他性。不论我们是不是从我们自己的

---

[65] Schlag, *Hiding*,前注61,页1684,1687。
[66] Schlag, *Phrenology*,前注61,页900,908。

视野出发——这时理解一个文本的惟一方法——理解一个文本，我们必然会否认可能从某种其他视角或视野产生的潜在含义。在一篇有关解构和法律解释的文章中，米切尔·罗森菲尔德（Michel Rosenfeld）写道："所有的文本（不论是口头的还是书面的）都是指向其他作品的作品。一个文本并不是一个能够立即和清楚地实现作者所意图的独特含义的纯粹的存在。相反，从解构的视角看来，每一个作品都体现了一种调和相同与区别、统一与多样、自我与他性的失败的努力。一个作品可能会给人们留下已经达到了所意图的调和的印象，但是这种印象必然是意识形态化的扭曲的产品，即对区别的压抑或者对他性的统治。"[67]

所以，为了清楚起见，他性不但是指被压抑的文本含义，而且也指被边缘化了的和被征服了的个人或团体（或外围集团）——这些个人或团体的含义（或声音）被模糊了或忽视了。后现代主义者因而论辩说，比如在女权主义法理学这个具体领域内，现代主义者依赖了"性别本质主义"——即假定所有女人都分享某种普遍的本质。这种现代主义的本质主义倾向于压制某些声音——特别是有色人种的女人、女同性恋和贫困妇女的声音——"以给他人以特权"。更广泛地，后现代法理学"质疑了一些类别和分类，法律基于这些类别和分类不加批判地支持了权力的行使，而这些权力的行使以自然的名义或以实际需要的名义进行了压制或反对"。德里达本人把解构等同于争议，他提出，解构对他性的关注培养了一种对暴力与欺骗、对拒绝、排除和压迫进行揭露的无法压抑的政治欲求。从这一视角看来，法律总是构建和压抑某种他性，而解构的正义（或称"解正义"）试图揭露这种压迫。就像拉里·卡达·拜科尔解释的，"所有的团体在本质上——所有社会体系的定义性特征——就是要定义一个偏离常规的区域，并惩罚那些位于这个区域

---

[67] Rosenfeld, 前注61, 页1212.

的边界之内的人"。因此,按照 J. M. 巴赫金的观点,对于法律概念的解构就是号召人们"记住人类生活当中那些被推到了背景当中的层面"。与一般的现代主义误解相反,"解构并不是否认规则和原则的合法性;它确认了在给某些法律思想以特权的过程中被忽视的和被忘记的人类可能性"。[68]

举个例子,放任自由理论对美国法律的重要性可以被解构。放任自由理论起源于某些通常没有受到检视或没有受到质疑的背景假定。最为重要的是,放任自由理论假定,所有的人都受到他们的私利的天然的和惟一的驱动。从这一前提以及其他前提出发,放任自由理论的支持者推理说,在经济领域中,"不受规制的市场交易是实现人类目标的最佳途径",所以政府对经济市场的规制应当被最小化。但是,解构主义者试图质疑这些背景假设:"我们的社会观点和法律体系并不是基于人性的本来面目,而是基于对人性的一种解释,是一种比喻、一种特权化。"具体地,当一个人开始怀疑放任自由理论的关键假定——即纯粹自私自利的个人——的有效性的时候,这个经济学的个人开始令人怀疑地显得好像是"一个社会傻子"。经济学家阿玛提亚·森(Amartya Sen)并不是一个公开的解构主义者,但是他生动地例证了人们真的完全从私利出发而行动会产生的荒谬性:"其假定(是),如果被问了一个问题,这个人会给出一个能够最大化自己的个人利益的答案。这个假定够不够好?我怀疑,总的来说它不是非常好。('火车站在哪里?'他问我。'在那儿',我指着邮局说,'你能不能顺便帮我把这封信寄

---

[68] Harris,前注61,页585("性别本质主义","以给他人以特权");Ashe,前注61,页116("质疑了");Feldman, *The Politics*,前注61,页200("解正义");Backer,前注61,页369;Balkin, *Deconstructive*,前注61,页763("记住","解构并不是");请看,Cornell, Limit,前注61,页62,81-82(强调了解构是一种集中关注"与他性之间的非暴力关系"的伦理的中心);Derrida,前注61,页945(声称"解构就是正义");Feldman, *The Politics*,前注61,页197-201(强调了解构与正义之间的联系)。

了?''好吧',他说,但是他却已经决定打开信封看一看里面有没有什么值钱的东西。)"[69]

值得注意的是,从解构主义的角度看,当拥有特权的假定受到质疑时,就会从边缘地带出现其他假定。例如,我们可以承认,除了私利以外,还有很多其他考虑因素驱动着人们的行为。这些动机可能是高尚的或卑劣的,从利他主义和正义一直到种族主义和反犹主义。例如,投票这种简单和普遍的行为显然并不是来自于对于私利的理性追求:时间和努力的成本显然超出了任何可能由自己的一张选票产生的潜在收益,但还是有很多人选择进行这种经济上毫无效果的行为。实际上,甚至对经济私利的追求本身也"最终依赖于社会合作和对价值的分享"。但是,当然,解构主义的目标并不必然是给某些其他动机以超出私利的特权;在大多数情况中,人类的行为无法被简化为任何惟一的动机,不论这个动机是私利还是什么别的。相反,解构主义者试图破坏我们的初始假定并表明这些假定如何压抑了对作为社会动物的人的其他可选的观点。说到底,对放任自由的解构暗示着,不受政府管制干涉的市场的理想看起来是基于一种有关人类存在的狭窄的和单薄的解释。[70]

因此,第二个后现代的主题与第一个紧密相关:后现代主义者倾向于挑战所有类型的表面的确定性、积习、建构物和边界,包括学科之间的界限。也就是说,后现代主义"迫使我们接受这样的可能性:我们的习惯分类可能不是必须的"。这种后现代的倾向引发了对法律教义的传统类别的不断挑战。例如,格雷戈里·S. 亚

---

[69] Balkin, *Deconstructive*, 前注61, 页762 ("不受规制的市场", "我们的社会观点"); Amartya K. Sen, *Rational Fools:A Critique of the Behavioral Foundations of Economic Theory*, in Beyond Self - Interest 25, 3S, 37 (Jane J. Mansbridge ed., 1990) ("一个社会傻子", "其假定")。

[70] Balkin, *Deconstructive*, 前注61, 页763;请看, Stephen M. Feldman, *Whose Common Good? Racism in the Political Community*, 80 Geo. L. J. 1835, 1844 - 1849 (1992) (批评了认为个人只受私利驱动的观点)。

历山大(Gregory S. Alexander)驳斥了一种非常依赖现代主义的个人主义的财产观念。在这种现代主义的观念之下,"财产及其所受到的宪法保护的目的完全(就是)创造一堵立于个人与集体之间的墙,(以)保证个人得以满足自己的欲求的(实际意义上和以及比喻意义上的)空间"。亚历山大声称,对财产的这种"惟一的特权化的理解已经过时了,作为替代,他提出了一种后现代的财产观念。具体地,在个人主义的财产观念与更为社区主义的、强调公共责任的财产观念之间,亚历山大看到了一种无法化解的辩证冲突。[71]

更为广泛地,威廉·L. F. 菲尔斯蒂纳(William L. F. Felstiner)和奥斯丁·萨拉特(Austin Sarat)挑战了有关律师与当事人之间的关系的传统观念。按照菲尔斯蒂纳和萨拉特的观点,律师与当事人之间的关系在传统上被从两个相互对立的现代主义视角中的一个角度进行理解和分析:它或者被认为是由事先定义的社会角色严格地构建的,或者被认为产生自自主的个人的行为。菲尔斯蒂纳和萨拉特拒绝了这种二分观点,认为它受到了现代主义的社会和个人观念的过于严格的限制。律师和当事人既不是事先存在的固定的社会解构的囚犯,也不是自由和独立的个人。相反,菲尔斯蒂纳和萨拉特提出了一种后现代观点,把律师与当事人之间的关系理解为总是受到偶然事件的限制——受到通过谈判发生的不断的变迁的限制和影响。[72]

后现代的不敬使很多法理学者蔑视现代主义的法律学术观本身,认为它过于狭隘地专注于教义(以及在现实主义者之后专注

---

[71] Ashe,前注61,页116("迫使我们");Alexander,前注61,页260-262;也请看,Delgado and Stefancic,前注61,页1280-1281(质疑了传统的有关言论自由的市场理论);Thomas,前注61,页1435(挑战了"将对隐私(权)修辞的限制作为讨论"产生自规定同性恋行为犯罪的"宪法问题的一个概念来源")。

[72] Felstiner and Sarat,前注61,页1447-1458。

于公共政策)。利用了福柯、罗蒂、伽达默尔、维特根斯坦、库恩、尼采、德里达、海德格尔、拉肯和一系列其他学者的跨学科法律研究十分常见。因为美国社会的文化渗透——实际上,文化看起来渗透了社会生活和个人生活的所有方面——后现代学者常常倾向于从文化研究和社会研究的角度理解法律。这一倾向在后现代的局外人法理学当中特别明显,在这个领域中,学者们试图理解美国文化和社会的符号和结构,包括法律文化和关系,是如何模糊和压抑外围集团的声音——即德里达的他性。例如,很多局外人法理学者驳斥了现代主义的种族主义观,这种观点认为种族主义完全是由个人的有意图的歧视行为建构的。相反,种族主义被理解为一种文化和社会现象,它表现在无意的和有意的行为之中,表现在无意识的和有意识的态度之中。"种族主义交织在我们看待和组织世界的根本方式之中",理查德·戴尔格多和简·斯蒂芬凯克解释道,"它是我们用来经历、建构和理解我们的社会世界的很多个前见中的一个。种族主义组成了支配性叙事的一部分,组成了那些作为我们推理的出发点的被人接受的那些理解和基本原则的一部分"。[73]

尽管这种对文化和社会的强调是局外人法理学的主流,其他后现代学者也使用了类似的方法。例如,巴赫金通过研究"后现代的文化和技术影响作为一种制度的法律的方式"解释了后现代宪法观。

> 大众传媒的兴起和符号形式的工业化对公众理解自己的法律权利和参加法律体系的能力产生了什么样的影响?按照"(新闻中的)原声摘要"(sound bites)这个现象的

---

[73] Delgado and Stefancic, *Images*, 前注 61, 页 1278 – 1279; 请看, Charles R. Lawrence, *The Id, the Ego, and Equal Protection: Reckoning with Unconscious Racism*, 39 Stan. L. Rev. 317, 330 (1987); 请看, Backer, 前注 61, 页 371 (论辩说,一种"圣经基础主义"的文化使美国人甚至无法想像防止贫困所必须的那种系统性的改变)。

类比，我们可以发明一个"法律原声摘要"（law bites）的概念，即已经变成了普通公众通用的文化媒介的法律体系符号。实际运作中的法律原声摘要的一个经典例子就是媒体报道的被加拿大警察逮捕的摩托车手，他们反复要求警察向他们宣读自己的米兰达（Miranda）权利。大量播出的美国警察片（以及后来的《洛杉矶律师事务所》(*L. A. Law*) 显然已经改变了公众对刑事和民事司法体系的理解，而且这不局限于美国。这些符号化的法律描写变成了常见的话语形式和外行公众的法律预期的基准。[74]

当然，一些法律现代主义者——他们常常是在法律和另外一个学科中都拥有学位和专业证书的人——尖锐地批评了这些后现代的跨学科学者，说他们是半瓶醋。但是，在他们试图保护自己的专业和学科领地时，这些现代主义批评者常常显得有点声嘶力竭。当然，与后现代主义者一样，现代主义者也应该批评其他人的作品的内容，但是他们不应当仅仅因为进行写作的人不对头（或者仅仅因为这个人不属于适当的学科）就批评他们的作品。这种感情用事的批评错过了交叉学科的后现代学术的一个关键的地方。后现代主义者认识到，立法问题、争议和事件并不必然整齐地符合学科边界。专业的和学术的学科是因为多种多样的原因才出现的，包括财富、声望和权力的积累——而不是仅仅因为它们全面的解释力。任何一个单独的学科，包括法律，都不足以充分地理解社会事件。如果一个人一直在一个预先定义好的学科中闭关自锁，那么他对一个事件的理解就可能为了适合这些学科界限而被扭曲，而且可能忽略

---

[74] Balkin, *Postmodern Constitutionalism*, 前注61, 页1978, 1981。有关从文化研究的角度看待法律的一个论文集，请看，Legal Studies as Cultural Studies (Jerry Leonard ed., 1995); 也请看，Ewick and Silbey, 前注61; Sally Engle Merry, *Culture, Power, and the Discourse of Law*, 37 N. Y. L. Sch. L. Rev. 209 (1992)。

有关这个事件的其他可选择的真理。因为这一原因,后现代法律学者常常忽视现代主义的藩篱,从一个地方跳到另一个地方、从一个学科跳到另一个学科,就好像他们是在环球网(World Wide Web)上追寻一条由超文本链接组成的偶然的和不断演进的道路一样。但是,毫无疑问,在网上追随链接有时让人精疲力竭和灰心丧气,除了眼睛发花、头痛之外没有得到什么东西。类似的,交叉学科的学术常常陷于充斥着行话和平庸文字,不能成功地整合其多重视角。但是,后现代法律学术的交叉学科的性质常常激发出有关美国法律制度的具有创新性和煽动性的进路和描述;当学者们被限制在一个单独的学科当中时,这些进路和描述就被压制住了。[75]

　　第三个主题是,后现代法理学者倾向于认识到、探索、甚至赞美矛盾。现代主义的学者寻找基础和根本事实,他们倾向于以怀疑的目光看待矛盾,认为它们意味着有问题的前后不一致。后现代主义者是反基础主义者和反本质主义者,他们并不认为矛盾令人不安。相反,现代主义者期望看到矛盾。因此,并不奇怪,彼得·山克(Peter Schank)用一个矛盾作为自己有关后现代主义对制定法解释的意涵的结尾:"后现代主义可以、并且确实对当代的制定法解释理论施加了强大的影响。但是,有些自相矛盾的是,我也认为,任何发展一种后现代制定法解释理论的努力,任何用后现代主义的基础来正当化解释理论的努力,都是反后现代主义的。"在这

---

[75] 关于超文本的总体上的重要性,请看,George P. Landow, Hypertext 2. 0 (rev. ed., 1997)。关于专业化的发展,请看,Richard L. Abel, American Lawyers (1989); Magali Sarfatti Larson, The Rise of Professionalism: A Sociological Analysis (1977)。关于对于宪法领域内的交叉学科学术的一个更为有用的批判,请看,Martin S. Flaherty, History Lite" in Modern American Constitutionalism, 95 Colum. L. Rev. 523 (1995); 请比较,Stephen M. Feldman, Intellectual History in Detail, 26 Reviews in Amn. Hist., 737 (1998)(评论了对于交叉学科研究的批评)。一些历史学者赞同交叉学科研究。Kalman,前注 1,页 9, 169; G. Edward White, Reflections on the "Republican Revival":Interdisciplinary Scholarship in the Legal Academy, 6 Yale J. L. & Human. 1 (1994)。

里,山克遵循了斯坦利·费什的指引,他认为后现代对解释实践,比如对制定法解释的理论洞见无法被直接用来改变这种实践。[76]

从后现代的视角看来,矛盾可能反映了社会现实和阐释的现实。因为任何文本或社会事件都含有多重真理和声音,所以一些真理和声音可能会相互具有矛盾关系。例如,戴尔格多论辩说,因为美国文化和社会中所体现的种族主义,仇恨言论(hate speech)就构成了"会伤人的词语"。种族主义的言论和其他仇恨言论是强有力的——它很有影响力。它可能以人们看得到的方式严重地伤害一个受害者。但同时,并且有些矛盾的是,戴尔格多和斯蒂芬凯克认为,在所谓的思想市场中进行交流的自由的言论不大可能成功地抗击或在很大程度上减少种族主义。在这一语境中,言论是无效果的或没有力量的。从戴尔格多和斯蒂芬凯克的视角看来,这些有关言论的相互矛盾的论题并不是他们的推理中的一个致命的不一致,而是反映了一种在一个种族主义的文化和社会中生活的社会现实。仇恨言论之所以是有效果的,是因为它一贯与美国社会中的其他强大的种族主义力量联合在了一起,而那些反对仇恨言论的论辩被那些相同的种族主义力量抵消了。种族主义推进仇恨言论以超常的和有害的速度前进,但是种族主义同时也抵挡住了甚至最雄辩的反对仇恨言论的要求。[77]

这个有关言论自由的矛盾引出了第四个后现代的主题:集中关注权力及其多种多样的表现。现代主义者倾向于把权力放在一个单独的和有意识的中心,比如一个个人、一组个人或一个主权者。从这种现代主义视角看来,权力常常被理解为被一个人或机构"拥有的一样'东西'",就好像它是一种可以对着别人使用的工具。

---

[76] Schanck,前注61,页2514;请看,2574。
[77] Richard Delgado, *Words That Wound: A Tort Action for Racial Insults, Epithets, and Name‑calling*, 17 Harv. C. R. ‑C. L. L. Rev. 133 (1982); Delgado and Stefancic, *Images*,前注61,页1278‑1281。

因此，在宪法理论中，肯德尔·托马斯（Kendall Thomas）观察道，"我们常说国会'拥有'规制州际商业的权力，总统'拥有'任命最高法院成员的权力，最高法院'拥有'听审那些在《宪法》之下产生的案件的权力"。同这种现代主义的权力观相反，后现代法律学者追寻了福柯，认为"权力无处不在，无人不有"。用菲尔斯蒂纳和奥斯丁·萨拉特的话说，"（权力）并不像一件放在架子上的工具，等着被人们拿起来并用来完成手头的任务。相反，权力每一个时刻都在发生和构建。它可以在间接的动作和戏法中看到，可以在破裂和椭圆中看到，可以在没被说出来和没被承认的东西中看到，也可以在强有力的、持续不断和公开的主张中看到。在由大多数社会交往组成的经常的和表面上看没有什么重要性的例行程序和实践当中，权力不断地被生产出来"。[78]

因此，"权力有很多维度，是在很多领域中发生的"，但是一个最为普遍的领域——也是一个常常被后现代法律理论家强调的领域——是语言的或话语的领域。从追随维特根斯坦的实用主义的丹尼斯·派特森到追随伽达默尔的阐释学的弗朗西斯·J·穆兹（Francis J. Mootz），都同意"所有的理解都是在语言之中发生的"，而解构主义者类似的声称"在文本之外别无他物"。因此，后现代主义法律学者倾向于研究把法律概念化为一种语言权力的表现所产生的意蕴。例如，桑福德·莱文森（Sanford Levinson）和

---

[78] Felstiner and Sarat, 前注61, 页1454（"拥有的一样'东西'"）；Thomas, 前注61, 页1478（"我们常说"）；Feldman, Please Don't, 前注10, 页6；引用的是, Nancy Fraser, Unruly Practices: Power, Discourse, and Gender in Contemporary Social Theory 26 (1989)（"权力无处不在"）；Felstiner and Sarat, 前注61, 页1457（"（权力）并不像"）；请看，例如, Higgins, 前注61, 页1569–1570。有关法律研究中对于福柯的一些讨论和引用，请看，Marie Ashe, *Inventing Choreographies: Feminism and Deconstruction*, 90 Colum. L. Rev. 1123, 1128 (1990); Backer, 前注61, 页374；Thomas, 前注61, 页1478–1479; Steven L. Winter, *The "Power" Thing*, 82 Va. L. Rev. 721, 794–806 (1996).

J·M·巴赫金强调了法律语言在行动中的权力——即，很多法律话语，比如一份传票或一份合同，都直接地施加权力。但是，莱文森和巴赫金补充说，法律语言"在与权力相结合的方面并不是个特例"。相反，"法律的解释行为……是正常的、标准的解释行为，而一种想像中的安静的'无力的'有关济慈的演讲却是例外"。更为广泛地，其他后现代法律学者研究了法律语言是如何促进了对社会现实的解释。后现代女权主义者特雷西·E·希金斯（Tracy E. Higgins）解释说：

> 后现代主义强调语言和解释过程本身的规制功能。除最高法院在具体案件的判决中的直接的规制的（或行为的）意涵之外，（最高）法院对有关性别的法律话语的解释也影响着从妇女的角度提出的论辩的结构、可以被转化为法律主张的伤害的类别、甚至相关个人把这些伤害当作违法行为进行体验或承认的程度。类似的，女权主义法律理论家对于这些伤害的批判和讨论调整着女权主义对妇女经历的重新解释的范围。因此，对最高法院及其女权主义批评者来说，在对女人身份的相互竞争的解释之间进行选择，不仅仅是强化了排除，而且改变了妇女经历和表达自己的生活的方式。[79]

对于语言力量的后现代关注与反基础主义和反本质主义紧密相

---

[79] Felstiner and Sarat，前注61，页1458（"权力有很多维度"）；Patterson, *Postmodernirm*，前注61，页274（"所有的理解"）；Balkin, *Deconstructive*，前注61，页760；引用的是，Jacques Derrida, Of Grammatology 158 – 159（Gayatri Chakravorty Spivak trans., 1976（"在文本之外"）；Levinson and Balkin，前注61，页1613（"在与权力相结合"，"法律的解释行为"）；Higgins，前注61，页1585（"后现代主义强调"）；请看，Schlag, *Form*，前注61。

关。"因为语言是社会和文化建构的,所以它在本质上就无法代表现实或者与现实对应;依此,所有的命题和所有的解释,甚至是文本,本身都是社会的建构物"。[80] 当然,这种反基础主义和反本质主义的语言观和解释观促使很多现代主义者指责说后现代主义者是危险的虚无主义者或相对主义者。但是,对虚无主义和相对主义的恐惧是现代主义者眼里的恶魔,但是它吓不倒大多数后现代主义者。相反,后现代主义者看穿了这些恶魔,看到了语言是如何运作的——语言是如何产生含义和理解的。就像托马斯·库恩声称自己解释了科学家是如何成功地工作的——他并没有解释科学为什么是不可能的——后现代法律学者声称自己解释了文本的理解是怎样产生的,而不是它是如何失败的。当然,斯坦利·费什是这方面的领导者,但是很多其他人进一步探索了法律语言和理解。

例如,一些后现代主义者明确地转向了伽达默尔的哲学阐释学寻求帮助。就像在第 2 章讨论过的,伽达默尔论辩说,社区传统向我们灌输了偏见和利益,它们既使解释和理解成为可能,也限制了解释和理解。我们永远都无法超越我们的偏见和利益的地平线去找到某种更为坚实的理解的基础;换句话说,我们总是在解释、并且已经是在进行解释。但是,即使我们永远都不能逃避我们的偏见和利益——它们来自于传统——传统仍然是不停地发生变化的,因为解释过程本身也不断地质疑和重构传统,从而改变我们的偏见和利益。当被引入宪法解释的语境中时,

> 哲学阐释学(暗示着),《宪法》的含义是通过读者与文本之间的解释遭遇才出现的。解释者的视野来自于偏见和传统,必须通过阐释循环的辩证互动和对话才能与文本的视野融合到一起。因此,随着当前的视野随着时间发

---

[80] Schanck,前注 61,页 2508 – 2509。

生变化,《宪法》的含义一直都可能是新的和不同的。换言之,一个客观的含义并不是简单地等着被发现,但含义并不是由不受限制的个人或社会习惯强加的。相反,宪法解释是一个本体论的事件,在这个事件中产生了含义。理解的两个方面在阐释循环中相互呼应。嵌在一个人的视野当中的传统一直都限制着这个人对于《宪法》的看法,因而指导着和限制着理解和解释。但是,在《宪法》的含义出现的同时,传统不断地被创造和重建。[81]

同时,丹尼斯·派特森借用了维特根斯坦的实用主义来解释对法律文本的理解。按照派特森的观点,理解产生自知道了怎样参加一项实践。"我们拥有一个同其他人相互协调的世界,因为我们理解构成这个世界的多种多样的活动。理解并参与这些活动——知道如何行为——是理解的本质"。因此,理解就是"适当地行为",以对一个表达作出反应。"例如,通过把盐递过去或通过解释为什么无法把盐递过去,一个人就表明了自己对于'请把盐递给我'这个要求的理解。理解表现于把盐递过去这个行为,而这个行为是判断是否理解了这个表达的标准"。[82]

对派特森来说,理解一个法律文本与理解其他文本并没有什么不同,因为它们都是一种"解释的工作"或实践。"法律是一种活动而非一种事物。其'存在'在于这个实践的参加者的'行'"。因此,"如果一个人可以表明自己在任何具体情形中正确地使用了有关词语,那么有关某一法律命题是真命题的主张就得到了证

---

[81] Stephen M. Feldman, *The New Metaphysics:The Interpretive Turn in Jurisprudence*, 76 Iowa L. Rev. 661, 693 (1991)。穆兹论辩说,哲学阐释学不但解释了对法律文本的理解,而且解释了法治。Mootz, *Rule of Law*, 前注 61;请看,Eskridge,前注 61,页 632 - 633(探索了伽达默尔的阐释学对制定法解释的意涵)。

[82] Patterson, *The Poverty*, 前注 61,页 21 - 22, 55。

实"。但是，因为存在着一种"特殊的法律语言"，所以法律实践在一定意义上有着一种特殊的语法：用于参加法律实践的一套系统性的或组织性的"游戏规则"。所以并不奇怪，派特森称赞了菲利普·鲍比特（Philip Bobbitt）为宪法实践描述一种特别的语法的努力。在鲍比特的语汇里，宪法是由对六个"论辩程式"（modalities of argument）的操纵组成的："历史的（依赖于《宪法》的制定者和批准者的意图）；文本的（单独考察《宪法》的词语的含义，就像对普通的同时代的'大街上的人'会进行的解释）；结构的（从《宪法》在它建立的结构之间所规定的关系中推论出规则）；教义的（适用那些由先例产生的规则）；伦理的（从《宪法》所反映的美国精神的道德信念中推演出规则）；以及审慎的（试图平衡一个具体规则的成本与收益）。"鲍比特解释说，这些"论辩程式仅仅是为了各种政治意识形态的利益而被使用的工具性的、修辞的手段。宪法的论辩程式就是用以评价有关宪法事项的法律陈述的方式"。[83]

尽管这种维特根斯坦式的进路有着后现代的特征，但是它们的简约主义的（reductionist）的倾向也招致了后现代的警察。只要一个理论家声称把全部实践简化为一套有限的、明确定义的论辩策略或程式，后现代的批评者就肯定会发起一次解构主义的攻击，他们实际上声称这个理论家还不足够后现代。别忘了（上面指出的第

---

[83] Patterson, *Law's Pragmatism*，前注61，页940（"解释的工作"，"法律是一种活动"）; Dennis Patterson, *Conscience and the Constitution*, 93 Colum. L. Rev. 270, 289 (1993)（"如果一个人"）; Dennis Patterson, Law and Truth 169 (1996)（"特殊的法律语言"）; Dennis Patterson, *Wittgenstein and Lonstitutional Theory*, 72 Tex. L. Rev. 1837, 1838 (1994)（"rules," "game"）; Philip Bobbitt, Constitutional Interpretation 12 – 13, 22 (1991)（"论辩程式","历史的"）; 请看, Philip Bobbitt, Constitutional Fate (1982)。鲍比特赞同地引用了维特根斯坦; 页182 – 183。其他后现代主义者也转向了某种类型的后现代实用主义，常常是受到了理查德·罗蒂的哲学著作的启发。请看，Lipkin, 前注61, 页337。

二个后现代的主题),很多后现代主义者倾向于挑战所有类型的表面上的确定性、积习、体系和界限。因此,鲍比特受到了批评,因为他试图"在宪法论辩的语言游戏中保持某种纯粹性"。这一努力"必定要失败",因为宪法论辩,就像所有的"活着的语言游戏一样",是"混杂的和多样化的,常常是混沌的,并且总是偷工减料的"。同样,派特森的法理学概念——他认为法理学仅仅是"精确地描述律师们用来证明法律命题的真理性的论证形式"——也因为其政治上很保守的"对正常或传统的东西不加批评的接受"[84]所有这一切可能都表明,后现代主义者对即使是最为重要的问题也没有一致意见。当然,考虑到后现代主义的世界观倾向于质疑统一性和接受分裂——这么说是为了涵盖解构主义对德里达的深渊的涉足——这些争论也就不那么令人惊奇了。

尽管在对美国法律体系进行的后现代分析中语言的力量毫无疑问处于中心地位,但是很多后现代法理学者仍然认为"语言同时也远离权力进行漂移或游戏"。这些后现代主义者倾向于强调权力的结构性的组成部分。在它们有关律师与当事人的关系的文章中,菲尔斯蒂纳和萨拉特阐述了后现代主义把社会结构当做习惯化了的行为规律的思想:

> 当人们确定他们之间每天进行互动的条件时,他们并不是在每天或每一个情形中都从一块白板开始;在任何情形中都存在着有限数量的可以采取的行动。想一想老师与学生或雇主与雇员在任何普通的一天开始时的情形。层级

---

[84] J. M. Balkin & Sanford Levinson, *Constitutional Grammar*, 72 Tex. L. Rev. 1771, 1803 (1994) ("在宪法论辩"); Patterson, *The Poverty*, 前注61, 页56 ("精确地"); Feldman, *The Politics*, 前注61, 页183 ("对正常或传统的")。"像鲍比特一样,派特森尊重现状"。Steven L. Winter, *One Site Fits All*, 72 Tex. L. Rev. 1857, 1867 (1994)。

化的关系、常规的劳动分工以及地方性的惯例通常会决定有谁在何种事项中行使何种权威、谁会做什么以及每一个参加者会对自己当天的任务有什么样的感觉。学生不会质疑教学计划或者老师评价学生表现的特权；雇员不会公开抵制当天被分配的任务或者雇主决定何时可以把一项工作产品交给一个顾客的特权。[85]

肯德尔·托马斯利用社会结构的概念来论辩说，禁止同性恋鸡奸行为的法律应该是违宪的。按照托马斯的观点，这种法律促进了对反同性恋的暴力行为的广泛接受，而这种暴力行为是结构性的产品："反同性恋的暴力行为是一种社会行为，'是由那些定义着角色和地位、权力和机会、从而分配对后果的责任的规则建构的'。从系统性的角度看，针对男同性恋和女同性恋的暴力行为的目标和结果就是对人类性态的社会控制。"从这一视角看来，社会结构帮助建构了我们的身份，不论是好是坏。它们既使我们拥有可能性，也限制了我们的可能性，尽管托马斯和其他局外人法理学者倾向于强调那些来自于这种结构的限制："同性恋鸡奸法律与反同性恋的暴力行为的力量结合在了一起，迫使男同性恋和女同性恋无法被人们看见，使男同性恋和女同性恋进入'社区的共同政治生活'尽

---

[85] Feldman, Please Don't, 前注 37, 页 265（"语言同时也"）; Felstiner and Sarat, 前注 61, 页 1449（"当人们确定"）; 请看，Feldman, Please Don't, 前注 37, 页 265 - 270; Anthony V. Alfieri, *Stances*, 77 Cornell L. Rev. 1233, 1251 - 1252 (1992); Anthony V. Alfieri, *Practicing Community*, 107. Harv. L. Rev. 1747, 1758 - 1759 (1994), review of Gerald P. Lopez, Rebellious Lawyering: One Chicano's Vision of Progressive Law Practice (1992); Naomi R. Cahn, *Inconsistent Stories*, 81 Geo. L. J. 2475, 2507 (1993)。

可能地困难,并且尽可能地限制了他们拥有政治权力的可能性。"[86]

但是,后现代法理学者并不认为社会结构是僵化的或固定的机制。一方面作为真正的结构主义者、因而是现代主义者的社会和法律理论家与另一方面作为后结构主义者、因而是后现代主义者的理论家之间的一个基本区别是,与自己的现代主义前辈不同,后现代主义者总是认识到社会结构的偶然性和弹性。结构并不是稳定的,而是在日常社会关系中不断地被协商和重构的。它们只存在于日常生活中的习惯化的和反复的日常交往之中,因此它们可以、也确实发生变化。特别地,文化符号和社会结构在一种辩证的和动态的关系中存在。文化,包括法律文化,有助于产生和强化社会角色和结构,因此,文化的变迁有时会导致结构变化。[87]

但是,即使后现代主义法理学者认为社会结构总是偶然的,但是词语并不能独自地轻易改变这种结构。我们的社会结构通常过于习惯化和不受质疑了,以至于词语对我们社会的根深蒂固的结构不具有很大的进行改变的力量。这一认识有助于解释戴尔格多和斯蒂芬凯克的论辩,这一论辩是关于作为一种社会变革途径的对言论自由的限制。在思想市场中进行交换的自由的言论不大可能在很大程度上减少种族主义,这部分上是因为种族主义结构性地扎根在美国社会当中。因为这一原因,言论自由"对于主流团体来说可能是一个强有力的资产,但对于处于从属地位的团体来说,(它是)一

---

[86] Thomas,前注 61,页 1467;引用的是,Claudia Card, *Rape as a Terrorist Institution*, in Violence, Terrorism, and Justice 297–298 (R. G. Frey and Christopher W. Morris eds., 1991)("反同性恋的暴力行为");Thomas,前注 61,页 1490 注 203;引用的是,Charles L. Black, *The Lawfulness of the Segregation Decisions*, 69 Yale L. J. 421, 425 (1960)("同性恋鸡奸法律");请看,Backer,前注 61,页 373(论辩说,社会福利产生了社会正常化而非救济了穷人)。

[87] 请看,Feldman, Please Don't,前注 37,页 266–267, 270;Felstiner and Sarat,前注 61,页 1448–1449;Silbey,前注 61,页 41–42。

种远非那么有帮助的东西"。从这一视角看来,种族主义无法仅仅通过高谈阔论来消减。相反,只有对美国的社会结构进行广泛的修改,种族主义才可能得到实质的减少——而在两个多世纪的奴隶制以及几乎再一个世纪的在法律上强制执行的吉米·克罗法律规定的种族隔离,对美国社会结构进行修改谈何容易。[88]

作为一种产生重大社会变化的机制,言论自由还不足够,这与第五个后现代的主题相关:对自我或主体的社会建构。就像已经提到过的,现代主义者倾向于把权力放在一个独立的和有意识的中心地带,常常是把它放在一个个人的自我身上。因此,现代主义者论辩说,个人的自我可以对社会和自然的发展行使权力和进行控制。从这个视角看来,自我是现代主义的进步思想——即社会可以无穷地进步这一概念——的来源。后现代法理学者,比如皮尔·施莱格,认为,甚至那些承认文化和社会因素侵犯了个人自我的自主性和独立性的现代主义者也仍然相信一个至少相对自主的自我:"一个构建起来的自我,它承认自己是被社会和修辞建构起来的,但却保留了可以决定自己有多么自主的自主权。"[89]

后现代主义者拒绝现代主义的个人自我的概念以及随之而来的有关进步的思想。相反,后现代主义者声称,自我是非中心化的。自我或主体不再被看作一个独立自主的、可以有目的地使社会无限地前进的权力和控制中心。从后现代主义的角度看,自我或主体是

---

[88] Richard Delgado, *Campus Antiracism Rules: Constitutional Narratives in Collision*, 85 Nw. U. L. Rev. 343 (1991);请看, Delgado and Stefancic, *Images*,前注61,页1278–1281; Angela Harris, *Foreword: The Jurisprudence of Reconstruction*, 82 Calif. L. Rev. 741, 743 (1994)(强调了种族主义是"美国法律和文化"的深层次结构的一部分); Mari Matsuda, *Public Response to Racist Speech: Considering the Victim's Story*, 87 Mich. L. Rev. 2320, 2357–2363 (1989)(强调了种族主义是美国社会的一个结构性的组成部分,它影响了话语发生作用的方式); Taibi,前注61,页1469(精细地针对非白人社区的过低投资,强调了需要进行结构性的改变)。

[89] Schlag, *Normativity*,前注91,页895。

被社会建构的,是由社会结构和文化符号产生的。例如,巴赫金声称,自我"并不能完全控制她所看到的东西;她是更大的法律和政治文化的一部分,而这种文化恰恰塑造着她的理解所采取的形式。她并不选择自己的意识形态或社会建构的条件。相反,她通过它们进行选择;它们构成了她理解和作出选择的框架"。因为这一原因,处于领导地位的批判种族主义学者,比如德里克·贝尔和戴尔格多转向了一种"种族现实主义"。从他们的视角看来,种族主义是如此深入地嵌在美国社会和文化中,并因而体现在我们社会建构的自我之中,以至于我们无法简单地选择根除,甚或在很大程度上减少种族主义——不论是在社会中还是在我们自己身上。对社会关系或者我们自己家的心理结构,我们根本没有能够直接完成这种困难的任务的足够的权力和控制。[90]

恰恰因为自我是社会建构的,所以后现代主义者认为自我并没有一个本质或核心。因此,自我在有一个意义上非中心化了。自我的非中心化的这个层面与反基础主义和反本质主义的主题紧密相连:我们可以说,自我不具有可以使之中心化的基础或本质。在后现代的时代里,文化符号和社会结构是如此普遍但又多样化和易变,以至于自我看起来是由多重的相互交叉和偶然的声音和身份组成的。就像后现代社会一样,自我是分裂的。因此,很多女权主义者把"自我重新表述为至少部分上是被各种不同种类的支配/压迫的交叉所建构和打碎的,比如种族、性别和性取向。(因此,一个人的身份)是由各种各样塑造着社会以及这个人在社会中的经历的话语和结构构成的"。詹姆斯·波义耳(James Boyle)把后现代的关于多样化的和交叉的自我的概念更向前推进了一步:"阶层、

---

[90] Balkin, *Understanding*, 前注61, 页108。有关种族现实主义,请看,Derrick Bell, *Racial Realism*, 24 Conn. L. Rev. 363 (1992); Delgado and Stefancic, 前注61, 页1289–1291。

种族、年龄、团体、宗教、性取向、角色、情绪和语境,这些决定因素以一种每一个时刻都在发生变化的模式构建了我们。从它们各种各样的交叉当中出现了一个后现代的自我。'我'仅仅是这些事物发生的地点"。这种后现代的对自我的理解具有法律的意蕴。例如,约翰·a·鲍威尔(john a. powell)认为,"有关交叉性的自我的理论假定,身份是由很多相互交叉的特征标记出来的,仅仅把这些特征累加在一起尚不足以表达这一点的意涵。例如,把一位(白人)女性的特征同一位黑人(男性)的特征加在一起不能充分地描述一位非洲裔美国女性的经历。因此,就法律而言,把种族歧视和性别歧视当做两个独立的现象看待并禁止它们的规则并不能充分地保护这样一个人:他既有从属的性别身份的特征,也具有从属的种族身份的特征"。[91]

值得注意的是,尽管后现代主义者认为自我是社会建构的,但大多数后现代主义者都试图避免把自我简化为一个由社会决定的机器人。这些后现代主义者强调,社会结构和文化符号并不是脱离那些构建了它们的日常的和平凡的个人行为而存在的。按照帕特里西娅·尤威克(Patricia Ewick)和苏珊·S·希尔比(Susan S. Silbey)的观点,意识是"一个互惠过程的组成部分,在这个过程中,个人所赋予自己的世界以及作为这个世界的一部分的法律和法律制度的含义变得反复出现、有规律和稳定,而那些制度化了的结构变成了个人所使用的含义系统的一部分"。从这一视角出发,尤威克和希尔比继续说,"意识既不是固定的、稳定的、一元化的,也不是前后一致的。相反,我们认为法律意识是一种地方化、语境化和多元化的东西,充满了冲突和矛盾"。因此,当然,社会和文

---

[91] powell,前注61,页1483("自我重新表述为");Boyle,前注61,页521("阶层、种族");powell,前注61,页1511("有关交叉性的");请看,Harris,前注61,页608(多重自我);前注61,页1511(交叉性的自我)。

化的输入造就了我们,但是这些输入同时限制了我们和给了我们能力。也就是说,社会结构和文化符号用某些能力和视角对我们进行灌输、给我们以能力,即便这些结构和符号也严重地限制了我们的可能性。我们可能无法直接控制社会关系,但是我们所有人都一直参加对社会和文化的不停的建构和重构。对于很多后现代法律学者来说,特别是对于外围集团和少数族裔来说,这种辩证的自我观念——它认为自我既建构了社会结构和文化符号,同时又被社会结构和文化符号所建构——对他们保持自己的批评性的政治立场就具有关键作用了。从这一视角看来,我们可能无法直接控制和有目的地改变压迫性的社会和文化建构物,但是我们仍然可能打乱从而改变它们受到重构的过程。就像已经讨论过的,解构主义者常常希望揭露被边缘化了的他性,并且希望通过这样做瓦解不正当的压迫和征服。[92]

在第六个后现代的主题中常常讨论自我的社会建构:这第六个主题就是后现代实践的自我反映性。后现代主义者常常转向他们自己的社会实践,并且使有关这些实践的文化和理论意识成为这些实践本身的一部分。在一定意义上,后现代主义改变了实践,使其包括了自我反映的意识。这种自我反映使很多后现代法理学者有些自恋地详细描述了法律学术本身的实践。在后现代时期,元学术(meta-scholarship)——有关学术的学术(而不是有关法律实践或司法实践的学术)——大量出现。例如,几位后现代学者公开羞辱了现代主义学术,认为它具有一贯的和公开的规范性。也就是说,现代主义学者对某些具体的法律和社会问题的通常反应就是要求最高法院采纳某一教义框架或要求国会制定人们提出的某一制定

---

[92] Ewick and Silbey,前注 61,页 741-742。有关后现代法律学者试图维持一种批评性的政治立场,请看,Taibi,前注 61;Thomas,前注 61;Note, *Patriarchy Is Such a Drag:The Strategic Possibilities of a Postmodern Account of Gender*, 108 Harv. L. Rev. 1973 (1995)。

法。但是，就像后现代主义者所指责的一样，这种明确的规范性建议把读者当成了一个自主的和独立的自我，认为他能够选择实现法律中任何可欲的教义的或制定法的改善。换言之，现代主义法律学术倾向于重复现代主义的自我——自我变成了独立自主的权力和控制的中心，可以有目的地和有效地改变社会关系，包括法律体系。因为这一原因，很多后现代法理学者相当引人注目地避免在自己的学术作品的结尾提出实施某种公开法律变革的现代主义风格的建议。[93]

最引人注目的是，皮尔·施莱格毫不留情地批评了现代主义学术，因为它的规范性以及与之相关的对现代主义自我的重复。例如，在一篇名为《主体的问题》(The Problem of the Subject) 的文章里，施莱格分析了从兰德尔主义的法律科学主义者一直到批判法律学者是如何单调地把我们（所谓的）存在建构和重构为相对自主的自我，并同时避免了对这些现代主义的自我或主体的实际存在或机能进行任何研究。"美国法律思想"，施莱格认为，"在概念上、修辞上和社会上的建构都避免了直面是谁或是什么思考或生产了法律这个问题"。以典型的后现代方式，施莱格试图扭转这种系统性的逃避——试图把背景带到舞台的中央——他的办法是去直接

---

[93] 请看，Paul Campos, *That Obscure Object of Desire:Hermeneutics and the Autonomous Legal Text*, 77 Minn. L. Rev. 1065, 1094-1095 (1993)（具有就有关如何解释法律文本提出规范性的建议）；Thomas, 前注61, 页1436（"对这些文字里所阐述的理论论辩会在当今最高法院的宪法法理学中得到教义上的表达，我不抱幻想"）；Schlag, *Nowhere*, 前注61（批评了现代主义学术的规范性的特征）；Winter, 前注61, 页1496（论辩说，就规范性的改变所提的建议"假定了相对自主的主体，假定她能神奇地超越她自身的带有一种单一的、理性主义的界限的限制"）。关于那些更为现代主义而非后现代主义、但仍旧受到了后现代文化的影响以至于他们在写作有关学术的学者的例子，请看，Kenneth Lasson, *Scholarship Amok:Excesses in the Pursuit of Truth and Tenure*, 103 Harv. L. Rev. 926 (1990); Richard A. Posner, *The Decline of Law as an Autonomous Discipline:1962-1987*, 100 Harv. L. Rev. 761 (1987); Edward L. Rubin, *The Practice and Discourse of Legal Scholarship*, 86 Mich. L. Rev. 1835 (1988)。

面对这个疑问或者问题：主体的问题。

每一个社会、法律和政治事件都立刻被描述为一个需要进行以价值为基础的选择的事件。你可以自由地在这两者之间作出选择。但是，当然，你并不是自由的。你之所以不是自由的，是因为你不断地被要求重新表演作为选择者的个人的那些事先写好的、已经组织好的配置。你必须这么做，因为你已经被构建为和疏导为一个进行选择的人。对于自我的这种社会建构不但是特别具有压迫性的，而且它常常也很荒谬。在由法律学术界例行公事般地给出的规范性视野中，我们可以在很大程度上看到它的荒谬性——这些规范性视野催促我们采纳这种或那种乌托邦项目，就好像我们的选择（我喜欢非中心化的社会主义，你喜欢保守的田园政治，她喜欢自由的文化多元主义）能够以某种方式对我们的社会或政治图景的建构产生任何直接的、与自我认同的效果。对进行政治价值选择的批评性的坚持完全受制于对政治领域进行的一种传统的和怀旧的描写——对这一领域的描写和定义保证能够产生政治无力和无能。告诉人们说他们已经被授权进行政治价值选择，这就等于助长了占支配地位的文化的表述（即我们是可以进行自由选择的人）并且强化了那些权力——这些权力导致了我们自己对于（无意义的）选择的反复的、被迫的确认。[94]

为什么现代主义学者继续毫无效果地呼吁法律变化、继续重复

---

[94] Schlag, *The Problem*，前注 61，页 1629，1700 - 1701；请看，Schlag, *Phrenology*，前注 61；Schlag, *Nowhere*，前注 61。

相对自主的自我?一个理由是,现代主义学者本人已经被同化了,他们现在相信,自己是相对独立的自我,应该、并且确实提出建议或进行选择。而且,按照施莱格的观点,他们被像老鼠一样关在了"一个迷宫之中"。这一比喻生动地描绘了现代主义学者在大学中的角色、法律职业,以及整体上的社会在这些学者身上强加的限制。在进入学术界之前,很多法律教授是法官助理,常常是为上诉法官工作。这样,他们很快就采纳了一种自我认同的角色,这一角色与司法立场相互一致,远离实际法律执业。在这种社会角色或地位当中,法律教授提出了一种浪漫化了的法律观,这种观点否认了美国法律体系的真正的暴力——他们反反复复地这样做,以至于他们看不到有什么别的可以去的地方,看不到有什么别的可以做的事情。"法律这个学科在一定意义上不断地被驱动去逃避或否认自己的暴力的本体论",施莱格解释说,"这就是为什么在学术界的'法律'之中我们看到了这么多的听起来很美的法理学——认为法律是'一场宏大的对话',法律有助于'进步主义的法律思想',法律能够回应'效率'的要求,法律总是已经以某种方式达到了它所能达到的最佳状态"。大多数现代主义学者都无法逃脱这个听起来很美的迷宫,因为这会要求他们放弃他们自我认同的作为现代主义学者的角色。也就是说,他们得放弃自己实践或理解法律的方式,而他们在全部专业生命中都是以这种方式受到规训或社会化。[95]

但在另一方面,现代主义法律学术的具有公开规范性的话语或语言无意中远离了权力通过法律体系的应用。现代主义学者相信,

---

〔95〕 Schlag, *Clerks*, 前注 61, 页 2060 – 2061;请看, Schlag, *God*, 前注 61, 页 427 – 428。对施莱格的论辩的一个后现代的批判,请看, Mootz, *Paranoid Style*, 前注 61。"每一位法律教授都很清楚法律的弹性,但他们在法律写作的时候却显得法律好像是确定的"。Anthony D'Amato, *Pragmatic Indeterminacy*, 85 Nw. U. L. Rev. 148, 164 (1990)。

自己的规范性建议影响了法律和政治决策者对于权力的实施,但实际上,这种作品对于法律行动者来说很少有或者根本就没有影响。特别地,就像施莱格和其他人所强调的,法官们在很大程度上并不听从,甚至也并不关心法律学者都写了些什么。因此,现代主义学术常常仅仅是作者在自言自语自己喜欢或不喜欢一个想像出来的规范框架。施莱格尖刻地讽刺说:"《瘪四与大头蛋》(Beavis and Butt‐head)* 中'这不错'/'这很糟'的二分法所具有的尖刻的简单性对于当代大众文化的空虚性质来说可能是一个清晰的洞见,但是,作为对很大一部分美国法律思想的规范结构的洞见,其作用当然是无懈可击的。"[96]

但是,在另一方面,施莱格的分析表明,这种规范性的法律话语不断地重构着一种以相对自主的自我为中心的对现实的观念或理解。通过告诉我们说我们必须选择这条道路或那条道路,规范性话语一贯地和反复地让我们记起,我们可以自由地选择最吸引人的道路。而且,对于施莱格来说,坚持对现代主义的自我进行这种重构会产生政治保守主义。我们不是创造、寻找和追求真正的政治授权和变革的道路,相反,我们受到了欺骗,变得被动,温顺地假装我们是相对自主的自我,可以自由地讨论、选择和改变我们的世界。简而言之,规范性的法律思想无法做到它声称自己能够做到的东西,但有些自相矛盾的是,它仍然做到了很多。[97]

---

* 一部美国卡通片。——译者

[96] Pierre Schlag, *This Could Be Your Culture – Junk Speech in a Time of Decadence*, 109 Harv. L. Rev. 1801, 1807 (1996)。关于那些并不关心法律学术的法官,请看,Schlag, *Writing*, 前注61, 页421; Schlag, *Normativity*, 前注61, 页871 – 872; Winter, 前注61, 页1452 – 1453; 请比较, Sanford Levinson, *The Audience for Constitutional Meta‐Theory (Or, Why, and to Whom, Do I Write the Things I Do?)*, 63 U. Colo. L. Rev. 389, 405 n. 28 (1992) (一个经验研究表明,最高法院在1986年要比20年之前更不可能引用法律评论中的文章)。

[97] Schlag, *The Problem*, 前注61, 页1739, 1743; Schlag, *Normativity*, 前注61, 页909; Schlag, *Nowhere*, 前注61, 页185 – 186。

一些后现代主义法理学者扩展了法律学术中的这种自我反映的转变，他们不但批评现代主义学者，而且也批评其他后现代主义者。我们看到，穆兹批评了施莱格，施莱格批评了费什，费什批评了派特森，等等。也就是说，就像已经提到过的，后现代主义者有时会披上后现代警察的外衣，批评其他后现代主义者不够后现代。例如，费什指责派特森用过于现代主义的方式描绘了读者——他们有了太多的选择、个人性和自由。同时，施莱格用了一整篇文章来证明，费什本人最终不自觉地重复了现代主义的相对自主的自我。但是，穆兹认为施莱格对规范性法律学术的批判过于简单了。"当代法理学的中心问题并不是规范性法律话语的迷宫，"穆兹声称，"而是它未能认识到，这个迷宫是生产知识的绕不过去的条件。"实际上，与穆兹的立场一致，很多后现代局外人法理学者认为，某种程度或某种形式的规范性不但是不可避免的，而且是有价值的学术的必要条件。这种后现代的规范性并不必然导致现代主义风格的有关教义或制定法变革的建议，但它仍然强调了以自我反映的方式参与对我们的偶然的、因而是可以改变的文化所进行的不断建构和重构的潜在可能性。[98]

最后，一些后现代法理学者甚至更进一步推进了学术的自我反映的转变，他们集中关注了整体上的后现代主义，包括他们自身的后现代取向。就像已经提到过的，后现代主义者强调，现代主义学者受到了他们在大学、法律职业和总体社会的社会结构中的角色或位置的限制。但是后现代主义者也是一样。所有的学者，不论是后

---

[98] Stanley Fish, *How Come You Do Me Like You Do? A Response to Dennis Patterson*, 72 Tex. L. Rev. 57, 57–59 (1993); Schlag, *Fish v. Zapp*, 前注61; Mootz, *Paranoid Style*, 前注61, 页879。费什是在回应派特森早前对他的作品的批评。请看，Patterson, *The Poverty*, 前注61。有关后现代主义者表现出一种类型的后现代规范性，请看，Anthony V. Alfieri, *Practicing Community*, 107 Harv. L. Rev. 1747 (1994); Higgins, 前注61; Taibi, 前注61; Thomas, 前注61。

现代主义者还是现代主义者,都是必须进行教学和出版著作的教授(至少在他们得到终身教职之前)。所以,作为教授,后现代主义者和现代主义者必须不断地——不论是对他们的学生还是对他们(所希望的)读者——表达对一系列问题的看法。现代主义作者的实体观点可能更为明显,因为他们常常明确地建议一个规范性的目标或价值,但是后现代主义者也必然试图表达某种思想或批评性的主题,这种思想或主题必然来自于一种独特的视角或立场。即使那些成功地表现出了一种非现代的开放感或试验性的最为坚定的后现代主义者——例如,他们直接进行叙事而非论辩,或者进行解释而非描述——也总是至少拥有一个暗示的观点。而且,从后现代视角看来,任何这种观点都必然依赖于某些背景假定——一个背景语境。因此,一位后现代法理学者批评另外一位现代主义或后现代主义学者的一个可靠的办法就是去指出那位学者拥有某些未经审视的背景假定。当然,从后现代的视角看来,拥有未经审视的背景假定(或者来自于传统的偏见)是无法避免的;尽管如此,这些认识根本就无助于增强那些假定。因此,后现代主义者总是可以把别人的背景假定拿到前面来进行批评。"任何文本,甚至一个后现代的解构文本,都可以被进行解构"。[99]

因此,值得注意的是,一个后现代主义者甚至可以解构他自己的后现代立场。就像所有其他人一样,后现代的解构主义者总是"有一把可以磨光的斧子"——也就是说,有某种依赖于一定的背

---

[99] Feldman, *Playing*, 前注 61, 页 178; 请看, Balkin, *Tradition*, 前注 61, 页 1625–1630; 请比较, Zygmunt Bauman, Intimations of Postmodernity 21–22 (1992) (论辩说, 理解从现代到后现代的运动的最佳方式之一就是理解知识分子的角色从立法者向解释者的过渡); Jacques Derrida, of Grammatology 24 (Gayatri Chakravorty Spivak trans., 1976) (解构主义者无法逃避有关存在的现代主义的形而上学)。有关后现代(和现代)法律学者的结构性角色, 请看, Feldman, *Diagnosing Power*, 前注 61, 页 1088–1098; Kenneth Lasson, *Scholarship Amok:Excesses in the Pursuit of Truth and Tenure*, 103 Harv. L. Rev. 926, 949 (1990)。

景假定的目标或观点。因此，后现代解构主义者总是可以试图把他自己的背景假定拿到前景当中，对其进行解构主义的批评——但是，当然，其他背景假定会站到这种批评的背后，如此反复直至无穷。不论一位法理学者想要显得多么地后现代，但是，如果他写作了一篇文章或一本书，或者以任何方式进行了交流，那么他就必然在效果上驯服或限制了自己的后现代主义。如果一个人固执地试图把后现代的洞见坚持到底，那么每一件东西都会被解构，包括那些后现代的洞见；这就像是不断地向外前进，直到突然被一个星际黑洞的引力场突然吸住，而这个黑洞正在把一切、包括你本身吸入它的深渊。因此，为了避免这种解构的爆聚（implosion），我们总是会在某一点停下：然后谈话、交流、写作，等等。[100]

后现代法律学者对自身实践的自我反映的意识常常通过使用讽刺来表达，这是第七个后现代的主题。因为后现代主义者继续以一个法律教授的结构性的角色工作和生活，他不停地对自己的学生和读者表达有关各种问题的观点。也就是说，后现代法律学者不停地吸取可用的修辞工具或话语模式来构建叙事和论辩——亦即，后现代主义者在后现代主义概念之外还必须使用现代主义的概念来表达自己的观点。但是，尽管现代主义学者热切地使用类似的工具，但是后现代学者使用这些工具却带有讽刺。在一定程度上，后现代主义者继续以类似现代主义的实践、包括法律学术进行行为，但是他们的态度却十分不同。因此，尽管知道现代主义的工具不会像它许诺的那样表现——这些工具不会给出任何具有客观基础的结果，但他们仍然使用现代主义的工具。但是，对于这些后现代主义者来说，不存在其他选择。没有其他修辞的或话语的工具可以使用。因

---

[100] Balkin, *Tradition*, 前注61, 页1627（"有一把可以"）; Feldman, *Playing*, 前注61, 页179（有关解构的爆聚）; 请看, Balkin, *Tradition*, 前注61, 页1627（论辩说，尽管解构可以永远地继续前进下去，但是"我们总是是确实停下来的"）。

此，在这个意义上，后现代学术就是"摆弄碎片"——包括现代主义立场被解构之后剩下的碎片。但是，当然，尽管可以认为后现代主义者是在摆弄学术工具或碎片，但这种摆弄不一定是轻佻的（尽管有时可能会是这样）；就像之前对解构和正义进行的讨论应该表明的，这样的后现代学术充满了政治和道德气息。[101]

因此，通过讽刺，后现代学者表明，尽管他可能使用现代主义的方法、工具和渊源，但是他对它们的使用有着一种自我反映的意识，即它们不会产生现代主义的客观性。暗示这种讽刺的一个常见的后现代的工具就是"大杂烩"：在一个文本中同时使用不同的风格、渊源和传统。即使后现代主义者使用了类似现代主义的方法和渊源，大杂烩使后现代主义者可以表明，多种多样的风格远远和传统中的每一个都具有偶然性——从而传达了反基础主义的思想。换种方法说，一位学者对非传统和预料之外的渊源和风格的使用可能代表了对读者的挤眉弄眼，以象征后现代的讽刺。[102]

在后现代法理学学者当中，巴赫金和施莱格使用了大杂烩来表明讽刺。例如，两个人都使用了后现代文化的那个丰富的渊源，即电视。在一篇有关传统、解构和法律的文章当中，巴赫金顽皮地（或讽刺地）质疑各种各样的美国传统的重要性，因为它们没有出现在《我爱露茜》（*I Love Lucy*）当中。同时，施莱格把严肃的（现代主义的）法律哲学同电视并排放在了一起：他请读者考虑，著名法理学家罗纳德·德沃金在电视剧《洛杉矶律师事务所》中可以扮演什么角色。在其他地方，施莱格以一种不同的方式把不同的风格混合在一起。在《主体的问题》中，他在很大程度上遵循

---

[101] Feldman, *Playing*, 前注 61；请看，Minda, 前注 1, 页 248（讨论了一种"后现代的秉性"）。Jean Baudrillard 写道，"所有需要做的就是摆弄那些碎片。摆弄碎片——这就是后现代"。Jean Baudrillard, *Game with Vestiges*, 5 On the Beach 19, 24 (1984)。

[102] 有关"大杂烩"，请看 Levinson and Balkin, 前注 61, 页 1639。

了正式法律写作的严格礼仪（也就是现代主义法律思想）；尽管如此，他还是取笑了这种索然无味的、僵化的正式写作，把兰德尔院长称为"克里斯"（Chris）。* 他对风格进行的这种游戏性的混合就像是开玩笑时挑起了眉毛，暗示着施莱格对更为正式的风格的自我反映的和讽刺性的使用。施莱格写道："例如，我们可以想像，克里斯·兰德尔某天早晨醒来，忘了使用威严的宣言性的风格，他写下的不是'法律是……'，相反，他写下的是'我认为法律是……'，通过写下这个句子，克里斯可能认识到了，他（即'我'）远不是被动地接受法律的命令，而是主动地从事了对法律的思考（也就是建构）。"[103]

第八个后现代主题是，后现代主义在某种意义上显得在政治上模棱两可。很多后现代法律理论家正确地强调，后现代主义，特别是解构主义具有可能非常激进的政治意涵。巴赫金解释了解构主义与政治意涵之间的最初的联系："解构有一个目标；其目标不是解构，而是修正。解构者进行批评的目的是要改善现状；他找出不公正的或不合适的概念层级，以主张一种更好的排序。因此，他论证的前提总是现存规范的其他选择的可能性，这些其他选择不仅不

---

* 兰德尔院长的全名是克里斯托弗·哥伦布·兰德尔（Christopher Columbus Langdell），他的名字克里斯托弗的昵称就是"克里斯"。——译者

[103] Balkin, *Tradition*，前注 61，页 1620；Schlag, *The Prohlem*，前注 61，页 1649。关于施莱格把德沃金与《洛杉矶律师事务所》并列到一起，请看，Schlag, *Normativity*，前注 61，页 864 - 865；请看，Ronald Dworkin, Law's Empire (1986)；也请看，Feldman, *Diagnosing Power*，前注 61，页 1105（用 Stephen Sondheim 的一节诗歌作为一篇文章的结尾）。不那么经常的是，后现代法律学者应用了另外一种后现代的讽刺，强调了文本之所以无法被控制的原因是它们的可重复性——可以在不同的语境中被进行重复。在一篇有关解构与法律的文章当中，Charles M. Yablon 分析了民事诉讼中的空白传票表格，"它是按照《联邦程序规则》（Federal Rules of Civil Procedure）规则 4 制定的《表格附件》（Appendix of Forms）之中的'表格 1'"。Yablon 强调了这个传票在某些语境中是"一个惯例的法律表格"，但在其他语境中，它是"一种获得权力和施加痛苦的工具"。Charles M. Yablon, *Forms*, 11 Cardozo L. Rev. 1349, 1349, 1351 - 1353 (1990)。

同，而且更为正当。"因此，因为这一原因，德里达的解构主义支持对正义的追求，但很矛盾的是——并且这超出了巴赫金的论点——解构同时激进地击碎了所有对正义的主张。解构主义要求我们一致留神和避免对正义的最终宣布，并且，通过这样做，解构主义迫使我们不知疲倦地追寻正义。"只要我们给一个事件或行为贴上了公正的标签，那么，在我们的理解的边缘里就一定潜伏着他性的痕迹。在每一个出现了正义的含义的阐释行为中，都存在着不正义。每一个正义的行为都猛烈地和狡猾地排除了、否认了和压迫了某个他性。因此，正义无法达到；它总是被置换了。"就像已经提到的，德里达甚至声称"解构就是正义"。[104]

因此，并不奇怪，大多数后现代法律学者在政治中都显得是进步主义的或"左"倾的。因此，他们常常试图通过搅动或移动已被接受的社会和文化符号来干涉已经确立的社会和文化实践。施莱格对现代主义法律学术的顽强的解构性批判就例证了这一点。他试图打乱典型的法律学术实践，这样法律教授们就可以更多地认识到自己是法律体系中的暴力行为的共谋。但是，后现代主义的激进的政治潜力可能最为引人注目地体现在后现代局外人法理学者的作品当中，他们公开地努力揭露和改变嵌在美国法律中的压迫性的文化假定。对于这些后现代主义者来说，解构主义能够提供一种支持他们的政治斗争的理论技术和正当化理由。解构主义对文本含义的不稳定性和可塑性的强调呼应着局外人的观点，他们认为，一直都存在着多重的声音和多重的真理——即便主流文化视野看起来恰恰否认了这一点。因此，解构主义非常适合局外人学术的目标，用威廉·埃斯克里奇的话说，这种学术"试图挑战法律的议事日程、法

---

[104] Balkin, *Transcendental*, 前注 61, 页 1141; Feldman, *The Politics*, 前注 61, 页 199（"只要我们"）; Derrida, 前注 61, 页 945。

律的假定和法律的偏见"。[105]

但同时,后现代主义有时在一定的语境中显得支持政治保守主义。事实上,值得强调的是,很多局外人法理学者还是怀疑后现代主义;他们害怕,后现代的解构性的观点可能会削弱那种需要用来支持激进的政治运动的信念。而且,除了这些怀疑和对政治冷漠的恐惧之外,还存在着一种具体得多、显著得多的后现代政治保守主义的例证。也就是说政治上保守的后现代主义的表现已经出现在首席大法官威廉·H·伦奎斯特之下的美国最高法院的领域内。澄清一下,我并不是论辩说这些大法官已经变成了我们在法律学术界发现的那种公开的和明显的后现代理论家;相反,我的论辩是,这些大法官,就像美国的其他人一样,是生活在一种后现代的文化当中。因此,后现代主义在某种意义上融入了他们的司法实践;一些大法官,包括一些政治上最为保守的大法官,有时显得在自己的意见中暗示了或吸取了后现代的主题。

例如,由奥康娜(O'Connor)、肯尼迪(Kennedy)和苏特(Souter)写作的计划生育协会诉凯西案(*Planned Parenthood v. Casey*)的联合意见表现出了自我反映和反基础主义的后现代主题。凯西案重新审视了《宪法》是否保护妇女选择进行堕胎的利益这个问题。当然,罗伊诉韦德案最初在1973年判定,宪法上的隐私权涵盖了这一利益。因此,在婴儿具有成活力或者在妊娠末三个月之前,各州不得禁止堕胎。就像本章在前面讨论过的,布莱克门大法官在罗伊案多数派意见的开篇暗示道,尽管"堕胎争议的敏感和情绪化的本质",但是最高法院的判决仍然具有合法性,因为它会是客观的。就像布莱克门所说的,最高法院会"诚挚地"并且"不带感情和偏好地用宪法的尺度解决这个问题"。到伦奎斯

---

[105] Eskridge, 前注55, 页608;请看, Schlag, *The Problem*, 前注61, 页1739, 1743。

特最高法院1992年判决凯西案时，在20年的罗伊案后出现的反堕胎和支持选择权的诉讼、修辞、抗议和暴力之后，大法官们甚至没有暗示自己的判决是客观的。相反，最高法院声称自己是在按照"有理由的判断"进行判决，而这篇联合意见解释说，这种判断并没有"可以用一个简单规则表达出来的"边界。[106]

在这篇联合意见的一个很重要的部分当中，最高法院广泛地讨论了遵循先例的教义和推翻罗伊案的可能性。最终，凯西案最高法院重新确认了罗伊案及其主要的裁决，即，在胎儿具有成活力之前存在着一种选择是否进行堕胎的宪法权利。但是，最有意思的是，在进行这一讨论的过程中，联合意见自我反映地考虑了推翻罗伊案可能会削弱最高法院自身的合法性。同罗伊案不同，凯西案最高法院并没有声称自己的合法性是基于自己的客观性。相反，凯西案最高法院暗示说，自己的合法性来自于公众对最高法院及其判决的感觉。这篇联合意见推理道，如果最高法院想要保持自己的权力，那么美国人民必须相信最高法院是基于宪法原则的。但是，如果最高法院推翻了罗伊案，那么凯西案的判决就会显得过于政治化、不明智和无原则。最高法院推测说，自己甚至无法"假装"以原则为基础推翻罗伊案。因此，联合意见作出结论说，一份推翻罗伊案判决的判决会严重地削弱最高法院的权力和合法性。[107]

那么，凯西案的意见是怎样至少在一定程度上表现出了后现代主义呢？首先，最高法院对自身实践的自我反映的态度同后现代主义具有共鸣。除此以外，与罗伊案更为现代主义的借口明显对立的是，凯西案最高法院并没有声称自己的判决是客观的或是基于某种坚实的基础的。但是，按照最高法院的观点，基础的缺失并不是特

---

[106] *Roe v. Wade*, 410 US 113, 116 (1973); *Planned Parenthood v. Casey*, 505 US 833, 849 (1992).

[107] *Casey*, 505 US at 864; 请看，页864-869。

别重要,因为真正重要的并不是客观性而是公众的感觉。最高法院的合法性所依赖的东西并不比感觉和信念更为深刻。最高法院看起来是承认了自己是在一个四面都是镜子的房间里运作。因此大法官们必须要小心,不能太突然地改变方向,因为他们害怕自己可能打碎一面镜子。而如果这种情况发生了的话,那么所有有关合法性的感觉就都会走样。

但是,有些自相矛盾的是,凯西案最高法院转而审视自身并自我反映地考虑自己的实践,仅仅这一事实就暗示着传统的或现代主义的合法性概念不再有什么意义了。因为,当然,如果最高法院的权力真的受到了威胁,那么即使最高法院明确声明自己是在为了公众感觉而判决一个案件,它也无法拯救自己。如果最高法院真的受到了威胁,那么它就不会暗示:只要可以假装在原则的基础上进行判决,它就可能对当前的案子作出不同的判决。相反,一个纯粹现代主义的最高法院,就像罗伊诉韦德案中的最高法院,会简要地和强有力地主张自己的结论是客观地基于一个坚实的基础的。但是,通过公开审视自己的合法性,凯西案最高法院反而暗示了这样的可能性:至少在大多数案件中,它实际上可以说任何事情,因为最高法院的权力和合法性不再来自或取决于自己的判决意见。如此之少的人仍然把最高法院的意见当真,以至于大法官们可以(比如说)在自己的意见中引用诗歌,而很少有人会注意到,关心这一点的人就更少了。

事实上,这恰恰是首席大法官伦奎斯特所做的事情:他——大段地——引用了诗歌。在第一个侮辱国旗案——1989 年判决的得克萨斯诉约翰逊案(*Texas v. Johnson*)中,最高法院判定,在政治抗议中焚烧美国国旗是受到第一修正案言论自由条款保护的象征性行为。最高法院的判决实际上推翻了联邦政府和 48 个州禁止侮辱国旗的制定法。首席大法官伦奎斯特提出了反对意见。他在自己意见的开篇解释说,美国历史在宪法上正当化了有关侮辱国旗的制定法。因此,他开始基本以诗歌为基础描述了这一历史。他首先引用了拉尔夫·沃尔多·爱默生(Ralph Waldo Emerson)的"和谐赞美诗"(Concord Hymn):

> 在立于洪流之上的简陋的桥旁
> 他们的旗帜在四月的风中飘扬,
> 被困的农夫层站立于此
> 射出的子弹在世界回响。[108]

首席大法官然后转向了弗朗西斯·斯科特·凯(Francis Scott Key)和"星条旗飘扬"(The Star-Spangled Banner)的故事,伦奎斯特从中引用了几行。最后,他转向了约翰·格林利夫·惠蒂尔(John Greenleaf Whittier)的南北战争诗歌"芭芭拉·弗里奇"(Barbara Frietchie),它讲述了一位 90 岁的妇女升起联邦国旗的故事,当时由斯通沃尔·杰克逊(Stonewall Jackson)领导的邦联军队正穿过她所在的马里兰州的城镇。伦奎斯特没有引用这首诗的一个段落,相反,他插入了整首诗,一共 60 行。下面是一个样本。作为背景,当杰克逊第一次看到那面国旗的时候,他让自己的手下把它击落下来。但是,芭芭拉·费奇把那面旗捡了起来,向邦联军队挥舞,刺激他们再次射击。惠蒂尔写道:

> "朝着这年迈的斑白的头开枪吧,如果你必须,

---

[108] *Texas v. Johnson*, 491 US 397, 421.(1989)(首席大法官伦奎斯特,反对意见);请看,Stephen M. Feldman, *Republican Revival/Interpretive Turn*, 1991. Wis. L. Rev. 679, 725-731(讨论了有关侮辱国旗的争论和案件)。约翰逊案的判决导致全国人民呼吁通过一个宪法修正案或一部不会违宪的联邦制定法来禁止侮辱国旗。在 1989 年 10 月,国会通过了一部制定法,即《国旗保护法案》(The Flag Protection Act), Pub. L. No. 101-131, 103 Stat. 777(1989),最终最高法院判定该制定法违宪。*United States v. Eichman*, 496 US 310(1990)。

但是，饶过你们国家的旗帜"，她说。
一层悲哀，一片羞怯，
漫过了军官的面庞；
他心中的高贵搅动了起来
被那个女人的行为和话语激活；
"谁要胆敢动那头颅上一根花白的头发
便会死无葬身之地！继续行军！"他说。[109]

伦奎斯特在约翰逊案中对权威渊源的有些文学青年似的观点同他的另一篇反对意见形成了鲜明对比，这篇意见写作于15年前一个也是有关侮辱国旗的案件中。在判决于1974年的史密斯诉郭关案（Smith v. Goguen）中，最高法院判定，马萨诸塞州的一部有关侮辱国旗的制定法因过于含糊而无效。并不奇怪，当时作为普通大法官的伦奎斯特写作了反对意见。就像在后来的约翰逊案中一样，伦奎斯特在他的反对意见中提到了诗歌（以及歌曲）。他甚至引用了爱默生的相同的段落。但是，在爱默生之外，除了从"芭芭拉"中引用了两个单词之外，伦奎斯特没有引用任何其他诗歌或歌曲。他的法律推理要传统或现代主义得多；他对诗歌的讨论很简要，仅仅是意图强调国旗在美国生活中的重要性。[110]

因此，尽管约翰逊案和史密斯诉郭关案之间具有相似性，但是伦奎斯特在此间的15年里发生了改变——我们可以说，他变得更前卫（或后现代）了。而且，他并不是惟一一个这样的大法官。

---

[109] *Johnson*，491 US at 423 – 425（首席大法官伦奎斯特，反对意见）。伦奎斯特在其他案件中也使用过反常的或奇异的引用。请看，例如，*Church of Scientology of California v. Internal Revenue Service*，484 US 9，17 – 18（1987）（提到了柯南道尔（Sir Arthur Conan Doyle）的"不叫的狗"（dog that didn't bark））。

[110] *Smith v. Goguen*，415 US 566，602（1974）（伦奎斯特大法官，反对意见。郭关因为违反马萨诸塞州的法律而被定罪，因为他"穿的裤子的臀部缝美国国旗的一个较小的布做的版本"；页568。

事实上，他主要的伙伴是安东尼·斯卡利亚（Antonin Scalia）大法官。一个极为出色的例子是判决于1998年的萨克拉门托县诉刘易斯案（County of Sacramento v. Lewis）。在刘易斯案中，一位警官被指控在抓捕犯罪嫌疑人时故意地或不计后果地（recklessly）漠不关心他人生命。最高法院判定，在该案的情形之下，这位警官并没有违反第14修正案所保护的实体正当程序。斯卡利亚同意最高法院的结论，但是拒绝参加苏特大法官的多数派意见。在他的附和意见中，斯卡利亚批评了苏特决定是否违反实体正当程序的标准。苏特的多数派意见宣称，只有当一个行政行为是如此地"恣意"以至于它"震惊了人们的良心"时，这个行政行为才违反了实体正当程序。[111] 斯卡利亚认为，这一标准不但很主观化，而且已经被最高法院在一年之前的华盛顿诉格拉科斯堡案（Washington v. Glucksberg）中拒绝了。按照斯卡利亚的观点，苏特在格拉科斯堡案中的附和意见提出了一种类似的有关肆意的标准，但格拉科斯堡案中的多数意见反驳了这一标准。为了证明自己的观点，斯卡利亚依赖了著名的歌曲作者（现在可能得算是法律权威了）科尔·波特（Cole Porter）。特别地，斯卡利亚重述了波特的歌曲"你是顶峰"（You're the Top）中的一个段落，以表明苏特的实体正当程序标准是把主观性发挥到了极致："如果说有什么区别的话，那么这种区别就是，同（苏特）在格拉科斯堡案中的附和意见相比，今天的意见要更多地依赖高度主观化的实体正当程序的方法论。格拉科斯堡案的附和意见仅仅说实体正当程序防止'恣意的强迫'和'无目的的限制'（而没有任何有关什么构成恣意或无目的的客观标准），而今天的意见复活了主观性的登峰造极、拿破仑白兰地（Napoleon Brandy）、圣人甘地（Mahatma Ghandi（误））、玻璃纸

---

[111] County of Sacramento v. Lewis, 118 S. Ct. 1708, 1716–1717 (1998).

(Celophane（误）），复活了老迈的'震惊良心'的标准。"[112]

伦奎斯特和斯卡利亚对诗人和歌曲作者的引用与后现代主义之间有什么关系呢？伦奎斯特和斯卡利亚显得是在暗示，他们写作意见时并不带有更为现代主义的大法官和更为现代主义的时期所特有的那种诚挚。通过在自己的意见中加入有些古怪的段落和引用——这是指在现代主义的视角看来显得古怪——这两位大法官看起来是在使用混合风格来唤起一种后现代的讽刺的态度。换言之，这两位大法官以把不同的风格、渊源和传统并列在一起的方式暗示了它们每一个都具有偶然性。这两位大法官对诗人和歌曲作者的直接和间接引用代表了一种对读者的挤眉弄眼。读者被警告说，即使这两位大法官仍然继续使用表面上现代主义的工具和渊源，但是他们使用它们的时候却带着一种自我反映的意识——自己无法达到现代主义的客观性。在某种意义上，这两位大法官是在摆弄这些碎片，因为他们使用现代主义的渊源和工具时并不诚挚地相信它们的效力。因此，并不奇怪，在詹姆斯·B·比姆酿酒公司诉佐治亚案（*James B. Beam Distilling Co. v. Georgia*）中，斯卡利亚暗示说，即使法官制造法律，他们也要假装是发现了法律。

> 被授予本院"美国的司法权"……必须被理解为按照我们的普通法传统所理解的那种司法权。它就是"申明什么是法律"的权力，而不是改变法律的权力。我还

---

[112] *Lewis*, 118 S. Ct. at 171. 4（斯卡利亚大法官，反对意见）（同意重复了，Cole Porter, "You're the Top" (1934), in The Complete Lyrics of Cole Porter 169 (Robert Kimball ed., 1983)；请看，Lewis, 118 S. Ct. at 1723 –1724（斯卡利亚大法官，附和意见）；*Washington v. Glucksberg*, 117 S. Ct. 2258 (1997). 在刘易斯案的一个脚注中，斯卡利亚补充说："对于那些不熟悉古典音乐的人，我指出，正文中的优秀典范取自于科尔·波特的'你是顶峰'，版权所有1934年"，页1724注1（斯卡利亚大法官，附和意见）。有关斯卡利亚的其他不寻常的段落，请看，*Clinton v. City of New York*, 118 S. Ct. 2091, 2117 (1998)（斯卡利亚大法官，附和反对意见）（提到了"所有囚犯的圣人甘地"）；*United States v. Virginia*, 518 US 515, 601–603 (1996)（斯卡利亚大法官，反对意见）（提供了从弗吉尼亚军事学院（Virginia Military Institute）的《绅士守则》（*Code of a Gentleman*）进行的大段引用）。

没有天真到（我认为我们的祖先也没有这么天真）不知道法官们在一种真实的意义上是在"造"法的地步。但是，他们以法官造法的方式来造法，也就是说他们显得是在"发现"法律——是在判断法律是什么，而不是在命令法律今天被变成了什么或者法律明天会是什么。[113]

因此，即使伦奎斯特和斯卡利亚是在摆弄碎片，但是他们仍然十分经常使用司法判决过程的传统的现代主义工具，比如遵循先例的原则。他们解析各种各样的先例的被认为很精确的含义，编织在理性上前后一贯的法律命题的精细网络。但是，这两位大法官看起来知道，这些类型的法律论辩仅仅是自己的现代主义信念的褴褛的残余。他们知道，自己的判决并不是客观的，没有坚实的基础。用斯卡利亚的话说，他们知道，"最高法院有权把任何自己喜欢称为'中心裁定'的东西称作'中心裁定'"。他们知道——他们比任何其他人都知道得更为清楚——自己甚至很少写作自己要签名的意见。他们的助理承担了大多数写作工作；实际上，助理们甚至在很大程度上决定了最高法院将会判决哪些案件。但是，大法官们知道，所有这些都不是真的那么重要。最高法院的权力结构过于深入地嵌入了美国社会。所以，最高法院的意见的内容既不会合法化也不会削弱它的地位和权力。最高法院会继续判决案件，大法官们会继续写作——或者说至少是签署——他们的意见。最高法院会继续处理生与死的问题——因为，当然，大法官们可能是在摆弄碎片，但是他们摆弄得很当真。总之，最高法院的那个品牌的后现代法理

---

[113] James B. Beam Distilling Co. v. Georgia, 111 S. Ct. 1. 439, 2450 – 2451 (1991)（斯卡利亚，附和判决意见）（引用已省略，着重号为后加或者已经省略）。这个案件涉及一条宪法规则在州税返还的语境中的溯及既往的适用。伦奎斯特和斯卡利亚在一系列有关人身保护令状的案件的意见中所表现出来的后现代主义所进行的广泛的讨论，请看，Feldman, *Diagnosing Power*，前注61，页1052 – 1084, 1098 – 1104。

学例证了,尽管后现代理论具有可能比较激进的政治意涵,但是后现代主义可以被用来促进保守的政治目标。[114]

毫无疑问,很多后现代法律学者会反对我对后现代法理学的描述。除了其他批评之外,他们可能不同意我所指出的8个主要的后现代的主题;他们可能会批评我所列出的任何一个或所有主题的内容;或者他们可能会完全拒绝我对后现代主义的主题式的进路,认为这样一种进路过于紧密地呼应了现代主义把复杂的概念(或历史时期)简化为精确的定义的努力。但同时,我显然相信,很多后现代主义会发现我对后现代法理学的描述中有很多可以赞同的地方。而且,后现代主义者会广泛地联合起来反对现代主义对后现代学术进行的一种常见的反驳。特别是,很多现代主义法理学者(在某种程度上是可以预测的)建议,我们应该避开后现代主义。从这一现代主义视角看来,后现代主义仅仅是一种理论的或意识形态的观点,可以被重新评价,并且,如果它被发现不够充分,就可

---

[114] *Planned Parenthood v. Casey*, 505 US 833, 993–994(1992)(斯卡利亚大法官,附和和反对意见)。现代主义信念的褴褛的残余这个说法是借用了 Louis Michael Seidman and Mark V. Tushnet, Remnants of Belief 23(1996)。关于斯卡利亚认为最高法院可以把自己所愿意的任何东西称为一个判决,斯卡利亚在 *United States v. Virginia* 案中有几处表达了类似的观点。例如,他把最高法院的有关平等保护的判断标准——合理的基础、中等审视和严格审视——称作是"生造出来的测试标准"。518 US 515, 570(1996)(斯卡利亚大法官,反对意见)。他补充说,"这些标准同它们的名字所表明的一样不够科学,而且有一个事实还加入了另一个随机因素,这个事实就是,在每一个案件中使用什么标准基本上取决于我们";页567。而且,他论辩说,关于中等审视标准,大法官们"基本上是当他们认为需要上下其手的时候就适用它";页568。

有关大法官们对自己的助手的依赖,请看,Mary Ann Glendon, A Nation under Lawyers 146–148(1994); Bernard Schwartz, Decision: How the Supreme Court Decides Cases 48–55, 256–262(1996); Mark V. Tushnet, *A Republican Chief Justice*, 88 Mich. L. Rev. 1326, 1327(1990)。用杰克·巴赫金的话说,最高法院在这个后现代时代适用了"准工业化方法进行司法"。*Postmodern Constitutionalism*,同前,页1983。伦奎斯特已经承认,他的助手写作以他的名字发出的几乎所有意见的第一稿;同前,页52。按照Mary Ann Glendon,只有斯卡利亚和史蒂文斯大法官被认为在写作意见时"起到了主导作用";同前,页146。伯纳德·施瓦茨补充说,同人们认为口头辩论会有实质的影响的通常观点不同,"在大法官们面前辩论的主要目的是一种公关目的";同前,页16。

以被放弃。而且,当然,现代主义者的结论是,后现代主义事实上不够充分。并不奇怪,现代主义者对后现代主义的描绘把它塞进了现代主义的二分法:因为后现代主义者并不主张能够为客观知识建立基础,现代主义者就作出结论说后现代主义一定是虚无的、缥缈的和相对主义的。因此,后现代主义是危险的和不负责任的,必须被拒绝,而应该采纳现代主义。但是,从后现代的观点看来,我们在现代主义和后现代主义之间并没有这种选择;从现代主义到后现代主义的运动部分上是一种偶然的文化和社会变迁。"个人和社会团体可以影响这种变迁,但是他们无法控制它。只有在现代主义的梦想当中,我们才可以考虑各种选项、选择最佳的选项、然后有效地实施它"。[115]

---

[115] Stephen M. Feldman, *From Modernism to Postmodernism in American Legal Thought:The Significance of the Warren Court*, in The Warren Court: A Retrospective 324, 352 – 353(Bernard Schwartz ed., 1996);请看,例如,Jay P. Moran, *Postmodernism's Misguided Place in Legal Scholarship:Chaos Theory,Deconstruction,and Some Insights from Thomas Pynchon's Fiction*, 6 S. Cal. Interdisciplinary L. Forum 155, 159(1997)(论辩说,应当摒弃后现代主义并且"回到传统的和有逻辑的法律原则")。"从现代主义的视角看来,后现代主义仅仅是另外一种意识形态——另外一种对总括性话语的主张。但是,从其自身的视角看来,后现代主义不会是这样一种话语,因为它不仅仅是一套信念,而且也是一种信念发生于其中的文化环境"。Balkin, *Postmodern Constitutionalism*,前注61,页1976。

第六章

结论：偷觑未来？

本书已经追寻了美国法律思想的航程，从一个阶段到另一个阶段，从一个亚阶段到另一个亚阶段。这个故事的很大一部分都围绕着基础和进步这两个相互关联的思想。在前现代阶段，自然法原则看起来支持了法律体系。在我国历史最早的几十年里，法律和政治思想家在很大程度上是关心共和国及其对永恒的和普适的原则的忠诚。但是，从大约1820年到南北战争，法理学者把自己对自然法原则的存在的确信同对前现代的有关进步的思想结合在了一起。自然法仍然为法律体系提供了基础，但是美国显然能够通过工具性地和实用地实施这些原则而进步。因此，在美国法理学者和法律家试图完美地实现永恒的和普适的原则的过程中，自然法看起来既为他们提供了目标，也为他们提供了限制。在南北战争之后，美国法律思想随着实证主义的出现进入了现代主义时期：法理学家在很大程度上摒弃了自然法。因此，进步的思想摆脱了前现代时期固有的自然法的限制。进步开始显得可以无穷无尽，惟一的限制就是人类的聪明才智。但是，即便摒弃了自然法原则，现代主义法理学者仍然保持了把法律体系建立在坚实基础之上的欲望。现代主义者害怕，如果没有这种基础，法律就会过于主观化和相对化了——甚至虚无化。但是，因为自然法原则看起来无法继续提供人们所需要的基础，所以现代主义对替代性的基础的寻求就开始了。在试图为法律找到一个客观基础的过程中，法理学者转向了理性主义、经验主义、然后是超验主义。在20世纪后半叶，美国法律现代主义进入了它最后的亚阶段，即晚期危机，其特征是混乱、绝望和创造性的复杂。法律学者保持了自己找到一个法理学基础的强烈欲望，但是他们害怕这个目标是无法达到的。最后，在20世纪的最后几十年里，美国法律思想开始了后现代的阶段。很多法理学者放弃了现代主义对基础的追寻，但他们却拒绝屈服于现代主义中的主观主义、相对主义和虚无主义这些恶魔。因此，后现代主义者开始探索反基础主义对于我们对法律的理解的意涵。很多后现代主义者也抨击了现代主义关于无穷进步的思想。人类并不是现代主义者认为的自主的控制中心。我们可以影响社会变化，但是我们进行控制的努力很可能会遭遇挫败和惊愕，因为这种努力会把我们引向无法预期的，有时甚至是有害的方向。

当然，在思想史上，前现代主义、现代主义和后现代主义这些阶段及其各自的亚阶段并不是清楚地划分的。阶段和亚阶段既不是像变魔术一样从天上掉下来的，也不会戛然而止。新的阶段和亚阶段总是在部分上起源于它们前面的东西，而一个阶段（或亚阶段）的残留总是在下一个阶段中仍然可以看见，甚至在再后一个阶段也仍然可以看见，如此往复。例如，在前现代主义中如此突出的自然法和自然权利的推理在现代主义阶段就淡出了，但是其残留物在19世纪晚期和20世纪早期的宪法学术和宪法判决过程当中仍然继续存留着。事实上，今天人们仍然偶尔提及自然法。作为第一阶段现代主义法理学的定义性特征的兰德尔法律科学主义被后来的现代主义者和后现代主义者所谴责，但是兰德尔主义的效果即使在现在的法律学术和法律教育中也仍然充满活力；如果兰德尔主义没有持续的和现今的重要性，那么后现代主义者根本就不会自寻烦恼地讨论和谴责兰德尔主义。同样,现代主义的第二个阶段,即美国法律现实主义,可能很久以前就过去了,但是现实主义的效果仍然生活在案例教科书和学术当中,特别是那些集中关注社会科学的学术进路当中,例如它在法律与社会协会的成员中就很突出。[1]

因此,并不奇怪,现代主义和后现代主义法律学术之间的边界仍然是不确定的。在我看来,尽管从现代法理学到后现代法理学的转变不但是可以看清楚的,而且是很重要的,但是这一转变既不是毫无争议的也不是完全彻底的。很多法律学者仍然认为自己是现代主义者,并且这很正确。而且,这些现代主义法理学者中有很多人都明确地强烈反对后现代主义。实际上,至少对于一些现代主义者来说,另外一个作者暗示了一点点后现代的视角就会招致大量的耻辱——虚无主义、相对主义、不负责任等指责就会喷涌而出。即使现代主义和后现代主义之间的区别也受到争论。尽管一些学者完全接受我们今天生活在一个后现代的时代中的观点,但是其他学者更愿意把当前的时代作为现代的/后现代的来谈论——当然还有另外一些人认为我们现在仍然待在现代主义当中或者我们应该选择回到现代主义。[2] 但是,后现代时代的一个矛盾是,即使公开的现代主义者有时也显得受到了后现代文化的强烈影响。这一现象在上一

---

[1] 请看,例如,Stephen M. Feldman, *Felix S. Cohen and His Jurisprudence*: *Reflections on Federal Indian Law*, 35 Buff. L. Rev. 479 (1986)(讨论了费利克斯·科恩的现实主义对美国印第安法律发展的影响); Pierre Schlag, *Law and Phrenology*, 110 Harv. L. Rev. 877 (1997)(从一种后现代的视角讨论了兰德尔的法律科学主义)。

[2] 有关那些强烈反对后现代主义的现代主义法律学者的例子,请看,Arthur Austin, A Primer on Deconstruction's "*Rhapsody of Word - Plays*" 71 N. C. L. Rev. 201 (1992); Steven Lubet, *Is Legal Theory Good for Anything?* 1997 U. Ill. L. Rev. 193; Suzanna Sherry, *The Sleep of Reason*, 84 Geo. L. J. 453 (1996)。有关现代主义与后现代主义之间的边界的模糊性,请看,Anthony Giddens, The Consequences of Modernity 45 -53 (1990)(谈论了现代主义的激进化而非一种朝向后现代主义的转变); Richard J. Bernstein, *An Allegory of Modernity/Postmodernity*: *Habermas and Derrida*, in The New Constellation 199 (1991)。

章结尾对后现代主义和最高法院的讨论中表现得很明显。就像已经提过的,最高法院大法官还没有变成公开的或明确的后现代主义者。例如,如果你问一问首席大法官伦奎斯特他是不是一个后现代主义者,我相信他会或者说"不"或者嘲笑你。但是,这并不重要。相反,这些大法官们,就像其他美国人一样,都生活在一个后现代的文化当中,因此,他们偶尔会受到影响,会以后现代的方式行事和表现出后现代的态度。而且,不论这些大法官认为自己是不是后现代主义者,他们事实上都会这么做。

在本研究的语境中更为重要的是,后现代文化看起来甚至渗透了那些公开的现代主义法理学者的学术。在总体上,我们可以说,现代主义的律师和学者带着一个工具箱,其中有遵循先例、逻辑自洽、文本的平白含义、制宪者或当事人的意图、政策论辩以及平衡测试等诸如此类的工具。现代主义者伸手拿出那些他们需要的工具,以满足自己具体的工具性的目的,构建论辩来支持或反对某些实体的立场。学习选择适当的工具和良好地使用它们,这是学习像法律人一样思考的过程的组成部分。但是,最近,一些现代主义学者已经认识到,某些后现代的洞见对于构建他们的现代主义论辩可能是有用的。[3]

特别地,这些现代主义学者通常会抓住后现代利率论的一个被经常讨论的方面,然后把它扔到自己的工具箱中。就像在第5章讨论过的,很多后现代主义者认为一个社区的传统和文化同时激活和限制了所有的交流和理解。因此,对于社区中的个人来说,一个人当前的社会文化偏见和利益的视野总是塑造着总体上的理解、交流

---

[3] 我第一次听到律师的工具箱这个比喻是来自于我的合同法教授 Jon Jacobson, 他常常把禁止反言规则 (promissory estoppel) 说成是律师的工具箱中的一个基本工具。请比较,Pierre Schlag, *Normativity and the Politics of Form*, 139 U. Pa. L. Rev. 801, 803, 860 (1991) (把法律教义描绘成一个工具,特别是诉讼律师用来胁迫别人的工具)。

和感觉，包括规范性的价值和目标。尽管这一后现代的洞见可能具有激进的意涵，但是现代主义者把它拿来、将它驯服、把它作为一个工具使用——一个新的可以用来构建法律论辩的小玩意儿。这些现代主义者把这种后现代的洞见放到了他们的工具箱中，把它安全地存放起来，只有需要时才会把它拿出来。而且，对这些现代主义者来说，这一洞见（或工具）可以被富有效果地用来批评其他现代主义者的规范性立场。但这时，一旦其他人的价值和目标被巧妙地解构和扫除了，这位现代主义作者通常就会开始阐述他或她自己的规范性立场。很快，这个工具就必须被放回工具箱当中——否则它就可能威胁到这位作者自身的明确目标的自洽性。

史蒂文·D·史密斯就是一位使用这种后现代工具的现代主义法律学者。在他出版于1995年、有关教会与国家分离的著作《注定的失败》（*Preordained Failure*）中，他论辩说《宪法》并没有体现一个宗教自由的原则。当然，法官和宪法学者很久以来就一直在问"类似于下面的问题：'《宪法》中体现的宗教自由原则的含义和范围是什么？'"史密斯认为，如果不存在这种原则，那么这个问题就变得无法回答了。[4]

史密斯论辩说很多宪法学者都使用某种类型的理论来阐述人们认为第一修正案中存在的宗教自由原则。为了驳斥这种理论化的进路，史密斯把手伸到自己的工具箱里，拿出了他的后现代的小工具。他认为，一个有关宗教自由的一般化的理论是不可能存在的：任何这种理论都不可避免地搁浅在一种逻辑难题之上。

> 一个有关宗教自由的理论的功能是调停多种多样的相互竞争的宗教和世俗立场和利益，或者解释政府应当怎样

---

〔4〕 Steven D. Smith, Foreordained Failure: The Quest for a Constitutional Principle of Religious Freedom 6 (1995).

处理这些相互竞争的立场和利益。但是，为了完成这一功能，这个理论必然要特权化或者事先推荐这些立场中的一个，同时抛弃或不理会其他的立场。但是，一个特权化相互竞争的立场中的一个、同时事先就抛弃了其他立场的理论根本就不是一个真正的宗教自由的理论——或者，它至少并不是宗教自由的现代主义支持者试图发展的那种理论。〔5〕

换句话说，史密斯在这里利用了后现代的主张，即所有的规范性价值或立场都是文化的和社会的偶然物。对后现代主义者来说，所有的理论——实际上，所有的交流和理解——都来源于一个人当前的社会文化偏见和利益的视野。因此，史密斯很自然地论辩说，任何宗教自由理论——作为一种独特的规范性立场——都必然基于某种（常常是未被言明的）背景信念或假定。这些背景信念或假定总是有争议的，并且恰恰是这一理论本身被认为是中立地与其他相互竞争的信念进行调和的那些类型的主张。但是，当然，这一理论并不能中立地把自己的假定与其他相互竞争的信念进行调和，这恰恰是因为这一理论就是基于那些假定的。史密斯作出结论说："简单说，这里的问题是，有关宗教自由的理论试图在一个社会之中相互竞争的宗教和世俗立场之间进行调和或调节，但是这些相互竞争的立场对一种宗教自由理论必然依赖的那些背景信念有着不同的观点。"〔6〕

但是，这时，史密斯把他的后现代的小发明放回了工具箱里。他想要批判有关宗教条款的法理学，但不想纠缠进有关理论的更大的法理学争议之中。"我并不想否认在法律中'理论'在任何普遍

---

〔5〕 同前，页63；请看，页55–118。
〔6〕 同前，页68。

的意义上是可能的和可欲的；在这里，我的挑战仅仅指向宗教自由的理论"。史密斯不愿遵循自己的后现代洞见的更广泛的意涵，这使他能够在结论中为最高法院提出一个规范性的建议。尽管他给自己的建议加上了限定，但是他仍然暗示说，最高法院应该考虑拒绝强制执行宗教自由的原则，把对宗教自由和平等的保护留给"政治程序"。因此，史密斯设法回避了后现代主义对总体宪法法理学的可能很激进的政治意涵，相反，他得出了一个政治上保守的结论。[7]

总之，即使很多现代主义法律学者都批判后现代主义，一些人同时也驯服和使用后现代的洞见，以构建自己的现代主义立场并为之辩护。[8] 毫无疑问，这样做可能严重地扭曲一个作者的结论。史密斯应用了他的后现代的工具，发现宗教自由的宪法原则并不存在。如果其他宪法原则真的存在（史密斯看起来假定了这一点，但他没有进行讨论），那么史密斯有关最高法院应当考虑不再强制执行宗教自由的原则的建议可能就是明智的。别忘了，一个人可能合理地作出结论说，最高法院只能强制执行现存的宪法原则。但是，如果史密斯的类似后现代的论辩被进行扩展来暗示其实根本就不存在宪法原则——至少在传统的现代主义的意义上——那么史密斯的规范性建议就变得极其有问题了。宗教自由的基础并不比任何其他自由或权利的基础更为薄弱。因此，举例来说，同史密斯不同，我们可以认为，宪法原则的概念需要进行全面的重新思考，或

---

　　[7] 同前，页61, 126；请看，页 viii；也请看，Stephen M. Feldman, *Principle, History, and Power: The Limits of the First Amendment Religion Clauses*, 81 Iowa L. Rev. 833 (1996)（集中关注了史密斯的结论在宪法宗教条款法理学的具体语境中的重要性）。
　　[8] Cass Sunstein 是另外一位出色的现代主义学者，他用后现代的洞见作为构建现代主义论辩的工具。请看，Stephen M. Feldman, *Playing With the Pieces: Postmodernism in the Lawyer's Toolbox*, 85 Va. L. Re5. 151 (1999); Stephen M. Feldman, *Exposing Sunstein's Naked Preferences*, 1989 Duke L. J. 1335; 请看，例如，Cass R. Sunstein, *The Partial Constitution* (1993)。

者一个自洽的抽象的宪法原则对一般规范的实际的或实用的强制执行而言并非必须。答案是,把后现代主义作为一种批评性的工具进行选择性的使用——把它针对其他作者的观点来使用——这仍然在表面上允许创造性的现代主义作者(而史密斯就是一个不错的这种学者)或者建议一个可欲的规范性目标或者把某一更喜欢的政府程序或规范价值建立在一个显得很坚实的基础之上。

因此,后现代的观点已经渗透了现代主义的学术,但同时,后现代法理学者仍然在现代主义的阴云之下写作。很多后现代主义者倾向于全神贯注于现代主义的关切——比如反基础主义与基础主义、反本质主义与本质主义,等等。后现代法理学者继续强调的自己学术的那些方面恰恰是把他们最为清楚地同他们的现代主义同事和前辈区别开的那些方面。因此,就像在第2章提到的,在后现代主义走出了这片阴云之后,当后现代主义者不再驻足于现代主义的关切时,后现代主义就可能进入第二个阶段。因此,不再重复第2章结尾提到的后现代主义的可能的变形的一般性的讨论,这里讨论的具体问题如下:潜在的第二阶段的后现代主义可能以怎样的形式表现在美国法律思想的领域之中?但是,在试图回答这个问题之前,应该重复一下第2章的警告:这里对第二阶段的现代主义的讨论是试验性的和建议性的。当然,如果现代的与后现代的法律学术之间的边界仍然模糊不清,就像我承认的那样,那么对潜在的第二阶段后现代法理学的任何讨论都必须被理解为至多是猜测性的。

不论如何,我将首先从一个可能有点与直觉相反的视角讨论第二阶段后现代法律思想,即从最高法院的角度进行讨论。我已经论辩说,后现代的文化已经在部分上渗透了最高法院的判决过程,但现在我想给这一主张加上一个自相矛盾的补充。我不是把最高法院的后现代主义理解为次于或者起源于后现代法律学术,相反,我想考虑这样的可能性:最高法院通过预示第二阶段后现代法律思想的一些方面而提供了对未来的至少是局部的一瞥。怎么会是这样的呢？最高法院在美国社会中的结构性角色是关键的：最高法院的角色促使大法官们从一个极其不同于后现代学者的方向切入后现代的洞见。而且，从最高法院的方向上看，后现代主义已经以奇特的方式形成了，可以论辩说，这些方式可能预示着第二阶段的后现代主义。

为了更完全地理解最高法院的品牌的后现代主义，首先必须认识到大法官们的位置是如何至少以一个重要的方式代表了当前的后现代文化条件。就像第 2 章提到过的，后现代文化研究常常把后现代的主体或媒介描述为有些类似于处在超速运动中的现代主义的自我：文化地或社会地构建起来的后现代的主体是一个不停地在没有坚实的（现代主义的）理由或基础的情况下就在追寻个人区别的过程中作出愚蠢的决定或选择的人。美国文化的碎裂同资本主义的商业主义混合在一起，把激进主义商品化了。后现代的主体是一个超级消费者，通过从多种多样的大规模生产和大规模广告的商品中进行选择，他试图购买激进的个人特征或独特性。从这一视角看来，最高法院大法官们可以被看作是典型的后现代主体。这些大法官（作为大法官）可能并不是精确意义上的超级消费者，但是他们是超级决定者。就像他们在最高法院中的前辈一样，现在的大法官们必须不停地决定、决定、再决定——这就是他们在美国社会中的角色，决定案件并且决定是否为大量的其他案件发出调审令；例如，最高法院在 1977 年的审期中处理了接近 7000 个案件。但是，同他们的现代主义最高法院前辈不同，至少有一些大法官现在看起来在判决时并没有对一个坚实的现代主义基础的信念，不拥有令人放心的表面上的客观性。在没有基础的情况下作出判决，这是当今的大法官们在一个后现代世界中的角色。

因此，最高法院大法官同后现代法律学者在一个重要的方面不同。因为仍然处在现代主义的关切的阴影之下，后现代学者或理论家倾向于强调文本含义的不稳定性。很多后现代学者试图驳斥现代

第六章 结论：偷觑未来？

主义，除了解构那些有关一个重要的文本的（不论这个文本是法律、文学、哲学或其他）被广泛接受的、主流的解读，他们显得没有什么别的爱好了。这种对于一种主流解读的解构不可避免地揭示出了这个文本从前受到压制的不同的含义或真理。因此，这些后现代解构主义者显然反对对一个文本的一个单一含义的任何权威性的宣示。但是，这种权威性的宣示被例行公事地从最高法院发出。别忘了，最高法院的一个功能就是判决案件，而在这样做时，他们必然要宣布那个法律。尽管很多后现代学者赞美文本含义和真理的多重性，但是最高法院的权威性宣示实际上压制了或杀死了不同的可选择的含义。雅克·德里达及其在法理学界的信徒可能宣称一个文本的含义是无法决定的，但是最高法院大法官必须决定。法律教授可以陶醉于文本的模糊性——事实上，这种模糊性有益地产生了大量的学术出版物——但是最高法院的大法官们必须宣示法律。[9]

这样，因为最高法院的身份就是法律的权威宣示者，所以大法官们——至少在他们作为大法官的角色当中——不大可能具有像法律教授那样的后现代性。他们不是变成了公开的和直接的赞美多重文本含义的后现代理论家——就像在很多教授身上发生的一样——相反，大法官们继续发出判决。因此，大法官们更可能使用后现代的洞见，比如反基础主义，就好像它们是现代主义的工具，比如遵循先例，以帮助令人满意地解决案件。当然，对后现代洞见的这种工具性的使用可以招致指责：大法官们仅仅是不坦诚或不可靠，而

---

[9] Robert M. Cover, *Foreword: Nomos and Narrative*, 97 Harv. L. Rev. 4 (1983)（讨论了法院为什么实际上杀死了法律含义）；Leading Cases, Table II (A), 112 Harv. L. Rev. 372 (1998)（有关最高法院处理的案件数量）。

不是真正的后现代。[10] 实际上，从这一视角看来，我们可以再进一步推论说，在后现代理论与司法判决过程之间存在着内在的张力；因此，后现代法理学这个想法中一定存在着无法超越的局限。法律学术的实践可能可以成为后现代的，但是法律的实践和司法判决过程却不能如此。在一定程度上，这一观察可以在部分上解释法律学者与法官之间明显增长的重叠。事实上，如果他们各自在美国社会中的结构性功能把他们引向了不同的方向，特别是在对后现代文化的反应方面把他们引向了不同的方向，那么这一空隙可能会变成一个持续的和无法逾越的鸿沟。同他们研究过司法意见的现代主义先辈不同，后现代法理学者会继续越来越少地关注法官和他们的意见，而法官，包括最高法院法官的反应是，继续忽略或蔑视法律学者的作品。[11] 但同时，我们不应忽视对最高法院进行一种另类的和更为后现代的理解的可能性。如果我们把后现代主义看成是至少在部分上是一个文化的问题，那么，就像提到过的，某些最高法院的行为就恰恰可以被理解为后现代文化在司法实践中的表现。但是，因为大法官们常常以工具性的方式，作为工具借用后现代的洞见，所以大法官们会为后现代主义描绘一幅相当奇怪的图画——至少从第一阶段后现代主义的立场看来很奇怪。

---

〔10〕 例如，斯卡利亚大法官可以被合乎情理地指责为不坦诚或不真诚，我们可以比较一下他有关最高法院的灵活性的陈述（我在第5章接近结尾的地方提到过）以及他有关应该寻找那种所谓能够缩小司法裁量权形式主义的进路的主张。请看，Eric J. Segall, *Justice Scalia, Critical Legal Studies, and the Rule of Law*, 62 Geo. Wash. L. Rev. 991（1994）（强调了斯卡利亚对形式主义进路的支持）。

〔11〕 请比较，Robert Post, *Postmodern Temptations*, 4 Yale J. L. & Human. 391, 396（1992）（"不存在后现代的法律，尽管存在着对法律的后现代的评论"）。有关最高法院大法官毁誉法律学术界的例子，请看，*Romer v. Evans*, 517 US 620, 652-653（1996）（斯卡利亚大法官，反对意见）；*Seminole Tribe of Florida v. Florida*, 517 US 44, 6859（1996）（伦奎斯特大法官，多数派意见）。J. M. 巴赫金论辩说，后现代宪法观的特征恰恰就是法律学术界与作出反应的法官之间的这种鸿沟。J. M. Balkin, *What Is a Postmodern Constitutionalism?* 90 Mich. L. Rev. 1966, 1967（1992）。

但是，最高法院处理后现代主义的角度可能预示了第二阶段后现代法律思想的一个方面。具体说，最高法院那种形式的后现代主义可能预示了后现代恐怖主义的病态条件。就像在第2章描述过的，后现代恐怖主义可能采取两种不同的形式：物理的或阐释的。后现代恐怖主义者认识到，含义是没有基础的，并且，在后现代文化当中，知识在以令人眩晕的速度增长。但是，不是被这种超文化压倒或者陷于一种恍惚状态，后现代恐怖主义者试图停止后现代文化的无情的超速度，哪怕只是一会儿。恐怖主义者这么做的方式可能是通过一个物理上的暴力行为，或者以一种不那么具有伤害性的方式试图进行一种专制地（为一个文本或类文本）主张一个含义的阐释行为。

最高法院可以被理解为预示了物理的和阐释的后现代恐怖主义。从一种阐释学的视角看，很少有后现代学者会认为解构暗示着一种文本上的随心所欲或"随便什么"——即使现代主义批评者一贯认为后现代主义者持有这种立场。从一种后现代的立场看来，解构主义解释了我们如何理解一个文本，以及这个过程如何使某种条件或限制成为必然。但是，从最高法院的视角看来——这部分上来自于它的结构位置——后现代主义可能看起来恰恰就好像许可了我们进行不受约束的文本解释。大法官们（或至少他们中的一些人）认识到，他们的司法判决无法被客观地放在坚实的基础之上，但是他们仍然必须判决这些案件。因此，大法官们必须专制地宣示法律。他们必须宣示含义——他们认识到这种含义最终是没有基础的、短暂的和不断变化的，但却被以最为权威的方式进行了宣示。大法官们可能是在以一种后现代的方式摆弄司法的碎片，但是他们在很多情况中会继续行为，就好像他们是在发现具有客观基础的法律规则或者甚至是在从永恒的原则中推导出没有争议的结论。而且，大法官们在这么做的时候可以不带有任何现代主义的焦虑。他们不再害怕这样的可能性：自己的判决不具有客观的基础。相反，大法官们不但知道自己的判决是没有基础的，而且也知道这种没有基础其实并不重要。大法官们可以不受惩罚地摆弄现代主义司法实践和判决过程的工具。因此，对像威廉·伦奎斯特和安东尼·斯卡利亚这样的保守主义大法官来说，基础的缺失看起来仅仅是正当化了他们遵循自己的保守主义政治倾向的做法。而且，他们可能会问，如果没有现代主义的基础和规则迫使他们沿着不同的政治和法律方向前进，那么他们还能做些什么别的事情的呢？同他们在法律学术界的疏远的同事不同，大法官们不能赞美文本含义的不可决定性，因为，就像大法官们可能讥笑的，他们仅仅是太忙于判决真实案件了。那么物理上的后现代恐怖主义又是如何呢？它尾随大法官们的阐释上的恐怖主义而来。因为，当大法官们专制地宣示法律的时候，最高法院的判决常常具有实际的后果，这种后果有时如同生死一样极端。例如，当最高法院拒绝了一位死刑被告的人身保护令申请状时，申请人就面对着几乎肯定的死亡，不论最高法院的宣示是否基于客观的基础。[12]

最后，这些观察对潜在的第二阶段的后现代法律学术有什么暗示呢？在这里，后现代恐怖主义是一个可能性，但是不是惟一的可能性。就像在第5章中讨论过的，后现代法理学的一个重要组成部分是元学术——有关学术的学术。但是，在现代主义的阴云尚未消退时，有关这种元学术的想法在预测中的第二阶段后现代主义中就变得有问题了。元学术经常不仅仅是有关学术的学术，更精确地说，它是对现代主义法律学术进行解构的后现代学术。因此，如果现代主义法律学术不再被生产出来——如果现代主义的阴云消散了

---

〔12〕 Jonathan Culler, On Deconstruction 110 (1982); Madeleine Plasencia, *Who's Afraid of Humpty Dumpty:Deconstructionist References in Judicial Opinions*, 21 Seattle U. L. Rev. 215, 247 (1997); 请看，Culler, 同前, 页131-134, 280; Plasencia, 同前, 页246-247; 请比较, Robert M. Cover, *Violence and the Word*, 95 Yale L. J. 1601 (1986)（论辩说, 法律解释可以导致对自由、财产等的丧失）。

——那么后现代法律学者就无法再写作元学术来解构当今的现代主义的学术了。那么又如何呢？我记起了一个网站上评论后现代美国文化的一段文字："（我们美国人）实际上在文化层面上是在被进行殖民。否则，如何解释为什么像'手工制作的'啤酒和小作坊生产的面包这种可笑的非美国的产品突然变得如此蔚为壮观地流行？从何时起，百威（Budweiser）啤酒和万德面包（Wonderbread）再也配不上美国人了？"[13] 尽管有些间接，但是这段话表明了后现代法律学术的至少四种可能的未来。

在第一种可能性当中，后现代法理学者本身，就像最高法院大法官一样，可能从事一种阐释的后现代恐怖主义。如果说购买百威啤酒和万德面包对美国人来说一直都足够好，那么，用法理学的话来说，就法律原则和规则以及司法判决进行写作对美国法律学者来说也一直都不错。受这种情绪影响，一些第二阶段的后现代法理学者实际上可能重新开始写作教义性的学术作品——就法律原则和规则以及司法判决进行写作——尽管不再有现代主义的做作了。这些后现代法理学者可能会认识到，不论后现代文化是怎样的，司法判决过程都会继续下去，而法官（以及最高法院大法官们）会继续为自己的判决阐述类似现代主义的正当化理由——不论这些法官是否仍然相信这种正当化理由和判决是具有客观基础的。因此，第二阶段的后现代学者可能写作十分类似于现代主义教义性学术作品的教义性学术作品，但是后现代主义者在这么做的时候会具有一种不同的态度和一种不同目的。现代主义者过去写作（就此而言，他们现在仍然在写作）教义性的学术作品时，带着一种对基础的焦虑不安的确信：他们认真地援用现代主义的司法推理和判决工具，试图有目的地给法院指出客观的答案。相反，后现代主义者可能游

---

[13] Suck.: Worst–Case Scenarios in Media, Culture, Advertising, and the Internet 114 (Joey Anuff and Ana Marie Cox eds., 1997).

戏似作和讽刺性地、而非认真地和热切地写作教义性的学术作品。尽管知道自己的教义性的建议不会真的限制司法判决过程，但是后现代学者仍然可能提出教义性的框架，游戏似作戏仿司法意见，同时模拟一种现代主义司法工具与后现代洞见之间的游戏性的和讽刺性的混合。但是，在根本上，第二阶段后现代法理学者写作这种教义性学术作品可能仅仅是因为他们处在后现代的情势之中，而因为如此，他们可能觉得只需要尽量强有力地或尽量恐怖地主张某一含义。换言之，第二阶段的后现代法理学者可能会开始带着某种态度使用百威啤酒和万德面包。

但是，作为第二个可能性，第二阶段的后现代法理学者实际上可能放弃并且完全停止谈论百威啤酒和万德面包。元学术——有关现代主义学术的后现代学术——可以被理解为后现代对使用百威啤酒和万德面包的解构主义批判。但是，如果我们全都停止使用百威啤酒和万德面包，那么后现代主义者就不再需要解构当前对它们的使用了。如果后现代文化充分地渗透了法律和法理学实践，以至于每个人都开始使用手工制作的啤酒和小作坊生产的面包，那么谁还会关心百威啤酒和万德面包呢？这一可能性可能是后现代法律学术最不确定的未来。如果他们不再批评现代主义学者（并且不再写作有关司法判决过程的游戏性的戏仿），那么他们会谈论些什么呢？我至多只能尝试提出一些可能性。后现代学者可能更多地就一个后现代社会中的法律现象进行写作。法律是怎么产生的？法律在后现代文化中是如何运作的？因此，再一次，后现代学者可能继续自我陶醉地讨论法律学术——尽管他们现在集中关注的是后现代学术本身，或换句话说，集中关注后现代学者到底应该写些什么的问题。

在第三个可能性里，后现代法律学术的未来可能与它当前的状态差不了多少：一种独特的第二阶段后现代法理学可能根本就不会出现。为什么不会出现？可能百威啤酒和万德面包一直都会在那儿。别忘了,经济学是有意义的。一些美国人买不起除了百威啤酒和万德面包之外的任何东西;事实上,一些人甚至连这样的标准也无法达到。实际上,任何类似于使用百威啤酒和万德面包的后现代的批判是不是有点儿太上层中产阶级了、太自命不凡了?而且,尽管这种对后现代主义的批评可能具有一些典型性,但是它难道不令人不安吗?从这一视角看来,后现代主义者看起来常常是白种学者,他们远离真正的社会斗争——那些穷人、有色人种的穷人和其他外围集团的斗争——并且就这种理论是关于什么创造自己的理论,对外围集团和少数族裔的词语和行为进行殖民。而且,就像总是存在着需要购买百威啤酒、万德面包或者类似的通用品牌的穷人一样,也总是存在着普通的律师,他们仅仅是想混日子——起草遗嘱、处理汽车事故、帮助处理工人赔偿主张,等等。这些律师中的很多人根本就没有时间关心目空一切的理论;他们需要挣生活。为了生活,他们需要一些基本的规则,几个先例,以及一些不错的格式汇编。而且,这些律师会继续在州法院和地方法院执业,这里的法官会继续发出平凡的司法实践中的判决。实际上,就像已经讨论过的,即使在联邦司法系统的最高层次,法院在美国社会中的结构性角色也要求判决、判决、再判决。而且,如果是这样的话,我们就可以合乎情理地假定,一些法律学者会就这种司法判决过程进行写作,会建议判决、判决、再判决。换句话说,在可以预见的将来,现代主义法律学术不大可能消失,这恰恰是因为总是会有美国法理学者坚持就百威啤酒和万德面包进行写作——就人们认为的由客观的规则和原则决定的判决进行写作。因此,这就意味着,那些试图写作元学术——解构现代主义学术、解构美国法理学图景中的百威啤酒和万德面包的后现代学术,即使这种后现代写作本身也可以被解构为一种形式的以阶层为基础的精英主义——的后现代法理学者总是会有重要的角色可以扮演。

第四种可能性是,第二阶段的后现代主义根本就不是后现代的；相反，第二阶段的后现代主义仅仅是对现代主义的回归。但是，可能到了那个时候，很多法理学者都会效仿当今像史蒂文·D·史密斯这样的现代主义者：驯服一两个后现代的主题，然后把它们扔到法律人的工具箱中（很可能不会承认、对一些法理学者来说甚至可能不会认识到它们的后现代的起源）。当有用的时候，这些法理学者会拿出自己的后现代的小工具，为了自己的目的使用它们，然后把它们安全地放起来。换言之，后现代主义潜在的激进的特质会被征服，只有几样后现代的残留物会偶然被从工具箱里拉出来当做复杂的政策论辩。当然，在很大程度上，这是现代主义者的梦想：现代主义法理学会战胜时下的后现代的时尚。别忘了，从这一视角看来，什么是后现代法律思想？或者换句话说，什么是手工制作的啤酒和小作坊生产的面包？最终，它仍然仅仅是啤酒和面包罢了。而当流行的时尚过去之后，百威啤酒和万德面包却会保留下来——或者说现代主义者是这样希望的。但是，这种转变的可能性有多大？一旦我们尝试过了手工制作的啤酒和小作坊生产的面包，原来的百威啤酒和万德面包就永远不会像从前一样了。我们真的能掉转车头回到过去吗？即使我们试图这么做，原来的百威啤酒和万德面包可能不会等着我们回去；我们可能与从前不一样了。别忘了，尽管经济学很重要，但很难对它进行预测。例如，我们可能不仅有万德面包，我们可能还有全麦万德面包、黑麦万德面包、多种谷物万德面包、葡萄干万德面包、健康坚果万德面包、高纤维万德面包以及原味万德面包。万德面包本身可能已经变成了小作坊生产的面包。因此，我们会在哪里？现代还是后现代？

索 引

Abernathy 艾伯纳西, Ralph 拉尔夫, 139
Abolitionism 废奴主义。请看, slavery 奴隶制
Abortion 堕胎。请看, Planned Parenthood v. Casey 计划生育协会诉凯西案; Roe v. Wade 罗伊诉韦德案
Adair v. United States 案, 235 注 55 – 56
Adams 亚当斯, John 约翰, 59, 61, 68, 75
Adkins v. Children's Hospital of the District of Columbia 案, 235 注 55
Administrative Procedure Act《行政程序法》, 157
African Americans 非洲裔美国人, 67, 71, 101, 116, 123, 125, 135, 139, 158; 也请看, outsider jurisprudence 局外人法理学
Alexander 亚历山大, Gregory S. 格雷戈里·S, 167

ALI。请看, American Law Institute 美国法律研究所
Alien and Sedition Acts《外国人与反叛法案》, 71
Allgeyer v. Louisiana 阿尔格耶诉路易斯安娜案, 104, 234 注 49, 235 注 55 – 56
American Anti – Slavery Convention 美国反奴隶制大会, 87
American Historical Association 美国历史学会, 150
American Law Institute 美国法律研究所（ALI）, 111
American legal realism 美国法律现实主义。请看, realism 现实主义
American Political Science Association 美国政治学学会, 116
American Protestantism 美国新教主义, 51, 67, 71 – 73, 75, 84 – 85; 也请看, Great Awakening 宗教大复兴, First 第一次; Great Awakening 宗教

大复兴,Second 第二次
American Revolution 美国独立战争, 49-51, 58-59, 65-66
Ames 埃姆斯, James Barr 詹姆斯·巴尔, 95-96, 134 注 51
antebellum legal education 南北战争前的法律教育。请看, legal education 法律教育; Litchfield Law School 利奇菲尔德法学院
Antelope 案 (*The Antelope*), 222 注 65
anti-elitism 反精英主义, 69; 也请看, elitism 精英主义
anti-essentialism 反本质主义, 38, 159, 161, 163-165, 170-171, 175, 192
anti-Federalists 反联邦党人, 60
anti-foundationalism 反基础主义, 38, 153-154, 159, 161, 163-165, 170-171, 175, 180, 183, 192
anti-intellectualism 反智识主义。请看, anti-elitism 反精英主义
Aquinas 阿奎那, St. Thomas 圣·托马斯, 14
Arendt 阿伦特, Hannah 汉娜, 131
Aristotle 亚里士多德, 12, 88, 96-99
Arnold 阿诺德, Thurman 瑟曼, 110
Articles of Confederation《邦联条例》, 59, 63
Augustine 奥古斯丁, St. 圣, 13

Austin 奥斯汀, John 约翰, 90-91, 106, 129
Backer 拜科尔, Larry Catá 拉里·卡达, 165
Bacon 培根, Francis 弗朗西斯, 17, 56; and Baconian science 与培根主义的科学, 52-56
Bailey v. Drexel Furniture Co. 案 (*Child Labor Tax Case* 童工税收案), 234 注 49
Balkin 巴赫金, J. M.(Jack 杰克), 31, 165, 168, 170, 174, 180-181, 259-260 注 114, 261 注 11
Bankruptcy Act《破产法》, 113
Baudrillard 保德里拉德, Jean 吉恩, 43, 46, 258 注 101
Bauman 鲍曼, Zygmunt 塞格蒙特, 18
Beale 毕尔, Joseph 约瑟夫, 93, 233 注 41, 234 注 51
Bell 贝尔, Derrick 德里克, 159, 174
Bentham 边沁, Jeremy 杰里米, 65-66, 70, 90; 也请看, utilitarianism 功利主义
Berger 博格, Raoul 拉欧尔, 44
Bickel 比格尔, Alexander 亚历山大, 124, 126, 133-135
Black 布莱克, Charles 查尔斯, 128
Black 布莱克, Hugo 胡果, 124, 143
Black Power "黑色力量", 139
Blackmun 布莱克门, Harry 哈里, 144-147, 182

Blackstone 布莱克斯通，William 威廉，50，91；and forms of action 与诉讼形式，56

Blasphemy 亵渎上帝，73

Bledsoe 布莱德索，Albert Taylor 阿尔伯特·泰勒，88

Blumenberg, Hans, 204 注 21, 205 注 33

Bobbitt 鲍比特，Philip 菲利普，172

Bork 伯克，Robert 罗伯特，144，148

Boston University Law School 波士顿大学法学院，236 - 237 注 65

Boyle 波义耳，James 詹姆斯，175

Bozeman 博兹曼，Theodore 西奥多，53

Bradley 布拉德利，Joseph P. 约瑟夫·P，104

Braucher 布罗切，Robert 罗伯特，126

Brennan 布冉能，William J. 威廉·J，142 - 143，145

Brest 布莱斯特，Paul 保罗，132，136，150

Brown 布朗，Ernest 欧内斯特，126

Brown v. Board of Education 布朗诉教育委员会案，8，123 - 128，133，135 - 136，147 - 149，157 - 158，243 注 104

Brown v. Board of Education 布朗诉教育委员会案（*Brown* II 布朗案 II），125，243 注 105

Budweiser 百威啤酒，196 - 198

Burger 博格，Warren 沃伦，144，147

Burke 伯克，Edmund 埃德蒙，122

Butchers' Union Co. v. Crescent City Co. 屠夫工会公司诉新月城公司案，104，235 注 56

Butler 巴特勒，Pierce 皮尔斯，60

Calhoun 卡尔霍恩，John C. 约翰·C，88 - 89

Calvin 加尔文，John 约翰，15 - 18，21 - 23，66 - 67，203 注 14，205 注 30；and Hobbes, Thomas 与托马斯·霍布斯，20 - 21；也请看，predestination 宿命论

Calvinism 加尔文主义。请看，Calvin 加尔文，John 约翰

Cardozo 卡多佐，Benjamin 本杰明，5，109

Carmichael 卡米克尔，Stokely 斯多克里，139

Carrington 加灵顿，Paul D. 保罗·D，132 - 133

Carter 卡特，James Coolidge 詹姆斯·柯立芝，105 - 106

case method 案例教学法。请看，legal education 法律教育

Chanes 切恩斯，Jerome A. 杰罗米·A，123

Charles River Bridge v. Warren Bridge Comp. 查尔斯河大桥诉沃伦大桥公司案，77 - 78，223 注 80

Chicago, Milwaukee & St. Paul Railway v. Minnesota 案（*Minnesota Rate Case* 明尼苏达州税案），234 注 49

Chipman 齐伯曼, Nathaniel 内森尼尔, 4-5, 50, 52, 63-65, 74, 80-81, 223 注 72, 224 注 85-86

Christianity 基督教, 12-14, 21-22, 141；也请看, American Protestantism 美国新教主义；Protestant Reformation 新教改革

Church of Scientology of California v. Internal Revenue Service 案, 259 注 109

Citizens' Saving & Loan Ass'n v. City of Topeka, 235 注 55

civic republicanism 公民共和主义, 66, 89；and Aristotle 与亚里士多德, 12, 88；and Machiavelli 与马基雅维利, 14-15, 58, 60；也请看, republican government 共和制政府

Civil Rights Acts《民权法案》, 101, 116, 123, 157, 239-240 注 87

civil rights movement 民权运动, 29, 123, 137-140, 158-159；也请看, Brown v. Board of Education 布朗诉教育委员会案

Civil War 南北战争, 6, 65, 74, 83, 85-86, 90-91, 102, 140, 188；也请看, slavery 奴隶制

Clark 克拉克, Charles 查尔斯, 113

classical orthodoxy 古典的正统学说,

231-232 注 30；也请看, Langdellian legal science 兰德尔主义法律科学

Clinton v. City of New York 案, 259 注 112

Coase 科斯, Ronald 罗纳德, 129, 150

Coase Theorem 科斯定理。请看, law and economics 法律经济学

codification of common law 普通法的法典化, 70-71, 105-106；Massachusetts commission 马萨诸塞州特别委员会（with Joseph Story 包括约瑟夫·斯托里）, 55-56

Cohen 科恩, Felix 费利克斯, 110-111, 114

Cohen, Morris, 238 注 79

Cold War 冷战, 116, 118, 123, 125, 138, 140

common law 普通法, 76-77, 81-82, 91；American acceptance of English common law 美国对于英国普通法的接受, 50-51；and Christianity 与基督教, 51, 73, 222 注 70；也请看, codification of common law 普通法的法典化；forms of action 诉讼形式

computer-assisted legal research 计算机辅助法律研究, 155-157, 162；也请看, computers 计算机

computers 计算机, 29；graphical user

interface 图形用户界面（GUI），157，162；hypertext 超文本，156，168；也请看 computer – assisted legal research 计算机辅助法律研究

Confederate Constitution 《邦联宪法》，89

confidence 信心，137 – 138，140；in legal academy 法律学术界的信心，157，162；也请看，idea of progress 进步的思想

Connor 康纳，Steven 斯蒂文，42

Consensus 共识（social 社会的），109，117 – 119，137 – 141；in legal academy 法律学术界的共识，157 – 158，162

consensus theory 共识理论。请看，consensus 共识（social 社会的）

Constitution 《宪法》（American 美国的），59 – 63，75 – 76，118，149，158 – 159；Christian amendment 基督教修正案，141；and liberty 与自由（contrasted with Revolutionary era 与独立战争时期对比），61；and property 与财产，67；ratification 批准，60；也请看，Brown v. Board of Education 布朗诉教育委员会案；Griswold v. Connecticut 格里斯沃德诉康涅狄格州案；interpretive turn 解释的转变，Lochner v. New York 洛克纳诉纽约案；Planned Parenthood v. Casey 计划生育协会诉凯西案；Roe v. Wade 罗伊诉韦德案

contraceptives 避孕器具。请看，Griswold v. Connecticut 格里斯沃德诉康涅狄格州案

Cook 库克，Walter Wheeler 沃尔特·威勒，110，113

Cooley 库利，Thomas M. 托马斯·M，102 – 106；and Supreme Court 与最高法院，235 注 55

Coppage v. Kansas 案，235 注 56

Cornell 康奈尔，Drucilla 德鲁西拉，162

corner – stone speech 基石演讲，89

correspondence theory of truth 真理的对应理论，155

Corwin 科温，Edward S. 爱德华·S，85

countermajoritarian difficulty 反多数派的难题，134 – 135

Country（Opposition）ideology "国家"（"反对派"）意识形态。请看，republican government 共和制政府

County of Sacramento v. Lewis 萨克拉门托县诉刘易斯案，185，259 注 111

Cover 卡弗尔，Robert 罗伯特，152，230 注 24

Cox 考克斯，Archibald 阿奇拜尔德，48 – 49

critical legal studies 批判法律研究（CLS），129 – 133，150，176

critical race theory 批判种族理论，159
—161，174

cultural relativism 文化相对主义。请
看，ethical relativism 伦理相对主义

cultural studies 文化研究，39—40，44
—45，193；也请看，postmodern legal thought 后现代法律思想

Culver 加尔弗，John C. 约翰·C，138

cyclical time 循环的时间。请看，premodernism 前现代主义；premodern legal thought 前现代法律思想

Dahl 达尔，Robert 罗伯特，118

D'Amato 达马托，Anthony 安东尼，164

Dartmouth College v. Woodward 达特茅斯学院诉伍德沃德案，77，223注79

Darwin 达尔文，Charles 查尔斯，84—85

decentered self 非中心化的自我，174—175

Declaration of Independence《独立宣言》，49，58，87—88，104

deconjustice 解正义，165

deconstruction 解构，33—38，193；and anything goes 与"随便什么"，195；deconstructive implosion 解构的爆聚，180；and legal scholarship 与法律学术，159，164—67，170，172，176，179—181，193；也请看，deconjustice 解正义；Derrida 德里达，Jacques 雅克

Delgado 戴尔格多，Richard 理查德，155—156，159，167，169，174，251注48，252注55

DeLillo 德里罗，Don 唐，48

democracy 民主，68—70，115—120，123，133—136；也请看，pluralist political theory 多元化民主理论；relativist theory of democracy 相对主义的民主理论

democratic theory 民主理论。请看，democracy 民主

Derrida 德里达，Jacques 雅克，30，33—38，42—44，167，209注62，210注71；and legal scholarship 与法律学术，155，165，194；也请看，deconstruction 解构

Descartes 笛卡尔，René 莱恩，22—24，94，205注35，206注37

Dew 迪尤，Thomas R. 托马斯·R，87

Dewey 杜威，John 约翰，110，113，117，240注89

Dickinson 狄金森，John 约翰，63

different voice 不同的声音，38—39，159—160；也请看，outsider jurisprudence 局外人法理学

Doe v. Bolton 案，248注20

Douglas 道格拉斯，William O. 威廉·O，113—115，124，42—44，47

due process 正当程序。请看, Fourteenth Amendment 第 14 修正案

Duke University 杜克大学, 153; Law School 法学院, 133

Durkheim 迪尔凯姆, Emile 埃米尔, 131

Dworkin 德沃金, Ronald 罗纳德, 128, 181

Dykstra 迪克斯特拉, Clarence 克拉伦斯, 116–117

easy cases 简单的案件, 163–164

Edwards 爱德华兹, Jonathan 约拿丹, 58

Eliot 艾略特, Charles 查尔斯, 92–93

elitism 精英主义, 58–61, 64, 68–69, 72, 89; 也请看, anti-elitism 反智识主义

Ely 伊利, John Hart 约翰·哈特, 135–136, 47, 49–50, 248 注 27; 也请看, representation-reinforcement theory 代议强化理论

Emerson 爱默生, Ralph Waldo 拉尔夫·沃尔多, 184

Emerson 爱默生, Thomas 托马斯, 44

empiricism 经验主义 (second-stage modernism 第二阶段现代主义), 24–26

empiricist legal thought 经验主义法律思想。请看, realism 现实主义

Engel v. Vitale 恩戈尔诉维塔尔案, 40–41, 247 注 9

equal protection 平等保护。请看, Founeenth Amendment 第 14 修正案

Erie R. Co. v. Tompkins 案, 217 注 23

eschatological time 末世论的时间。请看, premodernism 前现代主义; premodern legal thought 前现代法律思想

Eskridge 埃斯克里奇, William 威廉, 159–160, 182

ethical relativism 伦理相对主义, 115–117, 149–150

Euclidean geometry 欧几里得几何学, 94

Ewick 尤威克, Patricia 帕特里西娅, 175

expansion 扩张 (geographical 版图的), 67, 75

Fajer 费杰尔, Marc A. 马克·A, 159

Federal Rules of Civil Procedure《联邦程序规则》, 157

Federalists 联邦党人, 60, 68–69, 72, 74; 也请看, Hamilton 汉密尔顿, Alexander 亚历山大; Madison 麦迪逊, James 詹姆斯

Felstiner 菲尔斯蒂纳, William L. F. 威廉·L·F, 167, 170, 173

feminist jurisprudence 女权主义法理学, 159–163, 170, 175

Feuerbach 费尔巴哈, Ludwig 路德维格, 131

Field Code《菲尔德法典》, 70–71,

222 注66

Field 菲尔德, David Dudley 戴维·达德利, 71

Field 菲尔德, Stephen J. 斯蒂芬·J, 104

Fifteenth Amendment 第15修正案, 101, 116

Fifth Amendment 第5修正案, 142

First Amendment 第1修正案, 141-142, 184, 191

Fish 费什, Stanley 斯坦利, 152-155, 163, 169, 171, 178

Fitzhugh 菲茨休, George 乔治, 89

flag desecration 侮辱国旗, 183-184

Flag Protection Act《国旗保护法案》, 259 注108

Fletcher v. Peck 案, 217 注24

Foner 方纳, Eric 埃里克, 83-84

footnote four 脚注4。请看, United States v. Carolene Products 美国诉卡罗琳产品案

forms of action 诉讼形式（common law writs 普通法令状), 56-57

Fortas 福塔斯, Abe 亚伯, 110-111, 114

Foucault 福柯, Michel 米切尔, 30, 40, 155, 167, 169-170

Fourteenth Amendment 第14修正案, 100-101, 104, 124-125, 141-146, 185

Fourth Amendment 第4修正案, 142

framing 制宪。请看, Constitution《宪法》(American 美国的)

Frank 弗兰克, Jerome 杰罗米, 110, 113

Frankfurter 弗兰克福特, Felix 费利克斯, 122, 124-125, 141, 242 注99, 243 注104, 247 注12

Franklin 富兰克林, Benjamin 本杰明, 62

French philosophes 法国启蒙思想家, 203 注5

Freudian psychology 弗洛伊德心理学, 28

Frietchie 弗里奇, Barbara 芭芭拉, 184

Frisbie v. United States 案, 235 注56

Frug 弗拉格, Gerald E. 杰拉尔德·E, 132

Frug 弗拉格, Mary Joe 玛丽·乔, 162

Fugitive Slave Act《逃亡奴隶法案》, 88

Fuller 富勒, Lon 朗, 119-120

fundamental contradiction 基础性的矛盾, 131-132

Gadamer 伽达默尔, Hans-Georg 汉斯-乔治, 30-38, 40-42, 208 注56, 209 注62, 210 注71; and legal scholarship 与法律学术, 152-151, 167, 171, 210 注40; 也请看, philosophical hermeneutics 哲学阐释学

Garrison 加里森, William Lloyd 威廉·劳埃德, 86; 也请看, slavery 奴隶制
gay and lesbian studies 男同性恋和女同性恋研究, 159, 161, 173
Geertz 吉尔兹, Clifford 克利福德, 151
Gilded Age 金色时代。请看, industrialization 工业化
Gilligan 吉里甘, Carol 卡萝尔, 160
Glendon 格兰登, Mary Ann 玛丽·安, 4
Goldberg 戈德堡, Arthur J. 阿瑟·J, 143–144
Gomillion v. Lightfoot 案, 239 注 87
Gordon 高登, Robert W. 罗伯特·W, 131
Gould 古尔德, James 詹姆斯, 57, 99
graphical user interface 图形用户界面 (GUI)。请看, computers 计算机
Great Awakening 宗教大复兴, First 第一次, 51, 66; 也请看, American Protestantism 美国新教主义
Great Awakening 宗教大复兴, Second 第二次, 66, 69, 72–73, 84; 也请看, American Protestantism 美国新教主义
Green, Nicholas St. John, 236–237 注 65
Grey 格雷, Thomas 托马斯, 78, 96, 150, 231–232 注 30, 232 注 34

Griswold v. Connecticut 格里斯沃德诉康涅狄格州案, 141–149, 162, 247 注 11, 247–148 注 16–18
Gross 格罗斯, Hyman 海曼, 144
Gunther 冈瑟尔, Gerald 杰拉尔德, 134

Habermas 哈贝马斯, Jürgen 尤根, 131, 208 注 56
Hale 黑尔, Robert 罗伯特, 112
Hamilton 汉密尔顿, Alexander 亚历山大, 60, 68
Hammer v. Dagenhart 案 (*Child Labor Case* 童工案), 234 注 49, 235 注 55
Harlan 哈兰, John M. 约翰·M, 143
Harper v. Virginia Board of Elections 案, 239 注 87
Harrington 哈林顿, James 詹姆斯, 61, 67, 218 注 36
Harris 哈里斯, Angela P. 安吉拉·P, 161
Hart 哈特, Henry 亨利, Jr. 小, 5, 120–122, 127; 也请看, legal process 法律程序学派
Hart 哈特, H. L. A., 129
Hartz 哈兹, Louis 路易, 122
Harvard Law Review《哈佛法律评论》, 120, 122, 126, 149
Harvard University 哈佛大学, 92, 119; Law School 法学院, 92
Harvey 哈维, David 大卫, 29

Hatch 哈奇, Nathan 内森, 66

hate speech 仇恨言论, 169, 174

Heidegger 海德格尔, Martin 马丁, 30, 33, 131, 167

Higgins 希金斯, Tracy E. 特雷西·E, 170

Hilliard 希利亚德, Francis 弗朗西斯, 52, 54-55, 57, 76-77, 79

historical school of jurisprudence 历史法学派, 105-106

historicism 历史主义, 19; 84-85, 91-93, 99-100, 106, 113-114

Hitler 希特勒, Adolph 阿道夫, 123

Hobbes 霍布斯, Thomas 托马斯, 19-21, 25, 204注27, 205注29

Hodgson 霍芝森, Godfrey 戈弗雷, 139

Hoffman 霍夫曼, David 大卫, 52-54, 56, 73, 92

Hofstadter 霍夫施塔特, Richard 理查德, 69

Holmes 霍姆斯, Oliver Wendell 奥利弗·温德尔, Jr. 小, 5, 106-109, 112, 114, 145, 236-237注62-69; and mailbox rule 与邮箱规则, 237注67

Holocaust 种族大屠杀, 28, 123

Horwitz 霍维茨, Morton 莫顿, 71

House Un-American Activities Committee 众议院非美国行为委员会, 118

humanities 人文学科, job shortage in 人文学科中的工作职位短缺, 150

Hume 休谟, David 大卫, 24-26

Husserl 胡塞尔, Edmund 埃德蒙, 131

Hutcheson 哈其森, Joseph 约瑟夫, 111

hypertext 超文本。请看, computers 计算机

idea of progress 进步的思想, 10, 13-14, 17-19, 25, 28-29, 93, 106, 112-115, 121-122, 129, 132, 174; and periodization of progress or history 与进步或历史的阶段化, 17-18; and premodern legal thought 与前现代法律思想, 74-82; 也请看, individualism 个人主义

ideas 思想, history of 思想史。请看, intellectual history 思想史

immigration 移民, 71, 83-84; 也请看, population 人口

individualism 个人主义, 16, 23-26, 28, 66-67, 70, 72, 100, 113-115, 121-122, 129, 161, 167, 176-178; 也请看, idea of progress 进步的思想; modernism 现代主义; social construction of the self 自我的社会建构

Industrial Revolution 工业革命。请看, industrialization 工业化

industrialization 工业化, 67-68, 83-84

Ingersoll 英格索尔, Charles Jared 查尔

斯·乍雷德, 67

instrumentalism 工具主义。请看, premodern legal thought 前现代法律思想

intellectual history 思想史, the movement of ideas 思想的运动, 5–8, 189; 也请看, idea of progress 进步的思想; meta-narratives 元叙事

interdisciplinary legal scholarship 交叉学科的法律学术, 4–5, 92, 128–131, 109–110, 113–114, 150–153, 155, 162, 166–168

interdisciplinary scholarship 交叉学科学术, 39–40, 255–256 注 75; 也请看, interdisciplinary legal scholarship 交叉学科的法律学术

interpretive turn 解释的转变, 150–155, 162–163, 171–172; 也请看, law and literature 法律与文学

interpretivism 解释主义, 149–150

Jackson 杰克逊, Robert H. 罗伯特·H, 124

Jacksonian Democrats 杰克逊派民主党人, 70

James B. Beam Distilling Co. v. Georgia 詹姆斯·B·比姆酿酒公司诉佐治亚案, 185–186, 259 注 113

James 詹姆斯, William 威廉, 113

Jameson 詹姆森, Fredric 弗里德里克, 40

Jay 杰伊, John 约翰, 42, 60

Jefferson 杰弗逊, Thomas 托马斯, 49, 62, 68–70, 75

Jeffersonian Republicans 杰弗逊派共和党人, 68–70, 72, 74

Jews 犹太人, 84, 123, 141, as law professors 作为法律教授的犹太人, 241 注 94

Jim Crow laws 吉米·克罗法律, 123, 125, 158–159, 174

Joachim of Flora 芙罗拉的约阿希姆, 18

Johns Hopkins University 约翰·霍普金斯大学, 151; Institute of Law at Johns Hopkins University 约翰·霍普金斯大学法律研究所, 110

Johnson 约翰逊, Steven 史蒂文, 157

Journal of Legal Studies《法律研究杂志》, 130

jurisprudence 法理学, compared to legal thought 与法律思想的比较, 4–5

Kalman 凯尔曼, Laura 劳拉, 110, 152

Kant 康德, Immanuel 伊曼纽尔, 26–27, 117, 206–207 注 45

Kauper 考普尔, Paul 保罗, 144

Keener 基纳, William A. 威廉·A, 95, 97–98

Kelly 凯力, Alfred 阿尔弗莱德, 144

Kennedy 肯尼迪, Anthony 安东尼, 182.

Kennedy 肯尼迪, Duncan 邓肯, 131–132

Kennedy 肯尼迪, John F. 约翰·F, 137, 140

Kennedy 肯尼迪, Robert F. 罗伯特·F, 137

Kent 肯特, James 詹姆斯, 5, 52-53, 73, 75-76

Key 凯, Francis Scott 弗朗西斯·斯科特, 184

King 金, Martin Luther 马丁·路德, Jr. 小, 137, 139

kosmos, 11, 13

Kruger 克鲁格, Barbara 芭芭拉, 37

Kuhn 库恩, Thomas 托马斯, 151-152, 154, 167, 171

Lacan 拉肯, Jacques 贾克斯, 155, 167

laissez-faire constitutionalism 放任自由的宪法观, 100-105, 109-110, 112, 120, 124

laissez-faire economic theory 放任自由的经济理论, 166; 也请看, Smith 斯密, Adam 亚当

Landow 兰多, George P. 乔治·P, 156

Langdellian legal science 兰德尔主义的法律科学, 92-101, 106-111, 122, 176, 231 注 30; and Aristotle's philosophy 与亚里士多德哲学, 96-99; and constitutional law 与宪法, 101-102; and Descartes 与笛卡尔, 94; 也请看, classical orthodoxy 古典的正统学说; Langdell 兰德尔, Christopher Columbus 克里斯托弗·哥伦布

Langdell 兰德尔, Christopher Columbus 克里斯托弗·哥伦布, 92-96, 106-108, 181; and legislation 与立法, 106; and mailbox rule 与邮箱规则, 94-95, 232 注 34, 237 注 67; selection as dean 被选作院长, 230 注 29; 也请看, Langdellian legal science 兰德尔主义的法律科学

Lasky 拉斯基, Moses 摩西, 128

late crisis 晚期的危机 (fourth-stage modernism 第四阶段的现代主义), 26-28

late crisis legal thought 晚期危机的法律思想, 126-136, 148-149; events leading to late crisis 导致晚期危机的事件, 123-126

law and economics 法律经济学, 129-131

law and literature 法律与文学, 150; 也请看, interpretive turn 解释的转变

Law and Society Association 法律与社会协会, 129, 189

Law 劳, Sylvia 西尔维亚, 148, 160

Lawrence 劳伦斯, Charles R. 查尔斯·R, 161

Leff 莱弗, Arthur Allen 阿瑟·艾伦, 149

legal education 法律教育, 92, 164;

case method 案例法（of teaching 教学的），93-94，97-98；demographic transformation of academy 学术界人员构成的变迁，158，162；job boom 工作机会的大量增长，151；and professionalization of law professors 与法律教授的专业化，92，168，177-178；请看，antebellum legal education 南北战争前的法律教育；Litchfield Law School 利奇菲尔德法学院

legal process 法律程序（学派），119-123，130，143-144，148；and Brown v. Board of Education 与布朗诉教育委员会案，126-128，133-136，158，243 注 107；course materials 课程材料，241 注 96，243 注 107；events leading to legal process 导致法律程序（学派）的事件，115-119；and Frankfurter, Felix 与费利克斯·弗兰克福特，242 注 99；neutral principles 中立的原则，127-128，134-135，245 注 127；passive virtues 被动的美德，134，142；reasoned elaboration 有理由的详细阐述，121，127

legal science 法律科学（主义）。请看，Langdellian legal science 兰德尔主义的法律科学；premodern legal thought 前现代法律思想

legal thought 法律思想，compared to jurisprudence 与法理学的比较，4-5

Levinson 莱文森，Sanford 桑福德，170

Levi-Strauss 利维-斯特劳斯，Claude 克劳德，131

liberty 自由，61

Lincoln 林肯，Abraham 亚伯拉罕，83，90

linguistic power 语言的权力。请看，power 权力

Litchfield Law School 利奇菲尔德法学院，50，57

Litowitz 利托维茨，Douglas E. 道格拉斯·E，163

Llewellyn 卢埃林，Karl 卡尔，5，111，128；and Bramble Bush controversy 与《荆棘丛》争议，238 注 77

Loan Association v. Topeka 案，235 注 56

Lochnerian jurisprudence 洛克纳主义法理学。请看，Lochner v. New York 洛克纳诉纽约案

Lochner v. New York 洛克纳诉纽约案，8，100-101，103-105，110，112，114，120，124，142-145，147，234 注 49；也请看，laissez-faire constitutionalism 放任自由的宪法观

Locke 洛克，John 约翰，24-25，49，52，58，61，67，88，122，206 注 39-41

loss of confidence 信心的丧失。请看，confidence 信心
loss of consensus 共识的丧失。请看，consensus（social）（社会）共识
Louisiana Purchase 路易斯安那购地，67
Löwith 洛维茨，Karl 卡尔，12，204 注 21
Luther 路德，Martin 马丁，15，21，203 注 13
Machiavelli 马基雅维利，Niccolo 尼克尔，14-15，58
MacKinnon 麦金农，Catharine A. 凯瑟琳·A，160-161
Madison 麦迪逊，James 詹姆斯，60-61，69-70
mailbox rule 邮箱规则。请看，Holmes 霍姆斯，Oliver Wendell 奥利弗·温德尔，Jr. 小；Langdell 兰德尔，Christopher Columbus 克里斯托弗·哥伦布
Maine 梅因，Henry 亨利，105
Malcolm X 马尔科姆·X，139
Manifest Destiny "命定说"，67
Mansfield 曼斯菲尔德，Lord 勋爵，76，78
Marsden 马斯丹，George 乔治，92
Marshall 马歇尔，John 约翰，246 注 128
Marshall 马歇尔，Leon 利昂，110
Marshall 马歇尔，Thurgood 瑟古德，145
Marx 马克思，Karl 卡尔，131
Massachusetts Bay Puritans 马萨诸塞湾清教徒，73
McCarthy 麦卡锡，Cormac 科麦克，162
McCarthy 麦卡锡，Joseph 约瑟夫，118
McCulloch v. Maryland 案，246 注 128
mechanical jurisprudence 机械法理学，109
Merleau-Ponty 米罗-庞蒂，Maurice 莫里斯，131
meta-narratives 元叙事，6
meta-scholarship 元学术，176，196，198
Mexican War 墨西哥战争，67
Michelman 米切尔曼，Frank 弗兰克，129
Miller 米勒，Perry 佩雷，65，86
Minersville v. Gobitis 案，242 注 103
Minow 米诺，Martha 玛莎，100
modern legal thought 现代法律思想，3-4，7-10，83-136，163-165，176-178，188-192；secularization 世俗化，84-85，91-92；也请看，historicism 历史主义；Langdellian legal science 兰德尔主义的法律科学；modernism 现代主义；realism 现实主义
modernism 现代主义，3，8-9，15-28；anxiety 焦虑，24，195；and the

periodization of history or progress 与历史进步的阶段化, 18; 也请看, empiricism 经验主义; individualism 个人主义; late crisis 晚期的危机; modern legal thought 现代法律思想; rationalism 理性主义; transcendentalism 超验主义

Monroe 门罗, James 詹姆斯, 69, 75

Montaigne 蒙田, Michel de 米哈伊·德, 205 注 36

Montesquieu 孟德斯鸠, 64

Moore 穆尔, Underhill 安德黑尔, 110, 113

Mootz 穆兹, Francis J. 弗朗西斯·J, 170, 178

Mueller 穆勒, Addison 艾迪生, 128

mugwumps 骑墙中立派, 84, 225 注 3, 231 注 30

NAACP (National Association for the Advancement of Colored People 全国促进有色人种协会), 121

National Organization for Women 全国妇女组织 (NOW), 140

National Reporter System 全国案例报告系统, 98

Native Americans 土著美国人, 63, 71

natural law 自然法, 49 – 12, 14 – 16, 65, 70, 72 – 74, 93, 96, 99, 106, 148, 150, 188 – 189; American imprecision 美国的不精确性, 11; natural rights after Civil War 南北战争后的自然权利, 101 – 1; and slavery 与奴隶制, 86 – 100; split from natural rights 与自然权利的分野, 86 – 90

natural rights 自然权利。请看, natural law 自然法

Nazism 纳粹主义, 115, 117, 123

neutral principles 中立的原则。请看, legal process 法律程序 (学派)

New Deal 新政, 4, 110, 112, 114, 124; 也请看, realism 现实主义

Nietzsche 尼采, Friedrich 弗里德里希, 27, 167, 207 注 46

Nineteenth Amendment 第 19 修正案, 116

Ninth Amendment 第 9 修正案, 142, 146

Nixon 尼克松, Richard 理查德, 138, 140, 144

noninterpretivism 非解释主义, 149 – 150

nonoriginalism 非原旨主义。请看, noninterpretivism 非解释主义

Norway Plains Co. v. Boston & Maine R. R. Co. 案, 223 注 82

Novick 诺威克, Peter 彼得, 150, 152

O'Connor 奥康娜, Sandra Day 桑德拉·戴, 182

Oliphant 奥里分特, Herman 赫曼, 110

Olsen 奥尔森, Frances E. 弗郎西

丝·E，132
Opposition（Country）ideology 反对派（国家）意识形态。请看，republican government 共和制政府
originalism 原旨主义。请看，interpretivism 解释主义
Orren 奥兰，Karen 克伦，105
Other 他性。请看，deconstruction 解构；outsider jurisprudence 局外人法理学
outsider jurisprudence 局外人法理学，158-163，167-168，173-175，178-179，181-182；tensions with postmodern scholarship 与后现代学术的张力，160-161，182
Paine 佩因，Thomas 托马斯，73-74
paradoxes 自相矛盾。请看，postmodernism 后现代主义；postmodern legal thought 后现代法律思想
Parish 帕里施，Peter, J. 彼得·J，83，90
Parks 帕克斯，Rosa 萝莎，139
Parsons 帕森斯，Theophilus 西奥菲勒斯，53
passive virtues 被动的美德。请看，legal process 法律程序（学派）
pastiche 大杂烩/混杂的风格，180，185
Patterson 派特森，Dennis 丹尼斯，155，170-172，178，251 注 47
Patterson 帕特森，James T. 詹姆斯·T，137
Pennsylvania Constitution of 1776 1776年的《宾夕法尼亚宪法》，62-63
People v. Ruggles 人民诉拉各斯案，73，222 注 70
phenomenology 现象学，28
Phillips 菲利普斯，Wendell 温戴尔，86；也请看，slavery 奴隶制
philosophes 启蒙思想家，203 注 15
philosophical hermeneutics 哲学阐释学，30-38，40-41；and legal scholarship 与法律学术，153，170-171，256 注 81；也请看，Gadamer 伽达默尔，Hans-Georg 汉斯-乔治
Planned Parenthood v. Casey 计划生育协会诉凯西案，182-183，259 注 106
Plato 柏拉图，11-12，54-56，78-82，96，201 注 2
playing with the pieces 摆弄碎片，43，46，180，185-186，195
Plessy v. Ferguson 帕雷西诉弗格森案，125，229 注 22，243 注 105
pluralist political theory 多元化的政治理论，117-118，133，149-150
Poe v. Ullman 坡诉伍尔曼案，141-142，247 注 12
political parties 政党，70，72
Pollak 波莱克，Louis 路易，128
popular sovereignty 人民主权，59-60，66-71，74，89-90，106；也请

看，suffrage 投票权

population 人口（of United States 美国的），67，75；也请看，immigration 移民

Porter 波特，Cole 科尔，185

positivism 实证主义（legal 法律的），90 - 91，93 - 94，96 - 99，106，109

Posner 波斯纳，Richard 理查德，130，157

postmodern interpretivism 后现代解释主义。请看，interpretive turn 解释的转变

postmodern legal thought 后现代法律思想，3 - 4，7 - 10，132，137 - 187，189 - 198；cultural studies 文化研究，167 - 168，193；emergence of postmodern legal thought 后现代法律思想的出现，137 - 162；influencing modernist scholars 影响了现代主义学者，190 - 192；irony 讽刺，180 - 181，181，218 - 219 注 103；paradoxes 自相矛盾，169；and politics 与政治，181 - 186，191 - 192，191 - 196；second - stage postmodern legal thought 第二阶段后现代法律思想，192 - 198；self - reflexivity 自我反映，176 - 180，183，181；and Supreme Court 与最高法院，182 - 186，193 - 196；themes (eight) of postmodern legal thought 后现代法律思想的（8 个）主题，162 - 187；也请看，anti - essentialism 反本质主义；anti - foundationalism 反基础主义；computer - assisted legal research 计算机辅助法律研究；interdisciplinary legal scholarship 交叉学科的法律学术；interpretive turn 解释的转变；outsider jurisprudence 局外人法理学；pastiche 大杂烩/混杂的风格；playing with the pieces 摆弄碎片；postmodernism 后现代主义；power 权力；social construction of the self 自我的社会建构

postmodern policing 后现代警察，163，172

postmodernism 后现代主义，3，8 - 9，28 - 48；and communication technology 与交流技术，29，155 - 157；and human freedom 与人类自由（or liberation 或解放），47；irony 讽刺，43，46；and meta - narratives 元叙事，6，29，39 - 40；paradoxes 自相矛盾，40；and politics 与政治，43 - 44；postmodern subject 后现代的主体（or self 或自我），44 - 41，193；second - stage postmodernism 第二阶段的后现代主义，41 - 48；self - reflexivity 自我反映，42 - 43；themes (eight) of postmodernism 后现代主义的（8 个）主题，38 - 41；也请看，anti - essentialism 反本质主义；anti - foundationalism 反基础主义; cultural studies 文化研究; interdisciplinary scholarship 交叉学科的学术; postmodern legal thought 后现代法律思想; pastiche 大杂烩/混杂的风格; playing with the pieces 摆弄碎片; power 权力; social construction of the self 自我的社会建构

Pound 庞德, Roscoe 罗斯考, 109 – 110

powell 鲍威尔, john a. 约翰·a, 171

Powell 鲍威尔, Lewis F. 刘易斯·F, 144

power 权力, 40, 169 – 170, 190 – 191; and language 与语言, 40 – 41, 170 – 174; social structures 社会结构, 41, 167, 173 – 175, 186, 193, 198

pragmatism 实用主义（philosophical 哲学的）, 113 – 114

predestination 宿命论, 66 – 67

preferred freedoms 优先的自由, 124, 242 注 103

premodern legal thought 前现代法律思想, 3 – 4, 7 – 8, 10, 49 – 82, 188 – 189; cyclical time 循环的时间, 61 – 65, 69; early American treatises 早期的美国专著, 13; eschatological time 末世论的时间, 75; first – stage premodern legal thought 第一阶段的前现代法律思想, 57 – 61; and hier-archical social order 与层级化的社会秩序, 18; instrumentalism 工具主义, 76 – 82, 94; legal science 法律科学, 10, 52 – 57; and Plato's philosophy 与柏拉图的哲学, 54 – 56, 78 – 82, 96, 98; second – stage premodern legal thought 第二阶段前现代法律思想, 74 – 82; 也请看, Bacon 培根, Francis 弗朗西斯; elitism 精英主义; forms of action 诉讼形式; natural law 自然法; premodernism 前现代主义; republican government 共和制政府

premodernism 前现代主义, 3, 8 – 9, 11 – 15; cyclical time 循环的时间, 11 – 12; eschatological time 末世论的时间, 11 – 15; 也请看, premodern legal thought 前现代法律思想

professionalization of law professors 法律教授的专业化。请看, legal education 法律教育

progress 进步。请看, idea of progress 进步的思想

Progressivism 进步主义, 109 – 110, 112, 124

property 财产, 67, 167; transformation of concept 概念的变迁, 77 – 78

Protestant Reformation 新教哀歌, 15 – 18, 22 – 23; 也请看, American Protestantism 美国新教主义; Calvin 加尔文, John 约翰; Luther 路德,

Martin 马丁

public choice theory 公共选择理论, 130

Purcell 普赛尔, Edward 爱德华, 118

Quine 奎因, Willard van Orman 威拉德·冯·奥曼, 155

racial realism 种族现实主义, 174

railroads 铁路, 67, 84

rationalism 理性主义 (first-stage modernism 第一阶段现代主义), 22-24

rationalist legal thought 理性主义法律思想。请看, Langdellian legal science 兰德尔主义的法律科学

Rawls 罗尔斯, John 约翰, 129, 150

reader-response theory 读者反应理论, 153

realism 现实主义, 108-115, 150; after World War II 在第二次世界大战之后, 119-120, 122-123, 129, 133, 240-241 注 94; criticisms of realism 对现实主义的批评, 240 注 94; and New Deal 与新政, 238 注 75; 也请看, Llewellyn 卢埃林, Karl 卡尔

reasoned elaboration 有理由的详细阐述。请看, legal process 法律程序

Reconstruction 重建, 101, 116, 140

Reeve 里夫, Tapping 泰平, 57

Reformed Episcopal Articles of Religion 《改革后的新教圣公会宗教信条》, 66-67

Rehnquist 伦奎斯特, William H. 威廉·H, 42, 144, 147, 182-186, 195, 259-260 注 114

relativist theory of democracy 相对主义的民主理论, 117-119, 122; 也请看, consensus 共识 (social 社会的); pluralist political theory 多元化的政治理论

representation-reinforcement theory 代议强化理论, 135-136, 147, 150, 246 注 128

republican government 共和制政府, 12, 58-65, 72, 116; and Opposition (Country) ideology 与反对派（国家）意识形态, 58; 也请看, civic republicanism 公民共和主义; elitism 精英主义; popular sovereignty 人民主权; premodern legal thought 前现代法律思想

Republicans 共和党人。请看, Jeffersonian Republicans 杰弗逊派共和党人

Restatments 《重述》, 111-112

Revolution 革命。请看, American Revolution 美国独立战争

Reynolds v. Sims 案, 239 注 87

right of privacy 隐私权。请看, Griswold v. Connecticut 格里斯沃德诉康涅狄格州案; Planned Parenthood v. Casey 计划生育协会诉凯西案; Roe v. Wade 罗伊诉韦德案

Rodell 罗戴尔, Fred 弗莱德, 109
Roe v. Wade 罗伊诉韦德案, 8, 141, 144-149, 162, 182-183, 248 注 20, 259 注 106
Roosevelt 罗斯福, Franklin 富兰克林, 110
Root 鲁特, Jesse 杰西, 51
Rorty 罗蒂, Richard 理查德, 152, 167, 250 注 40, 256 注 83
Rosenfeld 罗森菲尔德, Michel 米切尔, 165
Ross 罗斯, David 大卫, 54, 96
Ross 罗斯, Dorothy 多萝西, 99
Rostow 罗斯托, Eugene V. 尤金·V, 119
Roth 罗斯, Philip 飞利浦, 47
Sacks 萨克斯, Albert 阿尔伯特, 120-122, 126-127; 也请看, legal process 法律程序
Sarat 萨拉特, Austin 奥斯丁, 167, 170, 173
Sartre 萨特, Jean-Paul 简·保罗, 131
Savigny 萨维尼, Friedrich Carl von 弗里德里西·卡尔·冯, 105-106
Scalia 斯卡利亚, Antonin 安东尼, 185-186, 195, 261 注 10
Schanck 山克, Peter 彼得, 169
Schlag 施莱格, Pierre 皮尔, 164-165, 174, 176-178, 180-181
Schwartz 斯瓦茨, Murray L. 默里·L, 128
Scientific Revolution 科学革命, 17-18
self-reflexivity 自我反映。请看, postmodernism 后现代主义; postmodern legal thought 后现代法律思想
Sen 森, Amartya 阿玛提亚, 166
Seward 苏华德, William H. 威廉·H, 87
Shaw 萧, Lemuel 莱缪尔, 78-79
Shays' Rebellion 谢伊斯起义, 67, 221 注 55
Sherry 雪莉, Suzanna 苏珊娜, 152
Shuttlesworth 沙透斯沃斯, Fred 弗莱德, 139
Silbey 希尔比, Susan S. 苏珊·S, 175
Slaughterhouse Cases 屠宰场系列案 (*The Slaughterhouse Cases*), 104, 235 注 56
slavery 奴隶制, 71, 86-90, 158-159, 174
Smith 斯密, Adam 亚当, 25, 66, 68, 100
Smith 史密斯, Steven D. 史蒂文·D, 190-192, 198
Smith v. Goguen 史密斯诉郭关案, 184, 259 注 110
social construction of the self 自我的社会建构, 41-42, 174-178
social Darwinism 社会达尔文主义, 90
social engineering 社会工程, 114-

115，239 注 84

social sciences 社会科学，109 – 110，113 – 114；job shortage in 社会科学学科中的工作职位短缺，150

sociological jurisprudence 法律社会学，108 – 109，112，239 注 84

Souter 苏特，David 大卫，182，185

Southern Christian Leadership Conference 南方基督教领袖大会（SCLC），139

Spinoza 斯宾诺莎，Benedictus 本尼迪克特斯，23

Stanford Law School 斯坦福法学院，132

State v. Post 案，222 注 65

Stefancic 斯蒂芬凯克，Jean 简，155 – 156，167，169，174，251 注 48

Stephens 斯蒂芬斯，Alexander H. 亚历山大·H，89

Stewart 斯图尔特，Potter 波特，143

Stoics 斯多葛学派学者，202 注 5

Stone 斯通，Harlan F. 哈兰·F，124

Story 斯托里，Joseph 约瑟夫，5，50，52，54 – 55，75 – 76，78，81 – 82，224 注 90

storytelling 讲故事，159 – 160

structuralism 结构主义，28；也请看，power 权力

Student Nonviolent Coordinating Committee 学生非暴力协调委员会（SNCC），139

suffrage 选举权，69 – 71，116；voting as irrational 投票作为非理性行为，166

Sumner 萨姆纳，Charles 查尔斯，88

Sunstein，Cass，261 注 8

Supreme Court 最高法院，in relation to legal scholars 与法律学者的关系，194；也请看，Cooley 库利，Thomas M. 托马斯·M；postmodern legal thought 后现代法律思想

Swift 斯威夫特，Zephaniah 西番雅，52，63 – 64，220 注 48 – 49

Swift v. Tyson 斯威夫特诉泰森案，81，217 注 23

Taney 陶尼，Roger 罗杰·B，77

Tappan 塔潘，David 大卫，62

television 电视，29，44，118，123，168，180 – 181

Terrett v. Taylor 案，217 注 24

Texas v. Johnson 得克萨斯诉约翰逊案，183 – 184，259 注 108；也请看，Flag Protection Act《国旗保护法案》

text – analogue 类文本，208 注 56

Textile Workers Union v. Lincoln Mills，242 注 99

Third Amendment 第 3 修正案，142

Thomas 托马斯，Kendall 肯德尔，169，173

Thucydides 修昔底德，12

Tiedeman 梯德曼，Christopher G. 克

里斯托弗·G，102–106，234 注 53，235 注 54

Tocqueville 托克维尔，Alexis de 亚历克西斯·德，4，66，68–69，72，76

toolbox 工具箱，lawyer's 律师的，190–191

totalitarianism 极权主义，115–117

Toulmin 托尔闵，Stephen 史蒂芬，94

transcendental legal thought 超验的法律思想。请看，legal process 法律程序

transcendental nonsense 超验的费话，111

transcendentalism 超验主义（third-stage modernism 第三阶段现代主义），26

Tucker 塔克，St. George 圣·乔治，52，63，74

Tushnet 塔什奈特，Mark V. 马克·V，132，145

Twenty-fourth Amendment 第 24 修正案，116

Twenty-sixth Amendment 第 26 修正案，116

Unger 昂戈尔，Roberto 罗伯托，149

United States v. Carolene Products 美国诉卡罗琳产品案，124，242 注 103

United States v. Eichman, 259 注 108

United States v. Virginia 案，259 注 112，259–260 注 114

universities 大学，91–93

University of Chicago Law School 芝加哥大学法学院，234 注 51

University of Michigan 密歇根大学，150

utilitarianism 功利主义，65，76–82

Van Buren 范·布伦，Martin 马丁，70

Vietnam War 越南战争，130，132，137–138

Vinson 文森，Fred M. 弗莱德·M，125

Virginia Bill of Rights《弗吉尼亚权利法案》，58–59

Voegelin, Eric, 204 注 21，205 注 36

voting 投票。请看，suffrage 投票权

Voting Rights Act of 1965 1965 年的《投票权法案》，116，239 注 87

War of 1812 1812 年战争，67–68

Warren Court 沃伦法院，126–129，133，141，144，149；也请看，Warren 沃伦，Earl 厄尔

Warren 沃伦，Earl 厄尔，125–126，127，141，143，147；也请看，Warren Court 沃伦法院

Washington 华盛顿，George 乔治，59–60，68

Washington v. Glucksberg 华盛顿诉格拉科斯堡案，185，259 注 112

Wasserstrom 沃瑟斯特沃姆，Richard 理查德，133

Watergate Affair 水门事件，138，158

Weber 韦伯，Max 马科斯，3，131，

203 注 17，19，230 注 29

Wechsler 韦斯勒，Herbert 赫伯特，121，127 - 128，134

Weld 魏尔德，Theodore Dwight 西奥多·德怀特，88

Wellington 威灵顿，Harry 哈里，126

West Coast Hotel Co. v. Parrish 案，242 注 103

West Publishing Company 西方出版公司，98，155 - 156

West 韦斯特，Robin 罗宾，160

West Virginia State Board of Education v. Barnette 案，242 注 103

White 怀特，Byron R. 拜伦·R，143，147

White 怀特，G. Edward G·爱德华，81

White 怀特，James Boyd 詹姆斯·伯埃德，150

Whittier 惠蒂尔，John Greenleaf 约翰·格林利夫，184

Williams 威廉姆斯，Joan 琼，162

Williams 威廉姆斯，Patricia J. 帕特里西娅·J，159

Williams 威廉姆斯，Wendy 温蒂，160

Williston 威利斯顿，Samuel 塞缪尔，95

Wilson 威尔逊，James 詹姆斯，4 - 5，49，52 - 53，65，214 注 3，220 注 46，220 注 50

Wittgenstein 维特根斯坦，Ludwig 路德维格，155，167，170 - 172

women 女性/妇女，67，71，145 - 148，158；as lawyers and law 作为律师和法律教授，231 注 29，241 注 94；suffrage 投票权，116；women's movement 妇女运动，29，140，158；也请看，feminist jurisprudence 女权主义法理学；outsider jurisprudence 局外人法理学

Wonderbread 万德面包，196 - 198

Wood 伍德，Gordon 戈登，59，68，84

World War II 第二次世界大战，6，116 - 119，122 - 124

Wythe 威思，George 乔治，50

Yale Law School 耶鲁法学院，147

Yntema 因特玛，Hessel 黑瑟尔，110

图书在版编目(CIP)数据

从前现代主义到后现代主义的美国法律思想／(美)菲尔德曼著；李国庆译．—北京：中国政法大学出版社，2005.12
(美国法律文库)
ISBN 7-5620-2841-9

Ⅰ.从... Ⅱ.①菲...②李... Ⅲ.法律-思想史-研究-美国 Ⅳ.D909.712

中国版本图书馆 CIP 数据核字(2005)第 158952 号

书　　名	从前现代主义到后现代主义的美国法律思想
	——一次思想航行
出 版 人	李传敢
经　　销	全国各地新华书店
出版发行	中国政法大学出版社
承　　印	固安华明印刷厂
开　　本	880×1230　1/32
印　　张	12.375
字　　数	320 千字
印　　数	0 001-5 000
版　　本	2005 年 12 月第 1 版　　2005 年 12 月第 1 次印刷
书　　号	ISBN 7-5620-2841-9/D·2801
定　　价	28.00 元
社　　址	北京市海淀区西土城路 25 号　　邮政编码 100088
电　　话	(010)58908325(发行部)　58908335(储运部)
	58908285(总编室)　58908334(邮购部)
电子信箱	zf5620@263.net
网　　址	http://www.cuplpress.com(网络实名:中国政法大学出版社)
声　　明	1. 版权所有,侵权必究。
	2. 如发现缺页、倒装问题,请与出版社联系调换。

本社法律顾问　北京地平线律师事务所